EL
CANTO
DE LA
ALONDRA

EL
CANTO
DE LA
ALONDRA

SEBASTIAN FAULKS

TRADUCCIÓN:
VALERIA WATSON

EDITORIAL ATLANTIDA
BUENOS AIRES • MEXICO

Adaptación de tapa: Pablo J. Rey

Título original: BIRDSONG
Copyright © 1993 by Sebastian Faulks
Copyrigth © Editorial Atlántida, 1997.
Derechos reservados. Primera edición publicada por
EDITORIAL ATLÁNTIDA S.A., Azopardo 579, Buenos Aires, Argentina.
Hecho el depósito que marca la Ley 11.723.
Libro de edición argentina.
Impreso en España. Printed in Spain. Esta edición se terminó de imprimir
en el mes de julio de 1997 en los talleres gráficos
Rivadeneyra S.A., Madrid, España.

I.S.B.N. 950-08-1767-5

PARA EDWARD

"Cuando me retire de aquí, permitid que éstas sean mis palabras de despedida, lo que he visto es insuperable."

—RABINDRANATH TAGORE, *GITANJALI*

PRIMERA PARTE

Francia, 1910

El bulevar du Cange era una calle ancha y tranquila que marcaba el límite este de la ciudad de Amiens. Las carretas que entraban de Lille y de Arras hacia el norte, se encaminaban directamente hacia los molinos y curtiembres del barrio de Saint Leu sin necesidad de utilizar esa avenida arbolada. El lado del bulevar que daba a la ciudad estaba dividido en importantes jardines encuadrados con cívica precisión a las casas a las que pertenecían. Sobre el pasto húmedo se levantaban castaños, lilas y sauces, cultivados para que proporcionaran sombra y silencio a sus propietarios. Los jardines tenían aspecto salvaje, con el pasto demasiado crecido. Los parques profundos y los anchos cercos ocultaban pequeños claros, tranquilos estanques y zonas ni siquiera visitadas por los habitantes de la casa, donde manchones de pasto y de flores silvestres se esparcían bajo las ramas de los árboles.

Detrás de los jardines, el río Somme se abría en pequeños canales que constituían el rasgo pintoresco de Saint Leu; en el lado opuesto del bulevar los canales formaban pequeñas islas húmedas y fértiles. Los domingos por la tarde, largos botes sin quilla, impulsados por postes conducían por allí a los habitantes de la ciudad. En las orillas del río y de sus arroyos, se instalaban pescadores tras sus cañas; vestían sombreros y sacos los que pescaban debajo de la catedral y en cambio los de la zona de las islas, en mangas de camisa, hundían sus líneas con la esperanza de pescar truchas o carpas.

Vista desde el camino, la casa de la familia Azaire tenía un frente fuerte y formal tras rejas de hierro. Aquellos que bajaban hacia el río, no podían abrigar dudas de que ésa era la propiedad de un hombre pudiente. El techo de pizarra se inclinaba en ángulos para cubrir la forma irregular de la casa. Bajo uno de ellos, una ventana de gablete miraba hacia el bulevar. La planta baja estaba dominada por un balcón de piedra sobre cuyas balaustradas una hiedra roja se abría camino hacia el techo. La puerta de entrada era imponente, con detalles de hierro en la madera.

Por dentro, la casa era a la vez más pequeña y más amplia de lo que parecía. No poseía salones de intimidante grandeza, ni doradas salas de baile con arañas de cristal, sin embargo contaba con inesperados espacios y corredores que revelaban nuevos rincones con escalinatas que llevaban a los jardines; y pequeños salones equipados con escritorios y con sillas tapizadas que se abrían hacia adentro desde pasillos insospechados. Aún desde el extremo del jardín, resultaba difícil comprender la ubicación de las habitaciones y los corredores dentro de los plácidos rectángulos de piedra. A lo largo de todo el edificio, los pisos emitían ruidos distintivos bajo los pies de quienes los recorrían, de modo tal que con sus ángulos cerrados y con su aire repleto de ecos, la casa era siempre un lugar de pasos invisibles.

El baúl de metal de Stephen Wraysford había sido enviado antes que él y lo esperaba al pie de la cama. Stephen desempacó su ropa y colgó el traje de repuesto en el gigantesco ropero tallado. Bajo la ventana había un bol esmaltado y un perchero de madera para toallas. Stephen tuvo que ponerse en puntas de pie para mirar el bulevar en cuya vereda opuesta esperaba un coche de alquiler cuyo caballo sacudía los arneses y levantaba la cabeza para tratar de comer las ramas de un limonero. Luego Stephen probó la cama y se tendió en ella, apoyando la cabeza sobre la almohada cubierta por una colcha. La habitación era sencilla pero estaba decorada con cierto cuidado. Sobre la mesa había un jarrón con flores silvestres y a ambos lados de la puerta un par de cuadros de escenas callejeras de Honfleur.

Era una tarde de un sol primaveral que se alzaba en el cielo más allá de la catedral y desde ambos lados de la casa se oía el gorjeo de los mirlos. Stephen se aseó en forma mecánica y trató de alisarse el pelo negro ante el espejo pequeño. Colocó media docena de cigarrillos dentro de una cigarrera de metal que metió en un bolsillo de la chaqueta. Vació sus bolsillos retirando todo lo que ya no le haría falta: boletos de ferrocarril, un anotador con tapas de cuero azul, y un cortaplumas con una única hoja escrupulosamente afilada.

Bajó a comer, sobresaltado por el sonido de sus pasos sobre las dos escaleras que lo condujeron al rellano del primer piso donde estaban los dormitorios de la familia, y luego al vestíbulo de entrada. El saco y el chaleco le daban calor. Permaneció un instante quieto y desorientado, sin saber cuál de las cuatro puertas con paneles de vidrio que se abrían al vestíbulo sería la que se suponía debía cruzar. Al abrir una de ellas, se encontró en una cocina llena de vapor en la que una mucama cargaba platos sobre una bandeja.

—Por aquí, Monsieur —indicó la muchacha pasando a su lado—. La comida está servida.

En el comedor, la familia ya estaba sentada. Madame Azaire se puso de pie.

—¡Ah, Monsieur! Éste es su asiento.

Azaire susurró una presentación, de la que Stephen sólo llegó a comprender las palabras "mi esposa". Tomó la mano de la señora de la casa e inclinó brevemente la cabeza. Desde el otro lado de la mesa lo miraban fijo dos chicos.

—Lisette —dijo Madame Azaire, señalando a la chica de alrededor de dieciséis años, de pelo oscuro atado con una cinta, que sonrió con afectación y le tendió la mano—, y éste es Grégoire. —Se trataba de un chico de más o menos diez años cuya cabeza pequeña era apenas visible por sobre la mesa bajo la que él balanceaba vigorosamente las piernas hacia atrás y hacia adelante.

La mucama esperaba junto a Stephen con una sopera. Al servirse un cucharón en el plato, Stephen percibió el aroma de una hierba que no le resultaba familiar. Bajo los verdes círculos concéntricos que giraban, la sopa había sido espesada con papas.

Azaire ya había terminado la suya y golpeaba el cuchillo con ritmo persistente contra el apoya cubiertos. Stephen le dirigió una mirada inquisitiva mientras bebía una cucharada de sopa.

—¿Qué edad tienes? —preguntó el chico.

—¡Grégoire!

—No tiene importancia —dijo Stephen, dirigiéndose a Madame Azaire—. Tengo veinte años.

—¿Bebe vino? —preguntó Azaire, mientras esgrimía una botella sobre la copa de Stephen.

—Sí, gracias.

Azaire le sirvió un par de centímetros y otro tanto a su mujer antes de volver a colocar la botella en su lugar.

—Bueno, ¿qué sabe sobre el negocio textil? —preguntó Azaire. Sólo tenía cuarenta años, pero representaba diez más. El suyo era uno de esos cuerpos que ni se endurecería ni se ablandaría con la edad. En sus ojos brillaba una expresión alerta, carente de humor.

—Muy poco —contestó Stephen—. He trabajado en el gremio textil durante casi cuatro años, pero me he encargado sobre todo de la parte financiera del negocio. Mi empleador desea que comprenda mejor el proceso de manufactura.

Mientras la mucama retiraba los platos, Azaire comenzó a hablar de la industria local y de las dificultades que él tenía con sus obreros. Era dueño de una fábrica ubicada en la ciudad y de otra a pocos kilómetros de distancia.

—La organización de los obreros en sus sindicatos me ha dejado muy poco espacio para maniobrar. Ellos se quejan de estar perdiendo sus trabajos porque hemos introducido máquinas, pero si no logramos enfrentar a nuestros competidores de España y de Inglaterra, no nos queda esperanza alguna.

La mucama entró con una fuente de carne cortada en tajadas bañadas en una salsa liviana que colocó frente a Madame Azaire. Lisette comenzó a contar la historia de su día en el colegio. Mientras hablaba, movía la cabeza y lanzaba risitas. La historia se refería a la broma que una de sus compañeras le hizo a otra, pero en la manera de narrarla de Lisette había otras implicancias. Era como si reconociera la naturaleza infantil de lo sucedido y quisiera intimidar a Stephen y a sus padres, convenciéndolos de que ella ya era demasiado crecida para ese tipo de cosas. Pero parecía insegura acerca de sus propios intereses y gustos; tartamudeó un poco antes de dejar la historia inconclusa y volverse a increpar a su hermano por reírse de ella.

Stephen la observaba hablar y le estudiaba el rostro con sus ojos oscuros. Azaire ignoró a su hija, se sirvió ensalada y luego le pasó la fuente a su mujer. Limpió con un trozo de pan el borde del plato donde quedaban restos de salsa.

Madame Azaire no había mirado de frente a Stephen. Él, a su vez, evitaba los ojos de la dueña de casa, como si esperara que le hablara, pero en su visión periférica alcanzaba a percibir el hermoso pelo castaño rojizo que la mujer llevaba peinado hacia atrás, lejos del rostro. Lucía una blusa de encaje blanco y una piedra de un colorado oscuro en el cuello.

En el momento en que terminaban de comer, se oyó el timbre de la puerta de calle y enseguida el sonido de una voz de hombre.

Azaire sonrió por primera vez

—¡El bueno de Bérard! Puntual como siempre.

—Monsieur y Madame Bérard —anunció la mucama abriendo la puerta del comedor.

—¡Buenas noches, Azaire! Madame, encantado. —Bérard un hombre robusto de pelo canoso y de alrededor de cincuenta años, besó la mano de Madame Azaire. La esposa, casi tan robusta como él, aunque con una espesa cabellera que llevaba peinada en alto, estrechó manos y besó a los niños en las mejillas.

—Lo siento, pero cuando René nos presentó, no alcancé a oir bien su nombre —le dijo Bérard a Stephen.

Mientras Stephen lo repetía y se lo deletreaba, se les indicó a los chicos que se retiraran y en sus lugares se instalaron los Bérard.

Azaire parecía rejuvenecido por la llegada de sus amigos.

—¿Un coñac, Bérard? ¿Y una pequeña tisana para usted, Madame? Por favor Isabelle, toca el timbre para que también nos sirvan el café. Bueno, entonces...

—Ante todo —dijo Bérard, levantando una mano regordeta—, tengo malas noticias. Los tintoreros han declarado una huelga a partir de mañana. Esta tarde a las cinco, los dirigentes del sindicato se reunieron con los representantes de los empleadores y llegaron a esa decisión.

Azaire lanzó un bufido.

—Creí que la reunión era mañana.

—Pero la adelantaron para hoy. No me resulta agradable traerle malas noticias, mi querido René, pero creo que no me hubiera agradecido tener que enterarse de ello mañana por boca de su capataz. Por lo menos supongo que no afectará su fábrica de inmediato.

En realidad daba la impresión de que Bérard disfrutaba de poder dar la mala noticia. Su rostro expresaba una tranquila satisfacción ante la importancia que eso le confería. Madame Bérard miró a su marido con admiración.

Azaire continuaba maldiciendo a los obreros y preguntando cómo creían que conseguiría mantener sus fábricas en funcionamiento. Stephen y las mujeres se abstenían de opinar y, después de haber dado la noticia, Bérard no parecía tener nada más que decir acerca del asunto.

—Así es —dijo, cuando consideró que Azaire se había desahogado bastante—, una huelga de tintoreros. Así es el asunto

Esa frase fue tomada por todos, incluyendo a Azaire, como el punto final del tema.

—¿En qué viajó? —preguntó Bérard.

—En tren —contestó Stephen, suponiendo que la pregunta le estaba dirigida—. Fue un largo viaje.

—¡Ahh, los trenes! —exclamó Bérard—. ¡Qué sistema! Aquí tenemos una cantidad de conexiones y de empalmes. Trenes a París, a Lille, a Boulogne... Dígame, ¿en Inglaterra hay trenes?

—Sí.

—¿Desde cuándo?

—Déjeme pensar... Desde hace alrededor de setenta años.

—Pero creo que en Inglaterra tienen problemas.

—No estoy seguro. Yo no conozco ninguno.

Bérard sonrió feliz mientras bebía su coñac.

—¿Qué me dicen? Así que ahora tenemos trenes en Inglaterra.

El curso de la conversación dependía de Bérard; él consideraba que era su deber actuar como conductor, hacer resonar las distintas voces y luego sintetizar lo que se acababa de decir.

—Y en Inglaterra ustedes todos los días comen carne a la hora del desayuno —dijo

—Creo que la mayoría de las personas lo hacen —contestó Stephen.

¡Imaginen, la carne asada de la querida señora Azaire todos los días a la hora del desayuno! —dijo Bérard, como invitando a hablar a la dueña de casa.

Ella declinó la invitación pero murmuró algo acerca de la necesidad de abrir una ventana.

—Tal vez algún día nosotros haremos lo mismo, ¿eh, René?

—Oh, lo dudo, lo dudo —contestó Azaire—. A menos que algún día también tengamos la niebla de Londres.

—¡Ah! Y la lluvia —rió Bérard—. Creo que de seis días de la semana, llueven cinco. —Volvió a mirar a Stephen.

—Sin embargo leí en un diario que el año pasado en Londres llovió un poco menos que en París...

—Cinco días cada seis —repitió Bérard con una sonrisa radiante—. ¿Imaginan lo que debe ser?

—Papá no tolera la lluvia —le informó Madame Bérard a Stephen.

—¿Y cómo ha pasado este hermoso día de primavera, querida Madame? —preguntó Bérard invitando nuevamente a la dueña de casa a participar de la conversación. Esa vez tuvo éxito y Madame Azaire, por educación o por entusiasmo, se dirigió directamente a él.

—Esta mañana salí a hacer algunos mandados a la ciudad. Cerca de la catedral había una ventana abierta y alguien tocaba el piano. —La voz de Madame Azaire era fría y baja. Dedicó algún tiempo a describir lo que había oído. —Me pareció una belleza —concluyó—, pese a que eran sólo unas pocas notas. Tuve ganas de detenerme y golpear la puerta de la casa y preguntarle al que tocaba cómo se llamaba la melodía.

Monsieur y Madame Bérard parecían sobresaltados. Sin duda no era el tipo de comentario que esperaban. Azaire habló con el tono de quien está acostumbrado a tan inesperadas fantasías.

—¿Y qué melodía era, mi querida?

No lo sé. Nunca la había oído. Era una melodía parecida a las de... Chopin o Beethoven.

—Si usted no la reconoció, Madame, dudo que haya sido de Beethoven —dijo Bérard con galantería—. Apuesto cualquier cosa a que debe haber sido una de esas canciones folklóricas.

—No fue lo que me pareció —contestó Madame Azaire.

—Me resultan intolerables esas canciones folklóricas de las que uno oye hablar tanto hoy en día —continuó diciendo Bérard—. En mi juventud era distinto. —Rió. —Pero hoy prefiero mil veces una melodía correcta que haya sido escrita por algunos de nuestros grandes compositores. Una canción de Schubert o un nocturno de Chopin ponen los pelos de punta. La función de la música es liberar dentro del alma aquellos sentimientos que por lo general mantenernos encerrados en el corazón. Los grandes compositores del pasado eran capaces de hacerlo, pero los músicos actuales se conforman con escribir cuatro notas en hilera con tal de poder vender una hoja de música en cualquier esquina. Los genios no encuentran el reconocimiento con tanta facilidad, mi querida Madame Azaire.

Stephen notó que Madame Azaire volvía la cabeza con lentitud hasta que su mirada se encontró con la de Monsieur Bérard. Notó que abría los ojos muy grandes mientras los clavaba en la cara sonriente y transpirada de Bérard. En ese momento, Stephen se preguntó cómo era posible que fuese la madre de la muchacha y del chico que acababan de comer con ellos.

—Creo que debo abrir esa ventana —dijo ella mientras se ponía de pie con un susurro de su pollera de seda.

—¿Y usted también es afecto a la música, Azaire? —preguntó Bérard—. Es una gran cosa que haya música en una casa donde hay niños. Madame Bérard y yo siempre solíamos alentar a nuestros hijos para que cantaran.

Mientras Bérard seguía hablando sin cesar, la mente de Stephen era un torbellino. Había algo magnífico en la manera en que Madame Azaire acababa de hacer a un lado a ese hombre absurdo. Pese a que Bérard no era más que un fanfarrón de ciudad chica, era evidente que estaba acostumbrado a salirse siempre con la suya.

—He disfrutado de veladas en la sala de conciertos —contestó Azaire con modestia—, pero no me animaría a calificarme como un "amante de la música". Yo simplemente…

—¡Tonterías! La música es una forma democrática de arte. Uno no necesita dinero para comprarla ni una educación especial para estudiarla. Lo único que hace falta es un par de éstas —Bérard se tomó las grandes orejas rosadas y las sacudió. —Un par de orejas. El regalo que Dios nos hace al nacer. No debe sentir timidez por sus preferencias, Azaire. La falsa modestia sólo conduce al triunfo del gusto inferior. —Bérard se echó atrás en la silla y miró hacia la ahora abierta ventana. La corriente de aire parecía estropear su gozo por el epigrama cuya invención acababa de simular. —Pero perdóneme René por haberlo interrumpido —agregó.

Azaire estaba ocupado llenando de tabaco su negra pipa mientras chupaba ruidosamente para comprobar si tiraba. Cuando terminó de hacerlo a su satisfacción, prendió un fósforo y por un instante una espiral azulada de humo le rodeó la cabeza calva. En el silencio que se produjo antes de que tuviera tiempo de contestarle a su amigo, se oyeron cantar los pájaros en el jardín.

—Canciones patrióticas —dijo por fin Azaire—. Me gustan de una manera particular. El sonido de las bandas que las interpretan y el de un millar de voces que se alzaban para cantar la Marsellesa cuando el ejército partió a luchar contra los prusianos. ¡Qué día debe haber sido ése!

—Pero si me perdona —dijo Bérard—, ése es el ejemplo de la música cuando se la utiliza para un propósito determinado: para infundir valor en los corazones de nuestros soldados. Cuando cualquier arte se utiliza para fines prácticos, pierde su pureza esencial. ¿No tengo razón, Madame Azaire?

—Me atrevo a decir que la tiene, señor. ¿Y qué piensa Monsieur Wraysford?

Sobresaltado, Stephen miró a Madame Azaire y por primera vez los ojos de ambos se encontraron.

—No tengo una opinión formada en ese sentido, Madame —dijo, haciendo un esfuerzo por recobrar su compostura—, pero creo que si una canción es capaz de emocionar, es necesario valorarla.

De repente Bérard extendió una mano.

—Un poquito de coñac, por favor, Azaire. Gracias. Haré algo en lo que me arriesgo a quedar como un tonto y a ganarme la antipatía de todos ustedes.

Madame Bérard rió con incredulidad.

—Voy a cantar. Sí, no tiene sentido que intenten disuadirme. Voy a entonar una pequeña canción que era popular durante mi infancia y les aseguro que de eso hace mucho tiempo.

Lo que sorprendió a su auditorio fue la velocidad con que Bérard, luego de hacer su anuncio, se lanzó a cantar. En un instante estaban enfrascados en una conversación formal de sobremesa y, al instante siguiente quedaban convertidos en un público indefenso mientras Bérard se inclinaba hacia adelante en la silla, con los codos apoyados sobre la mesa, y comenzaba a cantar con gorjeos de barítono.

Fijó la vista en Madame Azaire que estaba sentada frente a él. Incapaz de mantenerle la mirada, ella clavó la suya en su plato. Pero la incomodidad de la dueña de casa no afectó a Bérard. Azaire jugueteaba con su pipa y Stephen estudiaba la pared por sobre la cabeza de Bérard. Madame Bérard observaba con orgullosa sonrisa el regalo de la canción que su marido hacía a la dueña de casa. Madame Azaire se puso colorada y se movió incómoda en su silla, bajo la mirada impertérrita del cantante.

Las papadas de Bérard se estremecían mientras él movía la cabeza para enfatizar una parte emotiva de la canción. Era una balada sentimental acerca de las distintas etapas de la vida de un hombre. El coro rezaba: "Pero entonces yo era joven y las hojas, verdes/Ahora el trigo ha sido trillado y el barquito ha salido a navegar".

Al llegar al final de cada refrán, Bérard hacía una pausa dramática y Stephen se animaba a dirigirle una mirada fugaz para constatar si había terminado. Durante un instante reinaba un silencio total en el caluroso comedor, pero enseguida seguía otra profunda inhalación y luego comenzaba el verso siguiente.

"...Un día los jóvenes regresaron de la guerra,
El trigo estaba alto y nuestras novias nos esperaban..."

Bérard movía la cabeza mientras cantaba y alzaba la voz a medida que la canción lo emocionaba, pero mantenía los ojos inyectados en sangre clavados en Madame Azaire. Ella se esforzaba por mantener la compostura, pero se puso tensa ante la intimidad de la atención que le prestaba su visitante.

"...Y el barquito se alejó navegando."

—Ahí tienen —dijo Bérard llegando a un fin abrupto de la canción—. Les advertí que haría el papel de tonto.

Todos los demás protestaron diciendo que, por el contrario, la canción les había parecido magnífica.

—Papá tiene una voz hermosa —afirmó Madame Bérard, sofocada de orgullo.

El rostro de Madame Azaire también estaba sonrosado, aunque no por el mismo motivo. Azaire se mostraba falsamente jovial y Stephen sintió que le corría una gota de transpiración por el cuello. El único que no parecía molesto era el mismo Bérard.

—Y ahora, Azaire, ¿qué me dice de una partida de cartas? ¿A qué jugaremos?

—Excúsame, René —dijo Madame Azaire—, tengo un leve dolor de cabeza. Creo que iré a recostarme. Tal vez Monsieur Wraysford quiera tomar mi lugar.

Stephen se puso de pie al ver que Madame Azaire se levantaba. Hubo protestas y preguntas ansiosas por parte del matrimonio Bérard a las que Madame Azaire quitó importancia con una sonrisa, mientras les aseguraba que se encontraba perfectamente bien. Bérard le besó la mano y Madame Bérard hizo lo propio con la mejilla de la dueña de casa que todavía conservaba un color algo subido. Cuando Madame Azaire se volvió hacia la puerta, Stephen notó que tenía algunas pecas en el brazo. Era una figura alta e imponente que lucía una pollera colorada que arrastraba por el piso del vestíbulo.

—Les propongo que vayamos a la sala de estar —dijo Azaire—. Monsieur, confío en que se nos unirá para que podamos jugar nuestra partida de cartas.

—Sí, por supuesto —contestó Stephen, forzando una sonrisa de aquiescencia

—¡Pobre Madame Azaire! —exclamó Madame Bérard en cuanto se instalaron frente a la mesa de juego—. Espero que no se haya resfriado.

Azaire lanzó una carcajada.

—No, no. Sólo son sus nervios. No deben darle ninguna importancia al asunto.

—¡Que criatura tan delicada! —murmuró Bérard—. Creo que usted da, Azaire.

—Sin embargo un dolor de cabeza puede significar el principio de una fiebre —dijo Madame Bérard.

—Madame —contestó Azaire—, le aseguro que Isabelle no tiene fiebre. Es una mujer de temperamento nervioso. Sufre de dolores de cabeza y de una serie de males menores. Pero no significan nada. Créanme, porque he aprendido a conocerla muy bien y a vivir con sus pequeños problemas. —Dirigió a Bérard una mirada de complicidad y éste lanzó una risita. —Usted es afortunado al tener una constitución tan robusta.

—¿Ella siempre ha sufrido de dolores de cabeza? —insistió Madame Bérard.

Azaire estiró los labios en una especie de sonrisa.

—Es un pequeño precio que uno debe pagar. Le toca jugar a usted, Monsieur.

—¿Qué? —Stephen bajó la vista para mirar sus cartas. —Lo siento. No me estaba concentrando. —Estaba distraído observando la sonrisa de Azaire y preguntándose qué significado tendría.

Mientras descartaban sobre la mesa con rapidez y seguridad, Bérard le hablaba a Azaire de la huelga.

Stephen hizo un esfuerzo por concentrarse en el juego y por iniciar alguna clase de conversación con Madame Bérard. Ella parecía indiferente a sus atenciones, aunque el rostro se le iluminaba cada vez que su marido le hablaba.

21

—Lo que les hace falta a esos huelguistas —dijo Azaire—, es que alguien les haga frente. Yo no estoy dispuesto a permitir que mi negocio sufra a causa de las exigencias excesivas de unos holgazanes. Algún industrial debe tener la fuerza necesaria para oponérseles y para hacerlos fracasar en sus intentos.

—Me temo que en ese caso se producirían actos de violencia. El populacho se alborotaría.

—No si no tienen alimentos en sus estómagos.

—No sé si sería prudente que un consejero comunal como usted, René, se viera envuelto en una disputa de esa clase.

Bérard tomó el mazo de cartas para mezclarlo; sus dedos regordetes movían las cartas con destreza. Una vez que terminó de repartirlas, se echó atrás en la silla y encendió un cigarro mientras se cubría con habilidad el vientre con el chaleco.

Entró la mucama a preguntar si necesitaban algo más. Stephen ahogó un bostezo. Había estado viajando desde el día anterior y lo atraía la idea de refugiarse en su modesto cuarto con las sábanas almidonadas y su vista al bulevar.

—No, gracias —contestó Azaire—. Pero le pido por favor que antes de ir a acostarse vaya a la habitación de Madame Azaire para decirle que más tarde pasaré por allí para saber como se encuentra.

Durante un instante, Stephen tuvo la impresión de haber visto otra mirada de complicidad entre los dos hombres, pero cuando miró a Bérard lo vio enfrascado en el abanico de cartas que tenía en la mano.

Stephen se despidió de los visitantes cuando ellos por fin se pusieron de pie para retirarse. Permaneció parado junto a la ventana de la sala de estar, observándolos a la luz de la lámpara del porche. Bérard se puso un sombrero de copa, como si fuese un noble camino a su casa luego de haber asistido a la ópera. Madame Bérard, el rostro resplandeciente, se envolvió en una capa y lo tomó del brazo. Azaire se inclinó hasta la cintura y les habló en lo que parecía un susurro urgente.

Afuera había comenzado a llover, y las gotas aflojaban la tierra de los costados del camino y resonaban sobre las hojas. La llovizna formó una película grasosa sobre el vidrio de la ventana de la sala de estar y luego gotas más grandes comenzaron a deslizarse por los vidrios. Detrás de la ventana, el rostro pálido de Stephen era visible mientras observaba la partida de los invitados: una figura alta, con las manos metidas en los bolsillos, los ojos pacientes e intensos, la postura del cuerpo de una juvenil indiferencia cultivada a fuerza de voluntad y de necesidad. Era uno de esos rostros ante los que la gente reacciona con cautela, sin saber si la expresión ambivalente terminará desembocando en la pasión o en la aquiescencia.

Una vez en su cuarto, Stephen escuchó los sonidos de la noche. En la parte de atrás de la casa, una persiana suelta giraba con lentitud sobre sus goznes y golpeaba contra una pared. En alguna parte del jardín, allí donde el parque terminaba en potrero, había una lechuza. También resonaba el silbido irregular del agua dentro de las angostas cañerías.

Stephen se sentó frente al escritorio bajo la ventana y abrió un anotador cuyas páginas tenían los renglones marcados con gruesas líneas azules. Estaba cubierto a medias con una escritura que se extendía sobre las líneas en un enjambre que nacía en el margen colorado de la izquierda. A intervalos se veían fechas en el texto, aunque entre una fecha y otra hubiese diferencia de días y hasta de semanas.

Hacía cinco años que Stephen llevaba esa especie de diario, por sugerencia de un profesor de gramática. Las horas de estudio de griego y de latín le habían proporcionado un no deseado pero conveniente conocimiento de las lenguas que utilizaba como base de una especie de código. Cuando el tema era importante, cambiaba el sexo de los personajes y anotaba sus actos o las respuestas que él mismo daba en frases que no podían tener ningún significado para un lector casual.

Mientras escribía, rió por lo bajo. Esa necesidad de secreto era algo que había debido cultivar para sobreponerse a una natural manera de ser extrovertida y a un genio rápido. A los diez u once años, su inútil entusiasmo y su ultrajada idea del bien y del mal lo convirtieron en la desesperación de sus maestros, pero poco a poco aprendió a respirar hondo y a mantener la calma, a no confiar en sus respuestas, sino a esperar y a ser atento.

Después de soltarse los puños, apoyó la cara entre las manos y observó la blanca pared que tenía delante. Entonces escuchó un ruido que esa vez no era la persiana ni el sonido del agua en las cañerías, sino algo más agudo, más humano. Volvió a oírlo y cruzó la habitación para escuchar. Abrió la puerta que daba al rellano y salió con suavidad, recordando la forma en que sus pasos resonaron un rato antes. Estaba casi seguro de que lo que acababa de oír era la voz de una mujer y que provenía del piso de abajo.

Se sacó los zapatos, los metió con suavidad dentro de su dormitorio y comenzó a deslizarse hacia abajo por la escalera. En la casa reinaba una oscuridad completa; camino a acostarse, Azaire debía haber apagado todas las luces. Stephen percibía la madera de los peldaños bajo las medias, y la línea del pasamanos bajo los dedos. No tenía miedo.

Al llegar al rellano del primer piso, vaciló. El tamaño de la casa y la cantidad de posibles direcciones desde donde podía haber llegado el sonido, lo confundían. Del rellano nacían tres pasillos, uno de ellos con un pequeño escalón que llevaba hacia el frente de la casa, los otros dos hacia ambos costados y que a su vez luego se dividirían en varios corredores. En ese piso se encontraban los cuartos de toda la familia y los de los sirvientes, para no hablar de baños, lavaderos y despensas. Con toda facilidad corría el riesgo de abrir una puerta y entrar en el dormitorio de la cocinera o en un salón lleno de ornamentos chinos y de tapicerías Luis XVI.

Escuchó con intensidad y durante un instante hasta dejó de respirar. Entonces percibió un sonido distinto en el que no identificó la voz de una mujer, sino una nota más baja, algo parecido al sollozo interrumpido por un sonido más material de breves impactos. Stephen se preguntó si debía seguir adelante. Había abandonado su dormitorio siguiendo un impulso, en la creencia de que algo andaba mal; en ese momento sospechaba que cabía la posibilidad de que estuviera entrometiéndose en la intimidad de alguno de los habitantes de la casa. Pero su vacilación no duró mucho, porque supo que ese sonido no era normal.

Tomó el pasillo de la derecha, caminando con exagerado cuidado, un brazo extendido al frente para protegerse los ojos, el otro tanteando la pared. El pasillo de repente se bifurcó y, al mirar hacia la izquierda, Stephen vio que una luz se colaba por debajo de una puerta cerrada. Calculó hasta dónde le convendría acercarse a esa puerta. Quería estar lo suficientemente cerca de la bifurcación del pasillo para tener tiempo de refugiarse en el otro lado si alguien saliera del cuarto iluminado.

Sólo se animó a acercarse seis pasos. Se detuvo a escuchar y de nuevo dejó de respirar para no perder ningún sonido. Sentía los latidos de su corazón contra el pecho y la vena que le pulsaba en el cuello.

Oyó la voz de una mujer, fría y grave, aunque con la intensidad de la desesperación. Suplicaba y sus palabras, aunque imposibles de comprender porque hablaba en voz muy baja, por momentos resultaban audibles por la desesperación que transmitían. Stephen alcanzó a oír la palabra "René" y después "te imploro" y luego "los chicos". La voz que reconoció como la de Madame Azaire fue interrumpida por el ruido de golpes que había oído antes. Y ese sonido terminó en un jadeo, en un quejido cuyo registro subió hasta el punto de que no cabía duda de que era de dolor.

Stephen se adelantó por el corredor, las manos no ya extendidas adelante, sino cerradas en puños a los costados del cuerpo. A un par de pasos de la puerta logró controlar su sentimiento de furia y de confusión. Por primera vez oyó una voz de hombre. Repetía una sola palabra en un tono quebrado y poco convincente que terminó en un sollozo. Después se oyeron pasos.

Stephen se volvió y corrió hacia la bifurcación del pasillo, a sabiendas de que había sobrepasado el límite que él mismo se había impuesto. Al llegar a la bifurcación oyó que la voz de Azaire preguntaba:

—¿Anda alguien por allí?

Mientras corría hacia el rellano, Stephen hizo un esfuerzo por recordar si había encontrado algún obstáculo en el camino de ida. Desde el pie de la escalera que subía al segundo piso notó que de su cuarto salía luz. Subió los escalones de dos en dos y se tiró hacia la lámpara de la mesa de luz, golpeándola al alcanzarla.

Permaneció en el centro del cuarto, escuchando. Alcanzó a oir pasos que llegaban al pie de la escalera en el primer piso. Si Azaire llegara a subir, se preguntaría que hacía él parado, completamente vestido en el centro de un cuarto a oscuras. Se acercó a la cama y se metió bajo las sábanas.

Diez minutos después consideró que no corría riesgos y que podía desvestirse para acostarse. Cerró la puerta y la persiana de la pequeña ventana y se sentó frente al escritorio. Leyó lo que había escrito más temprano, donde describía su viaje desde Londres, el tren en Francia y su llegada al bulevar du Cange. En código, hacía breves comentarios del carácter de Bérard y de su mujer y daba sus impresiones sobre Azaire y sus dos hijos. Con cierta sorpresa notó que no había escrito una sola palabra acerca de lo que más le impresionó.

A la mañana siguiente Stephen se despertó con la mente clara y lleno de interés por todo lo que lo rodeaba. Por lo tanto se sacó de la cabeza lo sucedido la noche anterior y se preparó para hacer una gira completa por las fábricas de Azaire.

Abandonaron la prosperidad del bulevar y caminaron hasta el barrio de Saint Leu, que a Stephen le pareció un grabado medieval, con casas con gabletes que se apoyaban sobre calles adoquinadas que corrían sobre los canales. De las torcidas paredes y de los caños de desagüe colgaban sogas para tender ropa; niños pequeños que vestían ropas zaparrastrosas jugaban a las escondidas sobre los puentes o hacían correr palos sobre las barandas de hierro colocadas al borde del agua. Las mujeres cargaban baldes de agua potable que llenaban en las fuentes de los barrios mejores, para llevársela a sus numerosos hijos, algunos de los cuales esperaban en la única habitación familiar, mientras que otros, en su mayoría inmigrantes de la zona de Picardía, se alojaban en precarios refugios construidos en los patios traseros de las abarrotadas viviendas. Resonaba ese ruido de la pobreza que hacen los niños en la calle o las voces de sus madres que les gritaban advertencias o admoniciones o bien comunicaban importantes noticias a sus vecinos. Era el bullicio de la cohabitación, donde ninguna casa está cerrada a la otra, eran las voces que surgían de tiendas y panaderías llenas de clientes, mientras los hombres con carretillas o carros tirados por caballos anunciaban sus mercaderías una docena de veces en cada cuadra.

Azaire se movía con comodidad por entre el gentío. Tomó el brazo de Stephen cuando cruzaron un puente de madera, ignoró la maldición que le dirigió un muchachón, se abrió paso hasta una escalera de hierro forjado al costado de un edificio y por fin ambos llegaron a la oficina de un primer piso que miraba hacia la planta de la fábrica.

—Siéntese. Yo ahora debo reunirme con Meyraux, que es mi capataz y también, para mal de mis pecados, el delegado del sindicato —dijo Azaire, indicando un sillón de cuero colocado a un costado del escritorio sobre el que se apilaban los papeles. Bajó al piso de la fábrica por la escalera interior dejando que Stephen contemplara la escena a través de las paredes de vidrio de la oficina.

Los obreros eran casi todas mujeres, estaban sentadas ante máquinas de hilar ubicadas en un extremo del salón. Aunque también había algunos hombres y muchachos de gorras de cuero, que trabajaban frente a las máquinas o transportaban materiales en pequeños carros de madera. El rítmico repiqueteo de las anticuadas máquinas de hilar, casi lograba ahogar los gritos del capataz, un hombre de cara colorada y bigote que se paseaba de un lado para el otro vistiendo un sobretodo que casi le llegaba a los tobillos. En el extremo más cercano de la fábrica había hileras de obreras instaladas frente a máquinas de coser Singer, cuyas rodillas se alzaban y caían al mover el mecanismo y con las manos apoyadas de plano una frente a la otra, que volvían con rapidez hacia un lado y hacia el otro, como si estuvieran regulando la presión de una inmensa canilla. A Stephen, que había estado muchas horas en fábricas semejantes de Inglaterra, el proceso le pareció anticuado, lo mismo que las calles de Saint Leu le daban la impresión de pertenecer a un siglo distinto del de las terrazas de las ciudades fabriles de Lancashire.

Azaire regresó en compañía de Meyraux, un hombre pequeño y regordete, de pelo espeso y oscuro que le cubría parte de la frente. Meyraux tenía el aspecto de la persona honesta que ha sido llevada a la desconfianza y a una profunda tozudez. Estrechó la mano de Stephen, aunque su expresión reservada parecía indicar que el extranjero no debía sacar ninguna conclusión de esa mera formalidad. Cuando Azaire le ofreció un asiento, Meyraux vaciló algunos instantes antes de decidir que el hecho de que tomara asiento no necesariamente significaba una capitulación. Se sentó muy tieso en la silla, aunque sus dedos se movían todo el tiempo, como si estuviera tejiendo invisibles hilos de algodón.

—Como usted sabe, Meyraux, el señor Wraysford nos ha venido a visitar desde Inglaterra. Es un joven que desea interiorizarse un poco más de nuestro negocio.

Meyraux asintió. Stephen le sonrió. Disfrutó de la sensación de haber sido descalificado de toda responsabilidad por su corta edad. Alcanzaba a percibir el cansancio de esos hombres mayores.

—Pero —continuó diciendo Azaire—, como usted también sabe, los compatriotas de Manchester del señor Wraysford son capaces de producir el mismo paño que producimos nosotros por dos tercios de su precio. Debido a que la compañía para la que él trabaja es uno de nuestros más importantes clientes de Inglaterra, me parece justo que tratemos de impresionarlo. Por lo que me dijo su empleador, que es un hombre de gran visión, le gustaría que hubiera más cooperación entre nuestros países. Hasta ha hablado de la posibilidad de comprar acciones de esta empresa.

Los dedos de Meyraux se movían cada vez a mayor velocidad.

—Otro Cosserat —dijo como quitándole importancia.

Azaire sonrió.

—Mi querido Meyraux, no debe ser tan desconfiado. —Se volvió hacia Stephen. —Se refiere a uno de los grandes productores, Eugene Cosserat quien, hace años, importó obreros y técnicas inglesas...

—Al costo de que mucha gente de por aquí se quedara sin trabajo.

Azaire continuó dirigiéndose a Stephen.

—El gobierno quiere que racionalicemos nuestras operaciones, que tratemos de reunir varias de ellas bajo un mismo techo. Esto es perfectamente razonable, pero inevitablemente implica el mayor uso de máquinas y la consecuente pérdida de puestos de trabajo.

—Lo que la industria necesita —dijo Meyraux—, tal como lo dice el gobierno desde la época de mi padre, es mayor inversión y una actitud menos miserable y tímida por parte de los propietarios.

De repente el rostro de Azaire se puso rígido, aunque era imposible saber si su actitud era provocada por el enojo o por el simple desagrado. Se sentó, se puso un par de lentes y acercó un papel de los que tenía sobre el escritorio.

—Vivimos tiempos difíciles. No tenemos dinero para invertir y, por lo tanto, lo único que podemos hacer es reducirnos. Éstas son mis propuestas específicas. Los sueldos de los empleados sufrirán una reducción del uno por ciento. A los trabajadores a destajo se les pagará lo mismo, pero deberán aumentar su rendimiento en un cinco por ciento. La producción ya no se medirá por metro sino por pieza. Aquellos que no estén calificados para utilizar las nuevas máquinas, alrededor de la mitad de los obreros, serán reclasificados como obreros no especializados y de acuerdo a ello se les disminuirá su paga.

Se quitó los lentes y acercó la hoja de papel a Meyraux. Stephen estaba sorprendido por la simplicidad del ataque de Azaire. En ningún momento simuló que los obreros tuvieran algo que ganar con el nuevo arreglo o que se les retribuiría de alguna manera lo que en ese momento se les pedía que renunciaran. Tal vez se tratara de una primera postura de transacción.

Una vez enfrentado con los detalles, Meyraux demostró una tranquilidad inesperada.

—Es más o menos lo que yo esperaba —dijo—. Usted pretende que nosotros aceptemos aún menos que los tintoreros, Monsieur. No es necesario que le recuerde la situación en que ellos se encuentran.

Azaire comenzó a cargar su pipa.

—¿Quién está detrás de esas tonterías? —preguntó.

—Detrás de todo eso —contestó Meyraux—, están los intentos de los propietarios de utilizar a los obreros como si fuesen esclavos al disminuir el nivel de pagos.

—Usted sabe a lo que me refiero —dijo Azaire.

—Se menciona el nombre de Lucien Lebrun.

—¡El pequeño Lucien! No creí que tuviera el coraje.

En la oficina de vidrios entraba a raudales la luz del sol, iluminando los libros y papeles que había sobre la mesa y los rostros de ambos antagonistas. Stephen presenciaba la discusión, pero se sentía disociado del asunto, como si ellos se expresaran con frases hechas. Al oír hablar de la riqueza de Azaire, no pudo menos que pensar en las posesiones de ese hombre, la casa en el bulevar, el jardín, los hijos regordetes. Grégoire con sus ojos de expresión aburrida, Lisette con su sonrisa sugestiva y sobre todo pensó en Madame Azaire, una figura que le producía una mezcla de sentimientos incompatibles entre sí.

—...la consecuencia natural de una producción con tantos procesos separados —decía en ese momento Azaire.

—Bueno, a mí también me gustaría que el teñido se hiciera aquí —dijo Meyraux—, pero como usted bien sabe...

A Stephen le resultaba imposible calcular la edad de la mujer de Azaire, y su piel tenía algo de vulnerable porque había notado que se le erizaba cuando entró una ráfaga de viento del jardín. Pero sobre todo había algo muy particular en la impaciencia que él percibió en su manera de volver la cabeza para ocultar la expresión de sus ojos.

—...¿No está de acuerdo, Monsieur Wraysford?

—Sin duda lo estoy.

—No en el caso de que tuviéramos que invertir en establecimientos más grandes —dijo Meyraux.

Estoy loco, pensó Stephen, sofocando la necesidad de reír; es una verdadera locura que esté sentado en esta calurosa oficina de vidrios observando la cara de ese hombre que discute el empleo de cientos de personas, mientras yo pienso en cosas que ni siquiera soy capaz de admitir ante mí mismo y sonrío con complicidad...

—Me niego a seguir hablando en presencia de este joven —dijo Meyraux—. Discúlpeme, Monsieur. —Se puso de pie e inclinó la cabeza en un gesto formal en dirección a Stephen. —No se trata de nada personal.

En su anotador, la palabra en código que Stephen utilizó para describir a Madame Azaire y los sentimientos confusos que ella le inspiraban fue "pulso". Le pareció que era lo suficientemente críptica y que a la vez expresaba en parte sus sospechas de que ella estaba animada por un ritmo distinto del que latía en la sangre de su marido. También se refería a un aspecto poco usual de su apariencia física. No podía haber persona más correcta que Madame Azaire, tanto en su manera de vestirse como en su pulcritud personal. Dedicaba gran parte del día a bañarse y a cambiarse de ropa; cuando pasaba junto a él en los corredores, a su alrededor flotaba un leve aroma de jabón o de colonia de rosas. Sus ropas estaban más a la moda que las del resto de las mujeres de la ciudad, sin embargo revelaban menos. Se sentaba y se levantaba con modestia; se instalaba en las sillas con los pies muy juntos, de manera que debajo de la pollera sus rodillas casi debían tocarse. Cuando volvía a ponerse de pie, lo hacía sin ayudarse con las manos ni con los brazos, sino con un movimiento espontáneo lleno de gracia. Cuando comía ante la mesa familiar, sus blancas manos apenas parecían tocar los cubiertos, y sus labios no dejaban rastros sobre el vaso de vino. En determinada ocasión,

Stephen notó una pequeña adhesión provocada por la membrana de su labio inferior sobre el vaso, que la obligó a demorarse una fracción de segundo antes de volver a colocarlo en su lugar. Pero a pesar de ello, la superficie del vidrio seguía siendo clara y limpia. Madame Azaire lo descubrió mirándolo fijo.

Sin embargo, a pesar de la formalidad con que lo trataba y de sus maneras puntillosas, Stephen presentía la existencia de otro elemento en lo que él denominaba su pulso. Le resultaba imposible decir a través de qué sentido había adquirido esa impresión, pero de alguna manera estaba convencido de que en el interior de Madame Azaire existía una vida física más vehemente que la que vivía en las habitaciones tranquilas y llenas de restricciones de la casa de su marido con sus picaportes ovalados de porcelana y sus prolijos pisos de parqué.

Una semana después, Azaire le sugirió a Meyraux que debería llevar a Stephen a comer con los hombres en la habitación situada detrás de la fábrica donde ellos almorzaban. Allí había un par de largas mesas de refectorio donde podían comer los alimentos que ellos mismos llevaban o comprar el plato que hubiera sido preparado por una mujer desdentada de gorro blanco.

Al tercer día en medio de una conversación general, Stephen de repente se puso de pie.

—Discúlpenme —dijo, y salió apresuradamente de la habitación.

Un hombre de edad, llamado Jacques Bonnet, lo siguió y lo encontró apoyado contra la pared de la fábrica. Con gesto amistoso, le puso una mano sobre el hombro y le preguntó si se encontraba bien.

—Sí, estoy bien —contestó él.

—¿Pero qué le pasa?

—Es posible que sea el excesivo calor. Pero enseguida se me pasará. —Sacó un pañuelo y se enjugó la cara.

—¿Por qué no entra y termina su almuerzo? —sugirió Bonnet—. Creo que la vieja ha preparado un conejo muy apetitoso.

—¡No! —Stephen estaba temblando. —¡No quiero volver! Lo lamento.

Se apartó de la mano paternal de Bonnet y se encaminó hacia la ciudad.

—Dígale a Azaire que volveré más tarde —dijo por sobre el hombro.

Esa noche, durante la cena, Azaire le preguntó si se había recuperado.

—Sí, gracias —contestó Stephen—. No me pasaba nada. Sólo estaba un poco mareado

—¿Mareado? ¿No será un problema circulatorio?

—No lo sé. Es algo que hay en el aire, tal vez alguno de los productos químicos que utilizan los encargados de teñir las telas. No estoy seguro. Pero me cuesta respirar.

—Entonces tal vez debería consultar a un médico. Puedo pedirle un turno.

—No gracias. No es nada de importancia.

En la mirada de Azaire apareció una expresión divertida.

—No me gusta la idea de que vaya a sufrir alguna clase de ataque. Yo podría...

—¡Por amor de Dios, René! —exclamó Madame Azaire—. Ya te ha dicho que no debes preocuparte. ¿Por qué no lo dejas en paz?

Azaire depositó ruidosamente el tenedor sobre su plato. Durante un instante, en su rostro hubo una expresión de pánico, como la del estudiante que sufre un inesperado contratiempo y no comprende las reglas de comportamiento que han permitido que su rival merezca la aprobación. Luego sonrió con expresión irónica, como para indicar que en realidad él sabía lo que convenía hacer y que su decisión de no seguir discutiendo era una concesión que les hacía a sus inferiores. Se volvió hacia su mujer y le habló en un tono ligero, casi de broma.

—¿Has vuelto a oír a tu cantor en tus recorridos por la ciudad, querida?

Madame Azaire clavó la mirada en su plato.

—No anduve recorriendo la ciudad, René. Fui a hacer mandados.

—¡Por supuesto, mi querida! Mi esposa es una criatura misteriosa, Monsieur —le dijo a Stephen—. Lo mismo que el arroyo de la canción, nadie sabe hacia donde corre ni donde terminará.

Stephen apretó los dientes para no protestar en defensa de Madame Azaire.

—No creo que el señor Wraysford conozca esa canción —dijo ella.

—Tal vez el señor Bérard podría cantármela —contestó Stephen antes de poder contenerse.

Madame Azaire no pudo menos que lanzar una carcajada. Tosió y Stephen notó que sus mejillas se coloreaban ante la mirada que le dirigió el marido.

Aunque estaba furioso consigo mismo por haber dicho algo que su anfitrión podía haber tomado como una grosería, Stephen mantuvo el rostro impávido. Azaire no tuvo una reacción espontánea, como la de su mujer, ni una contenida, como la de Stephen. Por fortuna para él, Lisette lanzó una risita y pudo reprenderla.

—¿Entonces el señor Bérard canta bien? —preguntó Grégoire, levantando la vista del plato.

—Es un cantante muy distinguido —contestó Azaire con tono desafiante.

—De eso no cabe duda —dijo Stephen, y su mirada se encontró con la del dueño de casa. Luego miró directamente a Madame Azaire. Ella había recuperado la compostura y le devolvió la mirada, aunque todavía con una expresión humorística en el rostro.

—¿De manera que no volviste a pasar por esa casa? —preguntó Azaire.

—Creo que pasé frente a la casa en mi camino a la farmacia, pero las ventanas estaban cerradas y no oí música.

El matrimonio Bérard volvió a llegar después de comer, trayendo esta vez consigo a la madre de la señora Bérard, una mujer de tez arrugada, cubierta por una negra pañoleta de encaje y de quien se decía que poseía una enorme sensibilidad religiosa. Por motivos que nadie explicó, Bérard se refería a ella como "tía Elise" y ella les pidió a los demás que hicieran lo mismo. Stephen se preguntó si su apellido de casada le traería recuerdos dolorosos de su amado esposo o si se trataría de algún secreto social de la familia de su mujer que Bérard consideraba conveniente ocultar.

En ésa y en otras ocasiones, Stephen estudió a los Bérard y el papel que ellos desempeñaban en la vida de la familia Azaire. Cuando las noches eran lo suficientemente cálidas, los cinco se instalaban en las sillas de paja de la terraza, rodeados del perfume de madreselvas y jazmines. Bérard, con sus negras botas y su chaleco formal, conducía con habilidad a su pequeña orquesta, aunque siempre se reservaba las mejores intervenciones. Era una autoridad en lo que se refería a las familias importantes de la ciudad y podía hablar extensamente sobre el papel desempeñado por apellidos como Sellier, Laurendeau o de Morville en la tarea de forjar las riquezas y fábricas del lugar. Sugería de una manera indirecta que su propia familia había estado relacionada con los de Morville que, a causa de la negligencia de algún Bérard bonapartista, no había quedado ratificado. Su manera de criticar a ese antepasado errático consistía en menospreciar las costumbres de la sociedad de París, sobre todo en lo que se refería a su hambre de títulos; de tal modo que el fracaso de ese antepasado que decidió mantenerse tenazmente provinciano a pesar de poseer una finura mayor que la de los habitantes de la ciudad capital, resultaba una virtud. Por lo tanto los primeros Bérard resultaban personas resueltas y refinadas y, en consecuencia, sus descendientes eran los herederos de tan recomendable virtud y los beneficiarios de una clase social superior.

Así pasaba el tiempo. Stephen supuso que debía ser una manera de llegar al fin de noches pacíficas, pero la situación lo hacía arder de frustración. No comprendía cómo era posible que Madame Azaire tolerara la situación.

Era la única que nunca respondía a las incitaciones de Bérard. Apenas hablaba cuando él la invitaba a hacerlo y, en cambio intervenía, sin que se lo pidieran, en temas de su propia elección. En esos casos a Bérard no le quedaba más alternativa que interrumpirla. Se disculpaba con una pequeña inclinación de cabeza, pero no sin antes haber llevado la conversación al terreno por él elegido. Madame Azaire se encogía apenas de hombros o sonreía ante el gesto de disculpa de su invitado, como para sugerir que lo que había estado por decir carecía de importancia.

La presencia de la tía Elise beneficiaba a Bérard, dado que se podía confiar en ella para que elevara el tono de cualquier conversación con sus convicciones religiosas. Su fama de persona paciente y santa se basaba en su larga viudez y en la serie de misales, crucifijos y recuerdos de peregrinaciones que coleccionaba en su habitación de la casa de los Bérard. Con su boca ennegrecida y su voz áspera parecía personificar una verdad espiritual, que la verdadera fe no se encuentra en el rostro pálido de los anacoretas, sino en las vidas sacrificadas de aquellos que han debido luchar para sobrevivir. Algunas veces su risa parecía más procaz que santa, pero con sus frecuentes apelaciones a los santos era capaz de hacer enmudecer a sus oyentes al invocar nombres y martirios de la iglesia primitiva y sus años de formación en Asia Menor.

—La semana que viene me propongo pasar una tarde en las islas —dijo Bérard—. ¿Me pregunto si les interesaría acompañarnos?

Azaire aceptó con entusiasmo. La tía Elise afirmó que era demasiado vieja para navegar en bote y se las arregló para implicar que de todas maneras no era ésa una indulgencia muy apropiada para un domingo.

—¿Supongo que usted debe ser hábil en el manejo de un bote, verdad René? —preguntó Bérard.

—Sí, es verdad, me manejo bastante bien en el agua —contestó Azaire.

—¡Escuchen la modestia de ese hombre! —rió Bérard—. Si los hechos no lo contradijeran, ni siquiera admitiría que es hábil para los negocios.

Azaire disfrutaba del papel de humildad que Bérard le adjudicaba. Tenía una manera especial de inhalar con escepticismo cada vez que se mencionaba uno de sus talentos y enseguida bebía un sorbo de lo que estuviera tomando. Como nunca hacía comentarios, su fama de ingenioso permanecía intacta, aunque no para Stephen, porque cada vez que veía a Azaire poner los ojos en blanco, no podía menos que recordar los sonidos de dolor que había oído surgir de su dormitorio.

A veces, desde la seguridad de la sala de estar, fijaba su mirada en el grupo y en la figura vital de Madame Azaire. No se preguntaba si era hermosa, porque el efecto físico que su presencia ejercía convertía ese asunto en algo insignificante. Tal vez no lo fuera. Mientras en su rostro todo era femenino, la nariz era algo más larga de lo prescripto por la moda; en su pelo se entremezclaban distintos tonos de castaños, de dorados y de rojizos, algo que la mayoría de las mujeres debían envidiar. A pesar de la luminosidad de su rostro, su evidente fuerza de carácter no estaba de acuerdo con las normas convencionales de la belleza femenina. Pero Stephen no juzgaba; lo motivaba una compulsión.

Una tarde, al volver del trabajo, la encontró en el jardín ocupada en podar unos arbustos de rosas, algunos de los cuales habían crecido tanto que eran más altos que ella.

—Monsieur —lo saludó ella con formalidad, aunque sin frialdad.

Sin un plan determinado de acción, Stephen le quitó de las manos la tijera de podar y dijo;

—Permítame.

La sonrisa de sorpresa de ella pareció disculpar la reacción abrupta de él.

Stephen cortó algunas flores marchitas antes de comprender que no tenía idea de lo que trataba de hacer.

—Permita que lo haga yo —dijo ella. El brazo de Madame Azaire rozó el traje de Stephen y las manos de ambos se encontraron cuando ella le quitó la tijera de podar. —Se hace así. Debajo de cada flor marchita hay que cortar el tallo con una pequeña inclinación. Así. Mire.

Cayeron al piso los pétalos marrones de una rosa que antes fue blanca. Stephen se acercó un poco para poder inhalar la fragancia de la ropa recién lavada de Madame Azaire. Su blusa era del color de la tierra seca y el corte sugería una moda ya pasada. El pequeño chaleco que llevaba encima estaba abierto y revelaba un cuello sonrosado por el trabajo de jardinería. Stephen repasó las diferentes épocas de la moda y de la historia que le sugería esa vestimenta tan decorativa: bailes en celebración de las batallas de Wagram y Borodino o noches del Segundo Imperio. El rostro todavía terso y sin arrugas de Madame Azaire le sugería intrigas y una vida mundana muy distinta de la que allí vivía.

—Hace un par de días que no veo a su hija —dijo Stephen poniendo coto a sus pensamientos—. ¿Adónde está?

—Lisette ha ido a pasar unos días a Ruán con su abuela.

—¿Qué edad tiene Lisette?

—Dieciséis años.

Sin intención de quedar bien, Stephen preguntó:

—¿Cómo es posible que usted tenga una hija de esa edad?

—Ella y Grégoire son mis hijastros —contestó Madame Azaire—. La primera esposa de mi marido murió hace ocho años, y nosotros nos casamos dos años después.

—Lo supuse —dijo él—. Supuse que era imposible que tuviera una hija de esa edad.

Madame Azaire volvió a sonreír, esta vez con cierta timidez.

Él le miró el rostro, inclinado sobre las espinas y las rosas secas, e imaginó su cuerpo castigado por ese marido corrupto. Sin pensar en lo que hacía, le tomó la mano y la sostuvo entre las suyas.

Ella se volvió a mirarlo con rapidez, sonrojada, los ojos llenos de alarma.

Stephen apretó la mano de ella contra la tela gruesa de su chaqueta. No dijo nada. La satisfacción de haber podido seguir un impulso, le permitió mantener la calma. La miró a los ojos, como desafiándola a responder de una manera que no condecía con la posición social que ocupaban.

—Monsieur. Por favor, le pido que suelte mi mano. —Y trató de reír para quitarle importancia.

Stephen notó que las palabras no iban acompañadas de un gesto firme para retirar la mano. Como en la otra tenía la tijera de podar le resultaba difícil apartarse sin tironearlo y perder la compostura.

—La otra noche escuché sonidos que provenían de su cuarto, Isabelle... —dijo Stephen.

—Monsieur, usted...

—Stephen.

—Le ruego que no siga. No debe humillarme.

—No tengo la menor intención de humillarla. Jamás. Sencillamente quería tranquilizarla.

Fue una extraña elección de palabras y Stephen lo supo al pronunciarlas, pero le soltó la mano.

Ella lo miró a los ojos con más compostura que la que tenía instantes antes.

—Debe respetar mi posición —dijo.

—Lo haré —contestó Stephen. Tuvo la sensación de que había cierta ambigüedad en lo que ella acababa de decir y que él la había capitalizado al utilizar el futuro en su aquiescencia.

Al comprender que no le sería posible obtener nada más, decidió alejarse de allí.

Madame Azaire observó la alta figura que se alejaba en dirección de la casa. Luego se volvió hacia las rosas, meneando la cabeza como si desafiara una sensación indeseable.

Desde su huida de la habitación de la fábrica donde comían los obreros, Stephen había encontrado un café del otro lado de la catedral, adonde iba a almorzar todos los días. Era un lugar frecuentado por jóvenes, estudiantes o aprendices, muchos de los cuales se sentaban todos los días ante la misma mesa. La comida era preparada por un robusto exilado de París quien en una época fue dueño de un café en la Place de l'Odeon. Conocedor del apetito de los estudiantes, sólo servía un plato, pero abundante, con pan y vino incluidos en el precio. El plato más común que ofrecía era de carne, seguido por una tarta o una crema como postre.

Stephen estaba terminando de almorzar, sentado junto a una ventana, cuando vio pasar una figura familiar, la cabeza gacha y con una canasta en el brazo. Llevaba el rostro oculto por una bufanda, pero la reconoció por la manera de caminar y por el cinturón de tela escocesa que llevaba.

Stephen dejó caer algunas monedas sobre la mesa, echó atrás su silla y salió a la calle. La vio desaparecer tras una esquina e internarse en una callejuela lateral angosta. Corrió para alcanzarla. Lo logró en el instante en que ella tocaba el timbre de una casa de puerta doble pintada de verde.

Cuando le habló, Madame Azaire se mostró agitada.

—Monsieur... no esperaba encontrarme con usted. Venía a entregarle algo a un amigo.

—La vi pasar desde la ventana del café donde estaba almorzando. Vine a ofrecerme a llevarle la canasta.

Ella miró la canasta con aire dubitativo.

—No. No gracias.

En ese momento abrió la puerta un joven de pelo oscuro ondulado y expresión alerta. En su rostro apareció una expresión de reconocimiento y de urgencia.

—Pase —dijo, y colocando una mano sobre el hombro de Madame Azaire la hizo entrar a un patio.

—Éste es un amigo —dijo ella con inseguridad mientras indicaba a Stephen quien permanecía junto a la puerta.

—Pase, pase —repitió el hombre y enseguida cerró la puerta tras ellos.

Cruzó el patio precediéndolos y luego subió una escalera que conducía a un pequeño departamento. Les pidió que esperaran en la estrecha sala de estar cuyas ventanas tenían los postigos cerrados y cuyas puertas y sillas estaban cubiertas por pilas de papeles.

Al regresar, abrió una cortina, que permitió que entrara un poco de luz en la escuálida habitación.

La señaló con un gesto de la mano y se disculpó.

—En este momento somos cinco los que vivimos en este lugar. —Le tendió la mano a Stephen. —Me llamo Lucien Lebrun.

Se estrecharon las manos y Lucien se volvió hacia Madame Azaire.

—¿Se ha enterado de la noticia? Han aceptado volver a tomar a los diez hombres a quienes despidieron la semana pasada. No ceden en la cuestión de los sueldos, pero siempre es un principio.

Madame Azaire percibió la mirada intrigada de Stephen y explicó:

—Supongo, Monsieur, que se preguntará que estoy haciendo aquí. De vez en cuando le traigo comida a Monsieur Lebrun y él se la pasa a la familia de algún tintorero. Algunos de ellos tienen cinco o seis hijos —en algunos casos más— y les resulta difícil vivir.

—Comprendo. Y supongo que su marido lo ignora.

—Sí, lo ignora. Yo no podría involucrarme de ninguna manera con sus obreros, pero como sabrá, los tintoreros son un grupo de gente distinta.

—¡No se disculpe! —exclamó Lebrun—. Regalar comida no es más que un acto de caridad cristiana. Y en todo caso, la injusticia que le hacen a mi gente es escandalosa. La semana pasada, en la reunión del sindicato local…

—¡No empiece de nuevo con eso! —rió Madame Azaire.

Lucien sonrió.

—Usted me desespera, Madame.

Stephen sintió una amarga preocupación por la familiaridad con que Lucien trataba a Madame Azaire. No le interesaban demasiado las circunstancias de la huelga ni la posición ética de Madame Azaire. Sólo quería saber cómo había llegado a ese grado de familiaridad con ese joven tan decidido.

—Creo que es hora de que vuelva a la fábrica —dijo—. Su marido me enseñará los procesos finales.

—¿Usted trabaja con Azaire? —preguntó Lucien, sorprendido.

—Trabajo para una compañía inglesa que me ha enviado aquí por un corto tiempo.

—Considerando que es inglés, habla muy buen francés.

—Lo aprendí en París.

—¿Y qué le ha dicho Azaire acerca de la huelga de los tintoreros?

En ese momento Stephen recordó el comentario de Azaire acerca "del pequeño Lucien".

—No mucho. Creo que se preocupará más cuando comience a afectar su propia fábrica.

Lucien lanzó una corta carcajada.

—Le aseguro que no falta mucho para eso. ¿Quiere beber algo, Madame?

—Es usted muy amable. Tal vez un vaso de agua.

Lucien desapareció y Stephen permaneció allí porque no quería dejar sola a Madame Azaire.

—No debe pensar mal de mí, Monsieur —dijo ella.

—¡Por supuesto que no! —exclamó Stephen, feliz de que le importara la opinión que él tenía de ella.

—Le soy leal a mi marido.

Stephen no contestó. Oyó los pasos de Lucien que se acercaba. Se inclinó hacia adelante, apoyó una mano sobre el brazo de Madame Azaire y le besó la mejilla. Enseguida salió, antes de alcanzar a ver el rubor que acababa de provocar.

—Adiós —dijo, como si su beso no hubiera sido más que una manera amable de despedirse.

Isabelle Azaire, Fourmentier de soltera, procedía de una familia que vivía cerca de Ruán. Era la menor de cinco hermanas y desilusionó a su padre por no ser el varón que él esperaba.

Como hija menor vivía descuidada por sus padres quienes, cuando nació la quinta hija, ya no encontraban demasiado encanto en los ruidos y en los cambios de la infancia. Dos de las hermanas mayores, Béatrice y Delphine, desde temprana edad se aliaron contra la remota tiranía del padre y contra las manipulaciones indolentes de Madame Fourmentier. Eran ambas alegres, inteligentes y poseían talentos que sus padres ni conocían ni alentaban. Por lo tanto desarrollaron un egoísmo compartido que les impedía aventurarse lejos de la mutua seguridad que se proporcionaban.

La hermana mayor, Mathilde, era dada a exabruptos de mal humor y a enojos que podían durar días enteros. Tenía pelo oscuro y una mirada tan fría que muchas veces hasta su mismo padre lo pensaba dos veces antes de causarle un enojo. A los dieciocho años fue presa de una pasión por un arquitecto que trabajaba cerca de la catedral de Ruán. Era un hombre de baja estatura y de aspecto evasivo, con cierta rapidez de movimientos. Hacía diez años que estaba casado y tenía dos hijas. Los rumores de una creciente amistad entre ellos llegaron a oídos de Monsieur Fourmentier y se produjo un ruidoso enfrentamiento. Desde su dormitorio en el ático, Isabelle, entonces de cinco años, oyó por primera vez el sonido de la pasión adulta cuando las súplicas de su padre se convirtieron en enojo y el conocido mal humor de su hermana se trocó en algo más aullante y elemental. Isabelle sintió que la casa se estremecía cuando Mathilde cerró la puerta a sus espaldas.

Isabelle era una criatura de una naturaleza excepcionalmente dulce. No cuestionaba la indiferencia de sus padres. Lo más cercano a una confidente que tenía era su hermana Jeanne, dos años mayor que ella. De entre todas las hermanas, Jeanne era la que poseía más recursos. No tuvo que dar los primeros pasos para entrar al mundo, como Mathilde, ni fue incluida en la alianza de Béatrice y Delphine. Cuando un día, la sangre comenzó a manar del cuerpo de Isabelle, de una manera inexplicable e imprevisible, fue Jeanne quien le explicó lo que la madre, por desidia o por timidez, había callado. Jeanne afirmó que se suponía que esa sangre era una vergüenza, pero que ella nunca lo consideró así. Ella la valoraba porque indicaba un ritmo más importante de la vida, que algún día las alejaría del angosto aburrimiento de la infancia. Isabelle, que todavía estaba espantada por lo que le acababa de suceder, era lo suficientemente sugestionable como para compartir el placer privado de Jeanne, aunque no sin remordimientos. Jamás logró reconciliarse del todo con el hecho de que esa cosa secreta que prometía liberación y nueva vida, se manifestara con el color del dolor.

El padre de Isabelle tenía ambiciones políticas, pero carecía de la habilidad necesaria para llevarlas a cabo y del encanto para establecer conexiones allí donde el talento fracasaba. Se aburrió de esa casa llena de mujeres y dedicaba las horas de las comidas a leer diarios de París con sus recuentos de intrigas políticas. No era consciente de las vidas complejas o apasionadas que vivían las integrantes de su familia. Retaba a sus hijas por su mal comportamiento y de vez en cuando las castigaba con severidad, pero más allá de eso no tenía interés en el desarrollo de sus personalidades. La indiferencia de su marido llevó a Madame Fourmentier a una preocupación excesiva por la moda y las apariencias. Suponía que su marido debía tener una amante en Ruán, motivo por el que ya no mostraba el menor interés por ella. Para compensar esa supuesta falta, dedicaba su tiempo a resultarles atractiva a los hombres.

Un año después de su fracasada aventura con el arquitecto casado, Mathilde se casó con el médico local, para alivio de sus padres y envidia de sus hermanas. Se suponía que cuando las demás hijas abandonaran también la casa paterna, Isabelle quedaría allí para dedicarse al cuidado de sus padres.

—¿Es eso lo que se supone que debo hacer, Jeanne? —le preguntó ella a su hermana—. ¿Debo quedarme aquí para siempre mientras ellos envejecen?

—Creo que es lo que les gustaría, pero no tienen derecho a esperarlo de ti. Debes forjar tu propia vida. Es lo que pienso hacer yo. Si nadie se casa conmigo, iré a París y abriré una tienda.

—Creí que querías ser misionera en la jungla.

—Eso sólo si mi tienda fracasa y mi enamorado me rechaza.

Jeanne tenía más sentido del humor que las otras hermanas y las conversaciones que mantenían le daban a Isabelle la sensación de que lo que leía en libros y diarios no eran sólo los ingredientes de las vidas de otras personas, como en una época creyó, sino que hasta cierto punto también le estaban abiertas a ella. Quería a Jeanne como no quería a nadie más.

A los dieciocho años, Isabelle era una muchacha segura de sí misma pero suave, sin ningún desahogo para sus instintos naturales ni para su exuberante energía, frustrados por la rutina y la apatía que reinaban en la casa de sus padres. En el casamiento de su hermana Béatrice, conoció a un joven oficial de infantería llamado Jean Destournel quien le habló con bondad y pareció valorarla por alguna cualidad propia. Isabelle, a quien hasta entonces sólo habían hecho sentir una versión sombría de la criatura que en todo caso debió ser varón, se sintió confusa al encontrar a alguien que la consideraba única y digna de conocer por sí misma. Jean tampoco era un cualquiera; era atento y apuesto en un sentido convencional. Le escribía y le enviaba pequeños regalos.

Después de un año de festejos, casi todo realizado por carta, dado que los destinos militares de Jean pocas veces le permitían estar en Ruán, el padre de Isabelle llevó a cabo una de sus poco comunes intervenciones en la vida familiar. Mandó llamar a Jean en ocasión de una visita que éste le hizo a Isabelle y le dijo que era demasiado viejo, de rango muy poco importante, de familia muy poco distinguida y que su festejo se dilataba en exceso. Destournel, un hombre tímido, quedó sorprendido por la fuerza de las objeciones de Fourmentier y comenzó a cuestionar sus propias motivaciones. Lo fascinaban el carácter de Isabelle y su físico, que ya era distinto del de la mayoría de las chicas de su edad. Después de pasar una velada con sus compañeros de armas, le encantaba volver a su dormitorio y pensar en esa jovencita vital. Se permitía imaginar los detalles de su vida hogareña y muy femenina, pacífica y doméstica y en compañía de sus dos hermanas solteras, Delphine y Jeanne. Le gustaba compararlas y le complacía pensar que la más joven, a quien las otras casi no advertían, era la más bonita e interesante. Pero aunque Isabelle Fourmentier, con su piel pálida, su ropa fresca y su risa alegre le resultaba un alivio de los detalles de su vida diaria en el ejército, en el fondo de su corazón no tenía la seguridad de estar decidido a casarse con ella. Tal vez sin la intervención de Fourmentier todo eso habría llegado naturalmente; pero ese repentino llamado a la consciencia, creó en él una duda destructiva.

Algunos meses después, durante su visita siguiente, invitó a Isabelle a caminar por el jardín y le dijo que lo enviaban a un destino de ultramar y que no estaba en condiciones de continuar con la amistad de ambos. Evadió la posibilidad del matrimonio refiriéndose a su pobreza y a su falta de mérito. A Isabelle no le importaba que él se casara con ella o no, pero cuando Jean le dijo que no se volverían a ver, experimentó de nuevo el dolor del abandono, como una criatura cuya única fuente de amor ha desaparecido.

Durante tres años, esta pérdida influyó en todos los instantes de sus días. Por fin el dolor llegó a resultarle tolerable, pero continuó siendo como una herida mal cicatrizada que el menor detalle podía volver a abrir. La temeraria inocencia de su infancia sin guía alguna había llegado a su fin, pero con el tiempo recuperó la dulzura y el equilibrio de su naturaleza. A los veintitrés años ya no parecía el bebé de la casa, representaba más edad que la que tenía y comenzó a cultivar un estilo y un modo de ser propios, que no eran los de sus padres ni los de sus hermanas mayores. La madre empezó a atemorizarse ante la seguridad de sus gustos y de sus opiniones. Isabelle sintió que crecía y no encontró resistencia.

En una fiesta, el padre de Isabelle oyó hablar de una familia local de apellido Azaire, que se mudó a vivir a Amiens, donde la esposa murió, dejando dos hijos de corta edad. El padre de Isabelle se las arregló para que los presentaran y el aspecto de Azaire le gustó. Isabelle no era el alivio que él imaginaba sería en el hogar. Tenía demasiado carácter para ser ama de casa y aunque ayudaba a su madre, muchas veces temía que lo avergonzara. En la estricta y experimentada figura de René Azaire, el padre de Isabelle vislumbró la solución de una serie de dificultades.

Ambos le vendieron a Isabelle la posibilidad del enlace. El padre jugó con lo simpático que él le había caído, mientras que el mismo Azaire le presentó a sus hijos que en ese momento se encontraban en una edad cautivante. Azaire le prometió que, dentro del matrimonio, le concedería cierta independencia e Isabelle, que estaba deseosa de liberarse de la casa de sus padres, aceptó. Para ella lo más importante era el interés que le despertaban Lisette y Grégoire, quería ayudarlos y ahogar su propia desilusión en el éxito de los pequeños. También convinieron que ella y Azaire tendrían hijos propios. De manera que ella dejó de ser la pequeña Fourmentier para convertirse en Madame Azaire, una mujer cuya dignidad superaba su edad, de gustos y opiniones decididos, pero con un cúmulo de impulsos y de afectos que no habían sido satisfechos en ninguna de las circunstancias de su vida.

Al principio Azaire estaba orgulloso de haberse casado con una mujer tan joven y atractiva y le gustaba exhibirla delante de sus amigos. Bajo los cuidados de Isabelle, vio prosperar a sus hijos. Lisette fue dirigida con cuidado en los difíciles cambios que sufrió su cuerpo, los entusiasmos de Grégoire fueron alentados y se lo obligó a mejorar sus modales. Madame Azaire estaba bien considerada dentro de la ciudad. Era afectuosa con su marido y él no le pedía más; Isabelle no lo amaba, pero de todos modos le habría aterrorizado despertar en ella una emoción tan innecesaria.

Madame Azaire se adaptó a su nueva posición. Estaba satisfecha con el papel que había aceptado y creyó que sus ambiciosos deseos podrían pasar a un olvido permanente. La paradoja era que en ese momento no parecía comprender que la fría imagen de su marido era la que mantenía con vida esos deseos.

Para Azaire, el hecho de tener más hijos era una demostración importante de su ubicación dentro de la sociedad y también una confirmación de que él e Isabelle formaban una pareja equilibrada y que las diferencias de edades y de gustos no eran importantes. Se acercaba a su mujer como si se tratara de un deber; ella reaccionaba con sumisa indiferencia, la única respuesta que él le permitía. Le hacía el amor todas las noches; sin embargo una vez que se embarcaba en el asunto parecía querer terminar lo antes posible. Después jamás se refería a lo que habían hecho juntos. Madame Azaire, que al principio estaba asustada y avergonzada, poco a poco comenzó a sentirse frustrada por la actitud de su marido. No comprendía el motivo por el que ese aspecto de sus vidas, que parecía tener tanta importancia para él, fuera algo de lo que se negaba a hablar. También le resultaba incomprensible que la intimidad de ese acto no abriera puertas en su mente, no tuviera ninguna conexión con los más profundos sentimientos y aspiraciones que abrigaba desde chica.

No quedaba embarazaba y cada mes, cuando la sangre volvía, crecía la desesperación de Azaire. Algo en él lo llevaba a culparse. Empezó a creer que quizás tuviera algún problema, aunque el hecho de haber tenido dos hijos demostraba que era poco probable. En algunos momentos silenciosos de la noche hasta llegaba a sospechar que debía ser un castigo por haberse casado con Isabelle, aunque no pudiera aclarar por qué era así ni qué había hecho de malo. Poco a poco, su frustración afectó la frecuencia con que lograba cumplir con sus deberes maritales. También comenzó a percibir la ausencia de sentimientos en su mujer, aunque la perspectiva de analizar el asunto y de encontrarle remedio le resultara demasiado espantosa para animarse a enfrentarla.

Mientras tanto, Madame Azaire se preocupaba cada vez menos por su marido. Stephen le daba miedo. Le tuvo miedo desde el día de su llegada en el bulevar du Cange, con su rostro morocho, sus ojos pardos y sus movimientos impetuosos. No era como los otros hombres que conocía, ni como su padre, ni como su marido, ni siquiera como Jean Destournel, que, aunque joven y romántico, en definitiva demostró ser débil.

Como Stephen era nueve años menor que ella, lo miraba con una especie de condescendencia; veía en él una juventud, o por lo menos una etapa de la juventud, que ella ya había dejado atrás. Trató de considerarlo una especie de tercer hijo, como el hermano de Lisette. "Después de todo —pensó— Stephen sólo le lleva cuatro años." Hasta cierto punto tuvo éxito en su decisión de mirarlo con condescendencia, aunque notó que con ello, sólo agregaba un elemento de ternura maternal a su alarma.

El domingo por la mañana, Stephen se levantó temprano y se encaminó a la cocina en busca de algo para comer. Recorrió los pasillos de la planta baja; sus pasos resonaban como con vida en el aire encerrado. Todavía quedaban habitaciones en la casa que no había visitado o que, después de haberlas visto, no pudo volver a encontrar. Desde la sala de estar, salió a la frescura del jardín y caminó hasta su extremo. Debajo de un castaño había un banco en el que se sentó para comer el pan que acababa de encontrar en la cocina.

La noche anterior, con su pequeña cortaplumas y un trozo de madera blanda, había hecho una pequeña talla. En ese momento la sacó del bolsillo de la chaqueta para examinarla en el aire fresco y húmedo de la mañana. Era la figura de una mujer, de pollera larga y chaqueta; algunas muescas de la madera indicaban su cabello, aunque sólo pudo representar las facciones con marcas para los ojos y la boca. Tomó el cortaplumas y trabajó la parte inferior de la pollera para tallar los pies de la mujer. Entonces vio que se abrían los postigos del dormitorio del tercer piso. Imaginó el sonido de voces, de agua que corría y de picaportes al ser abiertos. Cuando supuso que toda la familia estaría vestida y abajo, volvió a la casa.

A los chicos no les fascinaba la perspectiva de recorrer los canales. Madame Azaire se inclinó hacia Grégoire para impedir que siguiera golpeando su plato con la cuchara. Lucía un vestido de hilo color crema con un cinturón azul y una serie de botones que ni abrían ni mantenían cerrada la tela.

Lisette miró a Stephen como dispuesta a flirtear con él.

—¿Así que usted también viene a los famosos canales? —preguntó.

—No sé si estoy invitado.

—¡Por supuesto que está invitado! —exclamó Madame Azaire.

—En ese caso, iré con mucho placer.

—Bueno, tal vez así el programa ser un poco menos aburrido —dijo Lisette.

—Monsieur Bérard ha sido muy amable al invitarnos —dijo Madame Azaire—. Ustedes deben ser educados con él y con su esposa. Y además no me parece que ese vestido sea el indicado para una chica de tu edad. Te queda chico.

—¡Pero hace tanto calor! —exclamó Lisette.

—Eso es algo que yo no puedo evitar. Y ahora corre a ponerte otra cosa.

—Corre, corre, corre —dijo Lisette, malhumorada, mientras echaba atrás su silla. Camino hacia la puerta, rozó con el brazo el hombro de Stephen. El vestido en cuestión marcaba sus pechos turgentes, de los que no cabía duda que ella estaba orgullosa.

Los cinco se pusieron en camino cerca de las once, con Marguérite, la mucama, que ayudaba a Stephen y a Madame Azaire a llevar las distintas canastas con comida, las sombrillas, alfombras y la ropa de abrigo considerada necesaria. La caminata hasta los canales era corta. Bajaron algunos escalones hasta el embarcadero, donde Bérard los esperaba de sombrero de paja. Madame Bérard ya estaba instalada en la popa de un bote sin quilla.

—¡Buenos días, Madame! ¡Qué día precioso! —Bérard estaba en su estado de ánimo más expansivo. Tendió la mano para ayudar a embarcar a Madame Azaire. Ella tomó la mano que le ofrecía, se alzó la pollera con la otra y saltó con agilidad al bote. Grégoire, ya no tan aburrido como antes, se abrió paso a los empujones para pasar y saltó al bote que se meció. Madame Bérard lanzó un gritito.

—¡Oh, papá!

Bérard rió.

—Mujeres y chicos primero.

Ayudó a embarcar a Lisette y la sentó junto a Madame Azaire.

—Yo seré el timonel en la popa del bote —dijo Bérard con aire autoritario—, de manera que usted siéntese frente a Lisette y usted, Monsieur —dijo, dirigiéndose a Stephen—, si se sienta junto a Grégoire, y Madame Bérard tiene la amabilidad de instalarse aquí, frente a usted, Azaire, lograremos un perfecto equilibrio.

Siguiendo las instrucciones de Bérard, Stephen se instaló frente a Madame Azaire y logró colocar los pies sobre el fondo del bote sin que entraran en contacto con los de ella.

Bérard lanzó un grito náutico y se ubicó a popa desde donde empujó el bote hacia el centro del río con una larga estaca de madera.

Los canales formados por las aguas del Somme formaban numerosas y pequeñas islas, protegidas de la corrosión por defensas de madera. Esas islas estaban intensamente cultivadas con verduras, tanto en pequeños lotes que también albergaban la casa sencilla del propietario, como en terrenos más grandes cuyo dueño sin duda vivía en la ciudad. La gente consideraba que la zona era un lugar de natural belleza y un objeto de orgullo cívico.

Bérard hacía avanzar el bote con bastante habilidad, hundiendo la estaca con gestos vigorosos e inclinándola a izquierda o a derecha para lograr un movimiento de timón cuando volvía a sacarla del agua. Se deslizaban debajo de las ramas de los árboles y de vez en cuando se encontraban con algún otro bote lleno de turistas quienes los saludaban y hacían comentarios sobre el día soleado. Bérard sudaba copiosamente y se enjugaba la frente con un pañuelo, pero ni siquiera eso le impedía narrar la historia de los islotes y sus sembradíos a medida que avanzaban.

Stephen estaba incómodamente sentado en un banco de madera y de espaldas a la dirección del bote. El agua estancada que no movía la más leve brisa, enfatizaba el calor poco habitual de ese día. Stephen se veía obligado a mantener los zapatos de cuero muy lustrados en un ángulo incómodo sobre el piso del bote, para no tocar los zapatos blancos de Madame Azaire que ella tenía muy juntos en la posición a que la obligaba el ángulo levemente inclinado de sus piernas. Sin embargo, la extrema chatura de los asientos, que sólo se alzaban a algunos centímetros del piso del bote, los obligaba a levantar un poco las rodillas y la pálida pollera de Madame Azaire revelaba las medias hasta la altura del empeine. Esas medias eran de un material muy fino y sedoso que Stephen dedujo no había salido de ninguna de las fábricas del marido. Notó lo delicado de los tobillos de la mujer y el principio de sus pantorrillas y se descubrió preguntándose qué llevaría bajo la pollera para lograr que la tela de las medias se ajustara tan bien al arco de sus pies.

—...por los soldados romanos. Pero los canales que corren entre las parcelas de tierra son, hasta cierto punto, un fenómeno natural y transcurrieron varios siglos antes de que las islas fuesen protegidas por vallados de madera, tal como las ven ahora. De manera que lo que tenemos, en realidad, es fruto de una obra armónica y de cooperación entre el hombre y la naturaleza.

Stephen miró el agua, metió en ella una mano, le sonrió a Grégoire y trató de que su mirada se encontrara con la de Madame Azaire. Cuando lo logró, ella le dirigió una leve sonrisa antes de volverse para preguntarle algo a Lisette.

Los amplios canales eran del dominio público, aunque algunos hilos de agua más angostos, con carteles que decían "Privado" conducían a casas importantes, protegidas de la vista del público por cercos espesos y altas plantas de flores. Cuando Bérard se sintió extenuado, Azaire ocupó su lugar hasta que por fin escucharon las súplicas de Grégoire que se confesaba hambriento.

Bérard tenía permiso de un amigo de atracar el bote junto a un jardín con abundante sombra, y de almorzar bajo unos manzanos. Con grandes gestos ostentosos, Azaire colgó el vino de la borda del bote y lo dejó caer al agua para que se enfriara, mientras Madame Azaire y Lisette extendían mantas sobre el pasto. Grégoire salió a corretear por la isla y de vez en cuando volvía para notificar sus descubrimientos. Stephen conversaba con Madame Bérard, aunque ella sólo tenía ojos para su marido que se instaló al pie de un árbol con un vaso de vino y un trozo de pollo que fue arrancando a mordiscos del hueso.

Los hombres se sacaron las chaquetas y, al quitarse la suya, Stephen palpó la talla de madera que conservaba en un bolsillo. La extrajo y la hizo girar entre sus dedos.

—¿Qué es eso? —preguntó Lisette quien se había ubicado cerca de él sobre una manta.

—Nada más que una pequeña talla. La hice con esto —agregó, sacando el cortaplumas del bolsillo.

—Es una belleza.

—Si quieres te la regalo —dijo Stephen sin pensar.

Resplandeciente de placer, Lisette miró a su alrededor para asegurarse de que los demás hubieran presenciado la escena. Entonces Stephen buscó un trozo de madera para hacerle una talla a Grégoire que estaba ocupado con su almuerzo.

Ninguno de los otros parecía tener mucho apetito. Madame Azaire desenvolvió quesos y tartas variadas, que luego volvieron a envolver casi sin que nadie los probara. Bérard comió un poco de gelatina de lengua además del pollo. Lisette se conformó con un trozo de tarta de frutillas y con algunas masas hechas por la misma Madame Azaire. Tanto ella como su hermano bebieron naranjada, mientras que los mayores bebían vino del valle del Loira que la inmersión en las plácidas aguas no había logrado refrescar.

Después de almorzar, Bérard se recostó contra el árbol y se quedó dormido; Azaire encendió su pipa antes de retirarse a un lugar más alejado para hacer lo mismo. Con cierta dificultad, Stephen se dedicó a tallar un trozo de madera dura que pudo convertir en un hombre pasablemente realista para regalarle a Grégoire.

Terminado el almuerzo, la tarde se extendía pesada y aburrida ante ellos. Volvieron a embarcarse en el bote y después de permitir que durante un corto rato Stephen se hiciera cargo de la estaca, Bérard reconquistó su posición. La temperatura había aumentado y las mujeres se abanicaban con vigor. En la proa del bote, Madame Bérard, vestida con ropa gruesa y formal, parecía desconsolada, como mascarón de proa de un barco poco afortunado que se encamina hacia el hielo y los vientos ecuatoriales.

Stephen se sentía acalorado y con la cabeza poco clara a causa del vino. Lo repelían los canales y las quintas de las islas cuya abundancia le parecía cercana a la fertilidad vegetal de la muerte. El agua marrón estaba llena de lodo y cruzada por ratas que salían de las orillas donde la tierra había sido cavada para colocar esas elaboradas defensas de madera. Sobre el agua, debajo de los árboles, volaban pesadas moscas que se zambullían en los restos podridos de espárragos, alcauciles y repollos sin cosechar. Lo que se consideraba un lugar de natural belleza era un estancamiento de tejidos vivos que no podían ser salvados de la descomposición.

Madame Azaire, también incómoda por el calor de la tarde, había perdido algo de su aplomo. Tenía la piel enrojecida en la base del cuello, donde se había desabrochado la parte superior del vestido. La transpiración le pegaba un mechón de pelo al cuello. Permitía que uno de sus pies permaneciera apoyado, sin resistencia, contra la pierna de Stephen quien la había estirado debajo del asiento. Mientras Bérard impulsaba el bote en su curso lento y recto, cada pequeño rolido en el movimiento del agua provocaba una perceptible presión entre ellos. Stephen dejaba su pierna en el lugar en que estaba; Madame Azaire tenía demasiado calor o era demasiado indiferente para cambiar de posición. Él buscó su mirada y ella lo observó sin una sonrisa sociable ni un intento de iniciar conversación, luego volvió la cabeza con lentitud, como para admirar el paisaje.

Un pez cortó la superficie del agua sin que ni siquiera el antes tan excitado Grégoire lo notara. Bérard les explicó que el curso del río era más lento a causa de la construcción de un canal, motivo por el que los botes ya no tenían timones; un pequeño golpe de la estaca bastaba para que mantuvieran su curso.

Stephen imaginó los grandes estanques y ciénagas que debieron existir en la naturaleza antes de que canalizaran el agua y sembraran la tierra. La función del río no había sido modificada de una manera significativa; seguía bañando un ciclo de superflua descomposición, la podredumbre de la materia trocada por una tierra trabajada, húmeda y pegajosa.

Había llegado una hora de la tarde en la que debería haber comenzado a refrescar, pero toda pequeña brisa que pudiera haber habido desapareció, y el aire estático se coagulaba, espeso y asfixiante. Grégoire empezó a salpicar a Lisette con agua y ella le pegó una cachetada y lo hizo llorar.

Azaire tomó la estaca en lugar de Bérard que se sentó, transpirando, junto a su mujer. Por una vez en la vida, permaneció callado.

Stephen trató de borrar de su mente la sensación de podredumbre que le provocaba el río. Poco a poco, la presión del pie de Madame Azaire contra su pierna fue aumentando hasta que casi toda su pantorrilla descansó contra él. Debido a la carga de sus sentidos, la simple excitación que ese contacto le provocaba antes, ahora se complicaba; la sensación de deseo se confundía con un impulso hacia la muerte.

Pensó que todos ellos serían recuperados por esa tierra: la lengua de Bérard llegaría a descomponerse en los manojos de tierra fértil que los agricultores hacían deslizar entre sus dedos; su cháchara quedaría en silencio al ser reabsorbida por las raíces sedientas de alcauciles y repollos. El pequeño Grégoire y Lisette serían barro en las orillas en las que las ratas copulaban y se reproducían. Y Madame Azaire, Isabelle... Ni siquiera las partes más tiernas de su cuerpo que la imaginación de Stephen imaginaba con desvergüenza sobrevivirían o se alzarían sobre algún fin lejano y poco espiritual de la tierra.

Al ver el embarcadero, el ánimo de los viajeros se aligeró. Azaire comenzó a hablar sobre el viaje espléndido que acababan de hacer y Bérard reencontró su habitual dominio de la conversación. Durante los últimos diez o quince minutos, logró reescribir la historia de la tarde atribuyendo parte de su éxito a los distintos integrantes del grupo, invitándolos a coincidir con él e interrumpiéndolos antes de que tuvieran tiempo de arruinar con pensamientos propios su versión de armonía.

Madame Azaire pareció salir de un trance. Se irguió y, al hacerlo, notó con aparente alarma la posición de su pierna izquierda. Grégoire metió un último jarro en el agua, con la esperanza de atrapar un pez. Cuando desembarcaron y les agradecieron su bondad a los Bérard, Stephen cargó con las canastas, las mantas y las sombrillas e inició el regreso al bulevar du Cange. Le alegró poder dejar el equipaje en el vestíbulo para que Marguérite lo guardara mientras él subía a su cuarto. Se sacó el cuello formal que supuso se esperaba que se pusiera y se encaminó al pequeño baño, en una época baño de servicio, ubicado en un extremo del corredor. Llenó la bañadera con agua fría y se hundió en ella, metió la cabeza bajo la superficie para que el agua helada le penetrara hasta las raíces del pelo.

Ya de regreso en su cuarto, envuelto en una toalla, sacó un mazo de cartas y las colocó sobre la mesa, como si se propusiera hacer un solitario. Sin embargo, la secuencia con que movió las cartas era algo que había aprendido de un amigo de su abuelo: un viejo supersticioso que se ganaba la vida leyendo el futuro en ferias. De chico, Stephen vivía fascinado por él y por sus juegos y en determinados momentos todavía retrocedía en el tiempo hasta esa época. Si llegaba a encontrar la reina de diamantes en la pila de la izquierda, antes de que apareciera el valet de tréboles en la derecha, Madame Azaire… Mezcló las cartas y las movió en sutiles combinaciones, a medias sonriente, a medias serio.

Tomó un libro y se recostó sobre la cama, porque todavía faltaba una hora para que se sirviera la comida. En ese momento tañían las campanas de la iglesia y se volvía a oir el canto de los pájaros del jardín. Se durmió con esos sonidos en los oídos y tuvo un sueño que era una variación del que lo acompañaba desde toda la vida. Trataba de ayudar a un pájaro atrapado para que saliera volando por una ventana. El ave batía las alas con frenesí contra el vidrio. De repente toda la habitación estaba llena de estorninos que se movían con el instinto de las bandadas. Batían las alas contra los vidrios de la ventana, las batían en el aire, luego acercaban los picos al rostro de Stephen.

Al día siguiente Stephen recibió un telegrama de Londres en el que se le ordenaba que regresara en cuanto terminara el trabajo que le habían encomendado. Él contestó diciendo que necesitaba permanecer allí un mes más; todavía tenía mucho que aprender sobre los procesos que se utilizaban en Amiens y Azaire le había prometido presentarle a otros fabricantes. También necesitaba adquirir más información sobre el estado financiero de Azaire antes de poder redactar un informe sobre la posibilidad de que la inversión fuese factible.

Esa misma noche envió su respuesta, sobrecogido por el temor de tener que regresar a Londres antes de resolver las pasiones conflictivas que amenazaban con abrumarlo. Durante la comida observó a Madame Azaire mientras ella le servía a la familia y a los invitados, unos primos de Azaire, y trató con cierta desesperación de registrar las facciones del rostro de su anfitriona, las ondas de su pelo, sus movimientos certeros. Ya no podía permitirse un engaño pasivo.

A la mañana siguiente, en el trabajo, se enteró de que existía la amenaza de que la huelga de los tintoreros se extendiera al resto de los gremios textiles, deteniendo por completo la producción. A la hora del almuerzo, Meyraux les habló a los obreros, afirmando que debían apoyar a sus colegas de otros sectores de la industria llevándoles ropa y comida, pero que no ganarían nada con plegarse a la huelga.

—Deben pensar en sus propias vidas y en sus propias familias —dijo Meyraux—. Creo que el futuro de esta industria consiste en unir todos los procesos y en tener un solo gremio para que represente a todos los obreros. Pero por el momento debemos enfrentar la situación tal como es. No es el momento indicado para gestos vanos, sobre todo cuando estamos amenazados por competidores extranjeros.

El discurso de Meyraux fue típicamente cauteloso. Desconfiaba tanto de los líderes apasionados de la huelga como de los propietarios de las fábricas. Antes de que pudiera llevar sus comentarios a una conclusión razonable, se produjo un disturbio cerca de la puerta que daba a la calle. De repente la puerta se abrió dando paso a varios jóvenes que portaban estandartes y que entonaban lemas. Meyraux pidió calma desde el estrado, mientras media docena de policías cuyos uniformes arrugados sugerían que ya habían participado de un tumulto, trataban de desalojar a los alborotadores. Muchas de las obreras que estaban cerca de la puerta trataron de retroceder, alarmadas, cuando los hombres se tomaron a golpes de puño.

Lucien Lebrun, que fue uno de los primeros en entrar por la fuerza, ocupó el estrado junto al ahora renuente Meyraux. Su cándidos ojos azules y su pelo castaño rizado lo convertían en una figura atractiva y compensaban, en parte, la desconfianza que muchos de los obreros sentían por ese joven. Apelando a la fraternidad que reinaba entre ellos, le preguntó a Meyraux si le permitía dirigirse a los obreros, y Meyraux por fin le cedió su lugar.

Lucien describió las penurias que soportaban las familias de los huelguistas y las condiciones de trabajo que los habían llevado a tomar esa decisión extrema. Habló de la pobreza y de la explotación del obrero que cundía a lo largo de toda la planicie de Picardía y que provocaba una importante emigración de gente del valle del Somme a las ciudades de Amiens y de Lille, movidos por la vana esperanza de encontrar trabajo.

—Les ruego que apoyen a mi gente —dijo—. Si no nos mantenemos unidos, caeremos. Debemos pensar en nuestros hijos y en nuestras mujeres. Les pido que, por lo menos, firmen esta declaración de apoyo a sus compañeros obreros.

Sacó un trozo de papel en el que ya había más de cien firmas.

—Y hablando de esposas —dijo una voz desde el medio del salón—, todos sabemos lo que ellas dicen de ti, jovencito.

Hubo un rugido de asentimiento. Stephen sintió que se ponía tenso y que el corazón le latía con fuerza dentro del pecho.

—¿Qué dijo? —gritó Lucien.

—Me niego a repetirlo frente a los representantes de la ley, pero creo que sabes a qué me refiero.

Lucien saltó del estrado para enfrentar a su agresor. Se abrió camino a empujones entre los periodistas.

—Y otra cosa —gritó el mismo hombre—, no me parece lógico que un espía inglés coma con nosotros y asista a nuestras reuniones.

Varias voces expresaron su acuerdo. Era evidente que la mayoría de los presentes ignoraba que Stephen estaba allí.

Stephen no escuchaba.

—¿Qué dicen de Lucien? —le preguntó al hombre que estaba de pie a su lado—. ¿Qué quiso decir con eso de las esposas?

—Dicen que el pequeño Lucien y la esposa del dueño de la fábrica son muy buenos amigos —contestó el hombre lanzando una carcajada.

Hasta ese momento, los obreros de Azaire habían mostrado tranquilidad. Escucharon la larga perorata de Meyraux acerca de la necesidad de tener paciencia y aceptaron su consejo; vieron que obreros de otras fábricas interrumpían su reunión y no perdieron la calma; escucharon la arenga de un joven que ni siquiera era de la ciudad y lo soportaron.

Sin embargo, cuando Lucien perdió el control y empezó a abrirse paso entre ellos por la fuerza, compartieron una sensación común de agravio y lo rechazaron. Todo el grupo reaccionó en forma espontánea, como si quisieran liberarse de un cuerpo extraño.

Stephen sintió que lo empujaban, algunos por hostilidad hacia él, pero la mayoría ansiosa por echar de la fábrica a Lucien y a los tintoreros.

El obrero que había hecho el comentario acerca de Madame Azaire se encontró rodeado cuando algunos amigos de Lucien fueron en su ayuda. Era un hombre alto, de cara colorada, cuyo trabajo consistía en transportar rollos de tela en uno de los carros de ruedas de goma. A medida que la lucha se extendía a su alrededor, su expresión plácida se trocó en una de alarma. Lucien gritaba y movía los brazos como enloquecido, en un intento de abrirse paso hasta él, pero un verdadero muro de obreros de Azaire le cerraban el paso en silenciosa complicidad.

En el borde de la refriega, los policías empezaron a esgrimir sus varas con aire amenazador mientras se internaban en el gentío. Meyraux trepó a la plataforma y pidió tranquilidad a los gritos. En ese momento, uno de los movimientos enloquecidos que Lucien hacía con el brazo fue a golpear a una obrera en la cara, haciéndola gritar. Lucien cayó al piso bajo la trompada que le propinó el marido de la mujer. Mientras permanecía en el piso, jadeante, varios puntapiés aliviaron las frustraciones de los obreros de Azaire. No eran golpes muy fuertes, pero Lucien gritó al recibirlos en los brazos y en las piernas. Stephen trató de empujar hacia atrás a algunos de sus atacantes, para darle tiempo de ponerse de pie. Recibió una trompada en la nariz que le propinó uno de los hombres, disgustado por haber sido interrumpido. Tres o cuatro tintoreros habían conseguido acercarse a Lucien y se unieron a la lucha para protegerlo. Stephen, echando chispas por los ojos, comenzó a pegar trompadas hecho una furia. Había perdido de vista su intención inicial, restaurar la paz, y en ese momento sólo quería lastimar al hombre que lo acababa de atacar. Pero el hombre alto y de cara colorada cuyo comentario inició la batahola, lo empujó hacia un lado y él respondió lanzándole una trompada a la cara. No tenía suficiente lugar para mover el brazo con libertad, pero el golpe fue lo suficientemente fuerte como para proporcionarle una sensación de agradable retribución. Tenía la mano ensangrentada.

La batalla campal llegó a su fin gracias a la intervención de algunas obreras decididas y de las varas de los policías. Sacaron de allí a Lucien golpeado y sin aliento, pero no hubo ningún herido de consideración. Los tintoreros salieron escoltados por la policía que arrestó al azar a los dos de aspecto más belicoso. La victima de Stephen se secó la sangre de la boca con un pañuelo, pero no parecía saber quién lo había golpeado. Meyraux les pidió que se dispersaran.

Stephen salió de la fábrica por la puerta lateral mientras se preguntaba cómo era posible que todo se hubiera producido con tanta rapidez, hasta el punto de que él se pusiera del lado de Lucien Lebrun cuando, lo mismo que los demás, lo único que quería era no volverle a ver la cara jamás.

Caminó hacia la catedral y luego se internó en la ciudad. Lo avergonzaba su comportamiento. Años antes le había prometido a su tutor que nunca volvería a perder el control, sino que siempre se detendría a pensar y permanecería tranquilo. Acababa de fracasar en la prueba y la expresión de sorpresa del hombre que se atrevió a mencionar a Madame Azaire, al ver que Stephen lo atacaba, era una pobre compensación por su fracaso.

El golpe debió ser más fuerte de lo que él creyó en un principio, porque a la tarde se le había hinchado la mano. Volvió temprano a lo de Azaire y subió a ponerla en agua. La mantuvo un rato en agua fría y luego se vendó los nudillos con un pañuelo.

Tuvo la sensación de que su existencia en el bulevar du Cange y quizás también su vida en una perspectiva más prolongada, se acercaban a una crisis que era incapaz de controlar. Tal vez le conviniera seguir las indicaciones de su empleador. Podía terminar su trabajo en el término de una semana y volver a Londres con la seguridad de no haber hecho nada que pudiera avergonzar a su empresa o al señor Vaughan, el tutor que tanto se esforzó en ayudarlo. Ante todo, pensó, sería mejor que le escribiera.

"Estimado señor Vaughan: Ésta no es la primera vez que demoro en escribirle, pero trataré de reparar mi falta contándole en detalle todo lo sucedido.

Se detuvo. Quería encontrar palabras dignas para describir la furia de deseo y de confusión que lo embargaba.

"Creo que me he enamorado y estoy convencido de que a pesar de no haber dicho nada, la mujer en cuestión retribuye mis sentimientos.

"¿Cómo puedo saberlo con seguridad si ella no ha dicho una sola palabra? ¿Será la mía una vanidad juvenil? En cierto sentido desearía que lo fuera. Pero estoy tan convencido de que es así que casi no tengo necesidad de interrogarme. Y esta convicción no me provoca ninguna alegría."

Ya había llegado demasiado lejos, sin duda no podía enviar esa carta. Escribió otra frase para sí mismo, para saber lo que tenía que decir.

"Me mueve una fuerza tan grande que me resulta irresistible. Creo que esa fuerza tiene su propia razón y su propia moralidad, aunque esto sea algo que nunca me llegue a resultar claro mientras viva."

Rompió el papel en trozos chiquitos y los dejó caer en el canasto. Se quitó el pañuelo de la mano y logró ocultarla a sus espaldas mientras conversaba con Mousieur y Madame Azaire en la sala de estar, antes de la comida. Azaire estaba demasiado enfrascado en los acontecimientos de la fábrica para molestarse en mirar la mano de su huésped, y cuando Madame Azaire dirigía una rápida mirada a Stephen, no le miraba las manos sino el rostro.

—Entiendo que hubo algunos comentarios acerca de su presencia en la fábrica —dijo Azaire.

—Sí. No sé si debí asistir a la reunión. Tal vez convendría que me mantuviera apartado de allí durante un par de días.

Lisette llegó por la puerta que daba al jardín.

—Buena idea —aprobó Azaire—. Hay que dejar que los ánimos se enfríen. No creo que haya problemas, pero tal vez convenga que usted mantenga un nivel bajo hasta que las cosas se aclaren. Yo puedo hacerle llegar trabajo de escritorio por intermedio de alguno de mis empleados. Hay muchas maneras de ser útil.

—¡Miren! —exclamó Lisette—. ¿Qué le sucedió en la mano?

—Me la agarró una de las máquinas hiladoras, esta mañana, cuando me enseñaban a manejarla.

—La tiene muy hinchada y toda colorada.

Madame Azaire lanzó un gritito cuando Lisette le tendió la mano de Stephen para que la inspeccionara. A Stephen le pareció notar una sombra de preocupación en su rostro antes de que volviera a adquirir su habitual indiferencia.

—La comida está servida —anunció Marguerite desde la puerta.

—Gracias —dijo Madame Azaire—. Marguerite, ¿después de comer me hará el favor de buscar un venda para la mano del señor Wraysford?

—Y con esas palabras inició la marcha hacia el comedor.

Al día siguiente, cuando Azaire salió a trabajar, Stephen se quedó en la casa como un alumno enfermo a quien se le permite faltar a clase. De la fábrica llegó un mensajero con algunos papeles que Stephen dejó a un lado en la sala de estar. Tomó un libro y se instaló en un rincón junto a la puerta que daba al jardín. Alcanzaba a oír los sonidos de la rutina matinal de la casa y tenía la sensación de ser un espía en ese mundo femenino. Entró Marguerite con un plumero que pasó con ejemplar esmero sobre los adornos chinos y la tapa de la mesa, desplazando motas de polvo que se elevaban en pequeñas espirales a la luz del sol de la mañana antes de instalarse en otra parte: sobre las sillas o el piso encerado. Se oyeron los pasos de Grégoire que bajó la escalera y cruzó el vestíbulo a toda velocidad hasta que su avance fue detenido por la cerradura y las cadenas de la puerta de entrada. Un grito de "¡Cierra la puerta de calle después de salir!" no recibió respuesta y Stephen imaginó el rectángulo del jardín, el sendero pavimentado y la sólida verja de hierro que daba al bulevar que debían haber quedado visibles desde la puerta entreabierta.

Oyó el entrechocar de loza cuando Marguerite apareció con una bandeja cargada con las tazas y los platos del desayuno que llevaba del comedor a la cocina, y el suave sonido de su cadera contra la puerta al empujar para abrirla. Durante los instantes en que la puerta de la cocina permaneció abierta, se oyó el ruido de ollas y sartenes que la cocinera colocaba sobre las hornallas de la cocina.

También era audible la voz de Madame Azaire, desde el lugar que ocupaba en el comedor, donde permanecía hasta las once, conversando con Lisette o impartiendo instrucciones a las diversas personas que recurrían a ella. Entre ellas estaba Madame Bonnet, esposa del anciano que trabajaba en la fábrica, que acudía todos los días a hacer la limpieza que Marguerite consideraba poco importante o demasiado cansadora. Madame Azaire le indicaba qué habitaciones debía limpiar y si debía hacer preparativos especiales para algún invitado. Luego se escuchaban los pasos pesados de la mujer que se alejaba a cumplir con el trabajo que acababa de serle encomendado. Lisette permanecía sentada al sol que entraba a la habitación bajo las ramas de clematis de la ventana, observando las sombras que se reflejaban sobre la mesa, escuchando a su madrastra dirigir la casa. Disfrutaba de esa rutina matinal compartida; le daba una sensación de confianza y la hacía sentir importante. Además tenía la ventaja de excluir de allí a Grégoire con su comportamiento grosero y sus comentarios infantiles que, pese a ser despreciables y banales, a veces amenazaban su precaria serenidad de persona adulta.

En ese drama suave de la mañana también se interpretaban otros roles menos importantes. Había una segunda mucama aunque, a diferencia de Marguerite, no vivía en la casa; estaba la cocinera que tenía un cuarto en alguna parte del primer piso, y también el asistente del carnicero que llegaba en busca del pedido y un empleado del almacenero quien entregaba dos pesadas cajas en la puerta trasera.

Poco después de mediodía, Madame Azaire le preguntó a Stephen si almorzaría con ella y con Lisette. Explicó que a esa hora Grégoire todavía estaría en el colegio. Stephen aceptó y dedicó la hora siguiente a trabajar en los papeles que le habían enviado de la oficina de Azaire.

Madame Azaire regresó hacia la una para avisarle que estaba el almuerzo. En la mesa había tres puestos, cerca de la ventana. La habitación parecía muy distinta a ese lugar sombrío y formal, lleno de sombras en las que se movían huéspedes de cuello duro, que Stephen conocía a la hora de la cena. Lisette lucía el vestido blanco ceñido que su madre le había prohibido usar el día del paseo por los canales. Llevaba el pelo castaño oscuro atado con una cinta azul, y tenía las piernas desnudas. "Es una chica bonita", pensó Stephen cuando ella lo miró con sus ojos sombreados por espesas pestañas; pero registró desapasionadamente la mirada porque sus pensamientos estaban en otra parte.

Madame Azaire se había puesto una pollera color crema y un chaleco colorado oscuro sobre una blusa blanca abierta en el cuello.

—Si lo desea, puede sacarse la chaqueta, Monsieur —dijo—. Lisette y yo no consideramos que el almuerzo sea una ocasión formal, ¿no es cierto Lisette?

Lisette lanzó una carcajada.

—Gracias —contestó Stephen. Notaba que Madame Azaire se sentía envalentonada y protegida por la presencia de Lisette.

Marguerite entró con una fuente de alcauciles.

—Tal vez tomemos un poco de vino —decidió Madame Azaire—. Por lo general no tomamos vino, ¿verdad, Lisette? Pero quizás hoy hagamos una excepción. Marguerite, traiga una botella de vino blanco ¿quiere? Que no sea de las que se reserva mi marido.

Después de los alcauciles se sirvieron unos champiñones y luego un plato de pescado. Stephen le sirvió el vino a Madame Azaire y, por insistencia de ella, también le sirvió a Lisette. Por falta de otra cosa que decir, Stephen les preguntó cómo habían llegado a conocer a Monsieur y a Madame Bérard.

Al oír el nombre de los amigos de su padre, Lisette comenzó a reír y Madame Azaire la reprendió, aunque ella misma sonreía.

—Me temo que Lisette es muy poco amable cuando de Monsieur Bérard se trata —dijo.

—¡Qué injusticia! —exclamó Lisette—. ¿Sus padres siempre lo obligaron a ser amable con todos sus amigos tontos?

—Yo no tuve padres —confesó Stephen—. Por lo menos no los conocí. Me criaron mis abuelos y luego me internaron en una institución hasta que me sacó de allí un hombre a quien no conocía.

Lisette se ruborizó y tragó con fuerza; en el rostro de Madame Azaire se pintó una momentánea expresión preocupada.

—Lo siento, Monsieur —dijo—. Lisette siempre anda haciendo preguntas.

—No tiene por qué disculparse —aseguró Stephen mirando sonriente a Lisette—. Es algo de lo que no me avergüenzo.

Marguerite entró con unos filetes de carne en una fuente azul que depositó frente a Madame Azaire.

—¿Quiere que traiga una botella de vino tinto? —preguntó—. Queda un poco en la botella que se abrió anoche.

—Bueno. —Madame Azaire depositó una tajada de carne en cada uno de los tres platos. Stephen volvió a llenar los vasos de vino. Recordaba la presión de la pierna de Madame Azaire contra la suya en el viaje en bote por los canales. La piel del brazo desnudo de la mujer era de un tono tostado; el chaleco y el cuello abierto de la camisa le daban un aspecto más femenino que nunca.

—Pronto regresaré a Inglaterra —dijo él—. Recibí un telegrama que dice que me necesitan en Londres.

Ninguna de las otras hizo ningún comentario. La atmósfera era más espesa. Stephen pensó en los sonidos de dolor que le había oído lanzar a Isabelle en el dormitorio.

—Lamentaré tener que irme —agregó.

—Siempre podrá volver a visitarnos en otra ocasión —contestó Madame Azaire.

—Sí, es posible que vuelva.

Marguerite entró con una fuente de papas. Lisette se desperezó y sonrió.

—Tengo sueño —anunció con expresión de felicidad.

—Es por el vino que has estado bebiendo —Madame Azaire también sonrió y la atmósfera pareció aligerarse. Terminaron de almorzar con un poco de fruta y Marguerite les llevó café a la sala de estar. Se instalaron alrededor de la mesa de juego donde Stephen había jugado a las cartas la noche de su llegada.

—Voy a salir a caminar por el jardín —dijo Lisette—. Después a lo mejor subo a mi cuarto a dormir un rato.

—Está bien —dijo Madame Azaire.

Lisette cruzó la habitación y desapareció.

El clima cambió enseguida y esa vez resultó imposible modificarlo. La mirada de Madame Azaire no se encontraba con la de Stephen. Clavó la vista en la mesa de juego y comenzó a juguetear con la cucharita de café. Stephen sintió que se le contraía el pecho. Le resultaba difícil respirar.

—¿No quiere un poco más de ca...?

—No.

Volvieron a quedar en silencio.

—Míreme.

Ella se negaba a alzar la cabeza. Se puso de pie y dijo:

—Iré a coser un rato a mi cuarto así que...

—¡Isabelle! —Stephen le aferró el brazo.

—¡No! Por favor, no.

Él la atrajo hacia sí y le envolvió el cuerpo con ambos brazos para impedir que huyera. Ella mantenía los ojos cerrados y Stephen le besó los labios que Isabelle abrió. Stephen sintió que lo acariciaba con la lengua y que le apretaba la espalda con los brazos, pero enseguida se liberó y, al hacerlo, desgarró su blusa blanca dejando al descubierto una delgada tira de raso. El deseo convulsionó el cuerpo de Stephen.

—¡Debes hacerlo! ¡Por amor de Dios!

Madame Azaire lloraba pero mantenía los ojos cerrados.

—No, no puedo, apenas... Creo que no estaría bien.

—Estuviste por decir "Apenas te conozco".

—No. Es sencillamente que no está bien.

—Por supuesto que está bien. Y lo sabes. Nada puede ser mejor que eso, Isabelle. Créeme. Te comprendo. Te amo.

La volvió a besar y ella volvió a responderle. Stephen paladeó la dulzura de su saliva y luego enterró la cara contra el hombro de Isabelle, donde había quedado su piel al descubierto.

Ella se desprendió de él y salió corriendo de la habitación. Stephen se acercó a la ventana y aferró el marco mientras miraba hacia afuera. La fuerza que lo impulsaba era imposible de frenar. La parte de su mente que permanecía tranquila aceptaba que si la necesidad era imposible de negar, sólo quedaba por saber si lo lograría o no con el consentimiento de Isabelle.

En su habitación, Madame Azaire lloraba mientras se paseaba de un lado al otro. Stephen la ahogaba de pasión, pero al mismo tiempo la aterrorizaba. Quería consolarlo, pero también quería que él la tomara, que la usara. La inundaban corrientes de deseo y de excitación en las que ni siquiera pensó ni había sentido durante años. Estaba deseando que él diera vida a lo que ella había enterrado y que destruyera su imagen prefabricada. Pero Stephen era muy joven. Ella se sentía insegura. Deseaba con desesperación el contacto de su piel.

Bajó la escalera con paso tan leve que no hizo el menor ruido. Lo encontró trabado en combate consigo mismo, apoyado contra la ventana.

—Ven a la habitación colorada —dijo Isabelle.

Cuando Stephen se volvió, ella ya no estaba. La habitación colorada. Lo inundó una sensación de pánico. Estaba seguro de que debía ser alguna de ésas que alguna vez vio pero que nunca pudo volver a encontrar; sería como uno de esos lugares que se ven en sueños y que permanecen fuera del alcance de uno; la habitación colorada siempre estaría a sus espaldas. Subió corriendo la escalera y la vio doblar por un pasillo. Avanzó por el corredor principal hasta un pasillo angosto y pasó bajo un pequeño arco. En el extremo del corredor estaba la puerta cerrada con llave que conducía a la parte de servicio de la casa. Justo antes, la última puerta de la izquierda tenía un picaporte ovalado de porcelana que resonaba porque no calzaba bien en la cerradura. Stephen la alcanzó en el momento en que ella entraba a una habitación pequeña, con una cama de bronce y una colcha colorada.

—¡Isabelle! —Él también lloraba. Tomó el pelo de ella entre las manos y lo hizo deslizar entre sus dedos.

—¡Mi pobre muchacho! —exclamó ella.

Stephen la besó y esa vez la lengua de Isabelle no huyó de la suya.

—¿Dónde está Lisette? —preguntó él.

—En el jardín. No, no lo sé. ¡Oh, Dios! ¡Oh, por favor, por favor! —Comenzaba a estremecerse y a temblar. Tenía los ojos cerrados. Cuando los volvió a abrir, apenas lograba respirar. Stephen empezó a arrancarle la ropa y ella lo ayudó con movimientos urgentes y torpes. El chaleco se le enganchó en un hombro. Stephen le empujó la blusa hacia atrás y enterró la cara en la tira de raso que le separaba los pechos. Lo que veía y tocaba era tan delicioso que tuvo la sensación de que le harían falta años para detenerse y apreciarlo, pero se sentía impulsado por un apuro frenético.

Isabelle sintió las manos de Stephen sobre su cuerpo, sus labios sobre la piel y supo lo que él debía estar viendo, algo vergonzoso e impropio, pero cuanto más imaginaba la degradación de su falsa modestia, más se excitaba. Metió los dedos en el pelo de Stephen, le pasó la mano sobre los hombros, sobre el pecho suave bajo la camisa.

—¡Ven, por favor, por favor! —se oyó decir, aunque con una respiración tan entrecortada que las palabras eran casi incomprensibles. Pasó la mano por el frente de los pantalones de Stephen, con desvergüenza, como supuso lo haría una prostituta, y percibió su erección. Nadie la recriminaba. Nadie se espantaba. Podía hacer todo lo que quisiera. Stephen lanzó un suspiro tan profundo que tuvo que dejar de desvestirla y ella debió ayudarlo y bajarse los calzones de seda para revelar lo que supo que hacía tiempo él imaginaba. Cerró los ojos con fuerza, avergonzada, mientras se mostraba ante él, pero no sintió ninguna culpa. Él la empujó hacia atrás y la acostó en la cama, y ella se arqueó hacia arriba, rítmicamente, como si su cuerpo, independiente y por su cuenta, implorara la atención de Stephen. Por fin percibió un contacto y, jadeante, comprendió que no era lo que esperaba; era la lengua de Stephen, cálida, inquieta, que se movía sobre ella y dentro de ella volviéndose como una llave en la cerradura de su cuerpo. Esta sensación nueva y escandalosa hizo que comenzara a suspirar y a estremecerse en largos movimientos rítmicos, arrebatada por completo por la pasión, mientras sentía que dentro de su pecho crecía un nudo, una sensación imposible de mantener, de soportar, aunque todo la impulsara a seguir adelante. Presa de ese conflicto, comenzó a mover la cabeza de un lado al otro de la cama. Como desde alguna habitación distante, oyó su propia voz que gritaba una negativa, pero luego la sensación volvió a inundarla una y otra vez, recorriéndole el vientre y las piernas y su voz pequeña, esta vez cerca de su cabeza, dijo:

—Sí.

Cuando abrió los ojos vio a Stephen de pie, desnudo ante ella. Clavó la mirada en esa carne erecta que surgía de su cuerpo. Él todavía no le había hecho el amor, el júbilo aún no había llegado. Stephen le se colocó encima y le besó el rostro, los pechos, tironeándole los pezones hacia arriba con los labios. Entonces se acostó sobre ella, pasó las manos por el interior de sus piernas, por sobre las medias de seda que en el apuro por desvestirse no había tenido tiempo de quitarse, y por el lugar donde se unían esas piernas. Le besó la rosada unión de las nalgas, la parte trasera de los muslos donde apoyó durante un instante la cabeza. Después volvió a empezar por los tobillos, por los pequeños huesos que había alcanzado a ver en el bote, y por la entrepierna.

Isabelle de nuevo empezaba a respirar aceleradamente.

—¡Por favor, mi amor, ahora, por favor! —Ya no podía seguir soportando sus caricias. Con la mano izquierda tomó la parte de Stephen que quería sentir dentro de su cuerpo y la sorpresa que le provocó lo obligó a interrumpir sus caricias. Isabelle abrió un poco más las piernas para darle la bienvenida, porque quería que él estuviera allí. Percibió la

60

sábana debajo de su cuerpo en el momento de abrir del todo las piernas y guiarlo a su interior.

Lo oyó suspirar y lo vio tomar la sábana arrugada y meterse un trozo en la boca para apretarla entre los dientes. Apenas se movía en su interior, como si temiera la sensación o lo que sucedería.

Isabelle se instaló lujuriosa en la sensación de haber sido empalada. "Por fin soy lo que soy —pensó—; nací para esto." Por su mente cruzaron fragmentos de deseos infantiles, de necesidades contenidas en la casa de sus padres. Sintió por fin la conexión que existía entre la furia de su deseo y un especial y atento reconocimiento de sí misma como la pequeña de la familia Fourmentier.

Lo oyó gritar y sintió una oleada en su interior, de repente la carne de ambos fue una sola. El impacto y la intimidad de lo que él acababa de hacer precipitaron en Isabelle una temblorosa respuesta. Igual que la primera vez, solo que más corta, más fuerte, de una manera que por un momento la hizo perder todo contacto con el mundo.

Cuando se recobró lo suficiente para abrir los ojos, encontró que Stephen había rodado sobre sí mismo y se encontraba tendido boca abajo sobre la cama, con la cabeza en un ángulo extraño, casi como si estuviera muerto. Ninguno de los dos habló. Ambos permanecieron inmóviles. Afuera cantaban los pájaros.

En un gesto tentativo, casi tímido, Isabelle deslizó los dedos sobre las vértebras que sobresalían en la espalda de Stephen, después sobre la parte superior de sus muslos, cubiertos por un vello oscuro y suave. Tomó su mano lastimada y le besó los nudillos hinchados.

Él rodó sobre sí mismo y la miró. Estaba despeinada y la cabellera le caía sobre los hombros desnudos y sobre los pechos redondos y duros que todavía se alzaban y caían al ritmo de su respiración agitada. La miró unos instantes a los ojos y luego apoyó la cabeza sobre su hombro mientras ella le acariciaba la cara y el pelo.

Y así durante largo rato permanecieron tendidos, sorprendidos e inseguros, en silencio. Entonces Isabelle también comenzó a pensar en lo que acababa de ocurrir. Se había entregado, pero no en un sentido pasivo. Quiso aceptar el regalo que él le ofrecía, en realidad, quiso ir más allá. Durante un instante, ese pensamiento la atemorizó. Los vio a ambos en el comienzo de un descenso cuyo final ni siquiera lograba imaginar.

—¿Qué hemos hecho? —preguntó.

Stephen se sentó y le tomó los brazos.

—Hicimos lo que correspondía que hiciéramos. —La miró con fiereza. —Mi querida Isabelle, eso es algo que debes comprender.

Ella asintió en silencio. Stephen era un muchacho, un querido muchacho, y a partir de ese momento siempre lo tendría.

—Stephen —dijo.

Era la primera vez que lo llamaba por su nombre. A él le pareció maravilloso oírlo pronunciar con esa entonación extranjera.

—Isabelle. —Le sonrió y en respuesta el rostro de ella se iluminó. Lo abrazó con fuerza y con una amplia sonrisa, aunque ya se le volvían a formar lágrimas en los bordes de los ojos.

—¡Eres tan hermosa! —exclamó Stephen—. No sé cómo te miraré en la casa, delante de los demás. Descubriré lo que siento. Cuando te vea durante la comida, estaré pensando en lo que hemos hecho, estaré pensando en ti tal como te veo en este momento. —Le acarició la piel del hombro y le apoyó el reverso de la mano contra la mejilla.

—No lo harás —dijo Isabelle—. Y yo tampoco. Serás fuerte porque me amas.

Por la mirada tranquila de Stephen comprendió que él no tenía miedo. Cuando le empezó a acariciar los pechos, Isabelle perdió toda concentración. Una sensación mucho más apremiante comenzó a despertar en su cuerpo cuando la mano de Stephen le acarició esos lugares suyos tan suaves y privados. Volvió a respirar con agitación; sus exhalaciones comenzaron a ser entrecortadas cuando sintió que, una vez más, se deslizaba, voluntariamente, pero hacia abajo, hacia donde no había ningún final a la vista.

Esa noche Azaire se encontraba de muy buen humor. Meyraux estaba a punto de aceptar su nueva propuesta de pago para los obreros y, aunque la huelga se extendía entre los tintoreros, no parecía probable que afectara otras ramas de la industria. Su amigo Bérard, que hacía una semana no llamaba, había prometido pasar por allí después de comer con su esposa y la madre de ésta, a jugar una partida de cartas. Azaire le ordenó a Marguerite que sacara dos botellas de borgoña del sótano. Felicitó a Isabelle por su apariencia y le preguntó a Lisette qué había andado haciendo.

—Salí a caminar por el jardín —contestó ella—. Caminé hasta el extremo donde se une con los otros y donde la vegetación no está cuidada. Me senté bajo un árbol y creo que me quedé dormida. Tuve un sueño muy extraño.

—¿Qué soñaste? —preguntó Azaire mientras empezaba a cargar tabaco en su pipa.

Lisette lanzó una risita.

—No pienso decírtelo.

Pareció desilusionada cuando su padre no insistió y en cambio se volvió hacia Isabelle.

—¿Y tú que has hecho durante todo el día? ¿Algunos mandados urgentes en la ciudad?

—No, lo de siempre —contestó Isabelle—. Tuve que hablar con el empleado de la carnicería. Volvieron a equivocarse y no me mandaron la carne que había encargado. Madame Bonnet se quejó por el exceso de trabajo que debe hacer. Y luego, a la tarde, leí un libro.

—¿Un libro educativo o una de las novelas que tanto te gustan?

—Una tontería que encontré en una librería del centro.

Azaire sonrió con indulgencia y meneó la cabeza ante los gustos frívolos de su mujer. Se suponía que él sólo leía a los grandes filósofos y siempre en su idioma original, pese a que ese arduo estudio sin duda lo llevaba a cabo en privado. Cuando después de comer se instalaba bajo la lámpara, indefectiblemente era para leer el diario de la tarde.

Desde el sofá donde estaba sentada con su costura de antes de comer, Isabelle levantó los ojos al oír los pasos de hombre que descendían por la escalera. En la puerta estaba Stephen.

El muchacho estrechó brevemente la mano que Azaire le ofrecía y se volvió para saludar a Isabelle. Ella respiró algo más tranquila al ver la expresión severa de su rostro morocho y tranquilo. Su autodominio parecía total.

Durante la comida notó que en ningún momento se dirigía a ella y que, si podía evitarlo, ni siquiera la miraba. Cuando lo hacía, sus ojos carecían hasta tal punto de expresión que ella temió que la miraran con indiferencia, casi con hostilidad.

Marguerite iba y venía con la comida, y Azaire, de mejor humor que nunca, hablaba de la posibilidad de dedicar un día a la pesca, programa que esa noche pensaba proponerle a Bérard. Viajarían en tren hasta Albert donde alquilarían un carrito tirado por un petiso y, con una canasta de picnic, se encaminarían hasta uno de los pueblos que se erguían junto al Ancre.

Ante la posibilidad, Grégoire se animó.

—¿Me permitirán que tenga mi propia caña? —preguntó—. Hugues y Edouard tienen las suyas, ¿por qué no yo?

—Estoy segura de que te encontraremos alguna, Grégoire —dijo Isabelle.

—¿A usted le gusta pescar, Monsieur? —preguntó Azaire.

—De chico me gustaba. Pescaba con lombrices y con trozos de pan. Me quedaba sentado durante horas frente al estanque de una casa grande, cerca de donde vivíamos. Iba hasta allí con otros chicos del pueblo y permanecíamos sentados y contando historias mientras esperábamos. Se rumoreaba que había una carpa enorme. El padre de uno de mis amigos la había visto, en realidad estuvo a punto de pescarla o, por lo menos era lo que afirmaba. No cabe duda de que había peces grandes en el estanque, porque pescamos algunos. El problema era que siempre nos echaban de allí porque esa tierra era propiedad privada.

Isabelle escuchaba algo sorprendida ese discurso, que era el más largo que Stephen le dirigía a su marido desde su llegada a la casa. Aparte de la breve confesión que les hizo a ella y a Lisette durante el almuerzo, era la primera vez que admitía haber tenido algo tan personal como una infancia. Cuanto más hablaba, más parecía entusiasmarse con el tema. Y mientras hablaba miraba con tanta fijeza a Azaire que éste debió esperar que Stephen terminara antes de poder llevarse a la boca el trozo de carne que tenía en el tenedor.

Stephen continuó hablando.

—Cuando empecé a ir al colegio, ya no hubo tiempo para pescar. Y de todos modos, no sé si hubiera tenido la paciencia necesaria. Posiblemente sea algo que agrade a grupos de chicos que se sienten aburridos, pero que prefieren estar juntos para poder compartir las novedades que están descubriendo acerca del mundo.

—Bueno, si quiere acompañarnos, será bienvenido —dijo Azaire, llevándose a la boca un trozo de carne.

—Es usted muy amable, pero creo que ya he impuesto demasiado mi presencia en las salidas de su familia.

—Debe venir —dijo Lisette—. En Thiepval sirven un famoso "té inglés".

—No es necesario que lo decida ahora —acotó Isabelle—. ¿Quiere un poco más de carne, Monsieur?

Se sentía orgullosa de Stephen. Hablaba francés a la perfección, era amable y elegante y ahora hasta había revelado cosas acerca de sí mismo. Tenía ganas de lucirlo y de compartir la aprobación que el muchacho merecería. Y la embargó una oleada de pena al recordar lo lejos que estaba de poder hacerlo. Su elección, su orgullo, el hombre a la sombra de cuya gloria debía vivir era Azaire. Se preguntó cuánto tiempo sería capaz de mantener una situación tan falsa. Tal vez lo que ella y Stephen intentaban, negar la realidad en gran escala, no fuese posible. Y aunque la atemorizaba la simulación, también la excitaba, como la excitaba saber que se trataba de una aventura compartida.

Abandonaron el cuarto colorado a las cinco de la tarde, y desde entonces ella no había vuelto a hablar con Stephen. Le resultaba imposible adivinar lo que podía haberle pasado por la cabeza. Tal vez él ya lamentara lo sucedido; tal vez hubiera logrado lo que quería y el asunto ya hubiese terminado para él.

En su caso, en medio de su delirio de júbilo y de temor, todavía tuvo asuntos prácticos que atender. Para abandonar el cuarto colorado, debió vestirse y disimular el frente rasgado de su blusa. Debía sacar las sábanas y la colcha de la cama y llevarlas al lavadero sin ser vista por nadie. Debía revisar y volver a revisar la habitación para asegurarse de que no quedaran vestigios del adulterio.

Se quitó la ropa en su propio baño. Todos sabían que tenía la costumbre de bañarse dos veces al día y con frecuencia a esa hora, pero la blusa no tenía arreglo y tendría que deshacerse de ella en secreto. Tenía la entrepierna pegajosa allí donde el semen que fue tan profundamente plantado en su cuerpo, se desbordó luego. Y ese semen le manchó los calzones de seda de tono marfil que su madre le había comprado en la rue Rivoli de París como parte de su ajuar matrimonial. Al meterse en la bañadera, encontró más rastros de Stephen entre sus piernas, y también luego al limpiar el esmalte de la bañadera misma. El peor de los problemas seguía siendo la colcha. Marguerite era muy prolija con la ropa de cama y sabía cuándo debía cambiar la de cada habitación, aunque por lo general fuera Madame Bonnet quien hiciera ese trabajo. Tal vez Isabelle no tendría más remedio que confiar en una de ellas. Decidió que al día siguiente le daría la tarde libre a Marguerite y que lavaría y plancharía ella misma las sábanas, volviendo a tender la cama antes de que nadie entrara en el cuarto colorado. Tiraría la colcha colorada, con el pretexto de que se había cansado de ella. Era el tipo de comportamiento que indignaba a su marido, pero que él consideraría característico en ella. No sentía repugnancia por las manchas ni por los otros recuerdos físicos de esa tarde, ni siquiera por las gotas de su propia sangre que alcanzó a ver. Jeanne le enseñó a no avergonzarse de ella y, en esas manchas compartidas, veía el testigo de una intimidad que le apretaba el corazón.

Marguerite se encaminó a la puerta de entrada para abrirle a los Bérard. Azaire consideró que era conveniente continuar la velada en la sala de estar, o hasta en alguna de las pequeñas habitaciones de la planta baja donde a veces le indicaba a Marguerite que sirviera el café y los dulces. Sin embargo Bérard se mostró más considerado que nunca.

—No es necesario que perturbemos esta deliciosa escena familiar, Azaire. Permita que me siente en esta silla. Y si el pequeño Grégoire fuese tan amable... Muy bien. Entonces Madame Bérard puede sentarse a mi izquierda.

—Sin duda usted estaría más cómodo si...

—Es que así no tendremos la sensación de haberlos incomodado. Tía Elise sólo accedió a acompañarnos con la condición de que no nos traten más que como vecinos que pasan a verlos, y no como invitados que deben ser tratados como tales.

Bérard se instaló en la silla que acababa de abandonar Lisette, a quien su madrastra dio permiso de llevar a Grégoire a la cama. De pasada, Lisette besó a su padre en la mejilla y salió corriendo del comedor. Aunque esa mañana había disfrutado de su papel de adulta, esos eran momentos en que todavía convenía ser una niña.

Stephen la envidió. En realidad le habría sido fácil dejar solas a las familias, y tal vez ellos lo hubieran preferido. Pero mientras pudiera mirar a Isabelle, prefería quedarse. No sentía ningún remordimiento especial por la falsedad de su posición; estaba convencido de que lo sucedido entre él e Isabelle había modificado irrevocablemente las cosas y que, con el tiempo, las circunstancias sociales reflejarían esa realidad.

—¿Y usted, Madame, ha vuelto a tener noticias de su pianista fantasma y de su melodía inolvidable? —Bérard apoyaba sobre la mano derecha su pesada cabeza, de espeso pelo gris y facciones rubicundas. Miraba directamente a Isabelle. No se trataba de una pregunta seria, sencillamente estaba poniendo a punto la orquesta.

—No, desde la última vez que nos vimos no he vuelto a pasar frente a esa casa.

—A-já. Ya comprendo. Desea mantener la melodía como un recuerdo atesorado. De manera que ha elegido otro camino para su diaria caminata.

—No. Esta tarde me quedé leyendo un libro.

Bérard sonrió.

—Apuesto a que se era una novela romántica. ¡Que encantador! Por mi parte sólo leo libros de historia. Pero cuéntenos el argumento de la novela.

—El protagonista es un hombre joven, de familia modesta que vive en provincias y va a París para convertirse en escritor. Y allí conoce a un grupo de gente que no es la que le conviene.

Stephen quedó sorprendido por el desvergonzado invento argumental de Isabelle. La miró hablar y se preguntó si él se hubiera dado cuenta de que estaba mintiendo. En su modo no había nada distinto. Tal vez algún día ella le mintiera, y él nunca lo sabría. Tal vez todas las mujeres tuvieran esa habilidad para sobrevivir.

Del tema de la novela de Isabelle la conversación derivó a la cuestión de saber si las familias que vivían en provincias podían ser tan importantes como aquellas que vivían en París.

—¿Conoce a la familia Laurendeau? —preguntó Azaire.

—¡Ah, sí! —contestó Madame Bérard con vivacidad—. Nos hemos conocido en varias ocasiones.

—Yo —dijo pomposamente Bérard—, no los considero amigos. No los he invitado a casa ni pienso ir a visitarlos.

Había algo misterioso y noble detrás del rechazo de Bérard por la familia Laurendeau, o por lo menos eso era lo que su tono implicaba. Ningún interrogatorio de sus amigos lograría que confiara los motivos delicados por los que sostenía esa posición.

—No creo que nunca hayan vivido en París —dijo Azaire.

—¡París! —exclamó la tía Elise, levantando de repente la mirada—. Esa ciudad no es más que una gran casa de modas. Es la única diferencia que existe entre París y las ciudades de provincias... allí la gente compra ropa nueva todas las semanas. ¡Qué conjunto de pavos reales!

Azaire resumió sus propios pensamientos acerca de la importancia de la familia en cuestión.

—Yo nunca he llegado a conocer a Monsieur Laurendeau, pero he oído decir que es un hombre muy distinguido. Me sorprende que no se haya hecho amigo de él, Bérard.

Bérard frunció los labios y meneó hacia atrás y hacia adelante el dedo índice delante de ellos para demostrar hasta qué punto los tenía sellados.

—Papá no es esnob —dijo Madame Bérard.

Isabelle estaba cada vez más callada. No veía la hora de que su mirada y la de Stephen se encontraran para que él le diera algún indicio de que todo estaba bien entre ellos. En una oportunidad Jeanne le había dicho que los hombres no eran iguales a las mujeres, que una vez que habían poseído a una mujer era como si nada hubiera sucedido y que lo único que querían era pasar a la siguiente. Isabelle no podía creer que Stephen fuese así, sobre todo después de lo que había dicho y hecho con ella en el cuarto colorado. Pero ¿cómo saberlo si no le daba muestras de calidez, si ni siquiera le sonreía? Al principio su autodominio le resultó tranquilizador, pero en ese momento le preocupaba.

Siguiendo las instrucciones de Azaire dejaron sobre la mesa las tazas de café y se encaminaron a otra habitación para disfrutar de una partida de cartas.

En la seguridad del movimiento colectivo, Isabelle trató de que los ojos de Stephen la tranquilizaran. Él la estaba mirando, pero no a la cara. En el momento de levantarse de la mesa, con sus movimientos de característica modestia, ella sintió que él tenía los ojos clavados en su cintura y en sus caderas. Durante un instante volvió a sentirse desnuda. Recordó cómo se había mostrado ante él con total abandono y lo perversamente correcto que le pareció. De repente, al sentir que los ojos de Stephen la desnudaban de nuevo, la sobrecogieron la vergüenza y la culpa y sintió que se ruborizaba de pies a cabeza. El rubor le cubrió el cuello, y hasta la cara y las orejas, como censurándola en público por sus actos más privados. El color de su piel era como un grito que exigía atención. Entonces, con los ojos llenos de lágrimas causadas por el calor de su sangre, se dejó caer pesadamente en la silla.

—¿Estás bien? —preguntó Azaire con impaciencia—. Pareces muy acalorada.

Isabelle se inclinó sobre la mesa y se cubrió la cara con las manos.

—No me siento bien. Hace mucho calor aquí adentro.

Madame Bérard le rodeó los hombros con un brazo.

—Sin duda se trata de un problema circulatorio —vaticinó Bérard—. No hay motivo para preocuparse. Es un mal bastante frecuente.

A medida que la sangre se iba calmando en su cuerpo, Isabelle fue sintiéndose más fuerte. Seguía teniendo el rostro colorado, pero el pulso le latía con más lentitud.

—Si no les importa, creo que subiré a acostarme —dijo.

—Le diré a Marguerite que suba —dijo Azaire.

Stephen comprendió que no tendría ninguna oportunidad de hablar con ella a solas, de manera que sólo le deseó buenas noches con amabilidad mientras Madame Bérard la tomaba por el codo y le ayudaba a subir los dos primeros escalones antes de volver a reunirse con los demás.

—Un problema circulatorio —repitió Bérard mientras mezclaba las cartas entre sus dedos regordetes—. Un problema circulatorio. Eso es. Eso es. —Miró a Azaire y le guiñó un ojo.

Azaire le respondió con una leve sonrisa mientras levantaba sus cartas. Madame Bérard, quien buscaba los anteojos dentro de su cartera, no alcanzó a ver esos gestos de comprensión tan masculinos. Tía Elise se había retirado a un extremo del cuarto, con un libro.

Arriba, Isabelle se desvistió con rapidez y se deslizó bajo las frazadas. Levantó las piernas hasta el estómago, como lo hacía en la casa de sus padres cuando era chica y el viento silbaba en los campos de Normandía, aflojando las persianas de madera y suspirando bajo el tejado. Se preparó para dormir llenándose la mente con la tranquilizadora imagen de paz y de seguridad en la que siempre confiaba; contenía una versión idealizada de la casa de sus padres en un ambiente levemente pastoral en la que los efectos sensuales del sol y de las flores ayudaban a pensar que el análisis y las decisiones eran innecesarias.

Cuando se encontraba casi en brazos de esa visión, oyó un pequeño golpe que, al principio le pareció que formaba parte del sueño, hasta que lo identificó con un suave pero urgente llamado a la puerta de su dormitorio.

—Pase —exclamó, la voz insegura mientras se deslizaba al mundo de la realidad.

La puerta se abrió con lentitud y Stephen apareció iluminado por la luz mortecina del rellano.

—¿Qué haces aquí?

—Me resultó insoportable estar abajo. —Se llevó un dedo a los labios y susurró: —Tenía que saber cómo estabas.

Ella sonrió con ansiedad.

—Debes alejarte de aquí.

Stephen observó la habitación. Había fotografías de las hermanas de Isabelle, vio sus cepillos, un espejo y su ropa sobre una silla.

Se inclinó sobre la cama y sintió que su mano se hundía en las frazadas que había bajo la colcha. Un perfume hermoso se alzaba de la cama. Antes de salir, Stephen la besó en los labios y le acarició la frente.

Isabelle se estremeció, temerosa de que se oyeran sus pasos en el corredor lleno de ecos. Stephen se movió en silencio, por lo menos para sus propios oídos, hasta el rellano del primer piso. Luego bajó a continuar la partida de cartas que había interrumpido.

A la mañana siguiente Stephen fue a la ciudad. Azaire le aconsejó que no volviera a la fábrica por un par de días, pero a él le resultó difícil permanecer en la casa en compañía de Lisette, de Marguerite y de varios otros visitantes o integrantes de la casa que le impedían estar a solas con Isabelle o poder conversar con ella.

Pensó en su vida como en un bosque de confusiones, donde había dos o tres senderos por los que podía orientarse. Desde sus distintas direcciones alcanzaba a mirar hacia adelante con algo de claridad. A pesar de que a él le resultaban suficientemente rectos y discernibles, a la vez se parecían a cicatrices trazadas en la maleza y no tenía deseos de revelárselos a nadie. Por Isabelle sentía una enorme gratitud y admiración; la fuerza de la emoción que le inspiraba encerraba un impulso hacia la confianza. Esa entrega no le provocaba temor, pero era una perspectiva que tampoco le daba placer.

Estaba de pie en la parte de atrás de la catedral, mirando hacia los bancos del coro y los vitrales del este. Allí reinaba el silencio necesario para poder pensar. Escuchaba el sonido de un escobillón con el que una mujer limpiaba una de las naves laterales, y de vez en cuando el golpe con que se cerraba la pequeña puerta ubicada en medio de la puerta de entrada central, por la que cada tanto entraba alguien. En el centro de la iglesia rezaba un puñado de gente. Bajo los pies de Stephen, una leyenda en latín todavía no borrada por el paso del tiempo, conmemoraba el nombre de un obispo medieval. Stephen se apiadó de las angustias que provocaban las oraciones urgentes de los fieles, aunque sólo les envidiaba a medias la fe. El edificio frío y hostil ofrecía poco consuelo; era un "memento mori" en escala institucional. Su éxito limitado consistía en conceder dignidad a través de piedra e inscripciones lapidarias a la trivial ocurrencia de la muerte. El simulacro se hacía a través del recuerdo de que el parpadeo de luz entre dos eternidades de oscuridad se podía salvar y mantener fuera del tiempo, aunque en las cabezas inclinadas de quienes oraban sólo había sumisión.

Tantos muertos, pensó Stephen, sólo a la espera de otro parpadeo antes de que esta generación se les una. La diferencia entre vivir y morir no era una diferencia de calidad, sino tan solo de tiempo.

Se sentó en una silla y enterró la cara entre las manos. Imaginó una terrible pila de muertos. Surgía de su contemplación de la iglesia, pero poseía su propia claridad: capa tras capa de tierra honda que se pudría y se abría para recibirlos, mientras que los esfuerzos de los vivos con todos sus trabajos y guerras y grandes edificios no eran más que un aleteo contra el peso del tiempo.

Se arrodilló sobre el almohadón del piso y hundió la cabeza entre las manos. Oró en forma instintiva, sin saber lo que hacía. Sálvame de la muerte. Salva a Isabelle. Sálvanos a todos. Sálvame.

Regresó demasiado tarde para poder almorzar con Isabelle y con Lisette, y cada una a su manera, estaban desilusionadas. Cruzó la casa fría y silenciosa, con la esperanza de oír voces. Poco después escuchó ruido de pasos y al volverse vio que Marguerite entraba a la cocina.

—¿Ha visto a Madame Azaire?

—No, Monsieur. No la veo desde la hora del almuerzo. Tal vez esté en el jardín.

—¿Y Lisette?

—Creo que ha ido a la ciudad.

Stephen empezó a buscar en todas las habitaciones de la planta baja. Sin duda Isabelle debía saber que él regresaría. No era posible que hubiese salido sin dejarle un mensaje.

Movió el picaporte de la puerta que conducía a un pequeño estudio. Allí la encontró, leyendo un libro. Al verlo, apartó el libro y se puso de pie.

Stephen se le acercó, sin saber si debía tocarla. Ella apoyó una mano sobre la de él.

—Estuve en la catedral. Perdí la noción del tiempo.

Ella levantó la vista para mirarlo.

—¿Está bien? ¿Está todo bien?

Stephen la besó y ella se apretó contra él. De inmediato él le metió las manos bajo la ropa.

Isabelle levantó la vista para mirarlo. Tenía los ojos muy grandes, con expresión interrogante y estaban llenos de urgencia y de luz. Casi enseguida los cerró y lanzó un suspiro de excitación.

Estaban apoyados contra la pared del cuarto y él deslizó las manos hasta el cierre de la pollera de Isabelle. Alcanzaba a percibir el raso bajo sus dedos y debajo una suave redondez. Sintió las manos de Isabelle sobre la parte delantera de su pantalón.

—Debemos detenernos —dijo Stephen, retrocediendo.

—Sí, Lisette se ha ido —contestó ella, sin aliento—, pero Marguerite...

—¿El cuarto colorado?

—Sí. Sube tú primero y ve a tu cuarto. Espera diez minutos antes de volver a bajar.

—Está bien —aceptó Stephen—. Pero déjame darte un beso de despedida.

La besó profundamente y ella comenzó a suspirar y a refregarse contra él.

—¡Por favor! —murmuró—. ¡Por favor!

Stephen no sabía si le pedía que se detuviera o que continuara. Le había levantado la pollera mientras ella estaba de espaldas a la pared, y en ese momento tenía los dedos entre sus piernas.

—Tómame —susurró ella en su oído—. Penétrame ahora mismo.

Stephen alejó los dedos torpes de Isabelle de sus pantalones y se liberó. Tenía el hombro apoyado contra la madera lustrada de una biblioteca. Detrás de la cabeza de Isabelle había un cuadro de flores en un jarrón de terracota. Tuvo que alzarla un poco, le entrelazó las manos a la espalda hasta que ella le rodeó la cintura con las piernas de modo tal que Stephen ya no se podía mover y debía soportar todo su peso. Impulsado por el estremecimiento de Isabelle, el cuadro de flores se ladeó.

Ella abrió los ojos y le volvió a sonreír.

—Te quiero. —Le cubrió la cara de besos mientras le mantenía el cuerpo cautivo por el peso del suyo. Después apoyó los pies sobre el piso y con suavidad lo retiró de su interior. El pene de Stephen estaba rígido e hinchado. Ella le pasó la mano hacia arriba y hacia abajo hasta que él empezó a jadear y le cedieron las rodillas; luego eyaculó sobre el piso, sobre el vestido de Isabelle, antes de que ella alcanzara a introducir el miembro dentro de su boca. Fue como si lo hiciera por instinto, casi por prolijidad, no porque se tratara de algo conocido o de lo que hubiera oído hablar antes.

—El cuarto colorado —dijo—. Dentro de diez minutos.

Su ropa había vuelto a caer en su lugar. No parecía tener consciencia del vestido manchado. Stephen la observó salir de la habitación, el paso, como siempre, modesto. Él se sentía incómodo, casi desnudo, como si ella lo hubiera tratado como a un chiquilín, haciéndolo objeto de una burla. Pero la sensación no le resultaba desagradable. Se arregló la camisa y el pantalón y limpió el piso de parqué con el pañuelo.

Caminó brevemente por el jardín, tratando de enfriar su cabeza, y luego, como se le había indicado, subió a su cuarto. Miró avanzar el minutero en su reloj de bolsillo. Si calculaba que había caminado tres minutos por el jardín, significaba que sólo debía soportar siete más. Cuando llegó la hora, se quitó los zapatos y bajó en silencio al primer piso. Recorrió el corredor principal, dobló por un pasaje angosto, volvió a bajar y pasó bajo una arcada... Recordaba el camino. Isabelle lo esperaba adentro. Lucía una bata con un dibujo oriental en verdes y colorados.

—¡Tuve tanto miedo! —confesó.

Él se sentó a su lado sobre la cama sin sábanas.

—¿Por qué?

Ella le tomó una mano entre las suyas.

—Anoche, cuando te negabas a mirarme, tuve miedo de que hubieras cambiado de idea.

—¿Con respecto a ti?

—Sí.

Se sintió vigorizado por la preocupación de Isabelle. Todavía le parecía imposible que lo deseara hasta ese punto.

Le tomó el pelo entre las manos. Además sentía un profundo agradecimiento.

—¿Cómo es posible que hayas dudado después de todo lo que hicimos y dijimos?

—Te negabas a mirarme. Tuve miedo.

—¿Y qué podía haber dicho? Cualquier cosa nos habría puesto al descubierto.

—Debes sonreírme, o asentir. Algo. Prométeme que lo harás. —Empezó a besarle el rostro. —Ya encontraremos alguna señal, una manera de comunicarnos en público. ¿Me prometes que me la harás llegar?

—Sí, te lo prometo.

Permitió que Isabelle lo desvistiera. Permaneció pasivo mientras le quitaba la ropa y la doblaba para irla dejando sobre una silla. Así quedó a la vista su enorme excitación, que ella simuló no notar.

—Ahora ha llegado mi turno —dijo Stephen. Pero sólo tuvo que quitarle la bata y la belleza de la piel de Isabelle quedó al descubierto. Stephen apoyó la mejilla contra la blancura de su pecho, y le besó el cuello donde había visto la tensión del esfuerzo el día en que la encontró podando. La piel era joven, nueva y casi blanca, con ese dibujo de pequeñas marcas y de pecas que él trató de paladear con la punta de la lengua. Después la tendió con suavidad sobre la cama, enterró el rostro en la fragancia de su pelo y se cubrió la cabeza con su cabellera. Luego volvió a ponerla de pie mientras le recorría con suavidad el cuerpo con las manos y con la lengua. Pasó los dedos sólo brevemente entre sus piernas y sintió que ella se ponía tensa. Por fin, después de haberle acariciado todo el cuerpo, la hizo volverse e inclinarse hacia adelante sobre la cama y le separó un poco los tobillos con la presión de sus pies.

Cuando terminaron de hacer el amor, se quedaron dormidos, Isabelle debajo de una frazada, con un brazo alrededor del cuerpo de Stephen, él destapado y cruzado sobre el colchón. Ella todavía no había tenido tiempo de lavar las sábanas y volver a colocarlas en su lugar.

En cuanto despertó, Stephen apoyó la cabeza contra el pelo de Isabelle y respiró el perfume de su piel. Ella sonrió y abrió los ojos.

—Al bajar la escalera, estaba seguro de que no lograría volver a encontrar este cuarto. Tuve miedo de que hubiera desaparecido.

—No temas, no se moverá. Siempre está aquí.

—Isabelle. Dime. Tu marido. Una noche oí sonidos que surgían de tu cuarto. Era como si... te estuviera lastimando.

Isabelle se sentó, cubriéndose con la frazada. Asintió.

—A veces... se siente frustrado.

—¿Qué quieres decir?

A ella se le llenaron los ojos de lágrimas.

—Queríamos tener hijos. Pero nunca sucedía nada. Yo temía la llegada de cada mes... tú sabes...

Stephen asintió.

—La sangre era como un reproche. Él aseguró que la culpa era mía. Yo lo intenté, por él, pero no sabía qué hacer. Era muy brusco, aunque no precisamente cruel conmigo, pero sólo quería hacerlo con rapidez para que yo quedara embarazada. No era como contigo.

De repente Isabelle se sintió invadida por la timidez. Hablar de lo que hacían parecía más vergonzoso que hacerlo.

Casi enseguida siguió hablando.

—Creo que con el tiempo empezó a dudar de sí mismo. Al principio estaba convencido de que el problema no era suyo, porque ya tenía dos hijos. Después ya no estuvo tan seguro. Daba la impresión de que me tenía celos porque yo era joven. "Claro, tú eres muy saludable" decía. "No eres más que una criatura". Y cosas así. Yo no podía hacer nada. Siempre hice el amor con él, aunque no lo disfrutaba. Nunca lo critiqué. Fue como si él fuera construyendo el disgusto hacia sí mismo. Entonces empezó a hablarme con sarcasmo. Tal vez lo hayas notado. Cuando había otras personas presentes, no hacía más que criticarme. Creo que por algún motivo se sentía culpable por haberse casado conmigo.

—¿Culpable?

—Tal vez hacia su primera mujer, o tal vez porque sentía que se había casado conmigo por motivos engañosos.

—¿Porque impidió que te casaras con alguien de tu propia edad?

Isabelle asintió, pero en silencio.

—¿Y entonces?

—Poco a poco la situación fue tornándose tan desagradable que ya no podía hacerme el amor. Decía que yo lo castraba. Como es natural, con eso él cada vez se sentía peor. De manera que trataba de excitarse haciendo… cosas extrañas.

—¿Qué?

—No, no como las cosas que tú y yo… —Isabelle se interrumpió, confusa.

—¿Te pegaba?

—Sí. Al principio era para tratar de excitarse. No sé por qué suponía que pegándome lo lograría. Creo que después fue por frustración y por vergüenza. Pero cada vez que yo protestaba me decía que eso era parte de hacer el amor y que yo debía someterme a ello si quería ser una buena esposa y tener hijos.

—¿Te pega con mucha fuerza?

—No, no me pega demasiado fuerte. Me pega cachetadas en la cara y en la espalda. A veces toma una zapatilla y simula que yo soy una criatura. Una vez quiso pegarme con un palo, pero se lo impedí.

—¿Y te ha lastimado mucho?

—No. De vez en cuando me ha dejado un raspón o un moretón. Pero lo que me importa no son las lastimaduras. Es la humillación. Me hace sentir como un animal. Y le tengo lástima porque él mismo se humilla. ¡Está tan furioso y tan avergonzado!

—¿Cuánto hace que no te acuestas con él? —Stephen sintió que la primera punzada de celos oscurecía la compasión que le inspiraba Isabelle.

—Casi un año. Es absurdo que él siga simulando que es por eso que va a mi cuarto. Ambos sabemos que ahora sólo va a pegarme o a lastimarme. Pero simulamos.

A Stephen no le sorprendió lo que Isabelle acababa de decirle, aunque le indignaba que Azaire se atreviera a ponerle una mano encima.

—Debes impedir que lo siga haciendo. Es necesario que termines con esto. Debes decirle que no vaya más a tu cuarto.

—Es que me da miedo pensar en lo que me diría o en lo que haría si yo le dijera eso. Le diría a todos el mundo que soy una mala esposa, que me niego a acostarme con él. Creo que ya les cuenta mentiras a sus amigos acerca de mí.

Stephen recordó las miradas embozadas de Bérard. Tomó la mano de Isabelle y la besó, luego la apoyó contra su cara.

—Yo te cuidaré —dijo.

—¡Mi querido muchacho! —contestó ella—. ¡Eres tan extraño!

—¿Extraño?

—Tan serio, tan… remoto. ¡Y las cosas que me haces hacer!

—¿Yo te hago hacer cosas?

—No, no me refiero a eso. Yo las hago por mi propia voluntad, pero sólo porque se trata de ti. No sé si esas cosas están bien, si son… permitidas.

—¿Como lo que hicimos abajo?

—Sí. Yo sé, por supuesto que sé que soy infiel, pero me refiero a esas cosas concretas que hasta ahora nunca había hecho. No sé si son normales, si otra gente las hace. Dímelo.

—Lo ignoro —contestó Stephen.

—Debes saberlo. Eres hombre y has conocido otras mujeres. Mi hermana Jeanne me habló del acto de amor en sí, pero eso era todo lo que sabía. Tú debes saber más.

Stephen estaba incómodo.

—Aparte de ti, sólo he conocido a dos o tres mujeres. Con ellas todo fue completamente distinto. Creo que lo que nosotros hacemos es su propia explicación.

—No entiendo.

—Yo tampoco. Pero sé que no debes sentirte avergonzada.

Isabelle asintió, aunque por la expresión de su rostro se notaba que no la satisfacía la respuesta de Stephen.

—¿Y te sientes culpable? —preguntó él.

Isabelle meneó la cabeza.

—Creo que tal vez debería sentirme culpable. Pero no es lo que siento.

—¿Y eso te preocupa? ¿Te preocupa haber perdido algo, haber perdido la posibilidad de sentirte avergonzada, haber perdido contacto con los valores o la educación que habrías esperado que te harían sentir culpable?

—No —contestó Isabelle—. Siento que lo que he hecho, que lo que estamos haciendo, de alguna manera está bien, aunque no esté de acuerdo con las normas de la Iglesia Católica.

—¿Crees que hay otras maneras de proceder bien o mal?

Isabelle parecía confusa, pero tenía la mente clara.

—Creo que debe haberlas. No sé lo que son. No sé si alguna vez podrán ser explicadas. Decididamente no están escritas en ningún libro. Pero yo ya he ido demasiado lejos. No puedo volver atrás.

Stephen la abrazó con fuerza. Se recostó en la cama, con la cabeza de Isabelle apoyada sobre su pecho. Sintió que el cuerpo de ella se relajaba y que sus músculos se iban aflojando a medida que se quedaba dormida. Había arrullo de palomas en el jardín. Stephen sintió latir su corazón contra el hombro de Isabelle. De su cuello surgía un leve perfume de rosas. Apoyó una mano sobre la curva de sus costillas. Sus nervios se aquietaron en la sensual saciedad de ese momento que impedía pensar. Cerró los ojos. Se durmió, en paz.

René Azaire no tenía la menor sospecha de lo que estaba sucediendo en su casa. Había permitido que sus sentimientos hacia Isabelle fueran dominados por el enojo y la frustración debidos a su impotencia física y por lo que subsecuentemente experimentó: una especie de indefensión emocional ante ella. No la amaba, pero quería que ella fuese más sensible con respecto a él. Presentía que Isabelle le tenía lástima y eso lo enfurecía aún más; si no lo amaba, por lo menos debía temerle. En el fondo de sus sentimientos, tal como Isabelle suponía, había una sensación de culpa. Recordaba el placer que le provocó ser el primer hombre que invadía ese cuerpo, mucho más joven que el suyo, y la emoción que no podía negarse de haberla hecho gritar de dolor. Recordaba la expresión inquisitiva de los ojos de su mujer cuando lo miró. Estaba convencido de que ella tenía más capacidad que su primera esposa para responder al acto físico, pero al ver su expresión de perplejidad, decidió someterla en lugar de conquistarla a fuerza de paciencia. En ese tiempo, Isabelle, aunque demasiado independiente para el gusto de su padre, todavía era lo suficientemente dócil e inocente como para haber sido conquistada por un hombre que le demostrara consideración y amor. Pero nada de eso sucedía con Azaire. Los apetitos emocionales y físicos de Isabelle despertaron, pero quedaron en suspenso cuando su marido dedicó sus energía a luchar en una larga e innecesaria batalla contra su propia incapacidad.

Al mismo tiempo, él no tenía motivo alguno para desconfiar de Stephen. El inglés sin duda sabía bastante acerca del negocio para un hombre de su edad, y se manejaba bien con Meyraux y con sus hombres. En realidad, en el fondo Stephen no le gustaba; de haberse preguntado por qué, habría dicho que era frío e introvertido. Esas características que en realidad en Stephen se expresaban de manera diferente, eran las que a Azaire le disgustaban de sí mismo. Y de todos modos, Stephen parecía un individuo demasiado contenido y reservado para ser un hombre que pudiera andar a la caza de mujeres. Azaire imaginaba que ese tipo de hombres siempre se declaraban flirteando; debían ser apuestos y mucho más ingeniosos que él, y trataban de conquistar a las mujeres de una manera obvia y seductora. A juicio de Azaire, Bérard, por ejemplo, de joven sin duda debió ser un conquistador. La silenciosa amabilidad de Stephen no era amenazadora y aunque parecía adulto para su edad, en realidad no era más que un chico. Su traje inglés de buen corte, sin duda le quedaba bien, y tenía una abundante cabellera, pero no era lo que Azaire hubiera considerado buen mozo. No era un integrante de la familia sino un inquilino, un huésped pago, cuyo lugar en la casa era apenas un poco más encumbrado que el de Marguerite.

De todos modos, Azaire estaba demasiado preocupado por su fábrica. En medio del traqueteo de las máquinas y de la irritación que le provocaban el papeleo y las decisiones, pocas veces pensaba en su casa, en sus hijos o en Isabelle.

Una semana después de los disturbios, le dijo a Stephen que consideraba que ya era seguro que volviera a trabajar, aunque no debía asistir a ninguna de las reuniones organizadas por Meyraux. El peligro de una huelga parecía haber disminuido. Para alegría de Azaire, el pequeño Lucien no era capaz de apasionar a sus obreros. Azaire se sorprendió cuando Stephen le contestó que prefería esperar un par de días más. Suponía que el muchacho estaría aburrido en la casa con Lisette e Isabelle por única compañía, pero aceptó postergar el regreso del inglés hasta principios de la semana siguiente.

El telegrama enviado por Stephen a Londres fue contestado en detalle en una carta de su empleador. Debía permanecer en Francia hasta fin de mes, pero luego era necesario que regresara y sometiera sus informes en la calle Leadenhall. Stephen se sintió feliz de que por lo menos le hubieran concedido tres semanas más y respondió con un telegrama tranquilizador. No le mencionó a Isabelle la fecha de su partida; le parecía bastante distante como para no tener que preocuparse y los días eran tan plenos que su vida entera parecía cambiar de uno al otro.

Ese fin de semana se produjo la expedición de pesca al Ancre. Los Bérard no pudieron acompañarlos porque la tía Elise acababa de enfermar, de manera que sólo los Azaire, atendidos por Marguerite y Stephen, partieron a tomar el tren a Albert.

La estación tenía un amplio vestíbulo adoquinado, cubierto por un techo de vidrio coronado por un reloj. Se decía que anticipaba los trabajos de Haussmann en París. Mientras el resto de Amiens conscientemente imitaba a la capital, sus habitantes estaban orgullosos de que la estación hubiera abierto camino en la arquitectura. A la derecha de la enorme entrada de techo de vidrio se alineaban carruajes de alquiler y una hilera de pequeños carros sin caballos permanecía estacionada bajo las dos lámparas de gas instaladas entre los adoquines. A la derecha de la entrada había un jardín formal con tres parches ovalados de césped que, colocados en distintos ángulos, alteraban el panorama equilibrado que debería haber acogido a los pasajeros que se aproximaban desde la calle.

El vestíbulo donde se expedían los boletos estaba repleto de familias que se disponían a iniciar expediciones al campo. Carritos de ruedas ruidosas eran empujados de un lado al otro del andén por vendedores que ofrecían vino y sandwiches de queso o de salchichas. Cuando llegaron los Azaire, las ventanas del inmenso restaurante ya estaban empañadas por el vapor que surgía de la cocina donde se preparaba la sopa para el almuerzo. Cuando las puertas giratorias se abrían para dar paso a los mozos de chalecos negros y largos delantales blancos que llevaban bandejas cargadas de café y de coñac a las mesas del frente y que gritaban órdenes al bar, se percibía un aroma de acedera y de berros. En el extremo opuesto de la cocina estaba la caja, en un alto escritorio en el que una mujer de pelo canoso realizaba cuidadosas anotaciones.

Dos locomotoras jadeaban sobre los rieles lustrosos, con sus maquinistas instalados en lo alto. El negro del carbón y las caras manchadas del maquinista y el fogonero, hablaban de los trabajos de ingeniería que habían llevado las vías hacia París al oeste, y hacia la costa al norte. Esto contrastaba con los coches relucientes y barnizados y con el brillante despliegue de ropa de las mujeres y los niños que llenaban los andenes con sus vestidos de tonos pastel y sus sombrillas de colores. Hubo que arrastrar a Grégoire para sacarlo de su extática admiración del expreso de París y conducirlo al andén donde esperaba el tren pequeño que recorrería el ramal hasta Albert y Bapaume.

Desde los asientos del coche, los viajeros observaron el centro de la ciudad que iba quedando atrás con lentitud. La cúspide de la catedral quedó al descubierto cuando el tren dobló hacia el este, rumbo a Longueau, donde cruzó una serie de vías hasta tomar su curso hacia el norte y comenzar a adquirir velocidad. Entonces el jadeo asmático del vapor exhausto poco a poco fue reemplazado por el sonido repetido de las ruedas sobre las vías.

Lisette estaba sentada con las manos en la falda junto a su madrastra en el medio de un asiento, con Grégoire del otro lado y Azaire, flanqueado por Stephen y Marguerite , ocupaban el asiento de enfrente.

—¿De modo que está decidido a pescar el pez más grande? —le preguntó la niña a Stephen, inclinando la cabeza hacia un lado.

—No lo creo. Supongo que para eso hace falta tener experiencia en el lugar. Los peces franceses son más inteligentes que los ingleses.

Lisette lanzó una risita.

—De todos modos, el tamaño del pez no tiene importancia. Lo importante es pescarlo.

—Yo pescaré el más grande de todos —afirmó Grégoire—. Ya lo verán.

—Apuesto a que no pescarás uno más grande que Stephen —dijo Lisette.

—¿Que quién? —preguntó Azaire.

—Querrás decir Monsieur Wraysford, Lisette —la corrigió Isabelle con aire decoroso, mientras la voz le temblaba apenas a causa de su propia hipocresía.

Lisette miró a su madrastra con expresión tranquila e indescifrable.

—¿Ah, sí? Bueno, supongo que sí.

Isabelle sintió que el corazón dejaba de latirle. No se animó a mirar a Stephen aunque, de haberlo hecho, los ojos de ambos no se habrían encontrado porque a la primera mención de su nombre de pila, Stephen anticipó un momento difícil y clavó la mirada en el paisaje que se veía a través de la ventanilla.

Ni Azaire ni Grégoire dieron ninguna importancia al error de Lisette, e Isabelle se enfrascó en interrogar a Marguerite para saber si había previsto llevar cambios de ropa por si los chicos tenían ganas de nadar en el río.

—De todos modos —le dijo Lisette a Grégoire—, nadie querría comer nada pescado por ti, ¿no es cierto Ste... Monsieur?

—¿Qué? ¿Por qué no? Supongo que eres un buen pescador, ¿no es cierto, Grégoire? Tienes una caña magnífica.

Lisette dirigió una mirada de furia a su hermano que parecía haber acaparado la atención de Stephen durante el viaje, y no volvió a pronunciar una sola palabra.

Un segundo tren que recorría la ribera del Ancre, los llevó de Albert a la estación de Beaumont. El sol aparecía detrás de las nubes, en lo alto de una colina cubierta de árboles e iluminaba el verde valle del río. Entre las vías del tren y el río había algunas praderas y zonas en las que el pasto crecía silvestre. Eligieron un sendero seco y cruzaron una verja del cerco a unos veinte metros del río. Alcanzaban a ver otros pescadores en la orilla opuesta, hombres solitarios y algunos chicos instalados en bancos o sentados en la tierra y con los pies metidos en el agua. En algunas partes el Ancre era muy angosto, una orilla se encontraba a un tiro de piedra de la opuesta, pero en otros era de un ancho tan imponente que sólo un eximio nadador era capaz de contemplar la posibilidad de cruzarlo. En las zonas anchas, prácticamente la superficie del río no se agitaba; en algunos lugares de las más angostas, pequeños remolinos blancos mostraban los lugares en que había corrientes.

Azaire se instaló en un banco de lona y encendió su pipa. Le desilusionaba que los Bérard no hubieran podido acompañarlos. La conversación nunca era tan agradable como cuando estaba presente Bérard para brindar lo mejor que había en él. Ya no tenía mucho que decirle a Isabelle, y los chicos lo aburrían. Puso carnada en el anzuelo y arrojó con cuidado su línea al río. Con o sin Bérard, ésa no era una mala manera de pasar un día de verano, junto al río, en medio de un paisaje agradable, con el sonido de los grajos en los árboles y la paz que reinaba a su alrededor.

Stephen ayudó a Grégoire a poner carnada en los anzuelos de su caña nueva y luego se instaló al pie de un árbol. Lisette lo observaba de pie, mientras Isabelle y Marguerite tendían una manta a la sombra.

A la una, nadie había logrado pescar nada. La superficie del río no denunciaba la presencia de ningún pez, aunque a cierta distancia, en la orilla opuesta, alcanzaban a ver la figura de un chico que no bien arrojaba su línea al agua, la retiraba con un ser plateado estremeciéndose en la punta. Caminaron de regreso a la estación y tomaron un coche a caballo para que los condujera al pueblo de Auchonvillers, ubicado en lo alto de la colina, que les había sido recomendado por Bérard como un lugar donde había un restaurante pasable. Él mismo no lo conocía, pero le habían dicho que era famoso en el distrito.

Azaire se enderezó la corbata antes de entrar. Isabelle estudió a los niños con rapidez para asegurarse de que estuvieran presentables. Auchonvillers era un pueblo aburrido que consistía en una calle principal, algunos senderos y varias calles que partían de la principal y que se conectaban con granjas.

El restaurante era más bien un café, aunque el salón comedor estaba repleto de familias del lugar almorzando.

Tuvieron que esperar a la entrada hasta que una joven los condujo hasta una mesa. Por fin pudieron sentarse e Isabelle le dirigió una sonrisa alentadora a Grégoire, que estaba malhumorado porque tenía hambre.

—Por lo menos aquí la gente parece bien vestida —comentó Azaire, mirando a su alrededor.

A Marguerite la ponía nerviosa tener que compartir la mesa con sus patrones y cuando la camarera regresó, todavía no había decidido lo que quería comer. Le pidió a Isabelle que decidiera por ella. Azaire se sirvió vino y, ante la insistencia de Lisette, también le sirvió un poco a ella.

Stephen miró por sobre la mesa a Isabelle. Seis días antes era Madame Azaire, el distante y respetado objeto de su pasión. En ese momento estaba injertada a él, en carne y en sentimiento. Allí estaban el cuello alto de su vestido con la opaca piedra colorada a la altura del cuello, el peinado formal y su forma de mirarlo, con una especie de preocupación social, pero siempre con un punto de luz en el centro de los ojos que a él le parecía que hablaba con tanta claridad de la vida oculta de ambos, que le sorprendía que los demás no descubrieran a primera vista su infidelidad. La observaba conversar con Grégoire o tranquilizar a Marguerite y deseaba estar a solas con ella, no para hacer el amor, sino para conversar con una versión más fiel de sí misma. Cuando juzgó que el momento era seguro buscó los ojos de Isabelle con los suyos e inclinó la cabeza en un gesto de asentimiento tan pequeño que sólo ella podía haberlo notado, y por la suavidad de su expresión supo que así era.

En ese momento Stephen comprendió que no regresaría a Inglaterra. Debía conceder que, en su momento, existió la posibilidad de que lo que sentía por Isabelle podía haber disminuido o desaparecido como resultado de lo que hacían en el cuarto colorado. Pero ya le resultaba evidente que no se trataba de un apetito capaz de ser satisfecho. Se extendía y cambiaba de forma y penetraba en zonas de sus pensamientos y de sus sensaciones que estaban muy lejos del acto físico en sí. Para él, el amor de Isabelle se había convertido en algo más importante que su vida, o su carrera o su deber hacia sus empleadores. Estaba dominado por ese sentimiento; no podría descansar hasta saber en qué terminaría. Casi tan decisiva como la ternura que sentía por Isabelle era su sobrecogedora sensación de curiosidad.

Aunque su mente funcionaba con claridad y nunca tuvo dificultades en cumplir con las tareas que le impusieron sus maestros o empleadores, Stephen nunca cultivó el hábito del análisis. La confianza que se tenía no había sido verificada por el juicio; seguía el camino que sólo le marcaba el instinto y confiaba en la ayuda de cierta cautela reflexiva. Al mirar a Isabelle también supo que el sentimiento que ella le inspiraba no era común y que, por lo tanto, estaba obligado a seguirlo.

Una trucha de gusto metálico fue seguida por un guiso aguachento que sólo lograron comer con la ayuda de grandes cantidades de pan. Isabelle, enfrascada en la tarea de conseguir que Grégoire comiera, parecía serena cada vez que periódicamente se dirigía al resto de los ocupantes de la mesa. Stephen adivinó que era la deliberada destrucción de su papel dentro de la familia. lo que le permitía actuar con un contento tan aparente. Ningún sarcasmo de su marido, ningún comentario sugestivo de Lisette y ningún mal humor de Grégoire podían ya destruir su encantador equilibrio.

Después de almorzar, regresaron al río. Azaire volvió a su banco y Grégoire a un pequeño tronco que encontró a orillas del agua. Stephen caminó por el borde del río en dirección a Beaucourt. El cielo, sobre la tierra labrada, estaba claro, y lleno del canto de las alondras, lo cual hizo que Stephen se estremeciera de desagrado. Se sentó al pie de un árbol y, distraído, comenzó a poner carnada en una línea que le había prestado Azaire. Entonces sintió que una mano se apoyaba con suavidad sobre su hombro y que otra le cubría los ojos. Se sobresaltó, pero enseguida lo tranquilizó la suavidad del gesto. Colocó su propia mano sobre la que tenía en el hombro y la acarició. Los dedos eran delgados y femeninos. Stephen aferró la mano y se volvió. Era Lisette. Ella lanzó un gritito de triunfo.

—No creyó que fuera yo, ¿verdad?

Sabiendo que su mirada ya había traicionado su sorpresa, Stephen sólo dijo:

—No te oí acercarte.

—Esperaba que fuera otra persona, ¿no es cierto? —dijo Lisette con aire coqueto pero con expresión decidida.

—No esperaba a nadie.

Lisette caminó a su alrededor, con las manos a la espalda. Lucía un vestido blanco y tenía el pelo atado con una cinta rosada.

—¿Sabe, Monsieur Stephen? Yo lo sé absolutamente todo acerca de usted y mi madrastra.

—¿Qué quieres decir?

Lisette rió. Stephen recordó el vino que la jovencita había bebido durante el almuerzo. Ella bajó la voz y dijo con tono ronco:

—"Mi querida Isabelle" —luego jadeó y suspiró como presa del deseo, antes de volver a reír.

Stephen meneó la cabeza y sonrió, fingiendo no comprender.

—Ese día, después del almuerzo, salí al jardín y me quedé dormida en un banco. Cuando desperté, volví a la casa. Como todavía me sentía un poco mareada, me senté en la terraza y oí sonidos que surgían de una ventana abierta. Eran sonidos muy bajos, pero graciosos. —Lisette volvió a reír. —Y esa noche, después de comer, oí que alguien se deslizaba en silencio por el corredor hasta el dormitorio de ella y luego volvía a bajar en puntas de pie.

Miró a Stephen inclinando la cabeza.

—¿Y bien? —preguntó.

—¿Bien, qué?

—¿Qué dice usted?

—Creo que eres una chica con mucha imaginación.

—Sí, eso es cierto. Estuve imaginando todas las cosas que han estado haciendo, y creo que me gustaría probarlas.

Stephen lanzó una carcajada, genuinamente divertido.

—Esto no es gracioso. Supongo que no tendrá interés en que mi padre se entere de lo que he estado oyendo —amenazó Lisette.

—Eres una criatura —dijo Stephen, empezando a transpirar.

—No, no soy una criatura. Ya tengo casi diecisiete años. Entre nosotros hay menos diferencia de edad que entre usted y ella.

—¿Quieres a Isabelle?

Lisette parecía sorprendida.

—No. Es decir, sí. Antes la quería.

—Ha sido buena contigo.

Lisette asintió.

—Piensa en eso —dijo Stephen.

—Lo pensaré. Pero usted no debió ilusionarme.

—¿Que no debí hacer qué?

—Cuando me dio esa talla yo creí que... Usted sabe, tiene la edad ideal para mí. ¿Por qué no voy a querer tenerlo yo?

Stephen comprendió que no se trataba de una criatura dispuesta a crear problemas por los problemas mismos, sino de alguien cuyos sentimientos habían sido heridos. Había algo de verdad en todo lo que decía.

—Lamento lo de la talla —dijo—. Tú estabas sentada a mi lado. Si allí hubiese estado Grégoire, se la habría dado a él. No tuvo ningún significado. En realidad, después hice otra para Grégoire.

—¿Así que no tenía ningún significado?

—Me temo que no.

Lisette apoyó las manos sobre el brazo de él.

—Stephen, aunque ellos me traten como una criatura, no lo soy. Soy una mujer... por lo menos casi una mujer. Mi cuerpo es el cuerpo de una mujer, no el de una criatura.

Stephen asintió. Pensó que si conseguía mantener la calma, tal vez la aplacaría.

—Comprendo. Para ti no es fácil, sobre todo siendo huérfana de madre.

—¿Qué sabe de mi madre?

—No te enojes, Lisette. Yo tampoco tengo madre... ni padre. Así que sé lo que sientes. Te comprendo.

—Está bien. Tal vez me comprenda. Pero hablaba en serio. Quiero que me haga esas cosas.

—No puedo hacer eso, Lisette. Y lo sabes. Tienes que ser justa conmigo. Justa contigo misma.

—¿Qué pasa? ¿No soy bastante bonita? ¿No soy tan bonita como ella?

Stephen la miró. Ofuscada por el vino y la confusión, era atractiva. Tenía ojos pardos, pestañas espesas y una cintura estrecha. —Sí, eres bonita.

—Entonces tócame, tócame como la tocas a ella.

Le aferró el brazo con ambas manos. Stephen comprendió hasta qué punto la había afectado el vino. Lo miraba con los ojos fuera de foco. Lisette le tomó la mano y se la pasó por el pecho. A pesar suyo, Stephen sintió un reflejo de deseo.

—Esto es muy tonto, Lisette —dijo—. Tus padres están a pocos metros de aquí. No voy a permitir que me molestes ni que tú misma te humilles. Pero si quieres, lo que haré será besarte, con rapidez, siempre que me prometas que nunca más volverás a hablar de esto.

—No —contestó ella.

—¿Qué quiere decir "no"?

—Quiere decir que debes acariciarme.

Le volvió a tomar una mano y se la llevó al pecho, luego a la cintura. Algo en la perversidad de la situación había comenzado a excitar a Stephen y no retiró enseguida la mano cuando ella la colocó debajo de su pollera, en la parte superior de un muslo. Después la deslizó dentro de los calzones donde él palpó un vello fino y carne húmeda.

Entonces Stephen retiró la mano con rapidez porque su inclinación era dejarla allí y sabía que si lo hacía sería el principio de algo más terrible y desesperado que lo que ya había iniciado.

Ante el contacto de su mano, Lisette había quedado como petrificada. Fue como si hubiera recuperado la sobriedad y a la vez estuviera aterrorizada. Empezó a alejarse, pero él la tomó por la muñeca.

La miró con fiereza a los ojos y dijo:

—Ahora comprendes. Nunca debes iniciar estas cosas. Y nunca, pero nunca, mencionarás una sola palabra de lo que me dijiste antes, ni a tu padre ni a nadie.

Lisette asintió.

—No. Lo prometo. Ahora me quiero ir. Me quiero ir a casa.

Había olvidado por completo los tés ingleses que servían en Thiepval.

Durante la semana siguiente, Isabelle y Stephen vivieron su extraña existencia en el bulevar du Cange, siguiendo la diaria rutina del comportamiento normal, aunque sus mentes estaban en otra parte. Cada uno de ellos notaba, con admiración y con cierto recelo, lo fácil que le resultaba simular al otro.

Stephen descubrió que su unión apresurada y clandestina con Isabelle era más potente gracias al elemento miedo. Hacían el amor donde podían: en el cuarto colorado, en salas de estar por el momento desiertas, sobre el pasto al pie del jardín. La urgencia del tiempo limitado los llevaba a deponer todas las inhibiciones.

Él no se detuvo a pensar. Tenía la mente desordenada por la pasión. Ya sólo abrigaba un único deseo o pensamiento: que la situación pudiera continuar. A ese imperativo se debía su tranquilo comportamiento en público.

Isabelle estaba perpleja por la fuerza de la vida física que de repente se había abierto en ella y encontraba idéntica excitación en esos encuentros veloces y peligrosos. Pero extrañaba la intimidad de las conversaciones que al principio mantenían en el cuarto colorado; esas conversaciones le parecían un acto de cercanía tan delicado como cualquier contacto físico que hubieran descubierto.

Un día, después de una consulta realizada en susurros en el vestíbulo, Stephen logró volver temprano de la fábrica cuando Isabelle había despachado de la casa a Marguerite y a Lisette por el resto de la tarde.

La encontró esperándola en el cuarto colorado. Después, al apoyarse contra las almohadas, miró fijo el cuadro de un noble medieval que había sobre la chimenea. En ella ardía un fuego prendido con prolijos palitos y un poco de carbón. En la pared más lejana había un gran ropero provenzal en el que se guardaban cortinas en desuso, alfombras, sacos de invierno, floreros de distintos tipos, relojes y cajas que no tenían ubicación en la casa. La madera del marco de la ventana estaba cachada y despintada. La brisa mecía algunas clematis blancas contra el vidrio.

Desde la excursión al río, era la primera oportunidad que Stephen tenía de contarle a Isabelle lo de Lisette. En medio de la confianza que le inspiraba su pasión, le contó todo, con la esperanza de que ella valorara su honestidad por encima de cualquier otro sentimiento de intranquilidad. Isabelle reaccionó con curiosidad.

—No entiendo donde pudo haberse enterado de esas cosas.

—Supongo que es mayor de lo que nosotros creímos. ¿A su edad no sentías esas cosas?

Isabelle meneó la cabeza.

—Jeanne me dijo lo que algún día sucedería, pero yo no tenía sensaciones de deseo, por lo menos en la forma en que describes las de Lisette.

—Creo que siente la pérdida de su madre. Y quiere llamar la atención.

—¿Estaba excitada? Estaba... bueno, no sé cómo preguntarlo.

—¿Quieres saber si está lista para hacer el amor con un hombre?

—Sí.

—Sí, como mujer, su cuerpo estaría preparado, pero casi con seguridad elegiría al hombre equivocado.

—A ti.

—O peor.

Isabelle meneó la cabeza.

—¡Pobre Lisette!

De repente miró fijo a Stephen.

—¿Y tú querías... con ella?

—No. Por un momento existió un reflejo, como el de un animal. Pero no. Sólo quiero hacerlo contigo.

—¡No te creo! —exclamó Isabelle, riendo.

Stephen le sonrió.

—Te estás burlando de mí, Isabelle.

—Sí, por supuesto que me estoy burlando de ti. —Le pasó la mano por el vientre. —Eres un malvado —le susurró al oído.

Algunas veces Stephen tenía la sensación de que su cuerpo no era más que un canal sujeto a presiones exteriores; no tenía sentidos de fatiga ni de proporción. Cuando volvió a tenderse encima de Isabelle, pensó de nuevo en Lisette. Tenía la sensación de que, de alguna manera perversa, la historia de la indiscreción de Lisette había excitado a Isabelle.

—Me preocupa la posibilidad de que se lo cuente a tu marido —dijo después.

Isabelle, ya recuperada su compostura, contestó:

—A mí me preocupa más tener el deber de quedarme y cuidarla.

—¿De quedarte?

—Sí. En lugar de...

—¿En lugar de viajar conmigo a Inglaterra?

Al enfrentar por fin sus pensamientos en palabras, Isabelle asintió. Stephen experimentó un tranquilo júbilo; aunque él hubiera puesto las palabras, la idea había sido de ella.

—Pero eso es lo que harás —dijo—. Abandonarás al marido que te castiga y te irás con el hombre que te ama. Lisette no es hija tuya. Ya le has hecho mucho bien, la has ayudado bastante. Pero llegará el momento en que será necesario que vivas tu propia vida. Tienes una sola posibilidad.

El mismo Stephen percibió el tono declamatorio de sus palabras, pero no se arrepintió. Quería que Isabelle recordara esas palabras y que tuvieran fuerza cuando estuviera sola, tomando su decisión.

—¿Y qué haríamos en Inglaterra? —preguntó ella en tono de broma, porque todavía no se animaba a pensarlo con seriedad.

Stephen respiró hondo y con lentitud.

—No estoy seguro. No viviríamos en Londres, sino en algún lugar remoto. Yo podría encontrar trabajo en alguna empresa. Tendríamos hijos.

Esa frase borró por completo el tono de ligereza de Isabelle.

—¿Y Lisette y Grégoire...? Perderían otra madre.

—Y si te quedas aquí, tú perderás tu vida.

—No quiero pensar en el asunto.

—Pero debes pensar en él. Se supone que debo regresar a Londres la semana que viene. Podrías acompañarme. O podríamos ir juntos a alguna parte de Francia.,

—O tú podrías quedarte a trabajar aquí, en la ciudad. Nos encontraríamos.

—Eso no, Isabelle. Sabes que no resultaría.

—Debo vestirme. Tengo que bajar y estar lista cuando llegue Lisette.

—Antes de que te vayas, quiero preguntarte algo. Lucien Lebrun. Corren rumores de que tú y él...

—¡Lucien! —exclamó Isabelle, riendo—. Le tengo mucha simpatía. Creo que es admirable, pero ¡por favor...!

—Lo siento. No debí hacerte esa pregunta. Fue solo que... me preocupaba.

—No te preocupes. Nunca te preocupes. No existe nadie más que tú. Y ahora, en serio debo vestirme.

—Entonces deja que te vista yo.

Fue a buscar la ropa de Isabelle a la silla donde ella la había dejado.

—Pon aquí un pie y allí el otro. Ahora debes pararte. ¿Qué sigue? ¿Esto? ¿Y cómo se abrocha? Deja que enderece esto. Estás respirando con mucha agitación, mi amor. ¿Fue aquí donde te acaricié, aquí?

Isabelle estaba vestida a medias, desnuda a medias. Permaneció de pie y sostuvo entre sus manos la cabeza de Stephen mientras él se arrodillaba ante ella.

Cuando ella empezó a suspirar, Stephen se puso de pie y preguntó:

—¿Vendrás conmigo, verdad?

Ella contestó en un siseo, entre los dientes cerrados.

La puerta de entrada se golpeó con fuerza cuando Azaire llegó con un ejemplar del diario de la tarde en la mano.

—¡Isabelle! —llamó—. La huelga ha terminado. Los tintoreros regresan mañana al trabajo.

Ella apareció en la parte superior de la escalera.

—¡Qué buena noticia!

—Y mañana Meyraux les recomendará a los obreros que acepten mis nuevas condiciones.

—Me alegro muchísimo.

Por lo menos significa que Azaire estará de buen humor, pensó. No la perseguiría con frases hirientes ni iría a su cuarto para desahogar en ella su frustración.

—¿Y usted cuándo nos abandonará Monsieur? —preguntó Azaire durante la comida, mientras servía una pequeña medida de vino en el vaso de Stephen.

—A fin de semana, tal como planeamos.

—Bien. Como le dije esta mañana, su visita ha sido interesante para nosotros, en la fábrica. Espero que haya disfrutado de su estadía con nuestra familia.

—Ha sido un placer convivir con su encantadora familia.

Azaire parecía satisfecho. Por una vez, de sus ojos desapareció esa expresión herida. Sin duda le agradaba la perspectiva de retomar la rutina normal en todos los aspectos de su vida.

Isabelle notó el alivio que le provocaba la partida de Stephen y el fin de la huelga en la fábrica, pero le costaba comprender que aceptara con tanta facilidad volver a vivir la vida tal como era antes. Tal vez considerara que su manera de tratarla fuese una dolorosa y provisoria transición hacia un sentimiento mejor, pero no era posible que fuera un comportamiento deseable que estaba ansioso por recomenzar. No le temía, pero su actitud la deprimía. Ante ella se extendían inviernos llenos de soledad; si Azaire no estaba decidido a cambiar, encontraría un aislamiento más profundo en su presencia que en la suya propia.

Además estaba Stephen, una alternativa que no podía considerar con tranquilidad. Existía demasiado peligro en sus sentimientos y en los detalles prácticos de lo que podían llegar a hacer. Consideró que tal vez podría evitar lo falible de su propio juicio dependiendo del de Stephen; aunque era más joven, parecía más seguro de lo que estaba bien.

Desde la excursión al río, Lisette estaba como aplacada; ya no animaba las comidas con sus malos humores ni con sus comentarios. Su mirada nunca se encontraba con la de Stephen, pese a que él trataba de que así fuera para tranquilizarla. La chica permanecía en silencio y el sonido del reloj de la repisa de la chimenea parecía resonar cada vez con más fuerza en el comedor.

—Oí la historia más extraña —dijo de repente Azaire.

—¿Qué? —preguntó Isabelle.

—Me dijeron que en lo peor de la huelga, alguien visitaba al pequeño Lucien y le llevaba paquetes de comida para que él distribuyera entre las familias de los huelguistas.

—Sí, yo también oí esa historia —intervino Stephen—. Una serie de gente comprensiva de la ciudad ayudaba a los huelguistas. Sobre todo un hombre, que quiso permanecer en el anonimato. Por lo menos fue lo que me dijeron en la fábrica.

—¡Pero no, por Dios! —exclamó Azaire—. No se trataba de un hombre sino de una mujer que se dirigía disfrazada a la casa de Lebrun.

—Supongo que mucha gente ayudó a los huelguistas.

—Pero lo más extraño de esa mujer era que estaba casada con el dueño de la fábrica —Azaire hizo una pausa y miró a todos los que compartían la mesa. Ninguno de sus hijos lo escuchaba. Isabelle permanecía como petrificada.

—Bueno. ¿No les parece extraño? —continuó diciendo Azaire mientras se llevaba el vaso a los labios—. Cuando me lo contaron, no pude creerlo.

—A mí no me parece extraño —dijo Isabelle—. Era yo.

Stephen la miró sin comprender. Azaire depositó pesadamente su vaso de vino sobre la mesa.

—Pero mi querida...

—Les llevé comida porque tenían hambre. No sabía si tenían o no derecho de estar en huelga, pero había visto a sus hijos pidiendo pan, corriendo detrás de los carros que entraban a la ciudad con verduras para el mercado. Los había visto revisando los tachos de basura de Saint Leu y les tuve lástima.

Isabelle hablaba con una tranquilidad sorprendente.

—Volvería a hacer lo mismo —agregó—, así se tratara de obreros textiles, de la vestimenta, del calzado o lo que fuera.

Azaire estaba muy pálido; tenía los labios de un tono púrpura, como si esa suave membrana hubiera repelido la sangre.

—Sal de esta habitación —le ordenó a Lisette—. Y tú también.

Grégoire arrastró su silla ruidosamente hacia atrás y se detuvo para apoderarse del trozo de pollo que tenía en el plato.

Azaire se puso de pie.

—No creí en esos rumores, a pesar de que se referían a ti y aunque supongo que ya debería saber la clase de mujer que eres. Por cabeza dura y egoísta que seas, no creí que jamás, pero jamás, fueses capaz de comportarte así conmigo. Monsieur, creo que también convendría que usted abandonara esta habitación.

—No. Deja que se quede.

—¿Por qué? Él...

—Deja que se quede.

Por el rostro de Azaire cruzó una expresión de pánico. Trató de hablar, pero no pudo. Volvió a beber. Su imaginación parecía estarle proporcionando posibilidades más espantosas que las que podía admitir su furia anterior.

Luchó por formular la siguiente pregunta. Empezó a darle forma.

—¿Tú…? —Miró a Stephen, luego clavó la mirada en la mesa. Era evidente que le fallaba el coraje. Luchó consigo mismo, luego volvió a controlarse y retomó su tono anterior.

—Nunca creí que mi esposa fuese capaz de traicionarme de esa manera. El otro motivo que me llevó a no creer en esos rumores fue que también se comentaba que la señora en cuestión además… —Hizo un movimiento con la mano, como para desechar el pensamiento. —…disfrutaba de una relación personal con Lebrun.

—No, con Lucien, no —contestó Isabelle.

El rostro de Azaire pareció desmoronarse. Su tono de voz suplicaba una negativa tan total del rumor, que la negativa parcial de Isabelle más bien parecía una confirmación de todos sus temores.

Isabelle lo notó y se compadeció hasta el punto de decidir terminar con la incertidumbre de su marido, aunque no pudiera evitarle la angustia.

—Con Lucien, no. Con Stephen.

Azaire levantó la vista desde su asiento.

—¿Con… él?

—Sí —contestó Stephen mirándolo con calma—. Conmigo. Yo perseguí a su mujer. La seduje. No debe odiarla a ella sino a mí.

Quería proteger en todo lo posible a Isabelle, aunque le sorprendía encontrarse en esa posición: Isabelle podría haber mentido con toda facilidad. El corazón le latía con fuerza. Miró a Azaire, a quien se le había aflojado la mandíbula y que lo miraba con la boca abierta. Tenía unas gotas de vino sobre el mentón. Stephen imaginó su dolor por la forma en que le afectaba los músculos faciales. Le tuvo compasión. Luego, con tal de preservar algo para Isabelle y para sí mismo, endureció su corazón. Con un acto de fuerza de voluntad casi físico, logró expulsar la compasión de su ser.

Isabelle ya no podía tratar a Azaire con frialdad. Las breves frases con que acababa de comunicarle su infidelidad parecían haber agotado su resolución y comenzó a llorar y a pedirle perdón por su comportamiento. Stephen la escuchaba con cuidado. No se oponía a que le pidiera disculpas a su marido, pero no quería que se excediera.

Azaire sólo pudo murmurar:

—¿Con él? ¿Aquí?

—Lo siento… lo siento muchísimo, René —dijo Isabelle—. No quise hacerte daño. Pero Stephen me inspira una enorme pasión. No lo hice para causarte dolor.

—¿Con este muchacho? ¿Este muchacho inglés? ¿En mi casa? ¿Dónde? ¿En tu propia cama?

—Eso no tiene importancia, René. El lugar no tiene importancia.

—Para mí, sí. Quiero saberlo. ¿Dónde fue? ¿En qué cuarto?

—¡Por amor de Dios! —exclamó Stephen.

Azaire permaneció sentado en silencio ante la mesa, todavía aferrando el vaso con la mano. Volvió a quedar con la boca abierta y levantó los ojos al cielo, como si estuviera mirando el sol brillante.

—¿Y tu padre, Monsieur Fourmentier, que podrá hacer…? ¿Qué dirán ellos? ¡Dios mío!

Isabelle miró a Stephen con una expresión de temor en los ojos. Stephen comprendió que no había calculado el efecto que su repentina honestidad tendría en su marido. El temor sin duda se debía en parte al bienestar de Azaire, pero también temía por sí misma. Existía la posibilidad de que en plena crisis, perdiera su resolución y siguiera un antiguo código de conducta que volvería a ponerla a merced de Azaire. Eso inquietó a Stephen mientras contemplaba el naufragio provocado por esa inesperada tormenta. Sintió que era necesario mantener la decisión de Isabelle, pero eso sería imposible de lograr si Azaire se derrumbaba por completo.

Azaire hablaba para sí mismo.

—¡Perra! Tu padre me lo advirtió y yo no quise escucharlo. En mi propia casa. Y ahora mis hijos. ¿Qué será de ellos? ¡Perra!

—Escuche —dijo Stephen rodeando la mesa con rapidez y tomándolo por los hombros—. ¿Qué puede esperar de una mujer a quien ha tratado como trató a Isabelle? ¿Esperaba que ella se humillara para su placer, que se sentara con mansedumbre a su mesa con la convicción de que poco después la castigaría?

Azaire rejuveneció.

—¿Qué le dijiste?

—Lo que me dijo no tiene importancia. Ésta es una casa en la que se oye todo. ¿Cómo es posible que se siente allí y la insulte después de todo lo que le ha hecho? Ésta es una mujer que tiene su propia vida y sus propios sentimientos, y mire lo que ha hecho de ella. ¿Qué le ha hecho? —preguntó pegándole un empujón.

Azaire pareció inspirado ante la furia de Stephen. Se puso de pie.

—Abandonará mi casa en el término de una hora —dijo—. Y si tiene algo de sentido común, jamás permitirá que vuelva a poner mis ojos en usted.

—¡Por supuesto que me iré de su casa! —contestó Stephen—. Y me llevaré conmigo a su mujer. ¿Isabelle?

—Yo no quiero esto. —Isabelle meneó la cabeza. Las palabras acababan de surgir de su boca sin que las pensara, sin que las calculara, fruto de la pureza de sus sentimientos. —Ahora no sé qué hacer ni cómo comportarme. Podría ser feliz de la manera más sencilla, como cualquier otra mujer con una familia propia, sin este horrible dolor que he causado. No estoy dispuesta a escuchar a ninguno de ustedes dos. ¿Por qué los voy a escuchar? ¿Cómo puedo estar segura de que me amas, Stephen? ¿Cómo voy a estar segura? —Su voz adquirió ese tono bajo y suave que Stephen había oído durante su primera noche en esa casa. Era un sonido hermoso para él; suplicante y vulnerable pero con una sensación de seguridad en su propia rectitud. —Y tú, René, ¿por qué voy a confiar en ti, si ni siquiera me has dado motivos para tenerte simpatía?

Los dos hombres la miraron en silencio. Stephen creía en la fuerza del sentimiento que los unía y tenía esperanzas de persuadirla.

—Nadie puede estar preparado para una situación como ésta —continuó diciendo Isabelle—. Nada de lo que he aprendido en religión, ni en mi propia familia, ni en mis pensamientos, me sirve de ayuda. Me niego a ser definida por ti como una especie de prostituta, René. Soy una mujer atemorizada, nada más, no una adúltera, ni una prostituta, ni nada por el estilo. Soy la misma persona que siempre fui, pero tú nunca te tomaste el trabajo de tratar de conocerme.

—Perdóname, yo…

—Sí, te perdono. Te perdono todo el mal que me has hecho y te pido que me perdones todo el mal que yo sin duda te he hecho a ti. Subo a empacar.

Abandonó el comedor con un murmullo de polleras y con un perfume apenas discernible de rosas.

—¡Te irás con él —le gritó Azaire—, y sin duda también te irás al infierno!

Stephen se volvió y salió del comedor, tratando de contener la exaltación de su corazón.

Isabelle colocó la fotografía de Jeanne sobre la ropa que había apilado en su valija. Se detuvo un momento y luego agregó el grupo familiar en el que estaban sus padres en su vestimenta dominguera, Mathilde, morocha y muy mujer a la derecha del padre, con Delphine, Jeanne y Béatrice de pie detrás. La fotografía había sido tomada en un parque de Ruán. Entre los árboles del fondo paseaba una pareja por el sendero de grava. En primer plano y a los pies del padre de Isabelle estaba el pequeño perro blanco de la familia.

Isabelle contempló la cara de su padre, esos ojos oscuros y remotos por sobre el espeso bigote. "Cuánto le va a costar comprender lo que estoy por hacer —pensó—. En realidad, nunca se ha tomado el trabajo de tratar de comprenderme."

Empacó dos vestidos y una blusa. Le haría falta ropa más práctica para viajar: un tapado y zapatos cómodos para caminar. Tal vez pudiera mandar buscar el resto de sus pertenencias cuando llegaran al lugar hacia donde se dirigían, fuera cual fuese..

Isabelle no se detuvo a pensar. Quería estar fuera de esa casa, a solas con Stephen antes de que su decisión flaqueara y comenzara a pensar en los detalles prácticos.

Oyó pasos en el corredor que llevaba a su cuarto y, al volverse, vio a Stephen en la puerta. Corrió a su encuentro y él la abrazó con fuerza.

—Eres una mujer maravillosa —dijo.

—¿Qué les diré a los chicos?

—Despídete de ellos. Diles que les escribirás.

—No. —Isabelle se alejó de él y meneó la cabeza. Se le llenaron los ojos de lágrimas. —Les he hecho un daño. No puedo simular lo contrario. Debo alejarme de ellos.

—¿Sin despedirte?

—No. Rápido, Stephen. Debemos irnos. Yo ya estoy lista.

—Espérame aquí. Debo buscar mis papeles.

Mientras subía corriendo la escalera rumbo a su cuarto, oyó que una mujer gritaba y sollozaba en el piso de abajo. Después escuchó un portazo y enseguida la voz de Grégoire que preguntaba qué sucedía. Arrojó el pasaporte, los anotadores, los informes de trabajo, la afeitadora y una muda de ropa en una pequeña valija de cuero. Al bajar al primer rellano se topó con Lisette de pie en camisón frente a la puerta de su dormitorio. Estaba pálida y con expresión espantada.

—¿Qué sucede? —preguntó—. ¿Por qué gritan todos?

Stephen sintió una oleada de piedad por la muchacha. Le dio la espalda y corrió al cuarto de Isabelle, quien se había puesto un abrigo y un sombrero adornado con una pluma verde. Parecía emocionalmente joven.

—¿Estás bien? —preguntó Stephen—. ¿Nos vamos?

Ella le tomó una mano entre las suyas y le miró el rostro de expresión seria. Sonrió y asintió mientras levantaba su valija.

Cada espacio e inesperado corredor bajo el techo de esa casa con sus ángulos conflictivos, estaba vivo con voces, el sonido de pasos, pesados, vacilantes o que desandaban el camino andado. La puerta de la cocina se abría y cerraba todo el tiempo mientras Marguerite y la cocinera entraban y salían del comedor con el pretexto de levantar la mesa y luego permanecían escuchando en el vestíbulo. Stephen apareció en la parte superior de la escalera, rodeando a Isabelle con un brazo y guiándola entre preguntas y miradas de sorpresa.

—¡Al diablo! —repetía Azaire desde la puerta de la sala de estar.

Cuando pasaron a su lado, Isabelle sintió la presión de la mano de Stephen sobre su espalda. Al llegar a la puerta de entrada, se volvió y vio la pálida figura de Lisette en el rellano de la escalera. Se estremeció y salió con Stephen a la noche.

Dentro de la casa, Azaire les ordenó a los chicos que esperaran en el rellano de la escalera mientras él iba al cuarto de Isabelle. Retiró la colcha y las frazadas y miró las sábanas. Les pasó la mano. Estaban limpias, almidonadas, apenas arrugadas por el peso del cuerpo de su mujer. Subió al cuarto del huésped y arrancó la colcha de la cama. Las sábanas estaban más arrugadas, como si Stephen hubiera tenido un sueño más inquieto o la mucama hubiera dedicado menos tiempo a tenderle la cama, pero allí no había rastros del adulterio: las sábanas estaban limpias y la raya de la plancha las recorría por el medio.

Azaire regresó al primer piso y comenzó a recorrer una a una todas las habitaciones. Estaba frenético por encontrar la porquería y la vergüenza de lo que le habían hecho. Quería ver las señales de la traición de su mujer, las manchas de su degradación. En medio de su furia y de su humillación, notó que recuperaba una necesidad que no sentía desde hacía muchos meses.

Grégoire permanecía aterrorizado en el rellano mientras su padre investigaba la cama donde él dormía. Lisette tomó la mano de su hermano mientras observaba las desdichadas emociones de los adultos. Azaire levantó a la luz las sábanas de la cama de Marguerite, creyendo que había visto una marca, pero no era más que un poco de lustramuebles dejado por la mano mal lavada de la mucama. Pasó la mano sobre las sábanas del cuarto de huéspedes y apoyó la cabeza sobre la almohada mientras hacía una profunda inhalación. Sólo percibió olor a alcanfor.

Después se quedó de pie, vencido y arrebolado, bajo la luz de la parte superior de la escalera. Las puertas de todos los cuartos estaban abiertas, las camas deshechas. Azaire respiraba con dificultad. En su furia y su apuro no había recordado el cuarto colorado. Olvidó por completo el angosto corredor con su sencillo piso de tablas de madera que doblaba hacia la parte trasera de la casa. Desde el momento en que compró la casa, nunca tuvo necesidad de visitar ese cuarto, en realidad nunca lo había visto terminado, en su estado actual, después de que se sacaron las pertenencias no deseadas por el dueño anterior y cuando fue modestamente decorado por Isabelle. Era un lugar que Azaire no reencontró pero que permanecía, como Stephen temía, más allá del alcance de la memoria.

Stephen se sentó frente a Isabelle en el tren que iba al sur, hacia Soissons y Reims. Sentía el júbilo simple de su victoria, el hecho de que fuera él quien había ganado, quien había persuadido a Isabelle, contra el peso de las convenciones y los argumentos rotundos, de hacer lo difícil y peligroso. Y estaba la felicidad más profunda de hallarse con esa mujer, a la que amaba, y la evidencia innegable, por primera vez, de que era suya. Isabelle sonrió, luego meneó la cabeza de lado a lado, en gesto de incredulidad, con los ojos cerrados. Cuando volvió a abrirlos, mostraban una mirada de resignación.

—¿Qué dirán? ¿Qué le dirá él a Bérard y sus amigos? —Su voz reflejaba intriga pero no ansiedad.

—No es la primera vez que una esposa deja a su marido. —Stephen no tenía idea de lo que diría Azaire, pero no se sentía inclinado a imaginarlo. Sentía que era importante que él e Isabelle se concentraran en sí mismos.

El tren era el último de la noche, de modo que tenían poca alternativa en cuanto a destino. En la estación, Isabelle se había cubierto la cara con un chal, pues temía que la reconocieran al subir al tren. A medida que avanzaba hacia el sur por el paisaje chato, se relajó; vendrían años de arrepentimiento, pero la perspectiva de drama e infortunio inmediatos había desaparecido.

El tren paró en una estación apenas iluminada y miraron por la ventanilla, a un changador que descargaba correspondencia y empujaba un carrito lleno de cajas hasta un edificio de madera que daba a un depósito vacío. La cara del hombre lucía pálida en la oscuridad. Detrás de él se extendía el bulto negro y ordenado de una calle, que subía por la cuesta hasta un pueblo donde alguna que otra luz amarilla se mostraba perezosa tras cortinas y persianas.

El tren se estremeció, partió de la estación y avanzó al sur a través de la noche tranquila. El verano casi terminaba y había cierta frescura en el aire. Hacia el este se hallaba el bosque de Ardenas, y más allá, el Rin. Tras una parada en Reims siguieron la línea del Marne a través de Joinville. De vez en cuando el río sombrío era sorprendido por la luz de la luna cuando las vías viajaban a su vera, antes de reanudar su curso entre cortes y diques cuyos costados elevados lo encerraban en oscuridad.

Mientras se dirigían al sur, Isabelle fue a sentarse junto a Stephen, con la cabeza apoyada contra el cuerpo de él. A causa del movimiento del vagón le pesaban los párpados; durmió mientras el tren continuaba su rumbo, hacia donde el Marne se unía con el río Mosa, cuyo curso unía Sedán con Verdún, en una senda chata a través de las tierras bajas de su región natal.

Soñó con rostros pálidos bajo luces de tono rosado, Lisette en el rincón de las escaleras, los rasgos exangües bajo el resplandor rojo, una niña perdida, y otros como ella atrapados en un meandro repetido del tiempo, cuyo patrón era reforzado por el movimiento rítmico del tren, muchas caras de piel blanca con ojos oscuros, mirando incrédulas.

Se alojaron en un hotel del pueblo de aguas termales de Plombières. Era un edificio gris con balcones de hierro forjado y densa hiedra. La habitación de ellos estaba en el primer piso y daba a un jardín húmedo con un invernadero roto y una cantidad de cedros enormes. Detrás del muro del otro extremo se hallaban los baños, de cuyas aguas se afirmaba que poseían propiedades curativas para los que sufrían de reumatismo, dolores del pecho y ciertas enfermedades de la sangre. En el hotel había más o menos una docena de residentes, en su mayoría parejas mayores, que comían en el ornado comedor. Durante los primeros tres días Stephen e Isabelle apenas si salieron de su habitación. Isabelle estaba cansada por el viaje y la tensión de lo que había hecho. Dormía en la gran cama de madera, y Stephen se sentaba a su lado durante horas, leyendo un libro, fumando un cigarrillo o parado en el balcón, contemplando el apacible lugar.

Una mucama tímida dejaba bandejas frente a la puerta a la hora de la cena y se retiraba apresurada por el pasillo. Al tercer día Stephen bajó solo al comedor y se sentó junto a la ventana que daba a la plaza. El dueño del hotel le llevó el menú.

—¿Su esposa se encuentra bien? —preguntó.

—Muy bien, gracias. Sólo un poco cansada. Espero que baje mañana.

Diversos residentes saludaron a Stephen con un gesto de la cabeza al tomar sus lugares a las mesas. Él les devolvió el saludo con una sonrisa y bebió de la botella de vino que había pedido. Un mozo le llevó pescado con una espesa salsa de crema. Stephen bebió otra copa y se permitió sumirse en la atmósfera tranquila de ese mundo extranjero. Imaginaba que nada había cambiado en años en la ordenada rutina del hotel, en el aire tenue o la comida nutritiva basada en recetas del siglo XVIII, ni en las calidades, tal vez imaginarias, de las aguas y las vidas decorosas y limitadas que sus presuntas propiedades habían alentado en el pueblo.

Al cuarto día Isabelle se aventuró a salir con él a dar una vuelta. Lo tomó del brazo como una esposa casada hace muchos años, mientras exploraban las calles; se sentaron un rato en un parque casi desprovisto de césped y bebieron café en una plaza situada frente a la escuela de varones.

Stephen mostraba una curiosidad inagotable. Le pidió a Isabelle que le describiera los primeros años de su vida hasta el mínimo detalle; no parecía cansarse nunca de las historias de la época que ella había pasado en Ruán.

—Cuéntame más sobre Jeanne.

—Te he contado todo lo que recuerdo. Ahora cuéntame tú cómo llegaste a este lugar, esta institución.

Stephen exhaló despacio.

—No hay mucho que contar. Mi padre trabajaba para el correo en una parte monótona de Inglaterra llamada Lincolnshire. Mi madre trabajaba en una fábrica. No estaban casados, y cuando ella quedó embarazada él desapareció. Nunca lo conocí. Por lo que me enteré años más tarde, parecía un hombre común, alguien que tomaba lo que podía encontrar y prefería no pagar por ello.

—¿Eso es lo que crees "común"?

—Es como vive la gente. Tal vez mi padre tenía algún encanto, aunque no era un hombre apuesto, no según la idea que uno tiene de un seductor. Era sólo un hombre al que le gustaban las mujeres, y creo que debo de tener medios hermanos y hermanas en Inglaterra, aunque nunca los he conocido. Mi madre dejó la fábrica y volvió a vivir con sus padres, que trabajaban en un pueblo. El padre de mi madre trabajaba en una granja. Al final mi madre consiguió un empleo como mucama en una casa grande, como Marguerite.

Isabelle observaba la expresión de Stephen mientras él hablaba. Su voz no parecía transmitir expresión alguna, aunque la línea de su mandíbula se había tensado un poco.

—Pero tampoco mi madre era una persona fuerte. Cuando yo era chico, quería que fuera independiente de mi padre, para poder desecharlo de nuestra mente. En realidad quedó embarazada de nuevo, de un hombre que trabajaba en la misma casa. Ella me quería, pero no me cuidaba mucho. Me crió mi abuelo, que me enseñó a pescar y cazar conejos. Yo era un verdadero chico de granja. También me enseñó a robar y pelear. Era bastante joven, de unos cincuenta y tantos años, y muy bien conservado. Le parecía apropiado que cualquier trabajador aumentara sus ingresos de la manera que pudiera. Peleaba con los puños por dinero, si le ofrecían bastante, y robaba en las casas más grandes del distrito. Sobre todo, comida o animales que atrapaba.

"Mi madre se fue con el hombre al que conoció en la casa. Oí decir que se fueron a Escocia. Poco después arrestaron a mi abuelo por un delito menor y lo mandaron a la cárcel. Parte de su defensa alegaba que necesitaba estar en casa para cuidar de mí. El tribunal ofreció enviarme a un hogar del pueblo, ya que él no estaba calificado para ser mi tutor. Yo me sentía muy contento viviendo con mi abuela, pero a continuación me encontré vestido con una especie de túnica, con la orden de fregar pisos y mesas en este enorme edificio de ladrillos. También teníamos que estudiar, algo que nunca había hecho antes.

"Éstas son las cosas que recuerdo del lugar, y que me acompañarán hasta el día de mi muerte. El olor del jabón que usábamos para limpiar los pisos y la sensación del uniforme contra la piel. Recuerdo el gran salón, con un cielo raso tan alto que casi no lo alcanzaba la vista, y las mesas largas a las que comíamos. Yo había sido bastante feliz con mi abuela; nunca antes había visto tanta gente en un solo lugar, y me parecía que eso nos disminuía. Sentía pánico cuando nos sentábamos allí, como si nos redujeran a números, a grupos de personas anónimas que carecían de valor a los ojos de otro individuo.

"A los que teníamos familia o gente a la que ver se nos permitía salir de vez en cuando. Yo pasaba el día con mis abuelos. A esa altura, él había vuelto de la cárcel. Un día tuve una pelea con un chico del lugar, y lo lastimé mucho más de lo que me había propuesto. No recuerdo quién empezó la pelea o a qué se debió. Tal vez fue culpa mía. Recuerdo que lo vi caer al suelo y me pregunté qué había hecho.

"Sus padres llamaron a la policía, y se armó un alboroto. Me enviaron de vuelta a casa porque era demasiado joven para que me hicieran juicio. El accidente se publicó en el diario local, y un hombre al que nunca había oído nombrar, un tal Vaughan, debe de haberlo leído. Mi abuela estaba entusiasmada porque ese hombre era rico y dijo que quería ayudarnos. Fue a verme a la casa y me habló un largo rato. Estaba convencido de que yo era inteligente y necesitaba que me dieran la oportunidad de mejorar. Me preguntó si estaba dispuesto a permitir que los tribunales lo nombraran tutor mío. Yo habría hecho cualquier cosa con tal de escapar de la situación, y mis abuelos se sentían felices de que alguien se responsabilizara por mí.

"Todos los trámites legales demoraron un año en completarse. El hombre era muy conocido en el lugar. Había sido magistrado pero no se había casado ni tenía hijos. Insistió en que yo fuera a la escuela durante el día, y él mismo me enseñaba por las noches. Yo vivía en su casa, y me consiguió una vacante en la *grammar school*.

—¿Qué es eso?

—Una escuela donde te enseñan latín y griego e historia. Y cómo usar el tenedor y el cuchillo.

—¿Antes no sabías?

—Con fineza, no. Pero aprendí todo lo que me enseñaron. Me costó empezar, porque estaba muy atrasado, pero el maestro me alentaba.

—Así que fue tu benefactor, como el genio bueno de un cuento.

—Sí. Salvo una cosa. Yo no lo quería. Pensé que me trataría como a un hijo, pero no fue así. Sólo me hacía trabajar. Era una suerte de reformador social, supongo, como los sacerdotes que iban a los barrios bajos de Londres a trabajar con los chicos de ahí. Nunca me mostró afecto alguno; sólo quería saber cuánto había progresado con mis estudios.

—Pero debes de haberte sentido agradecido.

—Sí, sentía gratitud por él. Y aún la siento. Le escribo de vez en cuando. Cuando terminé la escuela me consiguió una entrevista para un empleo en una empresa de Londres que me pagó para ir a París a su cargo, a estudiar el idioma y aprender más sobre la industria textil. Después trabajé en Londres; vivía en pensiones, en un lugar llamado Holloway. Después me enviaron a Amiens.

La miró con alivio. La autorrevelación había concluido.

—Eso es todo.

Isabelle le sonrió.

—¿Eso es todo? ¿Ésa es toda tu vida? Me pareces tan grande que a veces me da la impresión de que eres mayor que yo. Son tus ojos, creo. Esos ojos grandes y tristes. —Le acarició la cara con las yemas de los dedos.

Cuando regresaron al hotel, Isabelle fue al baño. Notó con desaliento que, a pesar de su esmerado descuido, la sangre había retornado en la fecha debida.

Tras pasar una semana en Plombières viajaron al sur. Stephen escribió a su empresa, en Londres; envió sus informes y explicó que no regresaría. En Grenoble celebraron el vigesimoprimer cumpleaños de él y le escribió a Vaughan agradeciéndole su tutoría, que ya había terminado. Se quedaron hasta que llegó algún dinero para Isabelle, cablegrafiado desde Ruán por Jeanne, con quien se había contactado por carta. Stephen todavía tenía dos billetes ingleses grandes, que le había dado su tutor para que los usara en un caso de emergencia.

En octubre llegaron a St Rémy-de-Provence, donde Isabelle tenía una prima por parte de madre. Alquilaron una casita e Isabelle escribió a Marguerite, a quien le envió un poco de dinero y le pidió le mandara un baúl de ropa. Especificó con exactitud qué prendas necesitaba; alguna que otra cosa comprada en el camino no le había servido de sustituto para el guardarropa reunido con tanto cuidado en los negocios de Amiens, París y Ruán, ni para las prendas que había cosido ella misma.

Resplandeciente otra vez con su pollera color rojo oscuro y su chaleco de lino, Isabelle le leyó a Stephen la carta de Marguerite, mientras ambos tomaban el desayuno en la sala que daba a la calle.

"Estimada Madame: No reconocí su letra; tal vez le pidió a Monsieur que la escribiera por usted. Le envié con esta carta las prendas que me pidió. Lisette está muy bien, gracias, y es muy buena con Monsieur y lo cuida muy bien; se la ve contenta. El pequeño Grégoire también está bien, aunque no ha ido a la escuela todos los días. Yo me mantengo bien, aunque todos la extraños terriblemente; sin usted no es lo mismo. Monsieur y Madame Bérard han venido a visitar a Monsieur casi todas las noches y yo a veces oigo que los dos caballeros tienen largas conversaciones. Hice lo que me pidió y no le mostré su carta a nadie, para que no sepan que usted está en St. Rémy. Me pregunto cómo será allá y si usted se encuentra bien. Todo va bien en la casa pero esperamos que vuelva pronto. Con afectuosos deseos, Marguerite."

Stephen caminaba por las calles del pueblo casi desierto. La fuente de la plaza alrededor de la cual se reunía la gente en verano se alzaba fría en su entorno de piedra. Las persianas sueltas de las casas se golpeaban con violencia contra el edificio a causa del viento otoñal que soplaba del sur. A Stephen no le molestaba la sensación de soledad, ni el tedio que le esperaba en su trabajo. Había encontrado un empleo como asistente de un fabricante de muebles. Él realizaba la tarea preliminar de serruchado y cepillado, y de vez en cuando se le permitía hacer parte del trabajo más delicado de diseño y tallado. Al mediodía él y los otros cuatro hombres empleados en el negocio iban a un bar y fumaban y bebían *pastis*. Aunque veía que los otros lo consideraban un personaje curioso y trataba de no quedarse más tiempo de lo prudente, les tenía gratitud por aceptarlo en su compañía.

Por las noches Isabelle preparaba algo de cenar con lo que lograba encontrar en el mercado. Criticaba lo que había en oferta.

—Conejo y tomates; es todo lo que parecen comer —dijo al sentarse ambos ante una gran fuente dispuesta sobre la mesa—. Por lo menos en casa podría haber elegido una docena de clases de carne.

—Aunque la propia Picardía no es el centro gastronómico de Francia —comentó Stephen.

—¿No te gustaba la comida?

—Sí. Me gustaban los almuerzos contigo y Lisette, en especial. Pero no creo que un *gourmet* de París hubiera encontrado mucho que elogiar en los restaurantes locales.

—Bueno, no hacía falta que fuera —dijo Isabelle, irritada ante lo que tomó por una crítica a su propia manera de cocinar.

—No te enojes —dijo él, y le apoyó una mano en la mejilla.

—Nunca me enojo contigo, querido. ¿Qué son esos cortes que tienes en la mano?

—El escoplo. Es diferente de los que he usado antes.

Después de la cena leyeron libros a ambos lados del fuego. Fueron a acostarse temprano, en la habitación del fondo de la casa. Isabelle la había pintado y había cosido cortinas nuevas. Sus fotografías se alzaban sobre la cómoda barata, y el enorme ropero tallado estaba lleno de sus vestidos. En el mercado no había muchas flores que comprar, aunque siempre había lavandas para poner en los numerosos floreros azules de la casa. Comparada con la opulencia burguesa del bulevar du Cange, la habitación era austera. No obstante, la presencia de las cosas de Isabelle en ella daba, a los ojos de Stephen, algo de la atmósfera de su antiguo cuarto. Las medias de seda que a veces asomaban de un cajón abierto y las pilas de suave ropa interior, de la tela más fina que podía ofrecer el mercado, mitigaban parte de la aspereza de los maderos desnudos. En esa habitación compartida Stephen sentía una proximidad privilegiada con esas pequeñas intimidades que nunca se habían permitido ni siquiera al marido de ella. También en el sueño estaban juntos, aunque Stephen descubrió que la cercanía del cuerpo inconsciente de Isabelle lo inquietaba, y a menudo llevaba una manta al sofá de la sala.

Se quedaba solo, mirando el cielo raso y más allá, el gran hogar, cerca de la cocina y sus negros utensilios colgantes. Sus pensamientos y sueños no se llenaban de los grandes cielos de Lincolnshire ni de los recuerdos de las mesas del refectorio y las inspecciones en busca de piojos en la cabeza; ni dedicaba un solo pensamiento a la forma abrupta en que había dejado su empleo, a la importación de licencias, los rótulos o los fardos de algodón descargados en los East India Docks. Pensaba en el momento y en el día siguiente y en la cápsula de existencia en la que él e Isabelle vivían, contenidos dentro de un pueblo y una suerte de mundo exterior. Era una existencia que sentía había ganado por sí mismo, pero que, en algún dictamen más amplio, no sería permitida.

Pensaba en lo que haría en el trabajo al día siguiente. A veces no pensaba en nada, sino que se limitaba a recorrer con los ojos las líneas de la madera de las vigas dispuestas por encima de su cabeza.

Transcurrieron dos meses y el invierno calmó lo peor de los vientos con una helada quietud que convirtió las veredas en sitios peligrosos y congeló el agua de la fuente. Mientras Stephen trabajaba, Isabelle permanecía casi siempre en la casa. Dedicaba su tiempo a cambiar la decoración para que fuera de su gusto y a cocinar sopas o guisos para que Stephen comiera a su regreso. No extrañaba su vida regalada de Amiens, con los mandaderos que le entregaban la mercadería del carnicero o del almacén. No le molestaba que gran parte de sus días estuvieran dedicados a realizar tareas que la misma Marguerite prefería delegar en Madame Bonnet. La prima, cuyo marido era dueño de la farmacia, la iba a visitar con frecuencia y no se sentía sola.

A fines de diciembre la sangre no llegó. Ella recurrió a su pequeño diario en el que marcaba las fechas y se dio cuenta de que tenía un atraso. A fines de enero todavía no hubo sangre. Eso a Isabelle le pareció apropiado. El día en que recurrió aterrorizada a Jeanne y ella le explicó de que se trataba, le resultó difícil pensar que la sangre fuese la señal de una nueva vida, de una esperanza; en ese momento, su carencia le dio la sensación de haber cicatrizado. Había cesado la hemorragia; su fuerza se volvía hacia adentro, donde crearía en silencio. No le dijo nada a Stephen.

Un sábado a mediodía fue a buscarlo a la salida del trabajo y hicieron una caminata por la ciudad. Se detuvieron unos instantes en un café para que él pudiera comer algo luego del trabajo matinal. Después pasaron frente a la intendencia y recorrieron una calle angosta llena de tiendas hacia los afueras de la ciudad. El aliento de ambos iba dejando rastros a sus espaldas mientras trepaban el leve declive que llevaba al campo. Llegaron a una plaza que era la última antes de que la calle se convirtiera en camino y se desvaneciera en el campo gris y morado.

Isabelle estaba mareada y fue a sentarse en un banco. Tenía la frente cubierta de un poco de transpiración que, bajo el viento del invierno, se iba poniendo fría contra su piel.

—Iré a buscar unas sales —dijo Stephen, alejándose en busca de una farmacia.

Isabelle permaneció muy quieta, sin saber si abrirse el tapado para permitir que el aire frío la reanimara o si arrebujarse más en él para protegerse del frío.

Tenía intenciones de hablarle a Stephen de la criatura que suponía que esperaba, pero algo la obligaba a demorar ese momento. Deseaba poder presentarle la realidad ya cumplida, sin someterlo a las penurias de un largo embarazo. No quería que la cuidaran ni que la trataran con especial cuidado. No creía que los cambios orgánicos que tenían lugar en su interior fuesen asunto de nadie más, ni siquiera del hombre que los había provocado.

Sin embargo ya amaba a su hijo. Imaginaba que sería un varón y le parecía ver su rostro abierto y sonriente. No imaginaba a un bebé sino a un hombre joven, cándido, un poco más alto que ella que, antes de volver a su trabajo en el campo, le pasaría un brazo sobre los hombros en un gesto protector. En su imaginación jamás se trataba de una criatura, ni de un hombre lleno de logros, sino que siempre era ese varón permanentemente joven y feliz.

Pensó en todas las madres que vivían en los pueblos que se alineaban a los lados del camino que conducía a la ciudad. Allá afuera había millones de jóvenes, fuertes, sonrientes, como sería su hijo; jóvenes que trabajaban la tierra. Nunca llegaban a conocerse, nunca se encontraban, nunca pensaban en la posibilidad de que existiera algún parentesco o lealtad que los uniera unos con otros o con el país en que vivían, porque esas cosas sólo existían en tiempos de guerra.

Isabelle empezó a pensar con lástima en sus padres y en la vida que llevaban. La criatura que estaba en camino ya empezaba a satisfacer sus más inquietantes expectativas. La necesidad interior que satisfacía en ella era tan profunda, que hasta entonces ni siquiera tenía consciencia de ella; era como si sólo después de haber comido se hubiera dado cuenta del hambre tremenda que tenía. Era como si alterara los niveles y el equilibrio de sus necesidades. Se sentía más cerca de la jovencita que había sido en el hogar paterno; se acababa de unir un círculo interrumpido. Aunque ése era un pensamiento tranquilizante, arrastraba consigo ciertas dudas acerca de lo que había hecho; la llevaba a querer estar reunida con su familia, o por lo menos con su hermana Jeanne. Era con ella, más que con nadie, con quien deseaba hablar. Es ella, pensó Isabelle, quien debe ser la primera en conocer la existencia de esta criatura.

Comenzaban a inquietarla las cosas que ella y Stephen hacían en la casa de Azaire. Stephen parecía muy seguro de todo y ella estaba tan sobrecogida por el deseo, que confió en él. Obedeció a sus instintos y, cuando tenía dudas, la tranquilizaban la seguridad de Stephen y la ternura que sentía hacia él. Sin el estímulo del temor y las prohibiciones, su deseo ya no era tan intenso.

En el invierno del sur, los excesos de su amor desvergonzado parecían pertenecer a una estación distinta. Entró a una iglesia de St. Rémy para confesarse, pero no se animó a describir en detalle lo sucedido entre ella y Stephen. El sacerdote la interrumpió poco después de que ella confesó el adulterio. La penitencia no parecía tener relación alguna con el pecado; era una formalidad arrancada del registro donde se graduaban transgresiones tan comunes. Isabelle se sintió insatisfecha, y aunque no lamentaba lo sucedido, comenzó a sentirse culpable.

Stephen regresó con un frasco de sales aromáticas y se sentó en el banco a su lado.

—Me pregunto a qué se deberá esto —dijo—. Tal vez en casa no hayas estado comiendo bastante. A veces eso produce mareos. Por eso te traje también una tajada de torta.

—No, no creo que sea eso. No se trata de nada serio. —Le apoyó una mano en el brazo. —No te preocupes por mí.

Le sonreía con tanta dulzura e indulgencia que daba la impresión de que era él quien tenía necesidad de que lo cuidaran o protegieran. Isabelle dividió la tajada de torta por la mitad y se la ofreció. Una cascada de migas doradas cayó sobre el banco, entre ambos.

Oyeron el batir de alas de un ave por sobre sus cabezas y una paloma gorda, atraída por las migas, descendió desde el techo de un edificio y aterrizó, temeraria, entre ellos.

—¡Dios Santo! —exclamó Stephen, levantándose horrorizado.

Isabelle, que estaba divertida por la falta de temor de la paloma, lo miró alarmada.

—¿Qué pasa?

—¡Ese pájaro, ese pájaro! ¡Espántalo, por amor de Dios!

—No es más que una paloma. Es sólo...

—Espántala. ¡Por favor!

Isabelle batió palmas y el ave regordeta consiguió levantar vuelo yendo a posarse sobre las ramas de un árbol, donde permaneció esperando, sin perder de vista las migas.

—¿Qué te pasa, mi querido? Estás temblando.

—Ya sé, ya sé. Lo siento. Enseguida se me pasará.

—No era más que una vieja paloma gorda que no podía hacerte ningún daño.

—Ya lo sé. No es que haya creído que me iba a atacar, pero las aves me inspiran un miedo extraño.

—Ahora ven a sentarte. Ven. Siéntate a mi lado y deja que te rodee con mi brazo. Así. ¡Mi pobre muchacho! ¿Estás mejor? ¿Quieres que te acaricie el pelo?

—No, está bien. Siento haberme comportado así.

—Hiciste un ruido bárbaro.

—Lo sé.

Poco a poco, Stephen dejó de temblar.

—Siempre he odiado a los pájaros. ¿Recuerdas que una vez te conté que golpeé a un chico y gracias a eso volvieron a internarme en el asilo? Se había estado burlando de mí por unos cuervos que el guardabosques

había clavado en una cerca. Yo me trepé y acaricié a uno para demostrar que no tenía miedo. Tenía gusanos debajo de las alas, y ojos lechosos.
—Se estremeció.

—¿Así que los pájaros te hacen pensar en que tal vez tengas que volver a ese asilo? —preguntó Isabelle.

—En parte debe ser eso. Pero siempre he odiado a los pájaros, desde mucho antes que ese día. Hay en ellos algo cruel y prehistórico. Ella se puso de pie y le tomó el brazo. Miró los ojos castaño oscuros de Stephen y la belleza simétrica de su rostro pálido. Asintió apenas y sonrió.

—Así que hay algo en el mundo que te asusta —dijo.

Una semana después, Isabelle estaba cortando verduras en la mesa de la cocina, cuando sintió un dolor agudo debajo de la cintura. Era como si la estuvieran penetrando con una aguja de tejer. Se apretó el vientre con las manos y se sentó pesadamente ante la mesa. Si se mantenía inmóvil y se concentraba en ello, no perdería al bebé; no estaba dispuesta a permitir que escapara. Colocó los dedos con ternura sobre la zona donde imaginaba que estaría ese ser apenas visible. Sus latidos se transmitieron a través de la tela del vestido y de la piel, hasta llegar a la cámara donde se equilibraba la vida. Le rogó con todas sus fuerzas que permaneciera allí, y trató de tranquilizarlo a través de la suavidad de la palma de sus manos, pero sintió más puntadas que le recorrían la matriz. Fue al dormitorio y se recostó, sólo para descubrir que tenía una hemorragia y no podía detenerla.

A la tarde se puso un abrigo y fue en busca de un médico que le había sido recomendado por la prima. Era un hombre calvo, de voz profunda y con una papada que casi tapaba su cuello blanco y almidonado. La ansiedad de Isabelle no pareció conmoverlo y no dejó de pronunciar frases cortas y alegres mientras la revisaba. Luego la acompañó hasta la puerta de su quirófano donde ella encontraría un recipiente de vidrio. Le dijo que el resultado del análisis estaría listo en una semana y le pidió que lo llamara en esa fecha. Mientras tanto, le indicó que no debía hacer esfuerzos. Luego le colocó un trozo de papel doblado en la mano y le dijo que al salir le pagara a la recepcionista.

Camino de regreso a su casa, Isabelle entró a una iglesia y se sentó en uno de los bancos de atrás. Ya no tenía ganas de confesarse con el sacerdote pero quería admitir, aunque sólo fuese ante sí misma, su sensación de culpa por la manera de haberse abandonado al placer físico. En el interior frío de esa iglesia recordó imágenes chocantes de las tardes en el bulevar du Cange. Le parecía ver el pene hinchado de Stephen frente a su rostro, dentro de su boca; lo sentía penetrarla palpitante, no en contra de su voluntad sino ante su hambrienta y desesperada insistencia.

Abrió los ojos y sacudió la cabeza para sacarse de la mente esas imágenes sacrílegas, avergonzada de haberlas recordado en una iglesia, aunque su intención sólo fuese confesarlas. Miró el altar donde unas velas iluminaban un crucifijo de madera, la carne bajo las costillas sangrando por la estocada del soldado romano. Pensó en lo prosaico y físico que había sido ese sufrimiento: la piel herida de la frente, de los pies, de las manos, la carne abierta por clavos y acero. Cuando hasta el sacrificio divino había sido expresado en esos términos, a veces resultaba difícil imaginar de qué manera precisa se suponía que la vida del ser humano debía exceder las limitaciones del pulso, la piel y la descomposición.

Isabelle escribió:

"Mi querida Jeanne: te he extrañado muchísimo, no sólo durante las últimas semanas sino durante los años anteriores, cuando nunca parecíamos encontrarnos. No sabes cuánto lo lamento ahora. Me siento como una criatura que ha sido distraída por sus juegos durante todo el día y que de repente se detiene, sólo para comprobar que está oscureciendo, que se encuentra lejos de su casa y no sabe cómo volver. "Tengo una necesidad terrible de verte, para conversar sobre lo sucedido. Estoy embarazada, aunque la semana pasada creí haber perdido a la criatura. Tengo extraños dolores y hemorragias, aunque el médico dice que son habituales. Afirma que puedo tener una herida interior que sangra y que podría hacerme abortar. Debo descansar y no esforzarme.

"Todavía no le he dicho nada a Stephen. No sé por qué no puedo hacerlo. Lo amo realmente, pero me asusta un poco. No sé con seguridad si comprendería mi júbilo de estar embarazada ni mi preocupación por la posibilidad de perder a mi hijo. Él casi no habla sobre esas cosas. Aún cuando me ha hablado de su infancia, lo hace como si se tratara de algo que le sucedió a algún otro. ¿Cómo va a sentir cariño por algo que todavía ni siquiera existe?

"Hay algo peor, Jeanne. Cuando éramos chicas y yo era la menor, nadie me prestaba atención (con excepción de ti, por supuesto) y se me permitía hacer lo que quisiera con tal de que mi vestido estuviera limpio y yo fuese amable a la hora de las comidas. Yo quería explorar. ¿Recuerdas que decía que iría a África? Ahora siento que he explorado de otra manera. Mi exploración ha dañado a René, aunque le debo muy poco después de la manera en que él me trataba. También les he hecho daño a Lisette y a Grégoire, y por supuesto a ti, a mamá y a papá, aunque no sé si hoy en día papá se da cuenta de lo que sucede a su alrededor. Aunque amaré a mi hijo y lo protegeré con todas mis fuerzas, en mi situación comprometida, no seré la madre ideal.

"En los peores momentos, tengo la sensación de que hemos ido demasiado lejos. Stephen y yo no le temimos a nada —tal vez fuimos inescrupulosos— y no teníamos dudas de estar haciendo lo correcto. Stephen solía decir que nuestro amor era su propio justificativo. Siento que hemos perdido nuestra orientación. Estoy sola, igual que la criatura, y al filo de la noche. Y, aunque estoy perdida, todavía creo que, si parto ahora, podré encontrar el camino a casa.

"Ya sé que esto debe parecerte una debilidad. Te debes estar diciendo: ella ha hecho su elección, no es posible que ahora cambie de idea. Pero tengo una necesidad desesperada de verte, y quisiera que, cuando llegue mi hijo, lo tomes en tus brazos. Quiero sentarme en la cama de tu dormitorio y sentir tu mano sobre mi cabeza antes de que empieces a peinar mi pelo enredado. ¿Qué pensamientos e impulsos locos me han empujado hasta llevarme tan lejos de ti?"

Isabelle lloraba tanto que no pudo seguir escribiendo. Jeanne confió en ella cuando le escribió por primera vez para pedirle dinero. No conocía a Stephen, pero por amor a su hermana les envió parte de sus ahorros. No era justo pedirle más, pensó Isabelle.

Sentada ante la mesa de la cocina, apoyó la cabeza sobre los brazos. Tenía la sensación de haber sido engañada. Creyó que ella era una cosa y luego resultó otra. ¿Cómo saber si debía confiar en sus últimas inclinaciones o si debía sospechar que también ellas podían ser seguidas por otras, más apremiantes? En medio de su confusión, su única emoción constante era el amor por la criatura que llevaba en su seno. Por razones que no alcanzaba a desentrañar, el bienestar de esa criatura no podía garantizarse en la vida que ella llevaba, lejos de su casa, con Stephen, en esa ciudad gélida.

Stephen también pensaba en su hogar. La cabaña de su abuelo estaba situada en un extremo del pueblo, con vista a la iglesia, y detrás había algunas feas casas nuevas y la carretera que iba al norte. En las otras direcciones se veían llanuras de un verde muy pálido, interrumpidas por los bosques en los que cazaban los granjeros.

Pensó que algún día llevaría a Isabelle a conocer ese lugar. La idea del hogar no lo atraía de una manera sentimental, no lloraba por su abuelo o por su madre ausente, pero quería ver a Isabelle en ese fondo distinto, para que las distintas etapas de su vida se unieran.

Le sorprendía la dulzura que acababa de descubrir, que estaba ahora totalmente dirigida hacia Isabelle. Cuando por la mañana trabajaba la madera, pensaba en lo suave y lisa que debía ser para que ella pudiera caminar descalza sobre esos tablones. Cuando lo deprimía el tedio del trabajo, pensaba en el rostro de Isabelle que se iluminaba al verlo regresar por la tarde. En sus afectos, de ser el objeto de su pasión, ella había pasado a convertirse en alguien cuyo bienestar era su mayor preocupación. Pero en esa transición Stephen no había perdido la sensación de la dignidad de Isabelle y su edad y posición superior.

Mientras tanto, en secreto, Isabelle hacía planes para visitar a Jeanne en Ruán. Le diría a Stephen que sólo se iba por unos días, luego, una vez allí, decidiría si regresar o no. Llegará el momento, se dijo, en que se lo confesaré a Stephen.

Transcurrió otra semana y su embarazo se hizo visible. Stephen la notaba más pesada, pero a causa de a una reciente modestia de Isabelle, nunca tenía oportunidad de examinarla sin ropa. Notó que conversaba menos con él y se preguntó por qué. Parecía preocupada y lejana. Había tenido otro episodio de dolores y hemorragia.

Un día, mientras él estaba trabajando, Isabelle empacó una pequeña valija y se sentó a escribirle una nota de explicación.

"Tengo la sensación de que hemos ido demasiado lejos y de que debo volver sobre mis pasos" empezaba diciendo, pero enseguida rompió el papel y se metió los pedazos en el bolsillo. No había nada que pudiera decir para explicarse. Contempló el living con su chimenea y su pesada repisa de madera que tanto le gustaba al principio. Subió la escalera para mirar por última vez las toscas maderas del piso del dormitorio y las cortinas cosidas por ella misma. Después salió de la casa y caminó hasta la estación.

Cuando Stephen regresó, notó enseguida la ausencia de algunos objetos personales de Isabelle, de sus fotografías y alhajas. Abrió el ropero. La mayoría de los vestidos seguía estando allí. Descolgó uno que ella se había puesto poco después de que él llegara al bulevar du Cange. Era color crema, con botones de nácar. Lo acercó a su rostro y luego lo apretó entre sus brazos.

Se sentía igual a los troncos de madera que a veces partían en el patio trasero de la carpintería, en el momento en que se les clavaba el hacha para luego levantarlos y estrellarlos contra el piso para partirlos. Ni una fibra de la madera escapaba de esa separación.

Durante los día siguientes, Stephen siguió trabajando. Por la mañana llegaba a horario e intercambiaba comentarios con sus compañeros. Maldecía y escupía sobre los dientes de la sierra cuando se atascaba en un nudo de la madera. Lijaba con tres medidas de papel de lija y luego palpaba con las yemas de los dedos la superficie de la madera terminada. A mediodía disfrutaba del gusto dulce del anís sobre la lengua y observaba el líquido viscoso en el vaso mientras le agregaba agua. Conversaba y bromeaba con los hombres sin dar muestras de que nada hubiera cambiado.

Por la noche luchaba con la cocina, preparándose lo que podía con las provisiones disponibles, siempre una variación de tomates y carne de conejo. Luego se instalaba frente a la chimenea y bebía botellas de vino mientras contemplaba las brasas.

Isabelle había vuelto porque sentía que podía salvar su alma. Volvió a su hogar porque el futuro la asustaba y sentía que todavía podía volver a asumir el orden natural. Él no tenía otra opción que continuar con lo que había comenzado.

Cuando terminaba el vino, subía al dormitorio y se tendía en la cama, con las botas sobre la colcha blanca. No podía pensar en nada.

Permanecía allí tendido, con la mirada clavada en la noche más allá de la ventana.

Se sentía cada vez más frío.

SEGUNDA PARTE

Francia, 1916

Jack Firebrace estaba tendido a dieciséis metros bajo tierra, con varios miles de toneladas de Francia sobre su cara. Alcanzaba a oir el resuello asmático de las máquinas que bombeaban aire a través del túnel. Cuando llegaba hasta él, el aire casi no existía. Jack tenía la espalda sostenida por una cruz de madera, los pies contra la arcilla, de cara al enemigo. Con una pala especial, aflojaba cantidades de tierra y la metía dentro de una bolsa que le pasaba hacia atrás a Evans, su compañero, quien luego se alejaba gateando en la oscuridad. Jack alcanzaba a oír el martilleo de las maderas que se utilizaban más atrás para afirmar el túnel, aunque allí donde él trabajaba, al frente, no había garantías de que la tierra no cedería.

El sudor le entró en los ojos y les provocó un ardor, obligándolo a mover la cabeza de un lado al otro. En ese lugar, el túnel tenía alrededor de un metro veinte de ancho por un metro cincuenta de alto. Jack seguía clavando la pala en la tierra que tenía delante de sí, golpeándola como si la odiara. No tenía idea del tiempo que hacía que estaba bajo tierra. Le resultaba más fácil seguir cavando que tratar de calcular lo que faltaba para que lo relevaran. Cuanto más esforzadamente trabajara, más fácil le resultaba. Debía de hacer seis horas o más que no veía la luz del día, y aún entonces no fue demasiada luz, sino una especie de neblina verde y liviana que flotaba sobre las tierras bajas de la frontera entre Francia y Bélgica, iluminada por las explosiones espasmódicas de morteros.

La unidad a la que pertenecía no había podido regresar a su alojamiento en el pueblo. En esa parte del frente, la actividad era tan intensa que las tropas de superficie se negaban a permanecer en sus trincheras sin la protección de los hombres que trabajaban bajo tierra. Por el momento, los mineros debían dormir en refugios ubicados cerca de la entrada de los túneles o en las trincheras, con la infantería.

Jack sintió que una mano le asía el codo.

—Jack. Te necesitamos. Turner ha oído algo más o menos veinte metros más atrás. Ven.

Evans lo sacó de la cruz de un tirón y Jack se volvió muy tieso, se quitó de los hombros el chaleco empapado de transpiración y se arrastró detrás de Evans hasta que pudo ponerse de pie. Hasta el túnel lúgubre apuntalado por tablones le parecía luminoso después de haber estado de cara a la tierra. Parpadeó en la penumbra.

—Aquí, Firebrace. Turner dice que sonaba como si estuvieran cavando.

El capitán Weir, un individuo sorprendente y despeinado, con zapatillas de lona con suela de goma y suéter civil, lo empujó hacia donde Turner, un hombre cansado y asustado que temblaba de fatiga en el calor del túnel, se apoyaba contra su pico.

—Era allí —dijo Turner—. Yo tenía la cabeza cerca de los tablones del techo y pude oír vibraciones. Te puedo asegurar que no eran de los nuestros.

Jack apoyó la cabeza contra la pared del túnel. Oía el rítmico jadeo de los fuelles en la manguera que colgaba del techo.

—Tendrá que apagar el suministro de aire, señor —le dijo a Weir.

—¡Dios! —exclamó Turner—. No puedo respirar.

Weir despachó un mensajero a la superficie. Dos minutos después, el ruido cesó y Jack volvió a arrodillarse. Su oído excepcional era requerido con frecuencia. El invierno anterior, a tres kilómetros al sur de Ypres, estando en la trinchera, metió la oreja dentro de un tanque de petróleo lleno de agua y la mantuvo allí hasta que su cabeza quedó completamente insensible. Prefería el silencio y la falta de aire del túnel a que lo aturdieran.

Los hombres permanecieron inmóviles cuando Weir se llevó un dedo a los labios. Jack respiró hondo y escuchó, el cuerpo rígido por el esfuerzo. Percibió sonidos distantes e irregulares. No podía estar seguro de lo que eran. Si evacuaban el túnel como una medida de precaución y el ruido sólo resultaba ser la explosión de morteros o algún movimiento en la superficie, perderían tiempo en la construcción de su propio túnel. Por otra parte, si no llegaba a identificar el ruido de los alemanes que cavaban desde el extremo opuesto, posiblemente la pérdida de vidas sería mayor. Debía estar seguro.

—¡Por amor de Dios, Firebrace! —oyó que le siseaba Weir en el oído—. Los hombres apenas pueden respirar.

Jack levantó una mano. Trataba de identificar el ruido de golpes contra la madera que se colocaba a martillazos contra la pared. Si un túnel estaba muy cerca, a veces también se podía oir el sonido de las palas o de las bolsas de tierra que se arrastraban hacia atrás.

Volvió a oír el ruido sordo pero no era lo suficientemente hueco para que lo causara la madera; era más bien como el estremecimiento de la tierra bajo el fuego de morteros. Jack volvió a tensar sus nervios. Su concentración fue interrumpida por un ruido parecido a una bolsa de papas que se arrastra sobre el piso. Turner se acababa de desmoronar sobre el piso del túnel. Jack se decidió.

—Explosiones de mortero —dijo.

—¿Estás seguro? —preguntó Weir.

—Sí, señor. Todo lo seguro que se puede estar.

—Está bien. Avisen que vuelvan a encender el suministro de aire. Firebrace, vuelve a la cruz. Ustedes dos, pongan a Turner de pie.

Jack se volvió a arrastrar hacia la oscuridad, con los pies para adelante, donde Evans lo ayudó a volver a tomar su posición y le pasó la pala. Jack volvió a hundirse en la tierra que tenía delante, alegrándose de volver a hacer un trabajo mecánico. Invisible, Evans trabajaba a su lado con las manos. Hacia el fin de su turno comenzó a imaginar cosas. Durante un segundo pensó que estaba de pie en plena luz, en un bar de Londres, levantando una cerveza hacia la lámpara, mientras miraba el gran espejo que había detrás del bar. El reflejo lo hizo parpadear y el parpadeo lo volvió a la realidad del muro de tierra que tenía delante. Evans raspaba el piso con las manos. Jack volvió a blandir la pala, con los brazos doloridos por el esfuerzo.

Evans maldijo en voz baja y Jack estiró la mano para tocarlo. Evans trataba de encender una vela, pero no podía por falta de oxígeno. El fósforo adquiría un rojo brillante y se quemaba, pero no hacía llama. Los dos hombres se detuvieron y escucharon. Oían el rugido de sus respiraciones, magnificadas por el silencio. Contuvieron el aliento y no había nada. Habían cavado hasta el fin del mundo. Jack olía la tierra húmeda y el sudor del cuerpo de Evans. Lo normal hubiera sido que a sus espaldas oyeran colocar los tablones en su lugar a mano, empujándolos en silencio contra el lodo. Pero ni siquiera se escuchaba ese cauteloso sonido. El túnel angosto se cerraba alrededor de ellos. Jack sintió que la mano de Evans le aferraba el brazo. Volvió a respirar. Algo debía estar sucediendo detrás de ellos.

—Está bien —dijo Jack—. Sácame esta cosa.

Evans alejó el soporte de madera y ayudó a Jack a rodar sobre sí mismo. Se arrastraron hacia atrás hasta que vieron la luz de una lámpara. Weir estaba agachado en ese túnel de poca altura. Se aferró la oreja, luego les hizo gestos de que se apoyaran contra las paredes laterales. Empezó a susurrarles una explicación, pero antes de que pudiera terminar hubo un rugido dentro del túnel y una enorme bola de tierra y de roca pasó volando junto a ellos. Se llevó consigo a cuatro hombres, las cabezas y extremidades voladas y mezcladas con la tierra. Jack, Weir y Evans estaban apoyados contra la pared lateral y fuera del camino de los escombros. Jack vio parte de la cara y del pelo de Turner todavía adheridos a un trozo de cráneo que rodó hasta detenerse en la parte donde el túnel era más angosto, en la sección donde ellos acababan de estar cavando. Cerca de sus pies vio un brazo con las insignias de cabo, pero la mayor parte de los cuerpos de los hombres habían sido volados y desaparecieron dentro de la tierra húmeda.

—Salgan antes de que se produzca otra —ordenó Weir.

Cerca de la trinchera, alguien ya había introducido una nueva lámpara en la oscuridad.

Jack tomó el hombro de Evans.

—Vamos, muchacho. Vamos.

· · ·

113

En la superficie anochecía y estaba lloviendo. Los camilleros pasaban presurosos junto a Jack, mientras él, inmóvil, parpadeaba en la boca del pozo y respiraba a bocanadas el aire húmedo. Weir dejó en libertad a sus hombres y fue en busca de un teléfono de campaña. Jack caminó desde la entrada del túnel hasta su lugar en la trinchera.

—Hay carta para ti, Jack —dijo Bill Tyson—. Esta mañana llegó el correo.

Se sentaron bajo un marco de madera cubierto por una tela. Arthur Shaw, el tercer hombre que compartía el refugio trataba de preparar té en un calentador "primus".

La carta de Jack era de su mujer y la enviaba desde Edmonton.

"Mi querido Jack, ¿cómo estás?" era la frase inicial.

Jack la dobló y se la metió en el bolsillo. No soportaba pensar en ese mundo distante que le recordaba la letra de su mujer. Tenía miedo de no comprender su carta, de que ella le dijera algo importante que su mente cansada no llegaría a registrar. Bebió el té que Shaw logró conjurar desde la penumbra.

—Turner ha muerto —dijo—. Y por lo menos dos más.

—¿No oyeron nada? —preguntó Tyson.

—Sí, pero creí que era fuego de morteros. Debe haber un túnel.

—No te preocupes. Cualquiera se puede equivocar —lo consoló Tyson.

A alrededor de noventa metros a la derecha de donde estaban, se oyó un sonido sibilante y cayó otro proyectil de mortero.

—¿Alguna noticia acerca de cuándo vamos a irnos de aquí? —preguntó Jack.

—Se supone que será mañana —contestó Shaw—, pero no creo que podamos cruzar la línea del frente bajo este fuego de morteros. ¿Weir no les dijo nada?

—No. No creo que él lo sepa.

Los tres hombres se miraron con ojos inexpresivos, extenuados. Hacía un año que Tyson y Shaw estaban juntos, desde que decidieron alistarse por los seis chelines de paga que se les ofrecía a los hombres que tuvieran experiencia en trabajos bajo tierra. Ambos eran ex mineros de Nottingham, aunque Tyson había trabajado poco bajo tierra, porque se encargaba sobre todo del mantenimiento de la maquinaria. Shaw declaraba tener treinta y un años, pero parecía diez años mayor. Trabajaba como un caballo de tiro dentro del túnel, pero no le entusiasmaba la disciplina militar que les imponía la infantería.

En vida de Jack, reemplazaron a dos londinenses, antiguos compañeros suyos en la construcción de Central Line. Ambos hombres, Allen y Mortimer, murieron en una explosión que se produjo en la colina de Messines, cerca de Ypres, el año anterior. Jack, ya inmune a la muerte, permitió que sus rostros pálidos se le borraran de la memoria. Sucumbió sólo con renuencia a la amistad de Tyson y Shaw, pero para su consternación descubrió que la compañía de ambos le resultaba importante. Cuando se acostaban a dormir, permitía que Shaw apoyara la cabeza sobre sus rodillas, que él doblaba hacia adentro para mantener las piernas fuera de la trinchera misma. A veces despertaba y se encontraba con que una rata le cruzaba por la cara. En otros momentos, permanecía tironeado por el miedo de ser enterrado por una bala de cañón y por la sobrecogedora necesidad de perder consciencia del ruido que los rodeaba. Debajo tenían tablones de madera que parecían clavárseles contra los huesos. Ni siquiera las caderas y los hombros anchos de Shaw le proporcionaban una almohada de carne mientras él se volvía entre sueños.

El rostro del capital Weir se asomó al refugio. Se había puesto una capa impermeable sobre el suéter blanco y cambiado las zapatillas por botas de goma que le llegaban a las rodillas.

—Shaw, te necesitan en el túnel —dijo—. Ya sé que estuviste allí esta mañana, pero necesitan ayuda para limpiar los escombros. Será mejor que tú también te presentes, Tyson.

—Tengo guardia como centinela a las diez, señor.

—Firebrace tendrá que cubrir esa guardia. ¡Vamos, muévanse! El sargento Adams está a cargo del equipo de trabajo. Vayan a presentarse ante él.

—Termina mi té, Jack —pidió Shaw—. No dejes que las ratas lo aprovechen.

Cuando los otros se fueron, Jack trató de dormir. Tenía los nervios demasiado tensos. Cerró los ojos pero sólo para volver a ver la oscuridad del extremo del túnel. No podía dejar de oir ese silencio repentino que hizo que él y Evans dejaran de trabajar y contuvieran el aliento. No se perdonaba no haber identificado el sonido de un túnel alemán. Pero hizo todo lo posible y tal vez los hombres habrían muerto de todas maneras, tal vez de una manera peor, con los pulmones llenos de gas o tendidos en la tierra de nadie, más allá de toda posibilidad de ayuda. Encontrarían esa parte de la cara y la cabeza de Turner y la enterrarían con cualquier otro trozo de hueso o de uniforme que lograran sacar. Pensó en las manos grandes de Shaw tratando de mover la tierra de la explosión. Por momentos se relajaba y dormía, pero entonces cuando se le descontraía el cuerpo, se sobresaltaba y volvía a despertar, tenso y listo para la lucha.

Por fin abandonó toda esperanza de dormir, sacó la carta del bolsillo de la chaqueta y encendió una vela que encontró en el compartimiento lateral de la mochila de Tyson.

"Mi querido Jack, ¿cómo estás? Te acompañan todos nuestros pensamientos y nuestras oraciones. Todos los días leemos los diario y lo primero que buscamos es la lista de muertos. No parece haber ninguna noticia del lugar adonde tú te encuentras. Mamá estuvo quedándose en casa, y me pide que te diga que recibió tu carta y que te envía otro paquete con un poco de jabón y cigarrillos y con algunas grosellas silvestres de la quinta. Espero que cuando lleguen no estén demasiado maduras.

"Lamento mucho tener que decirte que el pequeño John está enfermo. Ha estado bastante mal y el médico dice que es difteria. La semana pasada estuvo internado en el hospital de Totenham y ahora está un poco mejor, pero sigue con temperatura muy alta. Como te imaginarás, no es fácil conseguir remedios y médicos que lo traten cuando se envían tantos para atender a los hombres que están en el frente. Es así como debe ser.

"Cuando está despierto, John se muestra animoso y hemos ido a verlo en el hospital. Me pide que te envíe su cariño. Lamento molestarte con esta noticia, pero no te la puedo ocultar. John te extraña mucho, y sé que te quiere. Nuestras oraciones te acompañan y te mando mi amor. Margaret."

Con la correspondencia llegaron raciones. Había algunas latas de guiso y carne de vaca que se reservaron para mediodía, pero también recibieron pan y dulce para acompañar medio jarro de té. Hambriento por su trabajo bajo tierra, Jack comió con rapidez en un improvisado comedor en la cabecera de la trichera de comunicación. A veces, los hombres que llegaban con las raciones traían noticias poco confiables de movimientos de tropas y planes que se forjaban detrás de las líneas; ese día no se comentaba nada. Jack comió en silencio antes de volver a su puesto.

Su hijo John tenía ocho años, y nació cuando Margaret estaba por cumplir cuarenta y ya desesperaban de poder tener hijos. Era un muchacho de ojos inteligentes, delgado y rubio, cuya expresión distraída con frecuencia daba paso a una risa aguda. Su debilidad física era agravada por la simplicidad de su inteligencia. Los otros chicos de la calle lo toleraban cuando les hacía falta alguien que hiciera número. Era el arquero de los partidos de fútbol y sólo en una emergencia se le permitía batear en los partidos de críquet.

Jack miró con atención la letra cuidadosa de su mujer y trató de recordar la cara de su hijo. En esa tarde lluviosa y sólo con el trozo de vela de Tyson por toda luz, resultaba difícil ver. Cerró los ojos e imaginó las rodillas de su hijo y los pantalones cortos grises, los dientes grandes que mostraba cuando sonreía, el pelo desordenado por el que a veces él pasaba una mano paternal.

En el frente casi nunca pensaba en su casa. En la billetera tenía una fotografía de Margaret, pero ninguna de John. Siempre había tanto en qué pensar que no podía permitir que su mente se enfrascara en cosas que no fueran esenciales. Hacía casi un año que no volvía a su casa. Le parecía increíble que Shaw le dijera que, si las condiciones atmosféricas eran las indicadas, el ruido de los cañones se oía en Londres. El lugar donde se encontraba, casi siempre bajo tierra, sin una idea clara de la ubicación del pueblo más cercano, parecía tan distante de esas calles y de esas casas, que era como si en la actualidad él habitara otro mundo.

Esa noche permaneció en un extremo de la trinchera, cubriendo la guardia de Tyson que todavía no había vuelto del túnel. Se suponía que los mineros no debían asumir tareas de centinelas, pero el oficial que los comandaba había hecho un trato con su colega de la infantería. En vista de la actividad del enemigo y del consecuente peligro que corrían los que trabajaban bajo tierra, la infantería proporcionaría soldados que los cubrieran en los túneles a cambio de que los zapadores se hicieran cargo de algunas de sus tareas fatigosas. Para Jack ya no había diferencia entre los días y las noches. Estaba la oscuridad del túnel, el crepúsculo bajo la luz intermitente de los disparos de morteros y la negrura de la trinchera a la noche, bajo la tela que les servía de refugio.

Escuchó para tratar de oír sonidos procedentes de la tierra de nadie que tenía frente a sí. Solían salir patrullas alemanas nocturnas, con el fin de chequear los movimientos del enemigo y de sembrar la ansiedad. Jack suponía que también los de su bando tenían hombres en los puestos de avanzada que escucharían cualquier cosa antes de que lo hiciera él, pero en la trinchera eso era algo que nunca se les decía a los centinelas, para que no se descuidaran. El batallón de infantería procedía de Londres; se referían a los mineros como "ratas de albañal" y estaban ansiosos por demostrar lo poco eficaces que eran como soldados.

Jack estaba tan cansado que había superado el punto en que dormir era posible. Su cuerpo se movía de una manera automática, reforzado por una fuerza desconocida que lo mantenía despierto, aunque no alerta. Mientras tanto otros hombres dormitaban tirados en el suelo, algunos desmoronados como si estuvieran muertos, sobre el piso de la trinchera, otros con la espalda apoyada contra los tablones de madera. Desde la avanzada de la línea, Jack oía trabajar a los equipos de reparación de trincheras.

En ese momento recordaba con claridad el rostro de John: el muchacho macilento y solitario que iba siempre detrás de la pandilla de la calle; el bebé que tropezaba al intentar dar sus primeros pasos. Le parecía escuchar su voz londinense y aguada, sus bienvenidas de cotorra y su infundado optimismo. Imaginó a su hijo en la sala de hospital de altos techos, con la mancha amarillenta de las lámparas de gas, las tocas almidonadas de las enfermeras, y el olor a jabón y a desinfectantes.

El sueño cayó sobre él como un atacante invisible. No soñó con la luz siniestra de la sala de hospital, sino con las lámparas de un bar enorme en Lea Bridge Road; los hombres de traje civil y gorro, el humo que se elevaba, vasos de cerveza que se alzaban. Había otras imágenes: la cocina de la casa de sus padres en Stepney; un parque, un perro; de nuevo el bar iluminado y lleno de gente; el rostro de John, de ese querido muchacho. Tuvo consciencia de que se le ofrecía una tentación enorme, cierto descanso mental, un poco de sueño por el que estaría dispuesto a vender la vida de sus camaradas, y abrazó el ofrecimiento, sin saber que ya dormitaba, con la cabeza caída hacia adelante, apoyada entre los hombros doloridos que habían cavado tierra de Francia durante horas, sin respiro.

No supo que estaba dormido hasta que volvió a despertar, y se dio cuenta de que caía hacia adelante cuando una bota se le clavó en el tobillo.

—¿Cómo se llama? —era la voz de un oficial.

—Firebrace, señor.

—¡Ah! Eres tú, Firebrace. —Reconoció la voz sorprendida del capitán Weir.

—¿Dormías? —Le preguntó con frialdad el primero de los oficiales.

—No lo sé, señor. No estaba escuchando y...

—Te quedaste dormido en tu puesto de guardia. Es una ofensa que merece la corte marcial. Quiero que te presentes ante mí mañana a las seis. Tu sargento te acompañará. Ya conoces el castigo.

—Sí, señor.

Jack observó alejarse a los dos hombres, las brasas de sus cigarrillos brillantes en la oscuridad.

Lo relevó Bob Wheeler, otro minero. Al volver encontró a Tyson y a Shaw dormidos bajo el marco de madera de su refugio. No había lugar para él, de manera que sacó un puñado de cigarrillos de su atado y retrocedió por la trinchera, después de desafiar el grito poco convincente de un centinela. Trepó la pared trasera de la trinchera de apoyo y se encontró en el lugar donde, bajo una lona engomada que los protegía de la llovizna, se apilaban las municiones y los suministros. Cerca de allí montaba guardia un grupo de hombres, entre ellos un sargento. Jack se les acercó para darse a conocer. Les dijo que se dirigía a las letrinas y lo dejaron pasar.

Encontró un árbol que no estaba dañado por el fuego de morteros, bajo el que se sentó. Encendió un cigarrillo e inhaló una bocanada de humo. Antes de la guerra, jamás fumaba; en ese momento el tabaco era su mayor consuelo.

Si una corte marcial lo encontraba culpable, lo fusilarían. Los mineros ya formaban cada vez una parte más integrante del ejército; aunque ellos no hubieran tenido que soportar el adiestramiento humillante y los castigos que se les imponían a los soldados de infantería antes de considerarlos listos para el combate, habían perdido el estatus del que gozaban al principio. Cuando Jack llegó a Ypres, junto a Allen y Mortimer, sus compañeros londinenses, se les dijo que pasarían la guerra allí, mientras las divisiones de la infantería iban y venían. Pero a pesar de eso, desde el principio se encontraron en un constante movimiento. Se habían convertido en soldados y se esperaba que mataran al enemigo no sólo con minas, sino con bayonetas o si fuera necesario, con las manos desnudas.

No era el tipo de vida que Jack imaginó cuando se alistó como voluntario. A los treinta y ocho años no le habría costado evitar el servicio, pero en Londres no tenía trabajo. Margaret le llevaba diez años y ya estaba bastante ocupada cuidando a John. De vez en cuando conseguía trabajos de limpieza, pero lo que ganaba no alcanzaba para los tres. Jack no creía que la guerra fuera a durar mucho; le dijo a Margaret que en menos de un año estaría de vuelta, habiendo ahorrado la mitad de su paga. Ella era una mujer práctica, descendiente de irlandeses, que se sintió atraída por el buen humor y la bondad de Jack. Se conocieron en la boda de una de las ocho hermanas de Margaret, que se casaba con un compañero de trabajo de Jack. En la fiesta, después de la ceremonia, mientras bebía cerveza, Jack comenzó a hacer pruebas de magia para divertir a un grupo de niños. Tenía una cara grande y cuadrada, y se peinaba con raya al medio. A ella le gustó su manera de hablar con los chicos, antes de que se acercara a bromear con otros hombres que asistían al casamiento de su amigo.

—Soy una solterona —le dijo ella a Jack cuando éste fue a visitarla, una semana después—. No es posible que tengas interés en salir a caminar conmigo. —Pero por lo visto él sabía exactamente lo que quería y se casaron tres meses después.

Bajo el árbol donde se había refugiado, Jack Firebrace prendió otro cigarrillo, escuchó el chillido de una bala de mortero que pasaba por sobre la línea inglesa a alrededor de un kilómetro y medio hacia el sur, y comenzó a temblar.

Se había creído inmune a la muerte; creyó haberse endurecido contra ella, pero no era así. Si lo encontraban culpable, al amanecer, lo conducirían a algún lugar alejado detrás de las líneas —un claro del bosque, el patio trasero de alguna granja— y lo fusilarían. Le encargarían el trabajo a hombres de su propia división, mineros, zapadores, individuos que ni siquiera habían sido entrenados para disparar contra el enemigo. Las armas de algunos estarían cargadas con balas de fogueo, las de otros no; nadie debía saber si el tiro fatal fue por Tyson o Shaw o Wheeler o Jones. Y él caería como tantos millones de muertos que se desmoronaban en el barro: panaderos de Sajonia, granjeros de Francia y obreros de fábrica de Lancashire, tantos músculos y sangre en la tierra.

No podía considerar esa posibilidad sin temblar. En medio de una batalla o de un raid, esperaban morir; eran las pérdidas de vidas que producían los disparos, las granadas, los morteros, la explosión de un túnel, la continua consciencia de que, en cualquier momento podía llegar la muerte en una serie de maneras distintas que resultaban difíciles de entender. Poco a poco, hasta a eso se acostumbró Jack. Cada vez que les daban un descanso, necesitaba un día entero de sueño antes de poder adaptarse a eso de no tener un miedo constante; después empezaba a reír

119

y a contar chistes en medio del alivio sobrecogedor que los invadía. Pero la indiferencia que cultivó era con respecto al exterminio del enemigo, de sus colegas y de sus amigos; en ese momento debió admitir que la perspectiva de su propia muerte no le resultaba indiferente.

Enterró la cara entre las manos y le rogó a Dios que lo salvara. No existía ninguna tarea que quisiera completar, ningún destino hacia el que se sintiera impelido: sencillamente quería volver a ver a Margaret. Quería acariciar el pelo de John. "Mi hijo —pensó mientras permanecía sentado bajo la lluvia— mi hijo querido." El resultado de la guerra no sería distinto si él vivía o moría; no hacía diferencia si ese día era la cabeza de Turner la que una explosión arrancaba de su cuerpo, o si mañana era la suya o la de Shaw o la de Tyson. Deja que ellos mueran, oró desvergonzadamente; deja que ellos mueran, pero Dios querido, permite que yo viva.

Permaneció solo toda la noche, forzando a su mente extenuada a reproducir recuerdos de su vida, imágenes del pasado que pudieran acompañarlo y consolarlo si debía enfrentar una hilera de rifles que apuntaban hacia su cabeza. Estaban los partidos de fútbol en Hackney Marshes, el compañerismo de obreros de la construcción del subterráneo de Londres; rostros extraños y voces de la infancia; su hijo. Nada convertía a la suya en una vida digna de ser salvada. Por fin la memoria sólo le ofreció fragmentos de su primera infancia: se vio sentado frente a la cocina, percibió el aroma de su madre cuando se inclinaba sobre su cama. Con esos recuerdos llegó un deseo de dormir, de rendirse.

Se puso de pie, estiró los brazos y las piernas entumecidos, luego regresó a su lugar en la trinchera y se deslizó junto a Tyson y a Shaw. Poco antes del amanecer, fue en busca del sargento Adams.

—Vamos, entonces —dijo Adams—. Emprolíjate. Endereza tu cinturón.

No era el tipo de sargento a quien los hombres temían. Tenía un sentido del humor burlón, y pocas veces les gritaba. En privado, los hombres lo admiraban.

—Me he enterado de que te quedaste dormido durante la guardia —dijo.

Jack no hizo ningún comentario. Estaba listo para morir.

—Tal vez tengas suerte. Algunos de esos oficiales pasan del frío al calor. El señor Wraysford es el más extraño que he conocido. La ley en persona. Por aquí.

Adams lo condujo por una angosta trinchera, detrás de la cual había varios refugios. Le señaló la entrada del que se encontraba en el extremo y le dijo que fuese por su cuenta.

Jack contempló el borde del mundo que iba apareciendo en el amanecer gris: los árboles quemados, los campos, en un tiempo verdes, ahora de un marrón uniforme allí donde los morteros removieron la tierra. Se sintió reconciliado con la posibilidad de abandonarlo.

Bajó una escalera de madera y se topó con una cortina que cubría una puerta de hechura casera. Golpeó y esperó.

Una voz le indicó que entrara y Jack abrió la puerta. Adentro había un fuerte olor a parafina. El humo de pipa oscurecía el contenido del cuarto. Jack alcanzó a ver un catre de madera en el que dormía una figura acurrucada, y una mesa y silla de construcción casera. Estaba mejor arreglado que la mayoría de los escuálidos lugares que había visto, aunque los tablones toscos que formaban las paredes y el uso de tazas desparejas, velas y clavos para sustituir elementos esenciales le daban una apariencia primitiva.

—¿Quién es usted? —le preguntó un teniente, uno de los dos oficiales sentados ante la mesa. El otro era el comandante de Jack, el capitán Weir, de visita en la sección de infantería.

—Firebrace, señor. Usted me ordenó que me presentara a las seis de la mañana.

—¿Por qué motivo?

—Porque me quedé dormido mientras estaba de guardia.

El oficial se puso de pie y caminó hacia Jack. Acercó el rostro al suyo. Jack vio a un individuo de pelo oscuro con canas en las sienes; tenía un espeso bigote que le oscurecía el labio superior y grandes ojos pardos que lo miraban pensativos. Podía tener cualquier edad, desde veinticinco años a cuarenta.

—No lo recuerdo.

—Creo que usted tenía cargos contra mí.

—No me parece posible. Usted no pertenece a mi unidad. Es minero, ¿no es cierto?

—Sí, señor.

—Uno de los suyos, Weir.

Jack miró a Weir y vio, sobre la mesa, una botella de whisky casi vacía. Sólo había dos vasos.

—Siéntate, Firebrace. Bebe una copa —invitó Weir.

—No, gracias, señor. Si yo…

—Siéntate de todos modos.

Jack miró a su alrededor. No quería ocupar la silla que tal vez perteneciera al oficial que comandaba la infantería, un hombre irascible llamado Gray a quien había oído dando órdenes. Se preguntó dónde estaría; posiblemente maltratando a los centinelas.

Se sentó en la silla que Weir le acercó de un puntapié. Había vuelto a ponerse sus zapatillas y su suéter blanco. Estaba sin afeitar y tenía los ojos inyectados en sangre. Jack bajó la vista, temeroso de que sus miradas se encontraran. Sobre la mesa también vio cinco cartas, tendidas en forma de estrella, de cara hacia abajo, con leves rastros de arena entre ellas. En el centro de la formación había una figura tallada en madera y un trozo de vela.

—Éste es el teniente Wraysford —dijo Weir—. Su pelotón está junto a nuestra sección de la línea. Son sus hombres a quienes estamos protegiendo contra las minas. Anoche teníamos dos hombres afuera en un puesto de escucha. Tal vez estuviera preocupado por ellos, ¿no es cierto, Wraysford?

—No. Brennan y Douglas no corrían peligro. Saben lo que hacen.

—¿No quieres hablar con este hombre? —preguntó Weir.

—Me gustaría si pudiera recordarlo. —Se volvió hacia Jack. —Si no quiere beber whisky, dentro de un minuto habrá té. Le diré a Riley que prepare otra taza.

A medida que los ojos de Jack se fueron acostumbrando a ese lugar lleno de humo, notó que parte de las paredes estaban cubiertas de tela. Parecía seda o algodón, telas caras y extranjeras. Sobre un pequeño armario había más figuras humanas talladas en madera. En la biblioteca del rincón no se veía ninguna fotografía, aunque sí algunos bocetos de cabezas y de cuerpos hechos por un principiante. Se dio cuenta de que el teniente seguía su mirada.

—¿Usted dibuja? —preguntó.

—Un poco —contestó Jack—. Ahora no tengo tiempo. Ni la tranquilidad necesaria.

Riley, un hombrecito canoso con prolijo uniforme de ordenanza, entró con una bandeja sobre la que llevaba tres jarros de té. Levantó una mano hasta una bolsa suspendida del techo, para que quedara fuera del alcance de las ratas, y sacó un poco de azúcar.

Jack observó al teniente que se acercó a la biblioteca y tomó un boceto.

—La anatomía humana es extraordinariamente sencilla —explicó—. Por ejemplo, la construcción de las piernas: dos huesos largos con una simple coyuntura para flexionarlos y siempre las mismas proporciones. Pero cuando uno las dibuja es difícil sugerir la forma de las piernas. Todo el mundo alcanza a ver este músculo del muslo, el cuádriceps. Nunca supe que allí mismo, más adentro, hubiera otro: el sartorius. Pero si uno lo destaca demasiado, el dibujo parece envuelto en músculos.

Jack observaba el dedo del teniente con el que, mientras hablaba, iba trazando las líneas de la pierna sobre el dibujo. No sabía si ese hombre se estaba burlando de él, si alargaba su agonía, o si realmente quería conversar sobre dibujo.

—Por supuesto —agregó el teniente con un suspiro—, que la guerra nos ha proporcionado lecciones diarias de anatomía. Yo podría escribir un estudio sobre los órganos principales del soldado inglés. Hígado seccionado. Intestinos eviscerados en parte. El hueso quebradizo del subalterno inglés promedio.

Jack tosió.

—Perdón señor. ¿Puedo preguntarle qué cargos hará contra mí?

—¿Cargos?

—¡Por amor de Dios, Wraysford! —exclamó Weir—. Le dijiste a este hombre que se presentara ante ti porque lo encontraste dormido. El hombre quiere saber si tendrá que presentarse ante una corte marcial. Quiere saber si va a recibir una lección de arte o si lo fusilarán.

—No hay cargos. Usted no está a mis órdenes.

Jack sintió un fuerte ardor en los ojos.

—Estoy seguro de que, si lo desea, su propio comandante lo castigará.

Weir hizo un movimiento negativo con la cabeza.

—Este asunto queda terminado.

—¡Gracias, señor! Gracias.

Jack miró a ambos con amor y gratitud. Comprendían las dificultades de un hombre a quien se le había exigido demasiado. Estaba convencido de que tanta misericordia nacía de la compasión que le tenían. Sacó la carta de Margaret. En su entusiasmo por vivir, quería compartir el peso de la enfermedad de su hijo.

—Vea esto, señor. Recibí una carta de mi esposa. Nuestro hijo está enfermo. Yo estaba preocupado por él. Tan preocupado por él, que cuando salimos del túnel no pude dormir.

Le pasó la carta a Weir, quien asintió.

—¿Ves esto, Wraysford? —preguntó, acercándosela sobre la mesa.

—Sí —dijo Stephen—. Ya lo veo. Difteria, dice. Eso es grave.

—¿Se me dará un permiso para ir a verlo?

Stephen miró a Weir, con una ceja levantada.

—Lo dudo. Estamos cortos de hombres —contestó Weir.

—¿Usted tiene hijos, señor? —preguntó Jack.

Weir negó con la cabeza.

—No soy casado.

—¿Y usted, señor?

—No —contestó Stephen.

Jack asintió varias veces, como para sí mismo.

—Supongo que es extraño que mientras yo estoy aquí, rodeado de hombres que mueren todo el tiempo, el que está en peligro es él.

—Todos los hombres a quienes hemos dado muerte son hijos de alguien —dijo Stephen—. ¿Piensas en eso cuando los ves muertos? ¿No te preguntas lo que deben haber pensado sus madres la primera vez que los acercaron a su pecho... sospecharían que iban a terminar así?

—No, señor. No había pensado en eso.

Los tres bebieron su té. Desde el exterior llegaba el gemido de los morteros. Desde el refugio sentían la reverberación de las explosiones. Del techo caían trozos de tierra seca.

—Anoche dos de mis hombres estuvieron escuchando durante ocho horas dentro del cráter hecho por un proyectil en la tierra de nadie. ¿Qué crees que estuvieron pensando durante todo ese tiempo? Porque ni siquiera les estaba permitido hablar. —Stephen miraba a Jack.

—No lo sé, señor. Tal vez sea igual que cuando estamos en el túnel. Después de un rato uno ya no piensa en nada. Es como si uno hubiera dejado de vivir. La mente queda como muerta.

—Me gustaría bajar a ese túnel —dijo Stephen.

—No, no te gustaría —lo contradijo Weir—. Ni siquiera les gusta a los mineros.

—Me gustaría saber lo que se siente. Algunos de mis hombres consideran que allá abajo ustedes no trabajan con la rapidez necesaria. Creen que no oyen el ruido del enemigo. Les aterroriza la posibilidad de que los vuelen con una explosión subterránea.

Weir lanzó una carcajada.

—Eso ya lo sabemos.

Jack se movió inquieto en su silla. Había algo extraño en esos dos oficiales. Sospechaba que debían estar borrachos. Siempre consideró que Weir era muy confiable. Igual que todos los comandantes de los trabajos subterráneos, era ingeniero. Bajo tierra era cuidadoso y confiable, a pesar de no haber tenido experiencia antes de la guerra. Pero en ese momento tenía los ojos colorados y con expresión salvaje, sin duda a causa del whisky. La barba que le cubría el mentón y las mejillas, sin duda era el resultado de más de una mañana sin afeitarse. A Jack le pareció que el teniente estaba más sobrio, pero de alguna manera le resultaba aún más extraño. Era imposible saber si hablaba en serio. Parecía distante y olvidadizo, pero también se mostraba entusiasta ante la posibilidad de bajar al túnel. Es como si estuviera un poco loco, pensó Jack. El afecto y la gratitud que sintió al principio, comenzaron a evaporarse. No quería compartir con esos oficiales sus sentimientos personales. Quería volver a estar con Tyson y Shaw, o hasta con Wheeler y Jones, a pesar de sus irritantes conversaciones. Por lo menos, con ellos uno sabía qué terreno pisaba.

—¿No sabe cuándo nos darán un descanso, señor? —le preguntó a Weir.

—Creo que será mañana. Ya no nos pueden mantener aquí más tiempo. ¿Y qué me dices de tus hombres, Wraysford?

Stephen suspiró.

—Sólo Dios lo sabe. Llegan rumores constantes desde el cuartel general del batallón. Tarde o temprano tendremos que atacar. Aunque no aquí.

—¿Vamos a tener que perder algunas vidas sólo para aplacar a los franceses? —preguntó Weir, riendo.

—Sí. ¡Oh, sí! Quieren sentir que no están solos en esto. Pero creo que ellos saldrán ganado con este torbellino.

Riley apareció por la entrada de atrás del refugio.

—Ya son casi las seis, señor.

—Será mejor que te vayas, Firebrace —dijo Weir.

—Lo veré en ese túnel —dijo Stephen.

—Gracias, señor.

Jack salió del refugio. Afuera ya casi amanecía. Pocos kilómetros detrás de las líneas alemanas, el cielo bajo de Flandes se encontraba con el horizonte. Inhaló hondo el aire de la mañana. Le acababan de perdonar la vida; su último rastro de júbilo le llegó al mirar hacia la trinchera y ver el humo de cigarrillos y el vapor de los jarros de té que aferraban unas manos heladas. Pensó en el mal olor de su ropa, en los piojos que se ocultaban entre las costuras, en los hombres de los que temía hacerse amigo por miedo de que al día siguiente sus cuerpos fueran destrozados ante sus propios ojos. Era la hora de las abluciones de Tyson, cuando él aliviaba sus intestinos en una lata de pintura y luego arrojaba su contenido por encima de la trinchera. De los refugios de oficiales que tenía a sus espaldas surgió la música de un piano, una melodía en la que se mezclaba el rasgido de una púa sobre el disco de un gramófono.

Cuando por fin los relevaban, a los mineros se les permitía ir a descansar a un pueblo más alejado de las líneas que su lugar habitual de acantonamiento. Los hombres estaban tan cansados que les costaba marchar. A cuatro kilómetros y medio detrás de la línea del frente, se encontraban en un camino con zanjas profundas cavadas a ambos lados. Se les impartió la orden de descansar y algunos fumaban mientras caminaban. Jack Firebrace se concentraba en caminar derecho bajo el peso de su mochila cargada con las herramientas necesarias para cavar. Al final de la avenida había un pueblo apenas visible, pero se dio cuenta de que si lo miraba fijo perdía la capacidad de coordinar los pies. Tenía la sensación de estar cruzando una hondonada y con el camino treinta metros más abajo. Dos veces despertó sobresaltado y se dio cuenta de que estaba caminando dormido. Algunas filas detrás, tuvieron que sacar a Wheeler de la zanja. Jack cerró un momento los ojos para protegerlos de la brillante luz del día, pero tuvo que volver a abrirlos enseguida al sentir una sensación de náusea cuando perdió el equilibrio.

Había cosas que creyó no volver a ver, señales de que la vida persistía más allá del angosto infierno de su existencia. Un cura se les acercaba en bicicleta y al pasar junto a ellos, los saludó con el sombrero. A los bordes del camino vio matas de pasto que seguían siendo verdes, que no habían sido arrancadas. Había árboles en flor.

Cuando se detuvieron en la plaza del pueblo, el sargento Adams les dio permiso de sentarse mientras los oficiales buscaban lugares para acantonarlos.

Jack se apoyó contra la piedra que rodeaba la bomba de agua del pueblo. Tyson lo miraba con la vista perdida, incapaz de registrar el cambio de lo que lo rodeaba. En la callejuela detrás de la plaza, de las casas salían columnas de humo. Alcanzaban a ver un almacén y una carnicería, en cuya puerta jugaban dos niños.

Entonces Jack oyó el sonido de una voz de mujer. Hablaba en un idioma desconocido, con un acento duro que le resultaba extraño, pero no cabía duda de que se trataba de la voz de una mujer. Pertenecía a una gorda de alrededor de treinta años, quien hablaba con una chica rubia. Los mineros escuchaban esas voces que les llegaban en el aire límpido de la mañana, como consoladores recuerdos de una vida anterior.

Otros dos integrantes de la unidad de Jack, O'Lone y Fielding se habían quedado dormidos sobre los adoquines de la calle. Jack permitió que la sensación de descanso lo recorriera con lentitud, tratando de acostumbrarse a la falta de miedo.

Se volvió a mirar a Shaw, sentado a sus espaldas. Estaba sin afeitar, con la cara cubierta de tierra detrás de la cual los ojos se veían muy blancos y con la mirada fija. No había hablado desde que iniciaron la marcha y su cuerpo parecía congelado.

En una esquina de la plaza, empezó a ladrar un perro blanco. Comenzó a correr en círculos frente a la carnicería, hasta que el carnicero mismo salió y golpeó una mano contra la otra con fiereza. Después el perro se acercó a oler los pies de los hombres más cercanos. Ante la presencia de tanta gente, movió la cola excitado. Tenía el hocico puntiagudo y una cola peluda que se arqueaba sobre su lomo. Lamió la bota de Jack, luego apoyó la cabeza contra la rodilla inmóvil de Shaw. Shaw miró esos ojos brillantes que se clavaban en él como con la esperanza de que le dieran algo de comer. Empezó a acariciar la cabeza del perro. Jack observó las manos grandes de minero de Shaw que se movían sobre el lomo suave del animal. Con delicadeza, Shaw apoyó la cabeza contra el flanco del perro y cerró los ojos.

El capitán Weir les indicó que se encaminaran a un granero en las afueras del pueblo. El granjero acostumbraba a alojar tropas y cobraba por sus servicios. Muchos hombres dejaron caer sus mochilas y se durmieron sobre el primer montón de paja con que se toparon. Tyson encontró un rincón limpio e invitó a Shaw y a Firebrace a que se le reunieran. A ninguno de ellos le gustaba los hábitos de los demás, pero ya estaban acostumbrados a ellos y temían que un cambio pudiera resultar peor.

Por la tarde, Jack despertó y salió a los terrenos de la granja. Estaban instalando la cocina de la compañía, un artefacto sobre ruedas. Bajo la mirada crítica del oficial de intendencia, acababa de llegar un carro tirado por caballos con desinfectantes y polvo contra los piojos.

Jack se lanzó a caminar por el campo, rumbo al pueblo. No hablaba una sola palabra de francés y los edificios, los campos y las iglesias le resultaban profundamente extraños. El alivio de no estar bajo fuego se trocó en una honda añoranza de su hogar. Antes de la guerra nunca había salido de su país, y sólo en dos o tres ocasiones se alejó de los ruidos tranquilizantes de las calles de Londres en las que creció. Extrañaba el traqueteo de los tranvías, las largas terrazas del norte de Londres y los nombres que lo acercaban a su país. Turnpipe Lane, Manor House, Seven Sisters.

También descansaba un batallón de infantería; el pueblo estaba sumergido en el ruido y los movimientos de un ejército que se reagrupaba, descansaba y trataba de restaurarse. Como un chico en medio de un sueño, Jack pasó junto a caballos que piafaban, a suboficiales gritones y a pequeños grupos de soldados que fumaban y reían. Lo que sucedía a algunos kilómetros de distancia se mantenía en secreto. Ninguno de esos hombres admitiría que lo que habían visto y hecho estaba más allá de los límites del comportamiento humano. Parece increíble, pensó Jack, que ese hombre con la gorra tirada hacia atrás que hacía bromas con su amigo frente a la carnicería, acabara de ver morir a su otro compañero en una explosión, con los pulmones repletos de gas. Nadie contaba nada y Jack se unió a la silenciosa conspiración, al simulacro de que todo estaba bien, de que no se había violado en ningún sentido el orden natural. Él culpaba a los suboficiales quienes, a su vez, culpaban a los oficiales; éstos maldecían a los oficiales de mayor rango quienes, a su vez, culpaban a los generales.

El cocinero de la compañía preparó un guiso caliente con una falsa salsa hecha con grasa y agua, y les ofreció que se volvieran a servir. Luego bebieron café. Con un trozo de pan fresco en la otra mano, Jack lo devoró todo, hambriento. Wheeler se quejó de que la comida era insufrible, que no se parecía en nada a los tés que le preparaba su esposa o al pescado con papas fritas que a veces comía en el camino de regreso desde el bar. O'Lone recordaba los pasteles de carne y las papas nuevas, seguidos por un budín. Tyson y Shaw no solían quejarse, aunque ninguno de los dos disfrutaba demasiado de la comida. Jack terminó lo que Tyson había dejado. Le daba vergüenza confesar que la comida del ejército, aunque irregular y que a veces llegaba al frente contaminada, por lo general era mejor de lo que él podía permitirse en su propio país.

Shaw revivía. Con su espalda fuerte ayudó a entrar fardos de pasto frescos en el granero; su voz de bajo volvió a unirse a las canciones sentimentales que se entonaban después de las comidas. Jack se alegró, dependía de la flexibilidad de algunos hombres para ser capaz de aceptar esa vida poco natural, y Arthur Shaw, con su rostro apuesto y su modo de ser tranquilo, era su mayor inspiración.

Con buen humor, desafiando las bromas casi incomprensibles de las mujeres que les recibían la ropa, los hombres formaron fila para dirigirse a los baños que acababan de ser instalados en un largo granero. Jack iba detrás de Shaw, admirando la espalda enorme cuyos músculos sobresalían de sus omóplatos, de modo tal que la cintura, aunque nada angosta, en comparación parecía estrecha sobre las nalgas cubiertas de vello. Dentro del granero, los hombres cantaban a los alaridos o se gritaban indecencias, arrojándose barras de jabón o salpicando el agua de distintas temperaturas que llenaban las improvisadas bañaderas hechas con barriles de vino o con comederos de animales. El sargento Adams permanecía en la puerta, con una manguera de agua fría, en cuyo extremo colocaba el dedo para darle más presión y alejar a los hombres hacia el exterior donde recuperarían su ropa que, aunque limpia, todavía conservaba los inamovibles piojos.

A la noche cobraron su paga en billetes de cinco francos y buscaron la manera de gastarlos. Como Jack Firebrace tenía fama de bromista también lo consideraban el hombre indicado para hacerse cargo de los entretenimientos. Recién afeitados, bien peinados y con las insignias de las gorras lustradas, Tyson, Shaw, Evans y O'Lone, se presentaron ante él.

—Los quiero de vuelta a las nueve y sobrios —advirtió el sargento Adams al verlos salir de la granja.

—¿No se conforma con que volvamos a las nueve y media? —preguntó Evans a los gritos.

—A las nueve y media y medio borracho —dijo Jack—. Eso me bastará. —Los hombres rieron mientras se encaminaban al pueblo.

Se estaban formando colas en la puerta de un negocio donde funcionaba un bar improvisado. Utilizando sus dotes de maestro de ceremonias, Jack se encaminó a una casa con una brillante cocina y frente a la cual había una corta cola. Los hombres lo siguieron y esperaron afuera hasta que hubo lugar para que se apretujaran alrededor de una mesa donde una mujer anciana servía platos rebosantes de papas fritas recién sacadas de la sartén. Los comensales se pasaban pequeñas botellas de vino blanco sin marca. A los hombres les disgustó el gusto seco del vino, y una de las mujeres jóvenes debió ir en busca de azúcar que ellos revolvían dentro de sus vasos. Expresaban su disgusto en mímicas, pero lo bebieron en cantidades considerables. Jack decidió probar una botella de cerveza. No era como la que recordaba que le servían en los bares de su país,

El sueño los venció a medianoche, cuando Tyson apagó su último cigarrillo en la paja. En medio del fuerte ruido de ronquidos, olvidaron lo imperdonable. Jack notó que hombres como Wheeler y Jones tomaban cada día como si fuera una jornada de trabajo, y por la noche mechaban sus conversaciones con las mismas bromas que hubieran hecho en sus casas. De alguna manera, tal vez él no hubiera comprendido que eso era lo que estaban haciendo los dos oficiales; tal vez todo eso no fuese más que una manera de simular que todo era normal. Mientras se iba quedando dormido, pensó con fuerza en su casa, trató de imaginar el sonido de la voz de Margaret y lo que ella le hubiera estado diciendo. La salud de su hijo se convirtió en algo más importante que las vidas de sus compañeros. En el bar, a nadie se le ocurrió levantar una copa en memoria de Turner, nadie los recordaba a él ni a los otros tres que murieron ese día.

La noche antes del regreso al frente, hubo canciones. Los hombres no conocían la vergüenza. Wheeler y Jones entonaron un dúo acerca de una muchacha que valía un millón de deseos. O'Lone recitó un poema sobre una casita con rosas en la verja de entrada y un pájaro en un árbol que cantaba tra-la-la.

Weir, a quien le pidieron que tocara el piano, se sintió horriblemente inquieto y avergonzado al ver que Arthur Shaw y el resto de los hombres de su sección, hombres a quienes él sabía personalmente responsables de haber segado por lo menos un centenar de vidas, entonaban canciones sobre la necesidad que sentían de volver a ser besados por sus madres. Weir se prometió que nunca más alternaría con soldados rasos.

Jack Firebrace contó una serie de chistes al estilo de los de un *music hall*. Los hombres también aportaron algunos chistes, pero no dejaban de reír de la interpretación de Jack cuyo rostro solemne brillaba por el esfuerzo de la actuación. La decidida respuesta de sus compañeros que silbaban, aplaudían y reían era una demostración de su decisión... y del miedo que tenían.

Jack miró el salón que habían conseguido para la ocasión. Vio oleadas de caras rojas, sonrientes y brillantes a la luz de las lámparas, las bocas abiertas mientras los hombres rugían de risa y cantaban. Cada uno de ellos miraba a Jack que estaba subido sobre un cajón en un extremo del salón. Eran individuos que podían haber tenido cada uno una historia, pero que en la sombra de lo que les esperaba, resultaban intercambiables. No quería tenerle más cariño a uno que a los demás.

Hacia el fin de su actuación Jack se sintió recorrido por oleadas de miedo. Abandonar ese pueblo le parecía la separación más difícil de su existencia. Ninguna separación de padres, esposa o hijo, ninguna dolorosa despedida en una estación pudo haber sido iniciada con el corazón más pesado que esa breve marcha de regreso a través de los campos de Francia. Cada vez resultaba más difícil. No conseguía endurecerse ni acostumbrarse. Cada vez le parecía necesario bucear más hondo en sus reservas de insensata determinación.

En un ataque de furia y de amor por sus compañeros, por esa masa de caras coloradas, concluyó su actuación con una canción.

—"Si fueses la única chica en el mundo" —empezó diciendo. Agradecidos, los hombres recogieron sus palabras como si éstas expresaran sus sentimientos más profundos.

La sección de Stephen de la línea había sido bombardeada en forma intermitente durante tres días. Suponían que era inminente un ataque en gran escala. La tercera mañana, Stephen se levantó con cansancio y abrió la cortina del refugio. Tenía los ojos pesados de fatiga. Su cuerpo seguía en movimiento no en base a la energía natural proporcionada por la comida y el sueño, sino por alguna substancia química nerviosa originada en una glándula desconocida. Sentía una sensación quemante en la boca que le bajaba hasta el estómago. La cabeza le latía con pulsaciones aceleradas e intermitentes. Empezaban a temblarle las manos. Debía salir para tranquilizar a los hombres de su pelotón. Encontró a Brennan y a Douglas, dos de los de mayor experiencia, sentados muy pálidos y rodeados por alrededor de sesenta colillas de cigarrillos.

Stephen intercambió frases amables con ellos. No era un oficial popular. Le resultaba difícil pensar en palabras de aliento cuando él mismo no creía que esa guerra tuviera sentido ni que el final estuviera a la vista. Recibió una reprimenda del comandante de la compañía, el capitán Gray, un hombre perspicaz y decidido, por haberle dicho a un soldado que creía que la guerra empeoraría mucho antes de que existiera la posibilidad de algún alivio.

Los comentarios de Brennan sobre el cañoneo contenían su habitual cuota de obscenidad. Su adjetivo favorito aparecía tan seguido en sus frases que Stephen había dejado de notarlo. Lo mismo sucedía con todos los hombres.

Stephen había ascendido a oficial por ser más educado que los demás y porque los subalternos universitarios que no estaban muertos ya estaban a cargo de otras compañías. Gray lo eligió y lo envió de regreso a Inglaterra para que pasara un tiempo en un campo de entrenamiento para cadetes. A su regreso a Francia lo siguieron instruyendo en Béthune, aunque desde su punto de vista, el único momento decisivo llegó durante un partido de fútbol en el que él debía demostrar su ardor. Les dio el gusto al pelearse con un jugador del bando contrario y lo enviaron al frente en una apresurada gira de tres semanas en compañía de un mayor asmático que salía por primera vez del cuartel general. El mayor insistía en que Stephen no debía ver a ninguno de los hombres con quienes se había enrolado; era necesario volver a presentarlo como un ser distinto y superior quien, mágicamente, acababa de recibir los atributos de oficial. El mayor se despidió y Stephen se encontró en posesión de un cinturón resplandeciente, de un par de botas nuevas, y de un ordenanza deferente. No conocía a ninguno de los integrantes de su pelotón, aunque sus compañeros de entrenamiento a cuyo lado había luchado, se encontraban a poco más de cien metros de distancia.

—¿Entonces no se sabe cuándo terminará esto? —preguntó Douglas.

—Nunca me lo dicen. ¿Tú qué crees?

—Ojalá nos dieran un descanso.

—Eso sería lo mismo que parar para almorzar. —Era el comentario más alegre que se le ocurrió a Stephen. —No se puede mantener a un cañonero alemán alejado de sus salchichas.

En el aire resonó el estruendo de un cañonazo. Era una pieza de tamaño mediano cuyo proyectil hizo un ruido metálico que al principio sonó extraño y luego súbitamente alarmante al acelerar y caer cerca de ellos. Brennan y Douglas se achataron contra el frente de la trinchera mientras pasaba por sobre sus cabezas. La tierra se estremeció y pequeños trozos de barro cayeron como lluvia sobre ellos. Stephen notó que las manos con que Douglas se refregaba la cara temblaban con fuerza.

Saludó a ambos hombres con una inclinación de cabeza.

—No puede durar eternamente.

Por lo general, el fuego se desencadenaba a la noche, en dirección a las zonas traseras, donde se guardaban las armas, las municiones y los abastecimientos. Cañonear la línea del frente a plena luz del día por lo general era el preludio de un ataque, aunque Stephen sospechaba que podía ser un cambio de táctica o sólo un error.

Recorrió toda la trinchera y conversó con el resto de los hombres de su batallón. Ellos recibían órdenes de los suboficiales y consideraban a Stephen más bien como el símbolo de alguna distante autoridad frente a quien debían comportarse bien y ser respetuosos. Por su amistad con Weir, Stephen sabía tanto acerca de los mineros como sobre sus propios hombres. Al conversar con ellos bajo el fuego enemigo, se dio cuenta de que ignoraba lo que era la vida de esos soldados. En su mayoría eran londinenses que antes de la guerra pertenecían al ejército territorial.

Los que más le gustaban eran Reeves, Byrne y Wilkinson, un trío irónico que, a diferencia de Douglas y Brennan, nunca se ofrecían como voluntarios para una misión peligrosa, pero a quienes el enemigo provocaba una inamovible antipatía.

Los encontró juntos, como siempre, pero extrañamente silenciosos. Reeves informó que durante la última hora, una batería de cañones de campaña había aumentado su actividad. Mientras hablaba, oyeron el estruendo del disparo de un cañón, seguido por el chirriante sonido de la bala.

—Recibimos ésas todo el tiempo. Escuche —dijo Reeves.

Los tres hombres estaban tendidos muy juntos. Les temían a las balas de cañón más que a los disparos de armas chicas, porque conocían el daño que eran capaces de hacer. Cuando alcanzaban a un hombre, borraban toda evidencia física de su existencia; una que caía algo más lejos le arrancaría pedazos del cuerpo; y hasta una herida más leve y bien atendida hacía más daño que una bala común. Por lo general sobrevenía la infección o la gangrena.

A pocos metros de distancia, dentro de la trinchera, resonó un aullido agudo. Era un sonido demencial que se destacaba de los distintos ruidos de disparos. Un jovencito llamado Tipper, corría a lo largo de la trinchera, luego se detuvo y levantó la cara hacia el cielo. Volvió a gritar, un sonido de miedo primitivo que sacudió a todos los que lo oyeron. Tenía el cuerpo rígido y, bajo la piel, alcanzaban a ver las contorsiones de sus músculos faciales. Gritaba por volver a su casa.

Byrne y Wilkinson comenzaron a maldecirlo.

—Ayúdame —le ordenó Stephen a Reeves. Tomó al chico del brazo y trató de obligarlo a sentarse. Reeves le aferró el otro brazo. El muchacho tenía los ojos clavados en el cielo y ni Stephen ni Reeves lograban que le cedieran los músculos del cuello para obligarlo a mirar hacia abajo.

La cara de Tipper parecía haber perdido toda circulación de sangre. En el blanco de sus ojos, a poca distancia de la cara de Stephen, no había rastros de venas; sólo eran círculos marrones con una pupila dilatada que parecía flotar en una zona blanca agrandada por la apertura espasmódica de los ojos. La pupila se fue poniendo más negra y ancha, de manera tal que el iris perdió toda luz y sensación de vida.

Sin tener idea del lugar donde se encontraba, el muchacho llamaba implorante, repitiendo algún nombre privado que podía ser el apelativo con que se dirigía a su padre o a su madre. Era un aullido de miedo primitivo. Stephen sintió una repentina compasión que sofocó con la mayor rapidez posible.

—Sáquenlo de aquí —le ordenó a Reeves—. No lo quiero aquí. Tú y Wilkinson deben llevarlo al médico.

—Sí, señor. —Reeves y Wilkinson arrastraron el cuerpo rígido hacia la trinchera de comunicación.

Stephen estaba estremecido. Esa erupción de miedo natural destacaba lo poco natural que era la existencia que llevaban; no querían que nadie les recordara lo que era la normalidad. Cuando por fin llegó a su refugio, estaba furioso. Si la simulación empezaba a quebrarse, se llevaría consigo muchas vidas.

No parecía haber manera de enfrentar ese terror. En Ypres y en el resto de las acciones tuvieron oportunidad de prepararse a morir, pero el cañoneo volvía a ablandarlos. Hombres que estaban dispuestos a caminar hacia ametralladoras o a defender sus trincheras hasta el último aliento, no eran capaces de enfrentar a la muerte en esa forma. Simulaban que no se trataba sólo de eso sino de todo lo que habían visto. Reeves había buscado a su hermano sin encontrar ni rastros de su cuerpo para enterrar, ni un mechón de pelo, ni un trozo de bota. Le dijo a Stephen que en eso radicaba su amargura y su incredulidad. La bala que se llevó al muchacho era del tamaño de las que había que descargar con guinche de un tren; después de volar a nueve kilómetros de altura había dejado un cráter lo suficientemente grande como para que en él cupiera una granja con graneros y todas sus instalaciones. No era extraño, agregó Reeves, que no hubieran quedado ni rastros de su hermano.

—A mí no me importaría —dijo—, pero él era de mi carne y de mi sangre.

A la tarde del tercer día, Stephen empezó a preocuparse por el efecto que el cañoneo tendría sobre todos los hombres de su pelotón. Tenía la sensación de ser un eslabón inútil en una cadena. Los oficiales superiores se negaban a confiar en él; los hombres recibían las ordenes de los suboficiales y se consolaban ellos mismos. El bombardeo continuaba.

Stephen conversó brevemente con Harrington, el teniente que también compartía el refugio de Gray, luego bebió el té que Riley les sirvió exactamente a las cinco. Salió a contemplar la luz del atardecer. Empezaba a llover de nuevo, pero las balas de cañón seguían llegando desde el horizonte ennegrecido, iluminadas como estrellas inesperadas en la oscuridad verde grisácea y turbulenta.

Cerca de medianoche, Weir llegó al refugio. Se había quedado sin whisky y quería que Stephen le diera un poco. Esperó hasta que Gray hubo salido.

—¿Qué tal fue tu descanso? —preguntó Stephen.

—Eso fue hace mucho tiempo —contestó Weir bebiendo un gran trago de la petaca que Stephen le pasó—. Hace tres días que volvimos.

—De manera que has estado bajo tierra. Es el lugar más seguro.

—Los hombres salen del agujero de la tierra y se encuentran bajo este cañoneo. No saben qué es peor. No puede seguir, ¿verdad? Es sencillamente imposible que siga.

—Tómalo con calma, Weir. No habrá un ataque. Están allí y allí se quedarán. Se demora casi una semana en instalar esos cañones pesados.

—Eres un cretino frío, ¿no es cierto Wraysford? Lo único que te pido es que me digas algo que me haga dejar de temblar.

Stephen encendió un cigarrillo y puso los pies sobre la mesa.

—¿Quieres escuchar el cañoneo o prefieres hablar de otra cosa?

—La culpa la tiene ese idiota de Firebrace con su oído sutil. Me ha enseñado a reconocer el ruido de los disparos de las diferentes armas. Te puedo decir el tamaño que tienen, el camino que seguirá la bala, donde va a caer y el probable daño que va a causar.

—¿Pero a ti te gustaba la guerra cuando empezó, no es así?

—¿Qué? —Weir se irguió en su silla. Tenía un rostro redondo y sincero, con frente ancha y pelo rubio. Cuando se quitaba la gorra, lo que le quedaba de pelo por lo general estaba parado o despeinado. Se había puesto un saco piyama y un suéter marinero blanco. Se echó un poco atrás en la silla mientras pensaba en lo que Stephen acababa de decirle.

—Ahora parece increíble, pero supongo que es cierto.

—No tienes por qué avergonzarte. Todos tuvimos nuestros motivos para alistarnos. Mira a Price. Aquí ha florecido, ¿no es verdad? ¿Y qué me dices de ti? ¿Te sentías solo?

—No quiero hablar de Inglaterra —contestó Weir—. Debo pensar en seguir con vida. Tengo ocho hombres bajo tierra, con un túnel alemán que se nos acerca desde el lado opuesto.

—Está bien —dijo Stephen—. De todos modos, dentro de media hora tengo que ir a chequear a mis hombres.

El refugio se estremeció con la reverberación de una enorme bala de cañón. La lámpara empezó a balancearse, los vasos saltaron sobre la mesa y del techo cayeron trozos de tierra. Weir aferró la muñeca de Stephen.

—Háblame, Wraysford —pidió—. Háblame de lo que se te de la gana.

—Está bien, te diré una cosa. —Stephen exhaló una bocanada de humo de cigarrillo. —Tengo curiosidad por ver lo que va a suceder. Están tus ratas de albañal arrastrándose bajo tierra en sus agujeros de noventa centímetros. Están mis hombres volviéndose locos bajo los cañonazos. No nos enteramos de nada por nuestros oficiales superiores. Yo me siento aquí, converso con mis hombres, salgo a patrullar y me tiendo en el barro con balas de ametralladora rozándome el cuello. En Inglaterra nadie sabe lo que es esto. Si pudieran ver la forma en que viven estos hombres, no creerían lo que ven sus ojos. Esto no es una guerra, es una manera de explorar para saber hasta qué punto se puede degradar al hombre. Tengo una profunda curiosidad por saber hasta donde puede llegar; necesito saberlo. Creo que apenas ha empezado. Creo que cosas mucho peores que las que hemos visto serán autorizadas y llevadas a cabo por millones de muchachos y de hombres como mi Tipper y tu Firebrace. No hay profundidad a la que no sea posible llevarlos. Uno les ve las caras cuando se les da un descanso y cree que ya no resistirán más, que algo en su interior dirá "basta, nadie puede hacer esto". Pero un día de sueño, de comida caliente y de vino en sus estómagos y harán más. Creo que llegarán a hacer diez veces más antes de que esto termine y estoy ansioso por saber cuánto más. Si no tuviera esa curiosidad, caminaría hacia las líneas enemigas y permitiría que me mataran. Yo mismo me volaría la cabeza con una de estas granadas.

—¡Estás loco! —dijo Weir—. ¿No quieres que simplemente se termine?

—Sí, por supuesto que lo quiero. Pero ahora que hemos llegado tan lejos, quiero saber lo que significa.

Weir empezó a temblar de nuevo cuando escuchó que los disparos de cañón se acercaban.

—Es una andanada de toda clase de armas. Los cañones de campaña que alternan con la artillería pesada a intervalos de…

—Cállate —aconsejó Stephen—. No te tortures.

Weir enterró la cabeza entre las manos.

—Háblame de algo, Wraysford. Háblame de cualquier cosa que no sea esta guerra. De Inglaterra, de fútbol, de mujeres. De lo que quieras.

—¿De muchachas? ¿De lo que los hombres llaman sus novias?

—Si quieres.

—Hace mucho que no pienso en ellas. El cañoneo constante es una cura para los pensamientos impuros. Nunca pienso en mujeres. Pertenecen a una existencia distinta.

Weir permaneció un instante en silencio.

—¿Sales una cosa? —dijo de repente—. Nunca he estado siquiera con una mujer.

—¿Que? ¿Nunca? —Stephen lo miró para saber si hablaba en serio—. ¿Cuántos años tienes?

—Treinta y dos. Quise hacerlo. Siempre quise. Pero en casa era difícil. Mis padres son muy estrictos. Una o dos de las chicas a quienes invité a salir, bueno, siempre querían casarse. Después estaban las obreras de la ciudad, pero ellas se hubieran reído de mí.

—¿Y no te intriga saber cómo es?

—Sí, por supuesto. Pero ahora es un asunto que ha adquirido tanta importancia en mi vida, que me resultaría difícil.

Stephen notó que Weir había dejado de prestar atención al cañoneo. Profundamente concentrado, miraba fijo el vaso que tenía en las manos.

—¿Por qué no vas a alguno de esos lugares a los que recurren todos los hombres en los pueblos? Estoy seguro de que encontrarías a una mujer amistosa y no demasiado cara.

—No comprendes, Wraysford. No es tan fácil. En tu caso es distinto. Supongo que habrás estado con miles de mujeres, ¿verdad?

Stephen negó con la cabeza.

—¡Dios mío, no! En mi pueblo vivía una chica que lo hacía con cualquiera. Todos los muchachos perdieron la inocencia con ella. Había que hacerle un regalo: chocolate o dinero o algo así. Era una muchacha sencilla, pero le estábamos todos muy agradecidos. Por supuesto que quedó embarazada, pero nadie supo quién era el padre. Posiblemente algún chiquilín de quince años.

—¿Y eso fue todo?

—No. Hubo otras chicas. Los muchachos consideraban que no era sano contenerse. Hasta sus madres lo creían. Ésa es la diferencia que hay entre un pueblo de Lincolnshire y una ciudad como… ¿de dónde eres?

—Leamington Spa.

—¡Exactamente! El precio de la respetabilidad. —Stephen sonrió.
—Tuviste mala suerte.

—¿Y crees que no lo sé? —Weir empezó a reír.

—¡Bien hecho!

—¿A qué te refieres con eso?

—Te estás riendo.

—Estoy borracho.

—No importa.

Weir se sirvió otra copa y echó atrás su silla.

—De manera que háblame de todas esas chicas, Wraysford.

—No fueron tantas. Tal vez cuatro o cinco. Eso es todo.

—Las que sean. Dime ¿amaste a alguna? ¿Hubo alguna con quien lo hiciste una y otra vez?

—Sí, creo que sí.

—¿Sólo una?

—Sí, sólo una.

—¿Y en ese caso cómo era? ¿Distinta de las otras?

—Sí, supongo que sí. Completamente distinta. Llegó a confundirse con otros sentimientos.

—Quiere decir que... ¿qué estabas enamorada de ella o qué?

—Eso es lo que uno lo llamaría. En su momento no supe lo que era. Sólo tuve consciencia de una compulsión. De algo imposible de detener.

—¿Qué sucedió con esa mujer?

—Se fue.

—¿Por qué?

—No lo sé. Un día volví a casa y ni siquiera me había dejado una nota o un mensaje.

—¿Estaban casados?

—No.

—¿Y qué hiciste?

—Nada. ¿Qué querías que hiciera? No la podía perseguir. La dejé ir.

Weir permaneció un momento en silencio.

—¿Pero cuando tú... ya sabes, con ella, era un sentimiento diferente, una experiencia diferente de la que tuviste con las chicas del pueblo? ¿O es siempre igual?

—Cuando ella se fue, creo que yo no estaba pensando en eso. Más bien fue como si alguien hubiera muerto. Como si uno fuese un chico y tu madre o tu padre se hubieran desvanecido. —Stephen levantó la mirada.— Debes averiguarlo tú mismo. En tu próxima licencia. O tal vez haya una manera de hacerte salir de aquí. Alguno de mis hombres debe saberlo.

—¡No seas ridículo! —exclamó Weir—. Y de todos modos, con respecto a esa mujer. ¿Ahora piensas en ella? ¿Tienes algún recuerdo?

—Tenía un anillo que era de ella. Lo tiré.

—¿Nunca piensas en ella cuando estás acostado por la noche, oyendo los disparos de los cañones?

—No. Nunca.

Weir meneó la cabeza.

—No comprendo. Yo estoy seguro de que pensaría en ella.

Afuera hubo un repentino silencio. Los dos hombres se miraron en la penumbra, los rostros grises y cansados. Stephen envidió la inocencia que todavía era visible en la tensión que mostraban las facciones francas de Weir. Sintió que él ya había perdido toda conexión con cualquier felicidad de este mundo que pudiera persistir más allá del sonido del cañoneo. Las canas que tenía en las sienes parecían recordarle que había cambiado y que no podía volver atrás.

—Entonces —dijo Stephen—. Antes de la guerra. ¿Te sentías solo?

—Sí. Estaba solo. Todavía vivía con mis padres. Era como si no pudiera separarme de ellos. Lo único que se me ocurrió fue alistarme en el ejército. Mi padre conocía a alguien en Ingenieros, y así fue todo. Me alisté en 1912. Tienes razón. Me gustaba tener un rol. Y me gustaba el compañerismo. Era tan simple como eso. Antes no tenía amigos y de repente descubrí que tenía, si no la amistad, por lo menos la compañía de centenares de hombres de mi edad. Cuando llegué a ser oficial, descubrí que algunos hasta me admiraban. Era una sensación magnífica.

—Te has desempeñado bien —dijo Stephen—. Te admiran.

—No —contestó Weir como quitándole importancia—, siguen a cualquiera que…

—Te lo digo en serio. Te has desempeñado bien con ellos.

—Gracias, Wraysford.

Stephen sirvió más whisky. Siempre tenía la esperanza de que lo ayudara a dormir, pero en realidad hacía poca diferencia. Si el sueño llegaba era como un regalo pero, igual que cuando estaba en el colegio, por lo general le llegaba después del té.

—Mis hombres no me respetan —confesó—. Respetan al sargento Price. De cualquier manera, a él le tienen miedo. Y hacen lo que los suboficiales Smith y Petrossian les dicen. Pero yo les resulto irrelevante.

—Tonterías —dijo Weir—. Tú estás allí con ellos tanto como cualquier subalterno. Sales en patrullas. Deben admirarte.

—Pero no me respetan. Y tienen razón. ¿Sabes por qué? Porque yo no los respeto a ellos. A veces creo que los desprecio. ¡Por amor de Dios! ¿Qué creen que están haciendo?

—Eres un tipo raro —dijo Weir—. Recuerdo a un mayor a quien conocí en las afueras de Ypres que…

Alguien abrió la puerta del refugio. Era Hunt.

—Será mejor que venga, señor —le dijo a Stephen—. Han cañoneado nuestra sección. Hay muchos muertos. Reeves y Wilkinson, creo.

Stephen tomó su gorra y siguió a Hunt afuera, a la noche.

Las bolsas de arena que formaban el parapeto habían sido voladas en un frente de alrededor de veinte metros. La pared de la trinchera cedió y, por la fuerza del impacto, los rollos de alambre de púa cayeron hacia atrás y estaban tirados sobre la tierra quemada. Se oían quejidos. Los camilleros trataban de remover los escombros para llegar hasta los heridos. Stephen empezó a cavar. Sacaron a un hombre por los hombros. Era Reeves. Su expresión era más vacía que lo habitual. En un costado del cuerpo le faltaban las costillas y tenía un gran trozo de metralla clavado a la altura del estómago.

A pocos metros de distancia desenterraron a Wilkinson. Cuando Stephen se le acercó, su perfil moreno parecía prometedoramente tranquilo. Trató de recordar los detalles personales de la vida de Wilkinson. Los recordó. Se acababa de casar. Trabajaba en una imprenta. Había un hijo en camino. Al acercarse a él preparó palabras de aliento. Pero al levantarlo, los camilleros volvieron el cuerpo y Stephen vio que tenía la cabeza seccionada, de manera tal que el rostro apuesto y la piel suave seguían existiendo en un costado del rostro, pero en el opuesto se veían los restos destrozados del cráneo del que iba cayendo sobre el uniforme manchado lo que le quedaba de cerebro.

Stephen les hizo una seña con la cabeza a los camilleros.

—Llévenselo.

Más adelante había otra víctima. Douglas a quien había visto esa misma mañana y a quien creía indestructible. Douglas estaba con vida y lo habían dejado apoyado contra la pared de la trinchera. Stephen se le acercó y se sentó a su lado.

—¿Un cigarrillo? —preguntó.

Douglas asintió. Stephen encendió un cigarrillo y se lo puso en la boca.

—Ayúdeme a sentarme —pidió Douglas.

Stephen le rodeó los hombros con un brazo y lo ayudó. La sangre de Douglas manaba de una herida causada por un trozo de metralla en el hombro.

—¿Qué es eso blanco que tengo en la pierna? —preguntó.

Stephen bajó la mirada.

—Es un hueso —contestó—. El fémur. Está bien, no es más que un hueso. Has perdido parte de los músculos.

Stephen estaba cubierto por la sangre de Douglas. La sangre tenía un olor especial, no desagradable en sí mismo, aunque en tal cantidad resultaba empalagoso. Era un olor fresco. Como el que se percibía en la parte trasera de una carnicería, sólo que más fuerte.

—¿Tom está bien? —preguntó Douglas.

—¿Quién?

—Tom Brennan.

—Sí, creo que sí. No te preocupes, Douglas. Aférrate de mí. Te conseguiremos un poco de morfina. Trataremos de contener la hemorragia. Te voy a envolver el hombro con algo. No será más que un vendaje de emergencia.

Cuando apretó el vendaje improvisado contra el hombro de Douglas, sintió que la carne del soldado se le escurría bajo los dedos. Tenía un par de costillas deshechas y acababa de introducir la mano en el pulmón del muchacho. Dejó de apretar.

—¡Hunt! —gritó—. ¡Por amor de Dios traigan una camilla! ¡Consigan un poco de morfina!

La sangre de Douglas corría por el interior de la manga del uniforme de Stephen. La tenía en la cara, en el pelo. Sus pantalones estaban empapados. Douglas se aferraba a él.

—¿Tienes esposa, Douglas?

—Sí, señor.

—¿La amas?

—Sí.

—Bien. Yo se lo diré. Le escribiré. Le diré que eres el mejor hombre que tenemos.

—¿Voy a morir?

—No, no vas a morir. Pero no podrás escribir una carta. Le contaré todo lo que has hecho. Las patrullas y todo eso. Estará orgullosa de ti. ¿Dónde está esa morfina? ¡Hunt, por amor de Dios! Tu amas a tu esposa, Douglas. Volverás a verla. Piensa en ella cuando te lleven al hospital. Aférrate a ese pensamiento. No lo sueltes. Está bien, está bien, ya llegan. Aférrate a mi hombro. Así está bien. Te voy a sacar el cigarrillo de la boca porque sino te quemará. Te prenderé otro. Aquí tienes.

Stephen no sabía lo que decía. Estaba a punto de ahogarse con la sangre de Douglas. Cuando por fin llegaron los camilleros, el muchacho había perdido el conocimiento. Lo colocaron sobre la camilla tratando de no empeorar la herida.

Mientras se alejaban se oyó otro chirrido metálico en el aire. Otra bala de cañón cayó con estruendo en medio de una explosión de luz. Durante un momento Stephen alcanzó a ver todo el largo de la trinchera de veinte metros, luego se agachó para impedir la descarga, enseguida se volvió a enderezar. Vio varios kilómetros del terreno que se extendía detrás de la trinchera: árboles, una granja distante. Durante un momento reinó la calma: el campo francés estaba bañado en una luz brillante.

Entonces, cuando volaron la tierra y la metralla, fue arrojado hacia adelante. El camillero de atrás estaba herido en la cabeza. Douglas estaba inclinado en la camilla. Stephen, inmune, gritó:

—¡Sáquenlo! ¡Hunt! ¡Sáquenlo de una vez!—Al palpar el líquido pegajoso que le cubría la cara, se tomó la cabeza entre las manos y gritó:

—¡Sáquenme la sangre de este hombre de encima!

Cuando la relevaron del frente, la compañía de Stephen tuvo tres días de descanso en Béthune, una ciudad que les gustaba mucho a los hombres por el trato amistoso que les brindaban las chicas francesas y por la cantidad de bares que tenía. Stephen fue alojado en la casa de un médico, en los límites de la ciudad. La casa tenía un jardín delantero formal con triángulos de grava y cercos bajos. Aunque allí se alojaban otros cinco oficiales, por primera vez desde el comienzo de la guerra, Stephen tuvo su dormitorio propio. Daba al parque trasero de la casa, donde el pasto no estaba cortado y los canteros estaban mal cuidados.

El relevo por fin le llegó un día a media tarde. Depositó su equipaje sobre el piso encerado, se sacó las botas y se hundió en la cama que estaba recién hecha y con sábanas limpias. De la ropa de cama surgía el aroma de hierbas secas. Descubrió que, como siempre, al principio le resultaba imposible dormir, porque el cuerpo se relajaba con tanta rapidez que los músculos se estremecían y lo despertaban. El oficial médico le había proporcionado una caja de pastillas somníferas, pero le producían un sueño tan pesado que no quería tomar una hasta que llegara la noche.

Sentía la fatiga en las extremidades y en los órganos, una pesadez dolorosa como la gravedad. Su mente permanecía clara. Aunque no tenía una idea concreta de la hora, las imágenes de los días anteriores vivían en su recuerdo con una claridad estática. Veía la cara ansiosa y franca de Weir, desesperado por que alguien lo tranquilizara, los labios suaves y hermosos de un perfil de Wilkinson y la ausencia del otro lado de su cara; la sangre de Douglas, cuyo olor todavía permanecía en su nariz, que se desangraba sobre los tablones de madera; el casco de una bala de cañón sobre el que todavía era legible el número de serie del fabricante, que se asomaba sobre el corazón de Reeves. El resto de los hombres a quienes enterraron al día siguiente, cuando el fuego por fin cesó, las cruces de madera enviadas por tiendas, las pequeñas pilas de piedras que amontonaban los amigos de cada muerto. En ese silencio maravilloso que se produjo cuando dejaron de resonar los disparos de los cañones alemanes, se oyó el canto de un mirlo.

Stephen entrecerró los ojos. No habría podido soñar, ni prever algo que se acercara a la realidad, la forma y el gusto de esa existencia. Bebió un poco de whisky de la petaca que llevaba en el bolsillo. De repente, se quedó dormido.

No despertó hasta las siete de la mañana siguiente. Miró su reloj con sorpresa. Había dormido doce horas, sin moverse, sin sacarse el uniforme. Nadie lo llamó a comer, en esa casa tan grande reinaba un silencio total.

Encontró un baño y se afeitó mientras dejaba correr el agua. Cuando terminó, se vistió con la ropa limpia que Riley le había empacado en la valija y volvió a su cuarto, donde se sentó en la cama y se apoyó contra las almohadas. Abrió la ventana que daba al jardín. El día era nublado, pero corría un aire fresco y no se oían disparos de cañón, lo cual era una buena señal. Stephen descubrió que acababa de ser víctima de la treta de las rameras que él tanto despreciaba en los hombres: el sueño lo había cicatrizado.

Empezó a pensar en el desayuno. Habría huevos, ¿y también carne? Recordó la insistencia con que Bérard afirmaba que todos los ingleses desayunaban con carne asada. ¿Dónde estaría Bérard en ese momento? Supuso que a salvo, en alguna parte detrás de las líneas. Aunque Amiens fue tomado por los alemanes antes de ser reconquistada, suponía que Bérard debía haberse forjado una existencia cómoda; el bienestar de ese hombre no le provocaba ninguna ansiedad.

Relajado por el sueño, se permitió recordar la gran casa del bulevar du Cange. Ya hacía casi seis años que salió de allí rumbo a la noche, dejando la puerta abierta y con Isabelle del brazo. Todo lo sucedido debajo de esos plácidos techos irregulares le parecía pertenecer a un mundo tan extraño y anormal como el que en ese momento vivía. Recordó la furia incontrolable de su deseo, que Isabelle compartía por completo. Todavía le parecía verla con la cabeza echada atrás contra la pared y moviendo con ella un cuadro de flores. Alcanzaba a paladear su piel con la lengua. Con un esfuerzo, alcanzaba a recordar el perfil de su rostro, pero muy vago, como fuera de foco. Lo que no conseguía recordar era lo que la convertía en un ser humano, su manera de ser y sus pensamientos. No poder recordar esos detalles era un tormento. Cuando trataba de recordarla, no alcanzaba a oír su voz, no alcanzaba a imaginar nada de ella, su aspecto, su manera de hablar, la expresión de su rostro, su modo de caminar, sus gestos. Era como si Isabelle estuviera muerta y él fuera responsable de su muerte. Por lo tanto, lo que él y sus hombres soportaban era el castigo por lo que había hecho.

Después de la partida de Isabelle, él permaneció un año en St. Rémy. Pensaba que si Isabelle cambiaba de idea, debía saber adónde escribirle. Tal vez lo necesitara, tal vez le hiciera falta que la ayudara a habérselas con su familia o con su marido. Pero no recibió noticias y, cuando estuvo en condiciones de admitirlo, supo que ella jamás le escribiría.

Por fin se despidió de sus compañeros de la carpintería y tomó un tren a París. Alquiló un cuarto en una casa de la rue de Rennes y empezó a buscar trabajo. No tenía ganas de presentarse en su antiguo papel de empresario; quería olvidar todo lo que sabía sobre tejidos, tarifas e impuestos. Lo empleó un constructor que necesitaba a alguien que le trabajara la madera.

En una de las habitaciones de la casa había un estudiante de ojos resplandecientes llamado Hervé, que estaba fascinado por la idea de vivir solo en la capital. Invitó a Stephen a conocer a sus amigos en diversos cafés de la Place de l'Odéon. Stephen iba y bebía ron o café, pero no podía compartir el entusiasmo de Hervé. Pensó en la posibilidad de regresar a Inglaterra, pero sin una idea fija acerca de lo que podría hacer allí, le resultaba más fácil vivir en un país extranjero. Le escribió una breve carta a su antiguo tutor para asegurarle que estaba bien. No recibió respuesta.

En la casa vecina vivía una familia con una hija de dieciocho años llamada Mathilde. El padre, empleado en el estudio de un abogado, le encontró a Stephen un trabajo de oficina que, aunque tedioso, estaba mejor remunerado que el de vivir aserrando madera. De vez en cuando comía en la casa de sus vecinos y un fin de semana lo alentaron a llevar a Mathilde al Jardín du Luxemburgo. Fue la primera de una serie de largas caminatas durante las que se hicieron amigos y Stephen le confió a Mathilde su historia con Isabelle.

Como se abstuvo de describir la faceta física de lo sucedido, la historia resultaba incompleta. A Mathilde la intrigaba el repentino cambio de actitud de Isabelle.

—En esa historia debe haber más que lo que me cuentas —comentó.

La amistad de Stephen con Mathilde le resultaba una experiencia nueva. Los chicos del asilo de su infancia siempre estaban atentos, buscando una manera de escapar. Aunque existía cierta unión entre ellos frente a dificultades compartidas, cada uno estaba demasiado preocupado por su propia preservación para mostrarse generoso con los demás. En el trabajo de Leadenhall Street tuvo colegas, pero ninguno de su edad, con excepción de dos oficinistas de Poplar que se mantenían apartados de los demás. En sus visitas a muelles y fábricas, Stephen había visto muchachos de su misma edad cuya compañía deseaba, pero nunca tuvo tiempo suficiente para llegar a conocerlos.

Mathilde tenía una dentadura fuerte y pelo castaño que peinaba hacia atrás y ataba con una cinta. En sus grandes ojos había una expresión sincera que con frecuencia daba paso a la risa. Llevó a Stephen a caminar por el borde del río, y él le mostró los lugares que conoció la primera vez que su compañía lo envió a Francia. La amistad de Mathilde no era complicada ni exigente, y tampoco tenía elementos de pasión ni de competencia. Era fácil hacerla reír y Stephen descubrió que, a su lado, él también podía llegar a ser frívolo. Pero a pesar de todo extrañaba a Isabelle; pese a todas sus cualidades, Mathilde le parecía una pálida versión de lo que podía llegar a ser una mujer. Stephen estudiaba a todas las mujeres que se le cruzaban en el camino. Compadecía a los hombres que estaban casados con criaturas tan obviamente inferiores; hasta los hombres felices que estaban orgullosos de la imaginaria belleza de sus esposas, a sus ojos habían hecho una concesión desesperada. Hasta compadecía a las mismas esposas: su vanidad, su belleza, sus vidas, desde su punto de vista eran muy poca cosa en comparación con lo que podía existir.

Su angustia duró un año más, luego se enfrió. No tenía la sensación de haber cicatrizado, ni consciencia de que el tiempo lo hubiera tranquilizado ni le hubiera ofrecido una perspectiva más amplia para juzgar su pasión. Sólo lo atribuyó a una pérdida de memoria. La presencia de Isabelle, que acompañaba constantemente sus pensamientos, de repente desapareció. Le quedó una sensación de emociones no descargadas, de un proceso incompleto.

Esa frialdad le permitía vivir con mayor facilidad, responder al resto de la gente con cierto grado de convicción; comenzó a considerarlos como algo más que seres secundarios que vivían existencias empobrecidas. Sin embargo la repentina pérdida de Isabelle también lo inquietaba. Fue como haber enterrado algo que todavía no estaba muerto.

La llegada de la guerra lo alivió. Consideró la posibilidad de enrolarse en el ejército francés, pero aunque habría significado matar a las mismas personas y luchar por la posesión de las mismas tierras, no era lo mismo que luchar junto a otros ingleses. Se enteró por los diarios que los regimientos británicos se movilizaban en Lancashire y en Londres; y que los hombres se presentaban por millares en las oficinas de reclutamiento de Suffolk y Glasgow, todos para la defensa de Alsacia-Lorena. En los diarios franceses y británicos, nada daba motivos de alarma. A pesar de que la escala de la guerra se hizo aparente con rapidez, todavía no existían razones para suponer que duraría más de un año. Los relatos de la retirada británica de Mons en agosto, destacaban que una fuerza británica muy inferior en número había demostrado ser equivalente a cualquier cosa con que pudiera atacarlos la ostentosa infantería alemana. Al retirarse, alambrando los puentes que cruzaban el canal, demostraron iniciativa y valentía y disparaban sus rifles con tanta rapidez que los alemanes creyeron que enfrentaban ametralladoras. Stephen se conmovió al pensar en sus compatriotas que luchaban en esa guerra extranjera.

Regresó a Londres con renovado amor por Inglaterra. Las frustraciones sofocadas y la violencia nunca expresada de su vida, se trocó en odio hacia los alemanes. Acariciaba el deseo de vencerlos y de matarlos; alimentaba el sentimiento con cuidado: el enemigo estaba a la vista.

En la estación Victoria se encontró con un oficinista conocido que estaba en los Territoriales.

—No podemos llegar a completar un batallón —le informó éste—. Nos faltan algunos hombres. Si te unes a nosotros, podríamos llegar a estar allí para Navidad.

—Pero no tendré tiempo de entrenarme —dijo Stephen.

—Entrarás a New Forrest durante un fin de semana. El sargento cerrará los ojos. Ven. Estamos desesperados por poder atacarlos.

Stephen hizo lo que Bridges le sugería. No llegaron a Francia para Navidad, sino que cruzaron durante la siguiente primavera. Los unieron a dos batallones regulares y muy pronto comenzaron a sentirse profesionales.

Al principio Stephen creyó que la guerra podría pelearse y concluirse de una manera tradicional. Después vio ametrallar las líneas de la infantería alemana que avanzaba, como si ya no se le atribuyera ningún valor a una simple vida humana. Fue testigo de la muerte de la mitad de los integrantes de su pelotón bajo el cañoneo enemigo. Se acostumbró a la vista y el olor de carne humana destrozada. Vio que los hombres se endurecían ante la muerte. Tuvo la sensación de que se trataba de una enorme brecha de la naturaleza que nadie tenía el poder de detener.

Podía protestar o bien seguir la corriente. Se decidió por dedicarse a matar. Trató de no tener miedo, con la esperanza de que así consolaría a los demás hombres, cuyos rostros de expresión sorprendida y de falta de comprensión alcanzaba a ver a través de la sangre y del estruendo. Si todo eso era permitido, informado, alabado, se preguntó en qué terminarían. Empezó a creer que lo peor todavía estaba por venir; se produciría un aniquilamiento en una escala que ni los mismos hombres alcanzaban a soñar.

Cuando Stephen bajó, el desayuno ya estaba servido. El capitán Gray se esmeraba en conseguir buenos alojamientos para sí mismo y para sus oficiales; también logró adquirir un ordenanza que había sido entrenado como *chef* en la cocina del hotel Connaught de Londres. Su capacidad no era demasiado útil con las raciones del frente ni con el escaso abastecimiento que se podía obtener en los pueblos, pero Gray siempre ponderaba su cocina con entusiasmo. Era el primero en llegar a la mesa.

—¿Durmió bien, Wraysford? —preguntó, levantando la vista del plato—. Anoche Harrington subió a echarle una mirada, pero dijo que estaba muerto para el mundo.

—Sí, dormí como una criatura. Supongo que por culpa de tanto aire fresco.

Gray lanzó una carcajada.

—Sírvase. Allí en el aparador hay huevos fritos. Mandé a Watkins a buscar tocino, pero por el momento tendrá que conformarse sin él. Y en el mejor de los casos, el tocino francés no vale mucho.

Gray era un oficial poco ortodoxo. Los hombres le temían; pero a pesar de haber adquirido el tono enérgico de los soldados, pasaba gran parte de su tiempo leyendo. Llevaba libros de poesía en el bolsillo y en su refugio siempre tenía un estante con libros sobre la cama, libros cuyo número aumentaba o que eran reemplazados por otros que le enviaban desde Inglaterra. Había cursado la carrera de médico y, al estallar la guerra, se dedicó a la cirugía. En su estante, al lado de las novelas de Thomas Hardy, aparecían algunos de los trabajos de la Escuela de Psiquiatría de Viena. Adquirió fama de severo después de haber presidido una corte marcial que sentenció a la muerte a un joven soldado; pero hablaba de motivaciones y de la necesidad de comprender a los soldados. Una infancia vivida en las tierras bajas de Escocia le había proporcionado un seco sentido de la burla y atemperó con cautela sus abstractas teorías militares y psicológicas.

Masticó con vigor el último trozo de pan y de huevos fritos y se sirvió otra taza de café.

—Esta es una casita agradable, ¿no le parece? —preguntó, echando atrás su silla y encendiendo un cigarrillo—. Siempre se puede confiar en que un médico se buscará la mayor comodidad posible. ¿Conoce bien este país?

—Bastante bien —contestó Stephen instalándose frente a un plato de huevos fritos—. Antes de la guerra, viví un tiempo aquí.

—¿Cuánto tiempo?

—Alrededor de cuatro años.

—¡Dios Santo! ¿Quiere decir que habla francés como un nativo?

—Creo que ahora mi francés debe estar un poco herrumbrado, pero solía hablarlo bien.

—Eso nos podría ser útil. Aunque por el momento no tenemos ningún contacto con los franceses. Pero uno nunca sabe. A medida que la guerra avance… ¿Cómo anda su pelotón? ¿Le gusta estar al mando?

—Vivimos un tiempo muy duro. Muchas bajas.

—Sí, por supuesto. ¿Pero qué me dice de usted? ¿Se lleva bien con los hombres?

Stephen bebió un trago de café.

—Sí. Creo que sí. Pero no estoy seguro de que realmente me respeten.

—¿Le obedecen?

—Sí.

—¿Le parece que eso es bastante?

—Posiblemente.

Gray se puso de pie y se acercó a la chimenea de mármol dentro de la que apagó el cigarrillo.

—Tiene que logran que le tengan cariño, Wraysford. Ése es el secreto.

Stephen sonrió.

—¿Por qué?

—Porque lucharán mejor. Y también se sentirán mejor. No tienen ganas de que les vuelen los sesos estando al servicio de un oficial de cuello duro. —Gray hablaba lleno de animación; sus ojos buscaban

146

señales de aceptación en el rostro de Stephen. Movía la cabeza hacia arriba y hacia abajo, excitado.

—Tal vez tenga razón —dijo Stephen—. Trato de dar el ejemplo.

—Estoy seguro de que lo hace, Wraysford. Sé que sale a patrullar con sus hombres, que les venda las heridas y todo eso. ¿Pero les tiene cariño? ¿Sería capaz de entregar su vida por ellos?

Stephen se sintió estudiado. Podría haber dicho "Sí, señor" cerrando así el tema, pero la manera de ser informal de Gray permitía que se le hablara con franqueza.

—No —confesó—. Creo que no.

—Eso supuse —dijo Gray con una carcajada de triunfo—. ¿Es porque le concede demasiado valor a su propia vida? ¿Considera que vale más que la de esos soldados rasos?

—¡De ninguna manera! No olvide que yo también soy un simple soldado raso. Fue usted quien me ascendió. Lo que pasa es que no le doy demasiado valor a mi vida. No tengo sentido de la escala de esos sacrificios. Ignoro lo que vale todo.

Gray se volvió a sentar a la mesa.

—Hay algo en usted que no comprendo —confesó. Hizo un gesto de burlona perplejidad mientras estudiaba a Stephen, luego rió. —Pero no se preocupe, ya descubriré lo que es. Si lo quisiera, usted podría ser un buen soldado. Todavía no lo es, pero podría serlo.

Durante un instante Stephen permaneció en silencio, luego dijo:

—Price es un buen soldado.

—Price es un hombre maravilloso. Otro de los que yo ascendí, si me permite que me enorgullezca en parte de su gloria. Antes de la guerra ese tipo era empleado de oficina en un depósito. Se pasaba todo el día sentado ante una mesa revisando números. Ahora la compañía no podría funcionar sin él. Dirige la vida de sus hombres. ¿Y alguna vez lo ve agitado?

—No, gracias a Dios. Yo dependo de él tanto como los hombres.

—Por supuesto que depende de él —dijo Gray—. Y ahora hábleme de esos mineros. Los ve mucho, ¿no es verdad?

—Sí, el túnel donde trabajan comienza en nuestra parte de la línea. Son buenas personas. Trabajan duro bajo tierra. No es un trabajo que mucha gente sería capaz de hacer.

—¿Cómo se llama ese jovencito que usa zapatillas?

—¿Weir? ¿El comandante de la compañía?

—Sí. ¿Qué tal es?

—Es un hombre extraño pero, dadas las circunstancias, no más extraño que los otros. No es zapador de profesión, sino un ingeniero a quien pusieron al frente de los mineros.

—A mí me parece un tipo muy raro. En realidad no tengo paciencia con esos mineros. Cavan durante meses antes de poder poner una mina en su lugar. Después la hacen explotar ¿y qué tenemos? Un cráter agradable que el enemigo puede ocupar.

En ese momento entró el teniente Harrington, un individuo alto y triste con un leve tartamudeo.

—Buenos días, señor —le dijo a Gray. Hablaba con tono deferente aunque su expresión era de una sorpresa casi permanente, como si no pudiera creer donde se encontraba. Stephen se preguntaba cómo podría ser tan puntilloso cuando era evidente que le resultaba difícil recordar en qué día de la semana vivía.

—Estábamos hablando de los mineros —informó Gray.

—Ah, sí señor.

—Wraysford es amigo de Weir, el comandante.

—Sí, creo que son inseparables, señor —contestó Harrington.

Gray rió.

—Lo sabía. ¿Lo ha oído, Wraysford?

—No tenía idea de que el teniente Harrington se interesara tanto por mi vida.

—No fue más que una broma, Wraysford —dijo Harrington llenando su plato de huevos fritos que ya se estaban congelando a pesar de estar tapados.

—Por supuesto —dijo Steven—. Ahora iré a dar una vuelta por la ciudad. Excúsenme.

—Buena idea —aprobó Gray—. Yo he abandonado toda esperanza de poder comer panceta. Avísele a Watkins si quiere más café, Harrington.

—Gracias, señor.

Gray subió a su dormitorio en busca de un libro y Stephen salió. Cruzó el jardín hasta llegar al camino y cerró los ojos al sentir el sol pálido sobre la cara. Respiró hondo y comenzó a caminar.

El pedido de licencia que hizo Firebrace para poder ver a su hijo fue denegado.

—Lo he pensado —dijo Weir—. Comprendo que hace un año que no has estado en tu casa. Pero la verdad es que con tantos hombres que hay ahora aquí, es un trabajo ímprobo eso de tener que mandarlos de vuelta y volverlos a traer. Los caminos están obstruidos por camiones de abastecimientos. Tendrás que esperar tu turno.

Jack volvió bajo tierra. En la trinchera, la cabecera del túnel ocultaba un pozo vertical revestido de tablones, desde el que se habían cavado dos túneles. En el primero, a nueve metros de profundidad, encontraron problemas debido a los esfuerzos de mineros alemanes. Se produjo una lucha a poca distancia bajo tierra. Era mejor estar en la arcilla que en la greda. Las explosiones frecuentes fragmentaban la greda y la mezclaban con el agua que se introducía por los cráteres de la tierra de nadie, y la convertían en un líquido viscoso que a veces estaba coloreado por la sangre de los mineros cuyos cuerpos habían sido pulverizados por una explosión.

Obedeciendo instrucciones de sus superiores, Weir ordenó que se cavara un segundo túnel a veintiún metros de profundidad. De acuerdo con el reglamento, debía tener sólo noventa centímetros de ancho.

—No me gusta —dijo Tyson que estaba acostado sobre el piso detrás de Shaw y de Evans—. En mi vida entera he visto nada tan angosto como esto.

Un poco más atrás, donde colocaban los tablones, los hombres tenían lámparas, pero los de adelante trabajaban en la oscuridad.

Jack trató de no imaginar el peso de la tierra que tenían encima. No pensó en las raíces de los árboles que se extendían por la tierra. De todos modos, en ese momento estaban a demasiada profundidad. En Londres siempre había sobrevivido imaginando que el túnel en que trabajaba era un compartimento de tren en plena noche; las persianas estaban bien cerradas y no se veía nada, pero afuera se extendía un ancho mundo de árboles y de praderas debajo de un cielo abierto. Pero cuando el espacio era solo de noventa centímetros de ancho y él tenía la boca y los ojos llenos de tierra, la ilusión no era fácil de mantener.

Detrás de él, Evans trabajaba incansablemente con las manos; Jack lo oía respirar succionando todo el oxígeno que conseguían hacerles llegar hasta allí. La presencia de Evans le resultaba reconfortante. En la superficie le molestaban su cara de hurón y sus bromas sarcásticas, pero allí respiraban el mismo aire y los corazones de ambos latían como si pertenecieran a un solo cuerpo.

Shaw llegó a relevarlo. Tuvo que arrastrarse por encima de cuerpo de Evans, después sacar a Jack de la cruz y aplastarse contra el piso para que Jack pudiera pasar encima suyo y retroceder por el túnel. Veinte metros más atrás ni siquiera podían ponerse de pie, pero por lo menos podían acuclillarse y estirar por turno una a una las extremidades. El aire era amargo y la luz mostraba que los tablones habían sido colocados con tranquilizadora precisión.

—Diez minutos de descanso —dijo Weir—. Aprovéchenlos todo lo que puedan.

—¿Usted no debería estar en su refugio, bebiendo una rica taza de té? —preguntó Jack—. Apuesto a que ninguno de los otros comandantes de la compañía se meten bajo tierra.

—Tengo que vigilarlos a ustedes —contestó Weir—. Por lo menos hasta que esta cosa empiece a andar bien.

Bajo tierra a los hombres se les permitía hablar sin deferencia con los oficiales. Era una manera de reconocer que en el túnel las condiciones era difíciles. Al hablar como si estuvieran en una mina civil, también podían recordar la diferencia que existía entre ellos y la infantería: tal vez fueran ratas de albañal, pero estaban mejor pagos.

—Juguemos a Fritz —propuso Evans. Era un juego supersticioso, popular entre los mineros aunque incomprensible para los oficiales.

—Preferiría que no lo hicieran —dijo Weir—. Y si es necesario que lo hagan, que sea en voz baja.

—Está bien —contestó Evans—. Yo digo que tiene veinticinco años, que está casado y tiene dos hijos. Está a tres metros de la cámara.

—Yo digo que son cuatro —dijo Jack—. En este momento están en el túnel. A tres metros, a la hora del té llegaremos allí primero.

Evans tenía un sistema de clasificación de tantos que se basaba en la distancia que se cavaba en un día. El propósito del juego era predecir donde se encontraba el enemigo. El ganador lo vería muerto; el perdedor sólo podría lograr su seguridad pagándoles en cigarrillos a los demás. Weir no comprendía las reglas del juego ni la manera de anotar los tantos, pero lo permitía puesto que distraía a los hombres y aumentaba su consciencia de la presencia del enemigo. Turnes, de una manera significativa a los ojos de sus colegas, había perdido cinco días seguidos, incluyendo un partido que jugaron durante la mañana de su muerte.

Esa tarde Weir recibió un mensaje en el que se le pedía que se presentara ante el capitán Gray, a quien encontró en la retaguardia, inspeccionando los abastecimientos.

—No nos conocemos, ¿verdad? —dijo Gray—. Sus hombres están haciendo un buen trabajo. Debe ser espantoso estar allá abajo.

—No creo que sea peor que estar en peligro de ser cañoneado. Lo único que nos importa es no quedar atrapados. Sus hombres tienen miedo de ser volados desde abajo, los míos temen quedar atrapados en un túnel de noventa centímetros de ancho y con el enemigo disparándoles. ¿Recibió mi pedido?

—Sí, lo recibí. No cabe duda de que ustedes deben tener una defensa apropiada. Eso es comprensible. Pero tiene que entender que mis hombres no están acostumbrados a estar bajo tierra. ¿Lo han hecho bien hasta ahora?

—Sí, lo han hecho bien. Pero necesitamos una nómina constante.

—¿Y usted no puede hacerlo con sus propios hombres?

—No ahora que tenemos un túnel más profundo. Estamos trabajando las veinticuatro horas del día. Sólo le pido una patrulla por vez. Con tres o cuatro hombres nos arreglaríamos.

—Está bien —dijo Gray—. Como usted tal vez sepa, tengo mis dudas acerca de la utilidad de volar cráteres para que después los ocupe el enemigo, pero no pienso poner vallas a la seguridad de sus hombres. Le pediré a Wraysford que se encargue del asunto. Entiendo que se conocen.

—Sí, nos conocemos.

—¿Le parece un individuo confiable?

—Creo que sí —contestó Weir.

—Es un bicho un poco raro —acotó Gray—. Más tarde hablaré con él. Pueden empezar esta misma noche.

Stephen pidió que se presentaran voluntarios.

—Una rata de albañal nos indicará el camino, pero necesito dos soldados más. Estaremos en un túnel de combate. No será necesario que nos arrastremos.

Nadie se ofreció.

—Está bien. Llevaré a Hunt y a Byrne.

Fue a ver al sargento Adams para averiguar cuál de los mineros los acompañaría.

—Ya le han ordenado a un voluntario que suba, señor. Será el hombre que haya perdido en Fritz.

Era Jack quien, además de pagarle cinco cigarrillos a Evans, debió escoltar a los soldados al túnel. Éstos se pusieron máscaras antigás y se aseguraron granadas a los cinturones. A las diez se acercaron a la cabecera del túnel.

Stephen dirigió una última mirada al cielo antes de seguir a Jack a las profundidades. Hasta entonces nunca había estado bajo tierra. Experimentó una breve oleada de ternura hacia el mundo abierto con su cielo interminable, pese a lo pervertido que estaba con rollos de alambre de púas retorcidos sobre la tierra destrozada por las explosiones.

Los peldaños de la escalera que bajaba al pozo habían sido hechos para que duraran; las manos de Stephen percibieron que la madera no estaba lijada. Los escalones estaban colocados a intervalos irregulares, de manera que resultaba difícil lograr un ritmo de descenso. Tuvo que luchar para mantenerse a la par de Jack Firebrace. Al principio se cuidó de no pisarle los dedos, pero muy pronto todo lo que pudo ver fue un ocasional movimiento y la luz de un casco mucho más abajo.

Por fin Stephen llegó al pie de la escalera, donde lo esperaba Jack. Por un momento la oscuridad y el silencio le recordaron los juegos juveniles cuando él y los otros chicos se desafiaban unos a otros a entrar en un sótano cerrado o en un pozo de aljibe en desuso. Le atemorizaba el olor desagradable y húmedo de la tierra y el peso implacable de la materia. En comparación con ese volumen apretado, los cráteres de las explosiones de la superficie no eran más que rasguños. Allí, si la tierra se deslizaba o se movía, no existía una segunda oportunidad, no existía la perspectiva de responder luchando ni de escapar tan solo con una herida. Hasta el hermano menor de Reeves, que recibió el impacto de un obús, tuvo una oportunidad mejor.

Hunt y Byrne miraron inquietos a su alrededor. Llevaban rifles y en lugar de sus gorras de servicio se habían puesto cascos de mineros. Stephen tenía un revólver y todos tenían granadas que Weir le había dicho que, en caso de problemas, serían las armas más eficaces.

Jack les habló en voz baja.

—He oído movimientos alemanes que se acercan hacia este lado. Tenemos que proteger a nuestros hombres que están colocando la carga y también el túnel inferior, cuya existencia ellos no conocen. Entraremos por aquí, para llegar a una galería larga. A los costados hay dos túneles de combate con dos puestos de escucha. Debemos mantenernos juntos.

Byrne miró lo que Jack describía como la entrada.

—Creí que no iba a ser necesario que nos arrastráramos.

—Después se agranda —advirtió Jack.

Byrne lanzó una maldición y pasó la mano por la tierra y la arcilla compactadas.

—*La France profonde* —dijo Stephen—. Para esto estamos luchando.

—Yo no pienso luchar por eso por un chelín por día —contestó Byrne.

Jack se adelantó en la oscuridad. Tenía los ojos acostumbrados a trabajar en el barro y, agazapado, movía el cuerpo de una manera automática. Después de avanzar alrededor de diez minutos, el túnel angosto se unió con la galería lateral que Jack y su compañía habían cavado dos meses antes. A la derecha se encontraba la entrada de un túnel paralelo que eventualmente llegaba a una cámara donde los hombres estaban colocando la carga. A la izquierda se abrían dos túneles de combate desde uno de los cuales habían oído cavar al enemigo.

Byrne y Hunt dejaron de maldecir. Hunt parecía aterrorizado.

—¿Estás bien? —preguntó Stephen.

Hunt movió la cabeza con lentitud de lado a lado.

—No me gusta. Estar bajo tierra. Estar así encerrado.

—Es bastante seguro —dijo Stephen—. Son profesionales. Observa lo bien que han colocado los tablones.

Hunt había comenzado a temblar.

—No está bien —dijo—. Yo pertenezco a la infantería. No se supone que debería hacer esto. Estoy dispuesto a correr todos los riesgos necesarios en la trinchera, pero no en este maldito agujero. ¿Y si la tierra se nos desmorona encima? ¡Dios mío!

—Cállate —ordenó Stephen. Hunt le aferraba el brazo, presa del pánico. —¡Por amor de Dios, Hunt! Baja a ese túnel o te haré cargos. Te incluiré en cada patrulla hasta que hayas cortado alambres de púas desde aquí hasta Suiza.

Stephen sintió que el miedo de Hunt empezaba a contagiársele. A él también le horrorizaba estar en un lugar tan pequeño que ni siquiera le permitía volverse.

Jack desapareció en la entrada del túnel de combate y Stephen observó en la oscuridad la cara patética de Hunt. Durante un instante imaginó a ese hombre en ropa de civil. Era un obrero de la construcción que trabajaba en Londres y Hertfordshire; no quería morir estando a doce metros bajo tierra en un país extranjero. Stephen se compadeció de él.

—Entra a ese túnel, Hunt —dijo—. Yo te seguiré.

—¡No puedo! ¡No puedo! —empezó a lloriquear Hunt.

—Si no lo haces, conseguirás que nos maten a todos —Stephen sacó su revólver y le quitó el seguro. —Tú odias a los alemanes, ¿no es cierto?

—Sí.

—Han matado a tus amigos. Están tratando de matarte a ti. Mataron a Reeves y a su hermano. A Wilkinson. A Douglas. A todos tus amigos. Ésta es tu oportunidad de ayudar a matar a algunos de ellos. Entra de una vez. —Apuntó con el arma la apertura del túnel y luego la cabeza de Hunt. Le sorprendió su propia brutalidad. Supuso que era causada por el miedo.

Hunt entró al túnel con lentitud y Stephen lo siguió. Tenía las botas de Hunt frente a sí y alcanzaba a oír a Byrne arrastrándose a sus espaldas. Si llegaba a presentarse algún problema, no tendría salida. No podía avanzar ni retroceder. Cerró los ojos con fuerza y maldijo en voz baja para darse coraje.

El techo del túnel estaba a treinta centímetros de su cabeza. Stephen siguió repitiéndose las palabras más procaces y en las combinaciones más terribles que lograba imaginar; abofeteaba con obscenidades al mundo, a su carne y a su imaginario creador.

Llegó el momento en que el túnel se ensanchó. Se podían erguir. Byrne había sacado un cigarrillo del bolsillo de su chaqueta y lo estaba chupando. Stephen asintió en su dirección para alentarlo. Byrne sonrió.

—Creemos que hay un túnel alemán muy cerca —le susurró Jack a Stephen—. Nuestros hombres que deben colocar la carga tienen miedo de cavar y aparecer en la cámara alemana. Yo voy a subir al puesto de escucha. Me llevaré a uno conmigo para que me cubra. Usted quédese con el otro.

—Está bien —contestó Stephen—. Será mejor que te lleves a Byrne.

Los observó alejarse y se volvió hacia Hunt que estaba sentado en el piso del túnel, rodeándose las rodillas con los brazos.

Lloriqueaba por lo bajo.

—Ese pasadizo angosto que acabamos de atravesar. Suponga que lo vuelan. No podríamos volver. Nos quedaríamos clavados aquí.

Stephen se sentó a su lado.

—Escucha —dijo—. No pienses en eso. Esta patrulla durará dos horas mientras los hombres instalan las cargas. Dos horas pasarán enseguida. Piensa en lo rápido que pasarán. Piensa en las veces que has querido que el tiempo se prolongue. Es más o menos el tiempo que dura un partido de fútbol… ya hemos estado aquí media hora. —Aferraba el brazo de Hunt. Descubrió que hablarle le ayudaba a sofocar su propio miedo.

—¿Usted odia a los Boche? —preguntó Hunt.

—Sí —contestó Stephen—. Mira lo que han hecho. Mira este mundo que han creado aquí, esta especie de infierno. Si pudiera los mataría a todos.

Hunt empezó a gemir. Se tomó la cabeza con las manos y luego levantó la cara para mirar a Stephen. Tenía un rostro blando, facciones abiertas, labios carnosos y piel suave. Su cara con expresión de súplica y de terror estaba enmarcada por dos manos de obrero, rudas y llenas de cicatrices provocadas por incontables trabajos.

Stephen meneó la cabeza con desesperanza y le tendió la mano. Hunt la tomó entre las suyas y comenzó a sollozar. Se arrastró hacia Stephen, se refugió en sus brazos y apoyó la cabeza contra su pecho. Stephen percibió la descarga de aire de los pulmones de Hunt que resonaba al unísono con los sollozos que le sacudían el cuerpo. Tenía la esperanza de que, de alguna manera, Hunt lograría descargar su terror, pero instantes después el muchacho empezó a sollozar más fuerte. Stephen lo alejó de sí y se llevó un dedo a los labios. Hunt se dejó caer de boca contra el piso, tratando de ahogar sus propios ruidos.

Stephen oyó el sonido de botas que regresaban. La figura delgada de Byrne, todavía doblada en dos, entró en su campo visual.

El soldado le descargó su aliento con olor a tabaco contra la cara.

—Fritz ha cavado hasta entrar a nuestro túnel. Firebrace está a nueve metros de aquí, escuchando. Dice que tienen que venir.

Stephen tragó con fuerza.

—Está bien. —Tomó a Hunt por el hombro y lo sacudió. —Vamos a matar algunos alemanes. Levántate.

Hunt se puso de rodillas y asintió.

—Entonces vamos —los apuró Byrne.

Los tres se internaron en la oscuridad más profunda. Tardaron cinco minutos en llegar hasta el lugar donde Jack los esperaba, agazapado con la oreja contra la pared. En el extremo del túnel alcanzaban a ver un agujero desparejo donde los mineros alemanes habían tropezado con ellos.

Jack se llevó un dedo a los labios, esbozó en silencio la palabra "Fritz" y señaló el agujero.

Hubo un silencio. Stephen observó la cara de Jack mientras escuchaba. Usaba una camisa desteñida con las mangas arremangadas cuya tela estaba empapada de sudor. Stephen vio la pelusa que crecía en la parte de atrás del ancho cuello de Jack, donde el peluquero le había afeitado el pelo.

Detrás de ellos se oyó una explosión, y la caída de piedras y de tierra. Los hombres permanecieron inmóviles. Alcanzaban a oír ruido de pasos en un túnel paralelo al de ellos. Parecían alejarse de allí, hacia las líneas británicas.

Hunt empezó a gritar.

—¡Estamos atrapados! ¡Estamos atrapados! ¡Han volado el túnel! ¡Dios! Yo lo sabía, yo…

Stephen le tapó la boca con una mano y le empujó la cabeza contra la pared del túnel. Los pasos se detuvieron, luego reanudaron la marcha en dirección a ellos.

—Por aquí —dijo Stephen retrocediendo por el camino por donde habían llegado—. Hay que cortarles el paso antes de que se acerquen a nuestros hombres.

Hacia el final del túnel de combate, cerca de la galería, el lugar por el que habían llegado estaba bloqueado donde la explosión destrozó los tablones y desmoronó la tierra. Cuando detrás de ellos empezaron a resonar los disparos, Jack y Stephen alcanzaron a abrirse paso entre los escombros.

—¡Pasaron, pasaron, han pasado por el agujero! —gritaba Hunt. Stephen tironeó de Byrne para ayudarlo a abrirse paso entre los escombros. Vio que Hunt arrojaba una granada antes de que también él corriera hacia el lugar de la explosión. A alrededor de nueve metros de distancia comenzaron los disparos de rifles. Había cuatro alemanes a la vista cuando la granada de Hunt explotó. Stephen vio que dos de ellos volaban hacia atrás y que un tercero se torcía de costado y se clavaba literalmente en la pared. Pero a los pocos segundos recomenzaron los disparos. Stephen trepó a la parte superior de la pila de tierra y comenzó a disparar hacia la penumbra. Byrne encontró un lugar y maniobró su incómodo rifle hasta ponerlo en posición. Ambos dispararon repetidamente, guiándose por el ocasional destello de un rifle frente a ellos.

Stephen se llevó la mano al cinturón en busca de las granadas. Era imposible dar en el blanco con el rifle; una granada podía causar más daño y tal vez bloquear el túnel, lo cual posibilitaría la salida de los hombres que estaban colocando la carga en el túnel paralelo. Mientras buscaba las granadas con torpeza en su cinturón, les ordenó a los otros que arrojaran las suyas. Las de él parecían haberse enganchado. Mientras luchaba con desesperación por desengancharlas, tuvo consciencia de un fuego renovado y de repente de la sensación de haber sido golpeado por una casa que se desmoronaba. La fuerza del impacto lo arrojó hacia atrás.

Hunt se paró sobre el cuerpo de Stephen e hizo equilibrio para poder arrojar sus granadas a través del orificio que hasta entonces ocupaba el cuerpo de Stephen. Él y Byrne arrojaron tres en rápida sucesión y provocaron el derrumbe del techo del túnel como a veinte metros de distancia. Los rifles alemanes quedaron en silencio y Byrne que comprendía algunas palabras de alemán, oyó la orden de evacuar el túnel. Con Jack delante abriendo camino, arrastraron a Stephen a lo largo del túnel hacia la galería, mientras maldecían y apretaban los dientes al tener que doblar las piernas con el peso agregado del cuerpo inerte. En la galería se encontraron con los mineros que volvían del túnel y con cuatro hombres que habían estado colocando cargas en las cámaras de explosión.

Hubo una conmoción de gritos y de informes contradictorios acerca de lo sucedido. Los hombres se turnaron para arrastrar a Stephen hacia el pie de la escalera. El rifle le golpeaba el pecho y su sangre caliente y resbaladiza les hacía difícil sostenerlo.

Al emerger se encontraron con un caos. Otras explosiones habían causado muertes dentro de la trinchera y destruido el parapeto a lo largo de cincuenta metros. Se resguardaron lo mejor que pudieron. Byrne arrastró el cuerpo de Stephen hasta un sector que seguía relativamente entero mientras Hunt iba en busca de ayuda. Le informaron que el puesto de primeros auxilios del regimiento, supuestamente inexpugnable en su refugio, había desaparecido cuando un proyectil que le dio directamente.

Stephen estaba tendido de costado, los tablones de la pared de la trinchera contra la cara y las piernas dobladas por Byrne para que no estuvieran en el camino de los hombres que se movían de un lado para el otro. Tenía la cara cubierta de tierra, los poros llenos de fragmentos que le había incrustado la explosión de una granada alemana. Tenía un trozo de metralla en el hombro y una bala de rifle en el cuello: estaba sacudido por la explosión e inconsciente. Byrne sacó su botiquín de emergencia y le vertió yodo sobre la herida del cuello; encontró las cintas que abrían la bolsa de hilo y liberó una larga venda.

Las raciones llegaron a las diez. Byrne trató de introducir un poco de ron entre los labios de Stephen, pero él se negaba a abrirlos. Durante los bombardeos las prioridades consistían en reparar los daños causados a las defensas y en retirar a los heridos que podían caminar. Stephen permaneció un día entero en el pozo que le cavó Byrne, hasta que por fin un camillero lo llevó a una sala de guardia alejada.

Stephen sentía un profundo cansancio. Quería dormir días enteros, veinte por vez, en perfecto silencio. A medida que recuperaba el conocimiento, sólo parecía capaz de dormir un sueño poco profundo del que entraba y salía y a veces, al despertar, encontraba que lo habían cambiado de lugar. No tenía consciencia de la lluvia que le caía sobre la cara. Cada vez que despertaba era con la sensación de que el dolor se había intensificado. Además tenía la impresión de que el tiempo retrocedía y que cada vez se acercaba más al instante del impacto. A la larga el tiempo se detendría en el segundo en que el metal se le clavaba en el cuerpo y a partir de ese momento el dolor conservaría un nivel constante. Estaba deseando dormir; con todas las fuerzas que le quedaban se obligaba a alejar el mundo de vigilia para hundirse en la oscuridad.

A medida que empezó la infección, comenzó a transpirar. La fiebre llegaba a su punto máximo en pocos minutos, sacudiéndole el cuerpo y haciéndole castañetear los dientes. Tenía los músculos crispados y el pulso comenzaba a latirle a un ritmo acelerado. El sudor le empapaba la ropa interior y el uniforme cubierto de barro.

Cuando lo transportaron a la sala de primeros auxilios, la fiebre empezaba a ceder. El dolor del brazo y del cuello habían desaparecido. En cambio percibía un sonido rugiente que hacía la sangre en sus oídos. A veces era sólo un zumbido y otras se alzaba hasta convertirse en un aullido, de acuerdo con la velocidad de los latidos de su corazón. Con el ruido llegó el delirio. Perdió contacto con su ser físico y creyó que estaba en una casa de un bulevar francés que revisaba mientras pronunciaba el nombre de Isabelle. Sin advertencia previa, de repente se encontraba en una casita de Inglaterra, luego en un asilo y por fin en el desconocido lugar de su nacimiento. Desvariaba y gritaba.

Alcanzaba a oler el jabón duro del asilo, después el aula de clases con su polvo y su tiza. Iba a morir sin haber sido amado nunca, ni una sola vez, sin ser amado por nadie que lo hubiera conocido. Moriría solo y sin que nadie lo llorara. No podía perdonarlo... a su madre o a Isabelle, ni al hombre que prometió ser su padre. Aullaba.

—Grita llamando a su madre —explicó el ordenanza cuando lo entraron a la carpa.

—Es lo que siempre hacen —dijo el oficial médico mientras retiraba los vendajes que Byrne le había colocado casi treinta horas antes.

Lo sacaron de la carpa para que esperara el transporte al hospital más cercano o la muerte, lo que llegara primero.

Entonces, bajo el cielo indiferente, su espíritu abandonó ese cuerpo con su carne destrozada, sus infecciones, su naturaleza débil y dañada. Mientras la lluvia caía sobre sus manos y piernas, la parte de su ser que permanecía viva era inalcanzable. No era su mente, sino alguna otra esencia que en ese momento ansiaba paz en un camino silencioso y sombreado donde no resonaran los disparos. Los profundos senderos de la oscuridad se abrieron para él, lo mismo que se abrían para otros hombres a lo largo de la trinchera cavada en la tierra, a apenas cincuenta metros de distancia.

Entonces, cuando en su cuerpo abandonado la fiebre llegó a su punto máximo y él se acercaba hacia el bienvenido olvido, oyó una voz que no era humana, pero clara y urgente. Era el sonido de la vida que lo abandonaba. Su tono era burlón. En lugar de la paz que ansiaba, le ofrecía la posibilidad del regreso. En ese postrer estado le sería posible retornar a su cuerpo y a la brutal perversión de la vida que se vivía en la tierra cavada y en la carne destrozada por la guerra; si hacía un esfuerzo supremo de coraje y de fuerza de voluntad, podía regresar a la incómoda, comprometida e inconquistable existencia que constituia la vida del ser humano sobre la tierra. La voz lo llamaba; apelaba a su sentido de la vergüenza y a su curiosidad no satisfecha; pero si no la escuchaba sin duda moriría.

Los bombardeos finalizaron. Jack Firebrace y Arthur Shaw estaban sentados fumando y bebiendo té. Conversaban sobre los rumores que afirmaban que la división avanzaría hacia el sur para atacar. Se encontraban en un estado de ánimo reflexivo, producido por el hecho de haber sobrevivido a los bombardeos y a la lucha bajo tierra. Era como si tuvieran necesidad de congratularse.

—¿Alguna noticia de tu hijo, Jack? —preguntó Shaw.

—Todavía sigue mal. Tengo la esperanza de que me vuelvan a escribir con más noticias.

—No te preocupes tanto. Nuestro hijo tuvo algo parecido y terminó bien. En Inglaterra tenemos buenos hospitales, ¿sabes? —lo alentó Shaw dándole una palmada en el hombro.

—¿Qué sucedió con ese teniente a quien hirieron estando contigo bajo tierra?

—No sé. A la larga lo llevaron a un puesto de auxilio, pero para entonces ya estaba desvariando.

—Fue él quien en una oportunidad te acusó, ¿no es cierto? Te aseguro que a ése vale más perderlo que encontrarlo. —Jack lo escuchaba, pensativo.

—Al final no resultó mal tipo. No me hizo nada.

—Te hizo pasar una noche en blanco.

Jack lanzó una carcajada.

—De todos modos no fue la única, tuve varias de ésas. Le podríamos preguntar al capitán Weir lo que le sucedió.

—Ve a averiguarlo —propuso Shaw—. En este momento todo está tranquilo. Si el sargento pregunta donde estás, te cubriré. Ve a echar una mirada a lo que sucede allá abajo.

Jack lo pensó durante algunos instantes.

—Debo confesar que ese tipo me inspira un poco de curiosidad. Creo que tal vez vaya a echar una mirada. Tal vez hasta vuelva con un recuerdo.

—Así me gusta —aprobó Shaw—. Y de paso te encargo que me traigas uno a mí.

Jack terminó de beber el té y puso algunos cigarrillos en el bolsillo de su chaqueta. Después de guiñarle un ojo a Shaw, se encaminó a la trinchera de comunicación que llevaba a la retaguardia. Después del bombardeo se estaban realizando muchos trabajos de reconstrucción. A Jack le pareció extraña la rapidez con que los caminos y los campos parecían perder su identidad francesa de lugares agrícolas, para convertirse en cabeceras de ferrocarriles, en vaciaderos, en reservas o en lo que los hombres sencillamente llamaban "transporte". Durante un corto tiempo los bombardeos le habían proporcionado a la tierra el aspecto de un lugar donde crecían las cosechas y los vegetales, pero eso no duraría mucho.

Le preguntó a un hombre ocupado en cavar letrinas donde se encontraba el puesto de primeros auxilios.

—No sé, compañero. Pero para ese lado hay una carpa médica.

El individuo volvió a su trabajo. Jack encontró a un ordenanza con una lista de heridos y recorrieron los nombres.

—Wraysford. Sí. Aquí está. Lo pasaron por encima de la pared.

—¿Quiere decir que está muerto?

—Supongo que sí. Fue sólo hace una hora. Debe haber un par de docenas detrás de esa pared.

Rezaré una oración por él, pensó Jack. Por lo menos cumpliré con mi deber de cristiano.

Anochecía. Jack recorrió un sendero barroso hasta llegar a un bajo muro de piedra detrás del que había un campo arado. Vio hileras de trapos rotosos con manchas oscuras. Algunos rostros brillaban a la luz de la luna que salía detrás de los cadáveres. Algunos cuerpos estaban hinchados hasta el punto de reventar los uniformes, otros estaban desmembrados, en todos había una pesadez muy especial.

Mientras Jack miraba por sobre el muro la fila de carne descartada y arrojada al campo arado, abrió mucho los ojos al ver una figura que hasta entonces no había notado. Desnudo, con excepción de una bota y la chapa de identificación que llevaba al cuello, con el cuerpo cubierto de manchas de barro y de sangre seca, en la media luz, se le acercaba Stephen. De sus labios surgían palabras parecidas a:

—¡Sácame de aquí!

Recuperándose de su susto, Jack trepó el muro y se le acercó. Stephen dio un paso hacia adelante y luego se desplomó en brazos de Jack.

De regreso en su habitual refugio del pueblo, Michael Weir estaba sentado frente a la pequeña mesa junto a la ventana y miraba la lluvia que caía sobre la calle gris. Trataba de no pensar en Stephen. Sabía que lo habían llevado hasta un puesto de auxilio, pero luego no tenía más noticias. Creía que sobreviviría porque estaba rodeado de una intangible buena suerte. Exhaló el aire con fuerza: ésa era la tonta y supersticiosa manera de pensar de la infantería.

Hizo una lista de las cosas que tenía que hacer. Por lo general disfrutaba de esas sesiones de trabajos domésticos, cuando podía escapar de lo peor del bombardeo y pensar en asuntos de orden práctico.

Estaba preocupado por el parapeto de la trinchera en el que trabajaban. A menudo los hombres que volvían de una patrulla sacaban las bolsas de su lugar y se zambullían presurosos en la trinchera antes de que pudiera iluminarlos una bengala alemana. En los lugares en que las bolsas de arena no se volvían a colocar en su lugar eso significaba quedar con una protección insuficiente contra los francotiradores enemigos, cuyas miradas no se apartaban de ellos durante las horas de luz. La bala inesperada que atravesaba la cabeza proporcionaba una muerte tranquila y relativamente limpia, pero que era desmoralizante para los nervios de los demás.

Weir trataba de persuadir al capitán Gray de que la infantería debería tener más cuidado o que por lo menos las reparaciones las hicieran las compañías de ingenieros de campo. Pero en retribución por poder contar con la protección de la infantería dentro del túnel, comprendía que había aceptado realizar tareas cada vez más fatigosas. Se preguntó si sería el precio que debía pagar por tener un tan generoso acceso al whisky de Stephen.

En la parte superior de la lista escribió "chequear las placas". Las troneras utilizadas por los centinelas estaban protegidas por planchas de hierro, pero algunas de ellas habían sido dañadas por el fuego enemigo. También era necesario realizar el mantenimiento de los alambres de púas, aunque ésa era una tarea de la que, hasta ese momento, había podido excluir a sus hombres. La infantería ataba latas vacías al alambre de púas para que actuaran como timbres de alarma, pero las únicas que las hacían sonar eran las ratas. Cuando llovía, el agua caía del alambre a las latas vacías. La diferente velocidad a que éstas se llenaban era una fuente de apuestas para los soldados de infantería o de miedo supersticioso ante el posible significado que podía tener el hecho de cuáles se llenaran primero.

Weir oía algo distinto en esos sonidos. En una oportunidad, en un período de tranquilidad se sentó esperando la llegada de Stephen que había salido en una inspección y escuchó la música de las latas. Las vacías eran sonoras, las llenas proporcionaban una escala ascendente. Aquellas que se encontraban llenas hasta el borde sólo producían un sonido de percusión, a menos que se volcaran, en cuyo caso la cascada proporcionaba una fuerte variación. Al alcance de su oído había cantidades de latas llenas hasta diferentes alturas y con distintas resonancias. Entonces oyó que el viento movía los alambres. Era un ruido en segundo plano, parecido a un quejido que, de vez en cuando, adquiría prominencia para después volver a convertirse en acompañamiento. Había que esforzarse para discernir, o tal vez para imaginar, una melodía en esa música de latas, pero para sus oídos era más agradable que el horror del cañoneo.

Era a mediados de la tarde y Weir quería dormir un rato antes de que comenzaran las actividades nocturnas. Esa noche debían ayudar a la infantería a acarrear municiones y a cavar letrinas nuevas. También habría que reparar los travesaños y las paredes de la trinchera, aparte de los trabajos que ya estaban haciendo bajo tierra.

Antes de acostarse a dormir, fue a visitar a algunos de los hombres. Los encontró fumando y reparando sus equipos. La ropa de los mineros necesitaba una frecuente atención y, aunque cada hombre tenía su manera especial de coser, todos se habían convertido en unos expertos del hilo y de la aguja.

Después de hacerles llegar algunas palabras de aliento, Weir volvió a su refugio y se acostó. En el cuartel general del batallón, hasta donde había ido a chequear esa mañana, no tenían noticias de Stephen. Weir estaba convencido de que si estuviera con vida, de alguna manera habría logrado hacerle llegar un mensaje. Aún en el caso de que su propio oficial a cargo no hubiera recibido una notificación oficial de los médicos, Stephen tenía recursos suficientes para hacerle saber a su amigo en qué estado se encontraba.

Weir cerró los ojos y trató de dormir. Hubiera querido escribir una carta a algún familiar cercano de Stephen, si esa persona existiera. En su mente comenzaban a formarse las frases. Era temerario... para nosotros era una verdadera inspiración... era mi mejor amigo, mi fortaleza, mi escudo. Las expresiones vacías con que había llenado tantas cartas escritas a su país, no parecían suficientes para describir el papel que Stephen desempeñó en su vida. Los ojos de Weir se llenaron de lágrimas. Si Stephen se había ido, él mismo no podría continuar. Cortejaría a la muerte, caminaría a lo largo del parapeto, abriría la boca para dejar entrar la siguiente nube de fosgeno que los cubriera e invitaría al telegrama a ser enviado a la tranquila calle de Leamington Spa donde sus padres y sus amigos seguían adelante con sus vidas, sin que les importara y sin pensar en el mundo que él y Stephen habían compartido.

Stephen Wraysford volvió a habitar su cuerpo célula por célula y cada centímetro le trajo nuevo dolor y alguna antigua sensación de lo que significaba estar vivo. Su cama no tenía sábanas, aunque contra la piel de la cara ofreciera el tosco consuelo de un trozo de vieja tela de hilo, lavado y desinfectado más allá de toda suavidad.

Por la tarde aumentaban el dolor de su brazo y de su cuello, aunque nunca le resultara intolerable y nunca fuera tan terrible como el del hombre de la cama de al lado quien, por lo visto, alcanzaba a visualizar el dolor; lo veía cernirse encima suyo. Día a día le iban cercenando más partes del cuerpo, tratando de adelantarse a la gangrena, pero sin cortar nunca lo suficiente. Cuando le sacaban las vendas, los fluidos manaban de su cuerpo como un espíritu victorioso que lo hubiera poseído. Su cuerpo se descomponía mientras él permanecía allí tendido, lo mismo que aquellos que colgaban de los alambres de púas y que pasaban del rojo al negro antes de desmenuzarse en la tierra dejando sólo esporas sépticas.

Una mañana en un extremo de la sala apareció un muchacho de alrededor de diecinueve años. Tenía los ojos cubiertos por trozos de papel marrón. Alrededor del cuello llevaba una nota que el oficial médico, un hombre de mal genio que vestía guardapolvo blanco, inspeccionó en busca de información. Llamó a gritos a una enfermera y una jovencita inglesa que tampoco debía tener más de veinte años, acudió en su ayuda.

Comenzaron a desvestir al muchacho que era evidente hacía meses que no se bañaba. Sus botas parecían encoladas a los pies. Stephen observaba, mientras se preguntaba por qué no se molestarían siquiera en colocar un biombo. Cuando él llegó a ese lugar, calculó que hacía veintidós días que no se sacaba las medias.

Cuando por fin lograron sacarle las botas al muchacho, el olor que impregnó la sala provocó el vómito de la enfermera. Stephen oyó que el médico le gritaba.

Fueron arrancando la ropa del recién venido y cuando llegaron a las prendas de ropa interior, el médico usó un cuchillo para separarlas de la carne. Por fin el muchacho quedó desnudo, con excepción de los dos parches marrones que le cubrían los ojos. La capa superior de piel había desaparecido de su cuerpo, aunque conservaba una lonja en la cintura, donde lo había protegido el cinturón.

Trataba de gritar. Tenía la boca abierta y los músculos del cuello estirados, pero algo en la garganta parecía impedirle emitir un solo sonido. El médico arrancó los papeles marrones que le cubrían los ojos. Tenía la piel de las mejillas y de la frente cubierta de parches de un azul violáceo. Ambos ojos estaban legañosos, como si tuviera una conjuntivitis aguda. Los enjuagaron con un líquido en el que la enfermera había vertido una solución. En silencio, el muchacho tensó el cuerpo. Trataron de lavar parte de la suciedad que lo cubría, pero él no podía mantenerse quieto mientras le aplicaban el agua y jabón.

—Tenemos que sacarte esta mugre, jovencito. Quédate quieto —ordenó el médico.

Empezaron a avanzar por la sala y, cuando se le acercaron, Stephen alcanzó a ver las quemaduras de ese cuerpo. La piel suave de las axilas y de la entrepierna estaban cubiertas de enormes ampollas. Respiraba en cortos jadeos. Lo convencieron de que se acostara en la cama, aunque él arqueaba el cuerpo para evitar el contacto de las sábanas. Hasta que el médico perdió la paciencia y lo obligó a acostarse, apoyándole las manos sobre el pecho. El chico abrió la boca en una silenciosa protesta y se le cubrieron los labios de una espuma amarillenta. El médico dejó que la enfermera se encargara de cubrirlo con una especie de improvisada carpa de madera sobre la que colocó una sábana. Por fin tuvo el tiempo necesario para ir a buscar un biombo y ocultarlo de las miradas de los demás.

Stephen notó que la enfermera era capaz de atender la herida del hombre de la cama vecina y hasta de reprenderlo por hacer ruido, pero cada vez que salía de detrás del biombo se retorcía las manos pequeñas en un gesto de angustia que él jamás había visto hasta entonces.

Las miradas de ambos se encontraron y Stephen trató de consolarla. Sus propias heridas cicatrizaban con rapidez y el dolor casi había desaparecido. Cuando el médico llegó a revisarlo, Stephen le preguntó qué le había sucedido al muchacho. Al parecer había sido sorprendido por un ataque con gas, bastante detrás de la línea del frente. Enceguecido por el cloro, el chico tropezó con una casa que estaba en llamas luego de haber sufrido el impacto de una bala de cañón.

—El tonto del muchacho no se puso la máscara a tiempo —dijo el médico—. Tienen bastante entrenamiento.

—¿Morirá?

—Posiblemente. El gas le ha afectado el hígado. En su cuerpo ya se notan algunas modificaciones *post-mortem*.

A medida que transcurrían los días, Stephen notó que cada vez que la enfermera se acercaba a la cama del muchacho, sus pasos eran más lentos y le llenaban los ojos de temor. Tenía ojos azules y pelo rubio peinado hacia atrás bajo la gorra almidonada. Sus pasos casi se detenían, luego respiraba hondo y cuadraba los hombros con aire resuelto.

A la tercera mañana, el muchacho recuperó la voz. Rogó que lo dejaran morir.

La enfermera había dejado el biombo levemente separado y Stephen la vio levantar la carpa con gran cuidado, sosteniéndola en alto sobre el cuerpo quemado antes de volverse para colocarla sobre el piso. Miró esa carne que a nadie le estaba permitido tocar, desde los ojos de los que manaba pus hasta la cara y el cuello, el pecho carente de piel, la entrepierna y las piernas palpitantes. Con impotencia, abría los brazos en un gesto de amor maternal, como si con eso pudiera confortarlo.

Él no respondía de ninguna manera. Entonces ella tomaba un frasco de aceite de la mesa de luz y se inclinaba sobre él. Con suavidad, le vertía un poco sobre el pecho y el muchacho lanzaba un chillido animal. Ella se echaba atrás y levantaba el rostro hacia el cielo.

Al día siguiente, al despertar, Stephen descubrió que el muchacho no estaba. No volvió esa tarde ni al día siguiente. Stephen rogó que sus oraciones hubiesen sido escuchadas. Cuando se le acercó la enfermera para cambiarle las vendas, le preguntó dónde estaba.

—Ha ido a tomar un baño —explicó ella—. Lo hemos puesto durante un día en una solución coloidal salina.

—¿Y está acostado en la bañadera? —preguntó Stephen con incredulidad.

—No, está en una especie de cuna de lona.

—Comprendo. Espero que muera pronto.

Por la tarde oyó el ruido de pasos que corrían. El médico gritaba:

—¡Sáquenlo! ¡Sáquenlo!

Un atado de frazadas empapadas desde donde surgían gritos desesperados, recorrió la sala. Durante la noche, consiguieron mantener al muchacho con vida. Al día siguiente estuvo callado y por la tarde trataron de colocarlo en la cuna de lona para volver a llevarlo al baño. Sus piernas se balanceaban sobre el borde de la lona. Permanecía inmóvil. Los pulmones infectados comenzaron a burbujear y una espuma con líquido amarillo ahogó sus palabras de protesta cuando volvieron a meterlo en la bañadera de piedra.

Esa noche Stephen oró pidiendo que el muchacho muriera. Por la mañana vio que la enfermera, pálida y espantada, se dirigía hacia él. Stephen la miró con expresión interrogante. Ella asintió y luego rompió a llorar.

A Stephen le permitieron empezar a salir por las tardes para que se sentara en un banco desde donde podía observar el viento en los árboles. No hablaba; no sentía necesidad de decir nada. Pronto pudo volver a caminar y los médicos le dijeron que a fines de semana lo darían de alta. Hacía veinte días que estaba allí.

—Tiene visitas —le dijo una mañana la enfermera rubia.

—¿Yo? —preguntó Stephen. La voz se desenroscó en su interior, como un gato que se despereza luego de un largo sueño. El sonido desacostumbrado lo fascinó. —¿Es el Rey?

La enfermera sonrió.

—No. Es un tal capitán Gray.

—¿Usted cómo se llama? —preguntó Stephen.

—Soy la enfermera Elleridge.

—No, le pregunto su nombre de pila.

—Mary.

—Quiero decirle algo, Mary. ¿Puede acercarse un momento?

Ella se acercó a la cama con cierta renuencia. Stephen le tomó la mano.

—Siéntese un momento en la cama.

Después de mirar dubitativa a su alrededor, la enfermera se sentó en el borde de la cama.

—¿Qué quiere decirme?

—Estoy vivo —contestó Stephen—. Eso era lo que quería decirle. ¿Lo sabía? Estoy vivo.

—¡Bien hecho! —Sonrió. —¿Eso es todo?

—Sí. Eso es todo. —Le soltó la mano. —Gracias.

El capitán Gray se acercó desde el otro extremo de la sala.

—Buenos días, Wraysford.

—Buenos días, señor.

—Me dijeron que ya camina. ¡Quiere que salgamos?

Había dos bancos de hierro forjado contra la pared del hospital que daba a un parque que descendía hasta un cedro y un gran estanque. De vez en cuando alguna figura cruzaba el lugar con la ayuda de un bastón.

—Por lo visto se ha recuperado muy bien —dijo Gray—. Me dijeron que estuvo muy mal.

Se quitó la gorra y la colocó sobre el banco, entre ambos. Tenía un pelo castaño brillante y todavía sin canas; su bigote era prolijo y bien cortado. A pesar de que Stephen estaba pálido, desprolijo y que tenía canas en partes de la cabeza, su rostro conservaba una juventud que el de Gray había perdido. La luz de sus grandes ojos todavía contenía la promesa de algo imprevisible, mientras que la expresión de Gray, aunque animada, era tranquila. Era un hombre que se había dominado y, aunque fuese informal en su manera de ser, era sin lugar a dudas, el oficial superior.

Stephen asintió.

—Una vez que consiguieron combatir la infección, hice grandes progresos. Las heridas en sí no eran tan graves. Tendré menos movimiento en este brazo, pero aparte de eso estoy bien.

Gray sacó un cigarrillo de la cigarrera que llevaba en el bolsillo de la chaqueta y lo golpeó contra el asiento del banco.

—A partir del momento en que salga de aquí, tendrá dos semanas de licencia para volver a Inglaterra —informó—. Después será ascendido.

Quiero que haga un curso en Amiens. Luego pasará un tiempo en el personal de brigada.

—No iré —contestó Stephen.

—¿Qué? —preguntó Gray, lanzando una carcajada.

—No pienso volver a Inglaterra y tampoco aceptar un trabajo de oficina. En este momento, no.

—Yo creí que estaría encantado —dijo Gray—. Hace más de un año que está en la línea del frente ¿verdad?

—Así es —contestó Stephen—. Fue un año de preparación. No quiero irme en el momento vital.

—¿En qué momento vital? —preguntó Gray, mirándolo con desconfianza.

—Todo el mundo sabe que vamos a atacar. Hasta lo saben los médicos y las enfermeras. Justamente por eso tratan de poner de pie a esos hombres.

Gray frunció los labios.

—Tal vez, tal vez. Pero escuche, Wraysford. Usted ha hecho un buen trabajo con su pelotón. Todavía no han logrado demasiado, ¿pero quién de nosotros lo ha hecho? Los ha mantenido bajo fuego. Usted se ha ganado un descanso. Nadie va a decir que trata de rehuir el peligro. ¡Por amor de Dios! ¡Si hace tres semanas lo daban por muerto! ¿Lo sabía? Lo tiraron junto con los cadáveres.

Stephen estaba horrorizado ante la posibilidad de que lo separaran de los hombres con quienes había luchado. Despreciaba la guerra, pero no podía abandonarla hasta saber cómo terminaría. De alguna manera que le resultaba incomprensible, había llegado a estar casado con la guerra: su pequeño destino estaba unido al desenlace de los acontecimientos.

—Para empezar —explicó—, en Inglaterra no tengo hogar. No sabría adónde ir. ¿Quiere que ande dando vueltas por Picadilly Circus? ¿O que viaje a Cornwall para sentarme en una casita frente al mar? Prefiero quedarme en Francia. Me gusta estar aquí.

Gray sonrió con indulgente curiosidad.

—Siga. ¿Y qué me dice del ascenso? ¿Tampoco lo quiere? Significaría que tendría que ascender en lugar de Harrington.

Stephen sonrió.

—Ni siquiera eso, señor. Creo que habrá otras oportunidades de ascenso. No me parece que la matanza vaya a terminar tan pronto.

—Posiblemente no —admitió Gray—. Pero escuche, Wraysford, éstas son mis ordenes. No creo poder hacer mucho al respecto.

—Podría hablar con el comandante.

—¿Con el coronel Barclay? —Gray meneó la cabeza. —No lo creo. Él actúa de acuerdo con las instrucciones del libro. Hasta creo que él debe haber escrito ese libro.

Stephen se sintió alentado. A pesar de su apariencia tan militar, era evidente que lo poco ortodoxo le resultaba atractivo a Gray.

Ambos quedaron en silencio. Un camión llegó con camillas con heridos y dos ordenanzas corrieron a ayudar. Algunos de los heridos que descargaron, sólo estaban en condiciones de morir; a los más graves siempre los dejaban en las camillas y afuera, donde era menos probable que sanaran. Stephen consideraba que debía ser lo mismo que los heridos que esperaban dentro de cráteres de balas de cañón, pacientes, viendo avanzar la infección.

—¿Sabe adónde se nos traslada? —preguntó.

—Sí, lo sé —contestó Gray—. Aunque se supone que todavía no debo decírselo.

Stephen no hizo ningún comentario, pero abrió las manos y se encogió levemente de hombros.

—Albert —dijo Gray—. Entonces recibiremos instrucciones precisas. El cuartel general de la brigada estará en un pueblo llamado Auchonvillers, si es así como se pronuncia. El coronel lo llama Ocean Vilas.

—¡Conozco ese pueblo! —exclamó Stephen con excitación—. He estado allí. Se encuentra a orillas del río Ancre. Conozco bien la zona. Hablo francés. Sería...

—Indispensable —rió Gray.

—Exactamente.

—Entonces hábleme de ese lugar.

—Es una campiña agradable. Nada chata, más bien creo que se la llamaría una tierra baja. En el Ancre hay buena pesca... aunque yo nunca pesqué nada. Praderas abiertas con bosques grandes y algunos bosquecillos. Tierras muy trabajadas en las que se siembran cereales y verduras. Mucha caña de azúcar, creo. Los pueblos son aburridos. El tren procedente de Albert, se detiene en Beaumont. Allí hay un pueblo muy lindo llamado Beaumont Hamel.

—No verá mucho de eso. Es una fortaleza alemana. ¿Qué más?

—Eso es todo. Sin embargo hay un problema. Hay colinas. Todo depende del que domine las tierras altas. No convendría atacar colina arriba; sería un suicidio.

—Supongo que no tenemos ganas de atacar de ninguna manera, pero es necesario que alejemos el fuego de Verdun. Si pasan por allí estaremos vencidos.

—¿Y atacaremos colina arriba?

—Hace un año que los Boche están allí. No creo que hayan elegido las tierras bajas.

Durante un instante Stephen permaneció en silencio. Luego preguntó:

—¿Quiénes más van?

—Casi todos chicos nuevos, el ejército de Kitchener, con unos pocos del ejército regular, como nosotros, para reforzarlos.

—¿Los mandan a atacar allí? —preguntó Stephen con incredulidad.

Gray asintió. Stephen cerró los ojos. Del día que había pasado allí pescando, recordaba la manera en que la tierra se elevaba desde el río. Tenía un breve recuerdo de un gran bosque sobre una colina que se encontraba debajo de un pueblo que, si mal no recordaba, se llamaba Thiepval. Sabía lo que serían las defensas alemanas después de un año de preparativos; aún en una semana ellos construían mejores trincheras que los ingleses. La idea de que oleadas de empresarios y obreros y oficinistas fueran a su encuentro en su primera experiencia en la guerra era absurda. Ellos no lo permitirían.

—¿Cambió de idea? —preguntó Gray—. Picadilly Circus no es un lugar tan malo. Por lo menos podría conseguir una comida decente. Y podrá ir al Café Royal.

Stephen meneó la cabeza.

—¿Me puede hacer un favor? ¿Convencerlos de que me permitan quedarme?

—Todo es posible. A la larga siempre es más fácil decirle a un comandante que uno le ofrece tropas en lugar de quitárselas. Puedo hablar con su segundo jefe, el mayor Thursby.

—¿Y qué me dice de ese trabajo de oficina? ¿Puede demorarlo o enviar a algún otro?

—Siempre que usted se haga indispensable —contestó Gray—. Y si se deja de hacer pavadas.

—¿A qué se refiere?

Gray tosió y apagó el cigarrillo bajo el talón de su zapato.

—Es supersticioso, ¿verdad?

—Todos lo somos.

—Los oficiales no son supersticiosos, Wraysford. Nuestras vidas dependen de la estrategia y de las tácticas, no de juegos de cartas o de fósforos.

—Tal vez yo siga siendo un soldado de alma.

—Bueno, deje de serlo. He visto esas tonterías en su refugio. Las figuritas talladas, las cartas y los trozos de vela. Tire todo eso. Confíe en la preparación y en los buenos jefes. Confíe en sus hombres. Y si busca algo sobrenatural, vaya a ver al capellán.

Stephen bajó la vista.

—Nunca se me ocurrió que Horrocks fuese particularmente sobrenatural.

—No se haga el gracioso, Wraysford. Usted sabe a qué me refiero. Si lo ayudo, debe resarcirme. Déjese de pavadas y crea en usted mismo.

Después de un instante de silencio, Stephen contestó:

—En realidad no creo en esas cosas, usted sabe, en cartas y hechicerías y todo eso. Pero todo el mundo lo hace.

—No, no lo hacen Stephen. Lo hace usted por lo que le sucedió cuando era chico. —La voz de Gray se había suavizado un poco.

—¿Qué quiere decir?

—No conozco la historia de su vida, pero creo que los chicos tienen necesidad de creer en poderes que están fuera de sí mismos. Por eso leen libros sobre brujas, hechiceros y Dios sabe qué. Existe una necesidad humana por todo eso que por lo general la infancia agota. Pero si un exceso de realidad quiebra el mundo de una criatura, esa necesidad pasa al subconsciente.

—¡Las imbecilidades de esa escuela austríaca…!

—¡Cállese la boca! —ordenó Gray, poniéndose de pie—. Soy su superior. Se supone que debo saber cosas que usted ignora. Si lo ayudo a permanecer aquí en el frente, Dios lo ayude, pero en el futuro hará las cosas a mi manera.

Le tendió la mano. Stephen la estrechó apenas y volvió a entrar al hospital.

—Eres un loco y un cretino, Wraysford —dijo Michael Weir—. ¿Quiere decir que decidiste quedarte cuando pudiste haber vuelto a casa?

—¿A casa?

—Ya sabes a qué me refiero. A Inglaterra. A esta altura del año es una belleza. Yo solía pasar Whitsun con una tía que vivía en Sheringham, en la costa de Norfolk. A fines de mayo el aire era tan puro que te emborrachaba. Los campos parecían vivos. Era la época más preciosa. Y en Burham Thorpe había un bar que...

—Llévame allí cuando esto haya terminado, pero no antes. Mientras tanto, yo te mostraré algo. El lugar adonde iremos. ¿Ya has recibido tus ordenes?

—Sí, aunque no son muy detalladas. Marchamos el sábado hacia Albert. Es nuestra mala suerte. Creí que pasaríamos aquí el resto de la guerra, pero allá tienen tanto que cavar que pidieron dos compañías de más. Y adivina a quiénes eligieron. Albert es ese lugar donde la Madonna cuelga de la aguja, ¿no es verdad?

—Sí. Vamos a estar terriblemente apiñados. La mitad del maldito ejército estará allí. ¿Whisky?

—Bueno —dijo Weir.

—El jueves a la noche, cuando haya mucho transporte en la retaguardia, te llevaré al pueblo para agasajarte como despedida.

—¿Qué quieres decir?

—Espera y verás. Algo que hace mucho tiempo que esperas.

Weir miró a Stephen con desconfianza, pero no dijo nada. Adivinaba lo que planeaba. Por intermedio de los hombres que volvían del descanso, se había enterado de que en el extremo opuesto del pueblo había una granja donde una luz permanecía toda la noche encendida en una ventana. Allí vivían una mujer y su hija quienes, según se decía, eran capaces de pasarse a un pelotón completo.

El solo pensamiento llenó a Weir de ansiedad. A los diecisiete años había tocado por primera vez el cuerpo de una mujer y retrocedió de las posibilidades que le ofrecía. La chica tenía un año más que él, pero era como si perteneciera a otra generación. Mientras él se sentía inhibido y demasiado joven para lo que ella ofrecía, la chica se mostraba muy mundana, como si su larga experiencia la llevara a ver el acto como la cosa más sencilla y natural del mundo. En cambio lo que él había oído del asunto y lo que tenía ganas de hacer le parecía tan vergonzoso y privado que no quería que nadie lo viera mientras lo llevaba a cabo, ni siquiera la misma chica. De manera que rechazó la propuesta; se dijo que esperaría hasta ser un poco mayor.

Mientras tanto miraba con sorpresa a los matrimonios que conocía, sobre todo a sus padres. Mientras permanecían en la sala de estar de la amplia casa de ladrillos, leyendo un libro o jugando a las cartas, él los miraba imaginando escenas de libertinaje. Cuando su madre se volvía hacia él inclinando la cabeza y dejaba su costura para preguntarle en qué estaba pensando, él tenía que mirar con rapidez la raya de su pelo, su hilera de perlas y su modesta manera de vestir, para sacarse de la cabeza la imagen de ardorosos orgasmos y de la interacción de la carne. No cabía duda de que esos actos eran naturales, de que ésa era la manera en que el mundo se renovaba y seguía adelante, pero aún así, cuando veía a sus padres conversando con otros matrimonios amigos, le intrigaba esa extraña conspiración que mantenía ocultos sus actos bajo un comportamiento público recatado.

Empezó a invitar a mujeres a salir a bailar o a tomar el té en casa de sus padres, pero nunca parecía surgir ese asunto del sexo. De vez en cuando lograba tomarles la mano o, si tenía suerte, le daban un beso de buenas noches en la mejilla. Asistió a la Universidad donde las escasas mujeres eran educadas en forma separada, y donde sólo podían encontrarse con muchachos si estaban acompañadas por personas mayores. Si lo hubiese hecho una sola vez, sabría como volver a hacerlo. A los veintitrés años pensó en la posibilidad de volver a ponerse en contacto con la primera de las chicas para preguntarle si todavía tenía interés, pero lo consideró ridículo. Más tarde se enteró de que ella se había casado.

Dos años antes de que se declarara la guerra, se alistó en el Regimiento de Ingenieros Reales. La casta camaradería masculina le ofrecía camuflaje. Allí, por fin, sería igual a todos los demás: un hombre que deseaba a las mujeres pero que lamentablemente —y en su caso con cierto alivio— estaba impedido de tenerlas por las circunstancias. Podía hacer bromas con los demás acerca de la ausencia de mujeres y sus comentarios estarían teñidos de auténtico remordimiento.

Durante los primeros seis meses de guerra descubrió que el alivio le producía euforia. Adquirió fama de ser un oficial excéntrico pero confiable y que siempre estaba de buen humor. Gracias a sus antecedentes universitarios, lo ascendieron con rapidez y los soldados lo admiraban por su entusiasmo. Pero a medida que la lucha crecía y los bombardeos se intensificaban, empezaron a fallarle los nervios. No lo habían entrenado para vivir en túneles de noventa centímetros de ancho y a gran profundidad. No le gustaba sentir que en la trinchera, en cualquier momento podía encontrar la muerte.

A los treinta años, su falta de contacto físico con mujeres pasó a convertirse no tanto en una carencia de su vida sino en una presencia positiva. Se hartó de su ignorancia y ya no envidió a los demás. Se convenció a sí mismo de que aquello de que carecía no podía ser nada extraordinario. No era más que una simple función, nada notable y que le resultaba fácil ignorar. La posibilidad de poner fin a su abstinencia se le convirtió en algo cada vez más extravagante y lleno de inconvenientes de orden práctico que nunca lograría superar; se convirtió, por fin, en algo inimaginable.

El pesado bombardeo no precedió a un avance importante del enemigo, como muchos temían. Sólo fue seguido de otro corto bombardeo y luego volvió a reinar una relativa calma.

Por la noche salían las patrullas y escuchaban el ruido de las tareas domésticas del enemigo: el arreglo de los alambres de púa, la costura de botones, las visitas del ordenanza con sus polvos contra los piojos y las de un viejo barbero bávaro. Las trincheras estaban mejor cavadas que las británicas y mejor provistas por cocinas móviles y barriles de cerveza que hasta llegaban hasta las trincheras de la reserva. De vez en cuando, por la noche se oían canciones folklóricas. No eran del tipo de las canciones sentimentales que preferían los soldados británicos, sino fuertes y dolorosas evocaciones de una tierra bienamada.

Al oírlas, Stephen, tendido en un cráter junto a Byrne, sintió que el cuerpo se le ponía tenso de odio. Muchos soldados de su pelotón sentían respeto por los alemanes, y en momentos de tranquilidad, hasta una tolerancia que a él le parecía que bordeaba en el afecto. Stephen no sentía más que una necesidad de violencia; quería responderles con acero y explosivos, con metales que se les clavaran en la carne hasta astillar los huesos. Cuando terminara la guerra habría lugar para la contemplación, hasta para la generosidad, pero mientras tanto él atesoraba su odio como una manera de salvar su propia vida y la de sus hombres.

Se volvió hacia la cara teñida de negro de Byrne y le acercó los labios al oído, donde susurró con tanta suavidad que era mayor el ruido que hacía la lengua al moverse que el sonido de las palabras mismas.

—Ametralladoras en ese extremo. No hay actividad. Están todos dormidos. No vale la pena seguir aquí. Podemos volver.

Por suerte la noche era oscura y sin estrellas; la luna estaba oculta tras nubarrones cargados de lluvia. Un viento tímido no bastaba para abrir esas nubes y reflejar luz sobre la tierra desgarrada sobre la que estaban tendidos. Por sobre el ocasional murmullo de la brisa se oía el canto de un ruiseñor.

Stephen palpó con pena su cortaplumas. Byrne asintió. Estaba armado con un garrote de sesenta centímetros fabricado de un trozo de madera. En una oportunidad, con un corto balanceo y un golpe de muñeca, con ese garrote destrozó el cráneo de un centinela alemán.

Salieron del cráter y empezaron a arrastrarse de regreso a sus propias líneas donde en la parte más peligrosa de su excursión, debían cruzar cuatro hileras de alambres y rodar dentro de la trinchera sin atraer el fuego de las ametralladoras alemanas que apuntaban en forma permanente las líneas británicas, ni el de sus propios centinelas adormecidos quienes, sobresaltados y sintiéndose culpables por haberse dejado vencer por el sueño, podían disparar ante el primer sonido.

Cuando regresaron a la trinchera, el centinela era Hunt. Lo oyeron gatillar su rifle cuando Byrne golpeó una lata que colgaba del alambre.

Stephen sintió que Hunt le tendía la mano y lo ayudaba a entrar a la trinchera. Byrne se deslizó tras él.

—Bien hecho, Hunt —aprobó Stephen—. Ahora le voy a dar algo de beber a este hombre. ¿Te gusta el whisky, Byrne?

—No poco.

—Si Petrossian pregunta por Byrne, dile que está conmigo.

—Está bien —contestó Hunt, observándolos alejarse.

A pocos metros de distancia, Jack Firebrace estaba sentado con una taza de té en la mano. Restauraba sus fuerzas, después de seis horas bajo tierra. Empezó a pensar en su casa. Ocho años y medio antes, cuando su mujer dio a luz un hijo, la vida de Jack cambió. A medida que la criatura crecía, notó en ella ciertas cualidades que valorizaba y que lo sorprendieron. En la inocencia de ese chico había una especie de esperanza. Cuando Jack se lo señaló, Margaret rió.

—No tiene más que dos años —dijo—. ¡Por supuesto que es inocente!

Eso no era lo que Jack quería decir, pero no sabía expresar en palabras el efecto que le producía mirar a John. Lo veía como una criatura llegada de otro universo, pero a los ojos de Jack, el lugar del que el chico procedía no era un mundo diferente, sino un mundo mejor. La inocencia de John no era un sinónimo de ignorancia, sino una poderosa cualidad de bondad que se encontraba al alcance de todo el mundo: era tal vez lo que el libro de oraciones llamaba una forma de gracia, o una esperanza de gloria.

Jack pensaba que si un ser humano común, su propio hijo, nadie en especial, podía poseer esa pureza de mente, tal vez los aislados actos de virtud ante los que la gente se maravillaba en su madurez, no fueran en realidad actos aislados; tal vez fueran la continuidad natural de la bondad inocente que todos traían al mundo al nacer. De ser así, los seres humanos no eran las criaturas toscas y llenas de defectos que todo el mundo suponía. Sus falencias no eran innatas, sino el resultado de sus equivocaciones o sus experiencias; dentro de sus corazones, seguían siendo seres perfectibles.

Ese amor que Jack le tenía a su hijo redimía su concepto de la vida del ser humano y daba asidero a su fe en Dios. Entonces esa piedad que antes consideraba el reflejo del hombre temeroso, se transformaba en algo que expresaba su creencia en la bondad de la humanidad.

Tenía consciencia de que John era un vehículo inverosímil para haber producido un cambio tan grande en sus propias creencias, pero no tenía importancia: su hijo era todo lo que le importaba. Cuando se fue no tuvo oportunidad de despedirse de él y desde entonces sólo se comunicaban a través de mensajes que Margaret incluía en sus cartas. En el frente y bajo tierra, a menudo estaba demasiado preocupado para poder pensar en John y en Margaret, para recordarlos exactamente, pero cuando se encontraba atado a la cruz en el final del túnel, o cuando aguzaba sus oídos en su misión de centinela, siempre tenía la sensación de que ellos lo acompañaban. Resistía por ellos, se preocupaba por permanecer con vida para poder volver a ver a su hijo.

Observó desaparecer a Byrne y a Stephen y luego oró con fuerza por la vida de John. El olor a tierra de la pared de la trinchera le recordó su propia infancia, cuando se caía en el barro durante un partido de fútbol o jugaba a construir un dique en el arroyo que corría a través de la tierra abierta detrás de la fábrica. En esos momentos también percibía ese resistente olor a tierra y a infancia. Estaba completamente solo, como lo había estado siempre, pero en ese momento con la urgencia de la vida de otro chico dentro de su corazón.

Al día siguiente, Jack recibió una carta de Margaret. Decidió que no la abriría hasta haber salido del túnel. Cabía la posibilidad de que lo mataran bajo tierra, y si las noticias eran malas, sería mejor morir en la ignorancia. Si las noticias eran buenas, las disfrutaría más por haber esperado.

Era un día tranquilo. Parte de las divisiones ya preparaban su equipaje para partir. Por la mañana, Jack sacó el cuaderno de dibujo e hizo algunos bosquejos de su amigo Arthur Shaw. En su gran cabeza había un sentido de peso y de sombras que exigían las líneas suaves trazadas por un lápiz. Shaw permanecía plácidamente sentado mientras Jack trabajaba, pasando la mirada del rostro de su modelo al papel y viceversa, mientras sostenía con fuerza el lápiz en la punta de los dedos. Tyson se acercó y miró por sobre el hombro de Jack; luego lanzó un gruñido de aprobación. El dibujo era sencillo y carecía de refinamiento, pero Jack tenía la habilidad de captar la realidad y eso impresionaba a Tyson, quien también quería que lo dibujara. Pero Jack era misterioso en su elección de modelos. Había algunos dibujos de camiones y de almacenes, algunos de los pueblos a los que iban a descansar, las ocasionales escenas de grupo dibujadas de memoria, pero casi todo su cuaderno estaba lleno de bosquejos de Arthur Shaw.

A última hora de la tarde se les acercó el sargento Adams en compañía de Jones y de O'Lone y los hombres formaron para dirigirse al túnel.

Michael Weir había encargado a Adams que se hiciera cargo mientras él permanecía en el refugio con un libro. Alrededor de las ocho de la noche, Stephen abrió la cortina y entró. Estaba excitado y nervioso.

—Vamos —dijo.

—¿Adónde?

—Se trata de la sorpresa de la que te hablé. Ven. Lleva contigo esa botella de whisky.

Weir se puso de pie vacilante. Le daba miedo lo que Stephen planeaba. Bebió un trago de whisky de la botella y sintió que aumentaba el efecto de los que ya había bebido. Al mirar a Stephen comprendió que también él había estado bebiendo.

Weir respiró hondo y salieron a la oscuridad. Era una noche seca de verano y sólo se oía el sonido distante de cañoneo a alrededor de un kilómetro de allí, como una metálica canción de cuna de rutina para recordar a los distraídos que la muerte hasta podía llegarles en pleno sueño.

Weir siguió a Stephen por la trinchera de comunicación, a través de las líneas de reserva y a la zona trasera donde se veían faros de camiones que se acercaban por los caminos arbolados, iluminando grandes pilas de armamentos colocadas bajo telas engomadas, a la espera de que las transportaran. El suboficial Price caminaba de un lado para el otro junto a los rieles, donde una grúa cargaba laboriosamente una enorme pieza de artillería en un vagón de ferrocarril. Con una tablilla con sujetapapeles y una lista, Price reanudaba por el momento su antigua ocupación de inspector de un almacén.

Stephen se quedó atrás por miedo a ser visto por Price y condujo a Weir hasta una zona barrosa en el extremo de una hilera de álamos donde dos hombres se apoyaban contra una motocicleta, fumando.

—Necesito esa moto —dijo—. El mayor… Watson la necesita con urgencia —agregó, señalando a Weir con la cabeza.

—¿El mayor qué? —preguntó el hombre mirando dubitativo a Weir, que vestía el pulóver blanco y las zapatillas, sin ninguna señal de su rango.

—Operativos Especiales —dijo Stephen—. Tomen éstos y no hablen más del asunto. —Les tendió una caja de cincuenta cigarrillos.

—No puedo hacer eso, compañero —dijo el soldado, tomando de todos modos los cigarrillos—. Pero allí, detrás de ese cobertizo, hay una motocicleta que nadie usa. Un granjero le pegó un tiro en el traste al mensajero Rider. ¡Y nada menos que con una maldita escopeta! —Lanzó una carcajada.

Stephen encontró la motocicleta y la sacudió para saber si tenía nafta. En el tanque resonó un ruido de líquido leve pero adecuado. Puso en marcha el motor mientras Weir montaba atrás con cautela. La motocicleta sólo tenía un asiento, de manera que tuvo que sentarse sobre el portaequipajes que había sido instalado sobre la rueda trasera. Sus piernas colgaban a cada lado de la máquina.

Mientras aceleraban rumbo al camino, Stephen sintió una oleada de excitación. Dejaban atrás a la muerte, la confusión y la mugre. Avanzaban libres en la oscuridad normal, con comida y bebida, el sonido de mujeres y la seguridad de encontrarse con hombres cuyo primer pensamiento no sería el de matarlos. La motocicleta avanzaba rugiente por el camino.

Vieron las luces del pueblo, escasas y mortecinas, y en el extremo oeste, una ventana iluminada que los rumores habían hecho famosa. Stephen sintió que Weir le hundía los dedos entre las costillas.

El edificio de la granja era una casa baja, de ladrillos, con graneros y fardos de alfalfa a un costado. Stephen detuvo la motocicleta a la entrada y Weir sacó la botella de whisky del bolsillo y bebió, sediento.

—Escucha, Wraysford, creo que no quiero seguir adelante con esto. Mira ese lugar, es bastante sórdido y…

—¡Vamos! Se trata de una mujer, una criatura suave que te tratará con bondad y te hará sentir bien. No te espera nadie con una pistola en la mano.

Tomó a Weir del brazo y lo hizo cruzar el patio de la granja. Cuando se acercaban a la puerta, Weir tropezó. Al llegar, comenzó a temblar.

—¡Por Dios, Wraysford! ¡Sólo te pido que me dejes salir de acá. Déjame volver a casa. Esto no me interesa.

—¿A casa? ¿A qué casa? ¿A una trinchera llena de ratas?

—Si los boina coloradas nos encuentran nos fusilarán.

—¡Que nos van a fusilar! Tal vez nos llamen la atención. O nos hagan renunciar a nuestro rango. ¡Vamos, hombre!

Cruzaron una sala de estar sombría con una estufa en el centro, cerca de la que notaron la presencia de una vieja sentada fumando una pipa. Al verlos en la puerta, asintió. Cuando Stephen empezó a hablar, meneó la cabeza y se señaló los oídos.

—¡Me quiero ir! —siseó Weir.

Stephen le aferró la muñeca.

—Espera.

La vieja lanzó un chillido en dirección a la puerta que llevaba a la parte interior de la casa. Oyeron pasos. En el umbral oscuro apareció una mujer de alrededor de cincuenta años.

—Esta noche no esperaba que viniera nadie —dijo.

Stephen se encogió de hombros.

—Mi amigo estaba ansioso por venir a verla. Me preocupa pensar que tal vez esté un poco nervioso. Quiere que usted sea muy paciente. —Stephen hablaba lo más rápido posible, con la esperanza de que Weir no entendiera sus palabras.

La mujer esbozó una sonrisa sombría.

—Muy bien.

—¿Usted tiene una hija, Madame?

—¿Y a usted qué le importa?

—Entiendo que ella también…

—Eso no es asunto suyo. Dígale a su amigo que me siga.

—Muévete —dijo Stephen empujando a Weir hacia adelante. Se quedó mirándolo desaparecer con paso inseguro.

Stephen se volvió hacia la anciana y sonrió. Hizo la pantomima de beber y sacó del bolsillo un billete de cinco francos. Ella se encaminó envarada hacia un rincón de la habitación y regresó con una botella de vino y un vaso polvoriento. Stephen se sentó cerca de la estufa y apoyó un codo sobre el tubo de la caldera que corría a lo largo de la pared. Alzó el vaso en dirección de la anciana y bebió el vino blanco amargo.

Quería que Weir supiera lo que era estar con una mujer, sentir la intimidad de la carne. En realidad no le importaba que Weir muriera siendo inocente, pero tenía la sensación de que, de alguna manera, era necesario que comprendiera el proceso que le había dado vida.

Habiendo escapado del exterminio, Stephen ya no le temía a nada. En la existencia que en ese momento vivía, tan extraña y tan alejada de todo lo que parecía natural, sólo era posible elegir entre la muerte violenta y la vida; cosas más refinadas como el amor, las preferencias o la bondad, resultaban redundantes. La carne de la viuda de un granjero, pagada con el dinero que ganaban por matar era, en la reducida realidad en que él y Weir habitaban, una realidad mejor que la carne de Wilkinson, destrozada por una bala de cañón, de cuyo cerebro goteaban los recuerdos y las esperanzas que iban a parar a su hombro.

Estiró las piernas y notó que sus talones marcaban la tierra del piso de la granja. Con la última gota del vino de la botella se acababa de extinguir su último rastro de cautela, su último reconocimiento de las espúreas costumbres y los códigos del comportamiento en tiempos de paz. Se sentía envejecido y cansado, pero muy tranquilo.

La anciana estaba dormida. Stephen se dirigió en silencio al rincón de la habitación donde encontró otra botella de vino. Volvió a llenar su vaso y se sentó de nuevo, esperando en la penumbra.

Cuando regresó, Weir parecía estremecido y estaba pálido. Aún en la penumbra del cuarto se le notaban las ojeras. Stephen lo miró con aire interrogante. Weir meneó la cabeza.

—Ve tú.

—No, gracias. Esta expedición fue en tu honor. Yo no tengo interés en ella.

—Quiere que vayas. Ve a verla. ¡Ve a verla, cretino! Tu comenzaste esto. Ahora debes terminarlo.

La agitación de Weir era mayor que durante los bombardeos.

De repente Stephen sintió pánico.

—¿Qué has hecho? —preguntó—. ¿Qué has hecho, pedazo de imbécil?

Weir se sentó pesadamente en una silla y ocultó la cabeza entre las manos.

En la mente de Stephen se formaron imágenes horribles mientras corría hacia dentro de la casa. Se encontró frente a cuatro pasillos. Llamó.

La luz era tan débil que casi no alcanzaba a ver por donde caminaba. Recorrió un pasillo a los tropezones y abrió una puerta. El cuarto estaba lleno de pollos. Estremecido, la cerró de un portazo. Recorrió un segundo pasillo, abriendo puertas y cerrándolas aliviado al no ver ningún espectáculo horrendo, pero siguió adelante, cada vez más desesperado.

Oyó una voz de mujer a sus espaldas.

—¿Monsieur? —Era una muchacha joven, de pelo oscuro. Tenía ojos grandes y suaves y el pelo peinado hacia atrás y atado con una cinta colorada. Stephen quedó como petrificado.

—¿Qué desea?

—Estoy buscando a… a su madre.

—Por aquí.

Lo tomó del brazo. Entraron a un cuarto con lámparas coloradas y biombos orientales. El piso era de tierra, lo mismo que el de la sala de estar. Stephen estaba horrorizado. La joven lo condujo al otro lado de un biombo, donde vio una cama camera cubierta con un dosel casero de seda roja. Había media docena de velas en el piso y una en la ventana.

—No se asuste. Está bien. Deme el dinero.

Esa última frase restauró en él cierta tranquilidad.

—No. Yo no quiero… Sólo vine para saber si todo estaba bien.

Del otro lado del biombo resonó una carcajada. Era la mujer que había llevado consigo a Weir.

—Está bien. Por lo menos tan bien como podría estar. —Rodeó el biombo y se acercó a Stephen. Él alcanzó a percibir su suave perfume. —Su amigo es muy extraño. Yo lo tomé así —cerró la mano sobre el pene de Stephen—, y retrocedió. —Rió. —Es largo y suave y cada vez que lo tocaba, él se ponía a llorar.

Era mayor de lo que Stephen calculaba. A la luz de las velas alcanzaba a verla mejor que en la sala de estar. La mujer se sentó en la cama, se levantó la pollera hasta la cintura, después se recostó y abrió las piernas. Stephen nunca había visto desnuda a una mujer de esa edad. Entonces ella metió la mano dentro de un recipiente lleno de desinfectante y luego se pasó los dedos por la entrepierna, por el vello áspero y por la carne roja que se abrió al contacto de su mano tan familiar.

Igual que Weir, Stephen empezó a retroceder. Después rió. Tomó el brazo de la joven.

—Usted sí, Mademoiselle. Usted o nada.

La mujer se levantó de la cama, se bajó la pollera y se le acercó. Stephen sintió sus manos sobre la parte delantera del pantalón. Metió adentro los dedos y extrajo lo que quería, un trozo de carne fláccida, con el mismo gesto del carnicero que toma algo de la heladera y lo coloca sobre el mostrador. Cuando sintió que la boca de la mujer se cerraba sobre él, Stephen hizo un esfuerzo para no retroceder. Levantó la mirada y vio que la joven se estaba desvistiendo. Cuando se sacó la ropa interior, la luz de las velas iluminó las curvas de sus nalgas redondas y Stephen sintió que se agitaba dentro de la boca de la mujer.

Ella se irguió y sonrió, sosteniendo en la mano el pene endurecido.

—Tú eres inglés —murmuró, desapareciendo detrás del biombo.

A Stephen ni siquiera se le ocurrió pensar en lo ridículo que debía parecer. Su piel reventaba, estirada casi hasta el punto de la transparencia por la sangre que se agolpaba dentro.

La muchacha le sonrió desde la cama. Tenía pechos pequeños y redondos. Estaba sentada con las piernas muy estiradas frente a sí y con los brazos cruzados sobre el vientre. No había sábanas sobre la cama.

—Quítate la ropa —dijo.

Como un tonto, Stephen le obedeció. Permaneció desnudo frente a ella. La muchacha era paciente, como si estuviese acostumbrada a tratar con soldados torpes.

Stephen la miró. Habían transcurrido casi seis años desde la última vez que tocó a una mujer. La muchacha era hermosa. Tenía ojos oscuros y luminosos; en sus piernas había aire y vida. La carne era joven y sana. Stephen tuvo ganas de ahogarse en ella, de enterrarse profundamente en las células de su piel y de olvidarse allí de sí mismo. Esa muchacha era paz y suavidad; era la posibilidad de amor y de futuras generaciones.

Cuando ya daba un paso hacia la cama, recordó otro día y a otra mujer que permanecía así tendida y desnuda, las piernas abiertas ante sus ojos. Y él la besó allí, abriéndola con la lengua como si esa apertura le proporcionara el camino hacia lo más profundo de su ser. Recordó el jadeo de sorpresa de Isabelle.

Después se olvidó en ella; purgó sus deseos y ansiedades; se aposentó en ese cuerpo. En la confianza y el amor que ella le demostraba, Stephen depositó los conflictos no resueltos de su vida. Tal vez su ser todavía siguiera atado a ella... traicionado y sin cicatrizar.

El cuerpo no era más que carne, pero Isabelle le quitó el suyo; y en su ausencia física existía algo más profundo que la falta de contacto carnal: había abandono.

La ternura que experimentó por la muchacha de cabellos oscuros desapareció. Ella le sonrió, rodó y se colocó de costado para que él pudiera apreciar la curva de su cadera,

Al mirar la parte superior del cuerpo de esa chica, sus costillas y su columna, recordó el trozo de metralla que sobresalía del abdomen de Reeves; pensó en el agujero del hombro de Douglas donde al apretarlo con la mano, ésta había llegado casi hasta sus pulmones.

Al principio su ternura fue reemplazada por repugnancia. Luego la mente de Stephen se vació. Sólo quedaba esa masa física. Estaba perdiendo el control. La vieja que se ponía desinfectante entre las piernas no se parecía a nada que hubiera visto hasta entonces. El cuerpo de la hija no era más que una cuestión animal, menos querida, menos valiosa que la carne de los hombres a quienes vio morir.

No supo si tomar a la muchacha o matarla. En el bolsillo del pantalón tenía el cortaplumas que llevaba en sus patrullajes. Se inclinó, lo sacó y lo abrió sobre la palma de la mano. Se inclinó y se sentó en el borde de la cama.

La muchacha lo miraba con los ojos muy grandes, la boca abierta, pero sin poder emitir un solo sonido. Stephen no se compadeció de su miedo ignorante.

Volvió el cuchillo para tener la hoja en la palma de la mano, luego le pasó la empuñadura entre los pechos y sobre los muslos.

No sabía lo que estaba haciendo. La odiaba por no haber visto lo que había visto él. Sintió que la piel de la pierna de la muchacha cedía un poco bajo su presión. El cortaplumas dejó un rastro delgado y blanco donde la carne fue momentáneamente abierta antes de que la sangre volviera a correr bajo la piel. Stephen quería que hubiera más que esa sola carne. Apoyó la empuñadura del cuchillo sobre el vello que crecía entre las piernas de la muchacha, con la hoja en dirección a su vientre. La muchacha miró horrorizada el reflejo de la luz sobre el acero.

Stephen soltó el cuchillo. El arma permaneció vertical. La chica estaba demasiado asustada para moverse. En cuanto pudo, deslizó la mano con lentitud por su muslo y la aferró, sin dejar de mirar a Stephen. Tomó la hoja entre los dedos, cerró el cortaplumas y lo arrojó al otro extremo del cuarto, donde fue a caer sobre el piso de tierra.

Stephen bajó la vista para mirar la cama. Su mente, hasta ese momento en blanco, estaba llena de pensamientos y de recriminaciones.

La muchacha recuperó la tranquilidad. No gritó pidiendo auxilio ni protestó; observó la actitud quebrada de Stephen, la cabeza inclinada, su excitación desaparecida. El alivio que sentía la llevó a ser generosa.

Le tocó la mano.

Stephen pegó un salto y levantó la vista. No podía creer en ese contacto. Era tierno. Ella tendría que haberlo matado.

Meneó la cabeza, estupefacto.

—¿Qué…?

Ella se llevó un dedo a los labios. A cada instante parecía más fuerte, alimentada por su alivio y por la desesperanza de Stephen.

—Es muy difícil. La guerra —dijo.

—Lo siento —contestó él—. Lo siento mucho.

—Comprendo.

Stephen la miró incrédulo, luego recogió su ropa y se vistió apresuradamente detrás del biombo.

En medio del alboroto de una división que se preparaba a trasladarse, nadie notó la ausencia pasajera de dos oficiales durante la noche. Dejaron la motocicleta donde la habían encontrado y regresaron separados a la línea del frente. Ambos se sentían más sobrios de lo previsto.

Al día siguiente, Weir recibió sus órdenes. A la noche se trasladarían a un lugar no determinado y luego marcharían a Albert. Se esperaba que ayudaran a completar la excavación de las trincheras, trabajos que ya habían comenzado cerca del pueblo de Beaumont Hamel. No había nada que indicara si el traslado formaba parte de una estrategia más amplia o si era un cambio de lugar de rutina. Sin embargo, dado que toda la división estaba en marcha, parecía que los rumores debían ser ciertos: iban a atacar.

Weir se desplomó sobre el camastro de abajo de su refugio. Se pasó la mano sobre el poco pelo que le quedaba. Así que, por fin, se producía el ataque. Ya no más paz y tranquilidad. El gran empujón. Logró lanzar una corta carcajada. Se acababa ese sector tranquilo, con sus amistosas patrullas de rutina. Junto con los hombres del nuevo ejército, él barrería a los alemanes y los sacaría de Francia.

Estaba resignado a ello. Tenía la sensación de haber perdido el control de su propia vida: cuando por fin trató de alterar una parte central de su existencia, el resultado no fue más que una humillación. Las armas no serían mucho peores.

De regreso de su turno de noche bajo tierra, Jack se dirigió con una taza de té a un lugar tranquilo de la trinchera y sacó la carta de Margaret. La leyó con mucha lentitud, sin permitir que sus ojos se apartaran de la hoja de papel.

"Mi querido Jack: ¿Cómo estás? Pensamos todo el tiempo en ti y te dedicamos nuestras oraciones. Gracias por tus cartas que han sido un enorme consuelo para nosotros. Es bueno saber que te mantienes alegre y bien.

"Debo decirte que esta mañana murió nuestro hijo. Los médicos aseguran que no sufrió ningún dolor y su fin fue muy pacífico. No pudieron hacer nada por él. Yo lo vi en el hospital, pero no me permitieron llevármelo a casa. Estoy convencida de que se ocuparon de él hasta el último instante y que no lo dejaron sufrir.

"Lamento tener que darte esta noticia, mi querido Jack, porque sé cuánto lo querías. No debes dejar que su muerte te deprima. A partir de este momento eres todo lo que me queda y le pido a Dios que te envíe sano y salvo de regreso a casa.

"Te volveré a escribir, pero en este momento no tengo ánimo para seguir. Por favor, cuídate y vuelve a mí. Con amor de Margaret."

Jack depositó la carta en el piso y miró fijo hacia el frente. Pensó: no permitiré que esto me quite la fe. La vida de mi hijo fue hermosa y llena de alegría. Se lo agradeceré a Dios.

Enterró la cabeza entre las manos para rezar pero estaba sobrecogido por el dolor de su pérdida. No se le ocurrieron palabras de gratitud, sino tan sólo un grito oscuro de desolación.

—¡Mi muchacho! —sollozó—- ¡Mi querido muchacho!

Llegaron a Albert durante la primera semana de junio. Los zapadores fueron despachados de inmediato hacia el frente, pero a la infantería se le permitió pasar un tiempo de descanso, con menos entrenamientos e inspecciones que de costumbre, y una dieta sospechosamente mejorada que incluía naranjas y nueces.

El capitán Gray llevó a Stephen a ver al coronel Barclay, quien se alojaba en una amplia casa del lado oeste de la ciudad.

—Es un tipo irascible —advirtió Gray—. Pero no se debe dejar amilanar por su modo. Es un soldado excelente. Disfruta de las penurias y del peligro —dijo Gray, alzando una ceja, como si cuestionara el gusto de Barclay.

Encontraron al coronel estudiando mapas en la biblioteca. Era más joven de lo que Stephen suponía, canoso, delgado y de aspecto adusto.

—¿Es una casa bastante linda, verdad? —preguntó Barclay—. Pero no se preocupen por eso. En cuanto empecemos a avanzar, estaré en la trinchera con ustedes.

—¿Usted piensa avanzar con las tropas, señor? —preguntó Gray, sorprendido.

—¡Ya lo creo! —contestó Barclay—. Hace seis semanas que estoy clavado aquí, conversando con malditos oficiales. El día en que explote la bomba, pienso cenar en los platos de plata del regimiento de Bapaume.

Gray tosió.

—Eso, sin duda, representaría un adelanto notable. —En presencia de Barclay parecía hablar con más marcado acento escocés.

—¿Y saben con quién lo estaré festejando? Con la flor y nata de la Segunda Caballería de la India.

—No sabía que estaría involucrada la caballería.

—¡Por supuesto que lo están!

—Comprendo —dijo Gray mientras asentía con lentitud—. Éste es el teniente Wraysford que conoce bastante bien el terreno. Tal vez recuerde que se lo mencioné.

—Sí, lo recuerdo. El experto en el Somme —contestó el coronel Barclay—. Bueno, será mejor que cante todo lo que sepa y se gane el sustento.

Salieron a caminar por el jardín y Barclay interrogó a Stephen acerca del terreno. Por sugerencia de Gray, él había refrescado su memoria con ayuda de un mapa y pudo hablar de los bordes pantanosos del río Ancre, de la manera en que el terreno se elevaba hacia Thiepval por un lado y hacia las colinas por el otro.

—Hawthon Ridge —dijo el coronel—. Por eso lo llaman así. Vamos a atacar por la línea más cercana a Beaumont Hamel. Pero antes pondremos explosivos para hacer un enorme agujero en esa loma.

—Comprendo —dijo Gray—. De manera que eso le proporcionará al enemigo una advertencia más que suficiente y una agradable posibilidad de aprovechar las fortificaciones naturales.

Barclay lo miró con una mezcla de lástima y de severidad.

—Llegaremos primero, Gray. Pero será un largo día. Según como vaya, supongo que se nos pedirá que reforcemos otras unidades.

—¿Pero estaremos en la primera oleada del ataque?

—¡Ah, sí! —sonrió el coronel—. No se preocupe, al amanecer habremos pasado. A mediodía nos reagruparemos y nos tomaremos un respiro. y, si es necesario, a primera hora de la tarde volveremos a poner el hombro. ¿Sus hombres están listos?

—Creo que sí, señor —contestó Gray—. ¿Usted qué cree, Wraysford?

—Yo también creo que sí, señor. Aunque me preocupa un poco el terreno. Además, hace mucho que el enemigo está aquí, ¿no es cierto? Debe haber construido defensas como...

—¡Dios Santo! —exclamó Barclay—. Nunca he conocido a dos aguafiestas como ustedes. Habrá seis días de bombardeo que cortará todos los alambres alemanes desde aquí hasta Dar-es-Salaam. Si después de eso queda algún Boche con vida, será tan grande su alivio al ver que todo ha terminado que saldrá a recibirnos con los brazos en alto.

—Ésa sería una sorpresa inesperada —comentó Gray.

—Y otra cosa —-agregó Barclay—. No necesito que el comandante de un pelotón me de consejos tácticos. Ya tengo a Rawling sobre el hombro y órdenes diarias de brigadas. Ustedes sólo deben hacer lo que se les ordena. Y ahora, entremos a almorzar.

El mayor Thursby, segundo de Barclay, y otros tres comandantes se reunieron con ellos en el comedor elegante que daba a un costado de la casa. Stephen se preguntó si no correspondería que se ofreciera a servir la mesa en lugar de seguir conversando con esos oficiales superiores, pero por lo visto sobraban los mozos, asistidos por una pareja de franceses.

—¿Qué es esto? —preguntó Barclay alzando una botella hacia la luz—. Gevrey-Chambertin. Hmm, el gusto es bueno, aunque no comprendo por qué no podemos beber vino blanco con el pescado.

—No había vino blanco en el sótano, señor —informó el ordenanza del coronel, un londinense canoso de corta estatura—. Pero yo sabía que a usted le gusta el pescado. Trucha, señor. Del río local.

—Muy bien, Davies —dijo el coronel, volviendo a llenar su vaso.

Siguió un guiso liviano y luego queso y pan fresco. El almuerzo se prolongó hasta después de las tres de la tarde cuando se dirigieron a la sala de estar a fumar un cigarro frente a sendas tazas de café.

Stephen sintió la suavidad del sillón en que se había sentado y pasó la mano sobre el brocato. Uno de los comandantes, un individuo alto llamado Lucas, hablaba sobre la pesca en el río Test en Hampshire, cerca de la casa de sus padres. Los demás conversaban sobre un partido de fútbol en que intervino el batallón. Una unidad procedente de Edimburgo que ingresaba en la línea a poca distancia de allí, contaba entre sus integrantes con todo el equipo profesional de Heart of Midlothian, y había resultado imbatible.

El ordenanza del coronel les sirvió coñac y Stephen pensó en los soldados de su pelotón y en la forma en que ellos se preparaban tazas de té sobre pequeños calentadores junto a las paredes húmedas de las trincheras. Un decorador amargado de nombre Studd, solía colocar un trozo de queso en la punta de su bayoneta para atraer las ratas y luego apretaba el gatillo. Stephen sintió que los estaba traicionando al comer y beber en esa casa elegante, a pesar de que los hombres estaban convencidos de que uno debía tomar lo que hubiera disponible. Traficaban y obtenían con maña todo lo que podían, tanto cuando estaban en descanso como en la trinchera. Los paquetes de comida eran propiedad común y uno que acababa de llegar dirigido a Wilkinson, muerto ya hacía semanas, fue motivo de particulares celebraciones.

Stephen sonrió para sus adentros, consciente de que ese breve alivio de la realidad que acababa de vivir, muy pronto llegaría a su fin.

El batallón marchó hasta un pueblo llamado Colincamps. Recorrieron el trayecto cantando y balanceando los brazos. Era un día cálido de junio y el sol iluminaba el verde pálido del campo. En los sauces los grajos cantaban soñadores, y en los árboles se oían los trinos constantes de mirlos y tordos. El pueblo era una babel de acentos de Ulster, Londres, Glasgow y Lancashire. Los cantidad de soldados sobrepasaba las posibilidades de darles alojamiento que tenían las familias locales. Por la tarde jugaban al fútbol y en la ropa sucia y llena de piojos, el sudor avivaba el recuerdo de la acción.

Stephen llevó su pelotón a un granero donde Gray estaba tratando de llegar a un acuerdo con una mujer renuente y su hijo. Al anochecer habían conseguido que los hombres estuvieran adentro, con paja limpia y una comida caliente preparada en las cocinas rodantes.

Esa noche comenzaron los disparos. Cuando los oyó, Stephen leía un libro a la luz de una vela en el granero. Un cañón de corto alcance colocado a poca distancia sacudía el polvo de siglos depositado en los tirantes del techo.

Para empezar, el bombardeo no era gran cosa; tan solo una especie de manera de aclararse la garganta, pero su eco reverberaba sobre las tierras bajas. Cuando el eco se hacía tan profundo que ya no era audible, resonaba otro disparo en el continuo murmullo del sonido, y luego otro, hasta que las paredes del granero comenzaron a temblar. Stephen alcanzaba a percibir las vibraciones que corrían por el piso de madera de la parte superior. Imaginó a los fusileros empezando a prepararse para su tarea, debían estar quitándose las camisas en los emplazamientos profundos, apretando la cera protectora dentro de los oídos. Le espantaba el ruido de los cañones, tantos en una secuencia interminable a lo largo de una línea de veinticuatro kilómetros; los más pesados que proporcionaban un retumbar continuo y los más livianos agregando el énfasis imprevisible. A la hora, de la totalidad de la línea surgían disparos que llenaban el cielo de la noche con un denso tráfico metálico. El sonido era como el del trueno que rompía en oleadas ininterrumpidas.

Existía cierto consuelo en estar alejado del poder evidente del bombardeo, aunque no lo estuvieran de la escala del conflicto que anunciaba. Stephen tuvo la sensación de que la fatalidad aumentaba de una manera dramática; ya no parecía existir una posibilidad de huida o de llegar a un compromiso; era sólo una cuestión de esperanza, la esperanza de que su bando demostrara ser más fuerte que el enemigo.

Permanecieron en Colincamps dos días más antes de avanzar hacia la línea del frente.

—Ahora ya no falta mucho, señor —dijo Byrne, apagando un cigarrillo y ocupando su lugar junto a Hunt—. Cuando bajó a ese túnel, nunca creí que podría seguir entre nosotros.

—Yo tampoco —acotó Hunt—. Ojalá nos hubiéramos quedado todos bajo tierra.

Stephen sonrió.

—En su momento no te gustó mucho. No importa. Esto será distinto. Llamen a Studd y a Barnes ¿quieren? Leslie, has tenido dos días para limpiar tu rifle. No te pongas a hacerlo en el momento en que te preparas para marchar.

El pelotón cayó bajo la mirada de Price, quien corría de un extremo de la plaza al otro, antes de recibir instrucciones del capitán Gray. Price era el único que parecía saber qué sendero de carros los llevaría al lugar indicado y qué tiempo demorarían en llegar por fin al lugar que les estaba destinado en las trincheras del frente. El campo se estremecía bajo los pies de los integrantes del batallón cuando el tercer día de bombardeos llegaba a su fin.

La compañía inició el viaje hacia Anchonvillers con una nerviosa alegría de vivir. El tráfico de municiones y abastecimientos era tan pesado que los hombres se veían obligados a avanzar a campo traviesa en carros de los granjeros.

Stephen sintió que comenzaba a picarle la nariz a causa del polvo y las semillas de las cosechas que levantaba el viento. Bajo sus mochilas cargadas, los hombres empezaban a transpirar y el olor que despedían se alzaba en el aire del verano cálido.

Al rodear una esquina, Stephen vio a dos docenas de hombres, desnudos hasta la cintura que cavaban un pozo de treinta metros cuadrados a un costado del camino. Por un instante quedó sorprendido. No podía tener nada que ver con la agricultura porque allí ya no se plantaba ni se sembraba. Entonces se dio cuenta de lo que era. Cavaban una fosa común. Pensó en la posibilidad de ordenar a sus hombres que se volvieran o por lo menos que miraran hacia otro lado, pero estaban muy cerca y algunos ya habían visto el futuro cementerio. Las canciones murieron y el aire fue reclamado por los pájaros.

Siguieron avanzando en silencio, de regreso al camino que les había sido preparado y en dirección a Anchonvillers. Todo estaba distinto ante la inminencia de la batalla. El café donde Stephen había almorzado con los Azaire, estaba convertido en un hospital temporario. En la calle principal del pueblo, flanqueada por parvas de heno y de carros llenos de alimento para animales, el coronel Barclay montaba un reluciente caballo bayo. Cuando las compañías formaron un cuadrado y permanecieron en silencio, mirándolo, tosió y les dijo lo que ya adivinaban pero hasta ese momento no sabían en forma oficial. Parecía el personaje de un teleteatro con su intento de grandeza y el caballo que piafaba con indolencia.

—Estamos por atacar. Sé que les aliviará saberlo, porque para eso han venido. Van a luchar y van a ganar. Infligirán una derrota tan grande al enemigo, que no le permitirán volver a recuperarse. Ya oyen a la artillería que ataca las defensas alemanas. Mañana se suspenderá el bombardeo y ustedes atacarán. El enemigo estará completamente desmoralizado. Sus defensas han sido destrozadas, sus alambres cortados, sus refugios destruidos. Confío en que sólo dispararán un puñado de tiros contra ustedes. El enemigo se sentirá aliviado al ver a alguien ante quien rendirse.

Superó un inicial nerviosismo que lo llevaba a ladrar. Su entusiasmo y la sencilla fe en lo que decía se contagió a los hombres. Algunos de los más jóvenes comenzaron a llorar.

—Sin embargo, debo advertirles que deben ser extremadamente cuidadosos cuando se trate de aceptar esa rendición. Las instrucciones que he recibido del Jefe del Estado Mayor son que el enemigo debe probar sus intenciones de rendirse sin posibilidad alguna de malos entendidos. Si tienen alguna duda, creo que sabrán lo que deben hacer. Desde mi punto de vista, la bayoneta sigue siendo un arma muy eficaz.

"No necesito recordarles la historia gloriosa de este regimiento. Recibimos nuestro sobrenombre, las Cabras, en la guerra peninsular, donde demostramos lo que valíamos en terreno rocoso. No retrocedimos; y el mismo Duque de Wellington alabó nuestra valentía. No puedo decirles más que esto; deben honrar la memoria de esos hombres que lucieron los colores del regimiento antes que ustedes. En su conducta en batalla deben estar a la altura de los grandes logros de la historia de este regimiento. Deben tratar de vencer por el bien de sus familias, por el Rey y por nuestro país. Creo con firmeza que lo harán. Estoy convencido de que esta noche cenaremos en Bapaune. Que Dios los bendiga a todos.

Los vítores de los hombres fueron instantáneamente acallados por la policía militar, que a los gritos empezó a impartir una serie de instrucciones para cada compañía. Era necesario mantener la más estricta disciplina. Cualquier hombre que faltara a su deber sería fusilado en el acto. En medio del clamor de la batalla, no habría preguntas. Y mientras el entusiasmo de los hombres disminuía, la policía concluyó con una lista de soldados que habían sido ejecutados por cobardes.

—Kennedy, Richard, desertó frente al enemigo, ejecutado. Masters, Paul, ejecutado por haber desobedecido una orden...

Stephen se volvió a mirar las caras sorprendidas y llenas de temor de Hunt, Leslie y Barnes. Tipper, el chico a quien habían tenido que sacar gritando de la trinchera, estaba de vuelta y su expresión era igualmente vacía. Hasta las largas y sanguíneas facciones de Byrne se veían pálidas. Muchos de los hombres tenían una expresión parecida a la de los chicos, tironeados entre la excitación y las ganas de estar de vuelta con sus madres. Stephen cerró sus oídos a la voz del que leía la lista.

—Simpson, William, desertor, ejecutado...

Cuando abandonaron el pueblo de Auchonvillers, Stephen retrocedió a ese día caluroso que pasó junto al río con la familia Azaire. Se habían encontrado con otras familias que llegaban de lugares tan lejanos como París para participar de la pesca famosa del río Ancre. Tal vez al día siguiente por fin lograría probar los tés ingleses en la confitería de Thiepval.

Pensó en el rostro abierto y lleno de amor de Isabelle; pensó en sus latidos, ese ritmo oculto de su deseo que expresaba su extraña humanidad. Recordó el rostro sonrojado de Lisette, su mirada de flirteo y la manera en que le tomó la mano y la colocó sobre su cuerpo. Ese día cargado de emociones parecía tan irreal y extraño como esa misma tarde en que cruzaban el campo hacia las trincheras de la reserva.

Mientras escuchaba el sonido que hacían los hombres al empezar a moverse, Stephen bajó la vista y se miró los pies, las botas sobre las que avanzaba. En ese momento en que abandonaban el pueblo y sus vestigios de normalidad, el tiempo pareció detenerse y desmoronarse. Los tres día siguientes transcurrieron en un abrir y cerrar de ojos; sin embargo las imágenes conservaban una cualidad atemorizante y estática que permanecía en la mente hasta la muerte.

En el camino les entregaron pinzas para cortar alambres.

—Creí que el cañoneo cortaría los alambres —dijo Byrnes—. ¿Dos máscaras de gas? ¿Por qué dos?

Tipper sonreía como un loco al ver que Price sujetaba un triángulo de lata a su espalda.

—Para que los observadores de retaguardia te puedan ver, jovencito —dijo Price. El aire sobre sus cabezas parecía de metal sólido; la tierra temblaba con el bombardeo.

Aún para los hombres con experiencia, eran imágenes nuevas. Las trincheras de la reserva y de comunicaciones parecían vagones de ferrocarril en las horas pico y sólo las instrucciones que Price ladraba lograban mantener cierto vestigio de orden. El pelotón de Harrington dobló equivocadamente y avanzó en dirección a Serre. La compañía B, al mando de Lucas, estaba completamente perdida. El sudor de tener que trasladar mochilas de cuarenta kilos a través de un amontonamiento de hombres aturdidos y nerviosos. Una repentina tormenta de verano que llegaba desde Pozieres, que primero empapó las líneas alemanas y que luego se volvió hacia el oeste y convirtió en barro la tierra bajo los pies de los británicos. Y todo sucediendo al mismo tiempo.

Allí estaba Michael Weir, de pie sobre el terreno elevado, mirando hacia Hawthorn Ridge. Stephen salió de la trinchera y se le acercó. Una extraña excitación iluminaba el rostro de Weir.

—Allá habrá una explosión cuyo tamaño te hará jadear —dijo—. Acabamos de colocar las cargas. Firebrace está bajo tierra enterrando los detonadores.

Stephen tuvo un momento de lucidez.

—¿Qué harás mañana? ¿Dónde estarás? —preguntó con tono intrigado y de preocupación.

—Observando desde una distancia segura —Weir rió—. Nuestro trabajo ha terminado. Algunos de mis hombres se han ofrecido como voluntarios para trabajar como camilleros si les llegara a faltar mano de obra. Tenemos la esperanza de poder reunirnos contigo para disfrutar de una cena caliente. ¿No te parece que las líneas alemanas son una hermosura?

Stephen vio aulaga amarilla y yuyos bordeando las líneas largo tiempo establecidas, con marcas de tiza blanca donde habían sido cavadas las principales defensas. Una alta bruma rojiza pendía sobre ellos procedente del lugar donde los ladrillos de los pueblos habían sido pulverizados por el bombardeo. Conos de metralla explotaban con luces blancas y amarillas. Un leve arco iris comenzó a formarse sobre sus cabezas cuando el sol se abrió paso entre las nubes de tormenta.

Weir sonrió.

—¿Contento?

Stephen asintió.

—Sí, por supuesto.

Se reunió con la fila de hombres que avanzaba por la trinchera. Pensó: "en este momento todo esto tiene un impulso propio que me arrastra consigo".

—¡Pobre Fritz! —dijo una voz—. Debe estar como loco bajo ese bombardeo.

A su lado estaba Hunt, jadeando bajo el peso de la mochila, que tenía atada una jaula de madera. Contenía dos palomas. Stephen les miró los ojos inexpresivos, parecidos a cuentas.

Sólo debían pasar la noche, luego comenzaría todo. Estaban en posición. De alguna manera, Price había logrado encontrar el lugar que debían ocupar y el cabo Petrossian, con su manía por los detalles, obligó al pelotón a formar correctamente. La trinchera era buena.

—Son las mejores que he visto —ponderó Petrossian—. ¡Por fin un frente totalmente cubierto de madera!

—¡Miren, es el padre de la reserva!

Horrocks, de sotana blanca sobre los pantalones de color caqui, con la cabeza calva reluciente, estaba de pie con un libro de oraciones sobre un terreno elevado, como un ave inútil apegada a la tierra; el único y verdadero sacerdote pero a quien conocían como el de la reserva porque nunca se aventuraba más allá de las líneas de retaguardia. Hubo algunos movimientos entre los hombres; los incrédulos encontraban la fe en el temor. Una muchedumbre se reunió alrededor del padre.

Stephen Wraysford se unió a ellos. Vio la cara todavía sucia de tierra de Jack Firebrace. Arthur Shaw, un hombre grandote y solemne a su lado.

Sus propios hombres, los que atacarían por la mañana, se arrodillaron sobre la tierra, con las caras enterradas en una mano, en un doloroso túnel propio, una oscuridad donde no había tiempo pero desde la que trataban de mirar a la muerte. El ruido del bombardeo hacía difícil distinguir las palabras del padre.

Stephen encontró algo más que humildad, una sensación de completa inconsecuencia. Apretó una mano contra su rostro, partículas de carne, patético muchacho de Lincolnshire. No temía por su sangre, sus músculos y sus huesos, sino por la magnitud de lo que había comenzado, el número de ellos que en ese momento se encontraban bajo el terrible estruendo del cielo empezaba a hacer flaquear su auto control.

Encontró la palabra "Jesús" en sus labios. Lo repitió una y otra vez, en voz baja. Era en parte una oración, en parte una profanación. Jesús, Jesús... Eso era lo peor, nada había sido como eso.

Tenía la hostia en la boca, y el vino dulce, pero quería más. La comunión terminó, pero algunos hombres no se podían volver a poner de pie. Siguieron arrodillados. Después de comulgar con sus principios, querían morir adonde estaban, sin soportar el día que les esperaba.

Stephen volvió a la trinchera y encontró a los hombres en desorden.

—Ha sido postergado por dos días —comunicó Byrne—. Está todo demasiado mojado.

Stephen cerró los ojos. Jesús, Jesús. Estaba listo para atacar.

El rostro de Gray era la imagen de la ansiedad. Se dirigieron juntos a una pequeña colina, formada por la tierra amontonada durante la excavación de un túnel.

—No debemos perder la calma —dijo Gray. Stephen se dio cuenta cuánto le costaba hacerlo. —Le voy a sintetizar el plan. La artillería arma una barrera protectora delante de ustedes. Avanzan a paso de hombre detrás de esa barrera. Cuando la barrera se levanta, se apoderan de sus objetivos, luego esperan hasta que todo recomience. Eso les proporcionará protección durante todo el camino. Los alambres alemanes ya han sido cortados y muchas de sus armas destruidas. Calculamos que las bajas serán de un diez por ciento.

Stephen le sonrió.

—¿Usted lo cree?

Gray respiró hondo.

—Le estoy impartiendo sus órdenes. Estamos en el flanco del ataque principal. Nuestro batallón debe ser flexible. Nos encontramos en medio de grandes unidades de combate. Los del Ulster, la División Veintinueve, los Incomparables, frescos, recién llegados de Gallipoli.

—¿Frescos? —preguntó Stephen.

Gray lo miró a los ojos.

—Si muero, Wraysford y usted sigue con vida, quiero que se haga cargo de la compañía.

—¿Yo? ¿Por qué no Harrington?

—Porque usted es un demonio loco y frío de corazón y eso es lo que nos hará falta.

La luz disminuía y Gray se llevó los binoculares a los ojos, tal vez por vigésima vez en ese día. Se los pasó a Stephen.

—Encima de la trinchera de la línea del frente del enemigo hay un estandarte. ¿Alcanza a ver lo que dice?

Stephen miró. Era un cartel inmenso.

—Sí, dice: "Bienvenidos a la División Veintinueve". —Se sentía descompuesto.

Gray meneó la cabeza.

—Los alambres no están cortados, ¿sabe? No quiero que se lo diga a sus hombres, pero he andado de aquí para allá con estos binoculares y le puedo asegurar que hay distancias de cien metros en las que el bombardeo no ha hecho ningún daño.

—Creí que los alambres estaban cortados desde aquí hasta Dar-es-Salaam.

—Es una fanfarronada . Haig, Rawlings, todos. No se lo diga a sus hombres, Wraysford. No les diga nada, sólo rece por ellos.

Gray enterró la cabeza entre las manos. "Aquí, su sabiduría y sus estantes llenos de libros no le sirven para nada", pensó Stephen.

En sus cuarenta y ocho horas de espera no deseada, los hombres tuvieron más tiempo para prepararse. El primer tiro resonó como un falseto. Barnes se había hecho un disparo en la boca.

Al caer la noche, escribieron cartas.

Michael Weir escribió:

"Queridos mamá y papá: Vamos a atacar. Hace días que nos dedicamos a hacer preparativos bajo tierra. Mi unidad estuvo involucrada en el trabajo y ya hemos cumplido con nuestra parte. Algunos de mis hombres se han ofrecido como camilleros voluntarios el día del ataque. Tenemos la esperanza de que este empujón terminará con la guerra. No es probable que muchos de nuestros enemigos hayan sobrevivido al bombardeo.

"Gracias por la torta y por las frutillas. Me felicito de que el jardín sea una alegría tan grande para ustedes. Les aseguro que nosotros saboreamos la fruta. Pienso a menudo en ustedes dos y en nuestra vida tranquila en casa, pero les pido que no se preocupen por mí. Prefiero que sus oraciones acompañen a todos los hombres que salgan de la trinchera para atacar. Gracias por el jabón, mamá. Hice buen uso de él. Me alegra que la velada que pasaron con los Parson haya sido tan exitosa. Por favor les pido que les den mi pésame al señor y la señora Stanton. Acabo de enterarme de lo del hijo.

"Estoy seguro de haber pagado la cuenta del sastre cuando estuve de licencia, pero si me equivoco por favor sáldenla en mi nombre. Les pagaré lo que sea en mi próxima licencia. Por favor, no se preocupen por mí. Aquí hace bastante calor. Tal vez demasiado... así que no necesito nada más, ni medias ni pulóveres. Su hijo, Michael."

Tipper escribió:

"Queridos papá y mamá: Me enviaron de regreso a unirme con mis compañeros y estoy orgulloso de estar de nuevo con ellos. Éste es un espectáculo tremendo, con todas las bandas y los hombres de otras unidades. Nuestros cañones están haciendo una exhibición fabulosa. ¡Vamos a atacar y nos morimos de ganas de darle duro a Fritz! El general asegura que no encontraremos resistencia porque nuestros cañones ya casi han terminado con ellos. Se suponía que debíamos atacar ayer, pero el clima no nos ayudó.

"La espera es tremendamente difícil. Algunos hombres están un poco deprimidos. Ese tipo Byrne, del que ya les hablé, se me acercó y me dijo que no me preocupara. Me alegra saber que hasta ahora Fred Campbell sigue a salvo.

"Bueno, queridos mamá y papá, eso es todo lo que tengo que decirles. Mañana sabremos si algún día nos volveremos a ver. No se preocupen por mí. No tengo miedo de lo que pueda esperarme. Cuando era chico, ustedes fueron muy buenos conmigo y ahora no les fallaré. Por favor, vuelvan a escribirme porque me encanta recibir noticias de casa. Por favor mándenme un par de fotografías de St. Albans. Transmítanle mi amor a Kitty. Ustedes han sido para mí los padres más maravillosos. De su hijo, John".

Stephen se ahogó al leer la carta y sellar el sobre. Pensó en el rostro macilento de Gray y en presagios de experto. Se sintió invadido por un enojo terrible. Arrancó una hoja de su libreta de anotaciones y escribió:

"Querida Isabelle: Te envío esta carta a tu casa de Amiens donde posiblemente será destruida, pero lo hago porque no tengo a nadie más a quien escribir. Estoy sentado bajo un árbol, cerca del pueblo de Auchonvillers adonde una vez vinimos a pasar el día.

"Igual que cientos de miles de soldados británicos que se encuentran en estas tierras, trato de contemplar mi muerte. Te escribo para decirte que eres la única persona a quien he amado en la vida.

"Es posible que esta carta nunca te llegue, pero quería decirle a alguien lo que se siente estando sentado en este pasto, durante este viernes de junio, sintiendo que los piojos se arrastran sobre mi piel, con el estómago lleno de guiso caliente y de té, tal vez la última comida que disfrutaré, y oyendo que sobre mi cabeza las armas claman al cielo.

"Se está por cometer un crimen contra la naturaleza. Lo siento en las venas. Estos hombres y muchachos son almaceneros y oficinistas, jardineros y padres de familia... padres de niños pequeños. Un país no puede darse el lujo de perderlos.

"Tengo miedo de morir. He visto lo que puede hacer una esquirla. Tengo miedo de permanecer todo el día tendido en un cráter hecho por una bala de cañón. Isabelle, tengo un miedo terrible de morir solo, sin nadie que me acaricie. Pero debo dar el ejemplo.

"Atacaremos a primera hora de la mañana. Acompáñame, Isabelle, acompáñame en espíritu. Ayúdame a conducir a mis hombres hacia lo que nos espera.

"Con mi amor de siempre, Stephen."

Jack Firebrace escribió:

"Querida Margaret: gracias por tu carta. No puedo expresar en palabras lo triste que estoy. Era nuestro hijo, la luz de nuestra vida.

"Pero, querida Margaret, debemos ser fuertes. Me preocupo mucho por ti, por lo que debes estar sufriendo. En cambio aquí hay cosas que borran todo otro pensamiento de mi mente.

"Creo que fue la voluntad de Dios. Nosotros hubiéramos querido conservarlo, pero Dios sabe lo que es mejor. ¿Recuerdas como solía perseguir los panaderos a lo largo del canal y las palabras graciosas con que nombraba las cosas que no podía pronunciar cuando era bebé?

"Pienso todo el tiempo en esas cosas y Dios es misericordioso. Me ha devuelto recuerdos de John cuando era chico, muchos detalles que he vuelto a recordar. Pienso en ellos por la noche, cuando me acuesto, y me consuelan. Lo imagino en mis brazos.

"Su vida fue una bendición para nosotros, un regalo de Dios. Fue el mejor regalo que pudimos recibir. Debemos estar agradecidos.

"Mañana los hombres atacarán y creo que nos espera una gran victoria. Pronto la guerra terminará y volveré a casa a cuidarte. Con amor de tu marido, Jack."

• • •

Byrne, que a diferencia de los demás no era un corresponsal frecuente, encontró un pequeño trozo de papel en el que le escribió a su hermano con mucha prolijidad, en tinta azul.

"Querido Ted: Éstas son unas líneas especiales para ti, por si no nos volvemos a ver. Mañana atacaremos, todo el mundo está animoso y confiado, convencido de que tendremos la mejor de las suertes.
"Te pido que me recuerdes a mis muchos y muy queridos amigos.
"Por favor transmíteles todo mi cariño a Ma, a Tom y a Daisy y a los chicos.
"Espero que éste sea un 'hasta pronto' y no un 'adiós'. Tu hermano que te quiere, Albert."

Cuando terminó de escribir no se decidió a cerrar el sobre. Volvió a sacar la carta y escribió diagonalmente al pie de la página:

"Ánimo, Ted, no te preocupes por mí, estoy bien."

Ocho horas antes del horario previsto para el ataque, los cañones se acallaron, reservando balas para la mañana.

Era de noche, pero ninguno de los hombres durmió. Tipper miraba con incredulidad a Leslie y a Studd. Ninguna magia ni superstición serían capaces de sacarlo ahora de allí. Su última oportunidad había desaparecido. Lo único que le quedaba por hacer era no desmoronarse antes del amanecer.

Stephen miró a Byrne que estaba a su lado. Cuando Byrne le devolvió la mirada, Stephen no pudo mantenerla y apartó la vista. Byrne acababa de adivinar.

Se acercó a Hunt, que estaba arrodillado sobre el piso de la trinchera, rezando. Le palmeó el hombro, luego le apoyó la mano sobre la cabeza. Se acercó a Tipper y le pegó un pequeño puñetazo en el hombro, luego le dio un vigoroso apretón de manos.

Smith y Petrossian, los sargentos, estaban chequeando los pertrechos, moviéndose entre los hombres renuentes.

Brennan estaba sentado solo, fumando.

—Estaba pensando en Douglas —dijo. Stephen asintió. Brennan comenzó a entonar una canción irlandesa.

Vio que Byrne extendía los brazos y acercaba a Tipper a su pecho.

—Ya no falta mucho. No falta mucho.

Alrededor de las cuatro, la hora más deprimente de la noche, reinaba un silencio mortal en la línea. Nadie hablaba. Por una vez no se oían cantos de pájaros.

Por fin hubo un poco de luz sobre las tierras altas y cayó una neblina sobre el río. Comenzó a llover.

Gray, con actitud urgente, estaba en la cabecera de la trinchera de comunicación.

—El ataque será a las siete y media.

Los comandantes de pelotones quedaron sorprendidos, incrédulos.

—¿A plena luz del día? ¿De día?

Al recibir la noticia, los hombres se espantaron.

El desayuno llegó con té en latas. Hunt inclinó sus facciones sinceras sobre un hornillo donde cocinaba tocino.

Stephen sintió que la acidez de la noche en vela pasaba de su estómago a su lengua.

Entonces llegó el ron y recomenzaron las conversaciones. Los hombres bebían con avidez. Algunos de los muchachos más jóvenes tropezaban y se reían. El fuego de artillería de los alemanes, que hasta ese momento había sido esporádico, empezó a aumentar, para sorpresa de los hombres a quienes se les había dicho que los cañones alemanes habían sido destruidos por el bombardeo.

La respuesta británica no se hizo esperar. Por fin los hombres se encontraban lo suficientemente cerca como para constatar los destrozos que hacía y eso los alegró. Studd y Leslie, con aliento a ron, movían los brazos en el aire y gritaban. Alcanzaban a ver que la tierra saltaba como fuentes frente a las trincheras alemanas.

El ruido comenzó a intensificarse. Siete y quince. Ya casi era hora. Stephen permanecía arrodillado, algunos hombres sacaban fotografías de los bolsillos y besaban los rostros de sus mujeres y sus hijos. Hunt contaba chistes tontos. Petrossian aferraba una cruz de plata.

El bombardeo llegó a su punto culminante. Sobre las cabezas de los hombres el aire estaba colmado de un ruido que no aflojaba. Era como si en el aire se apilaran olas que se negaban a romper. No se parecía a ningún sonido de este mundo.

—Jesús —murmuró Stephen—. Jesús, Jesús.

La mina explotó en el risco, un inmenso montón de tierra compacta que evisceraba el terreno. Las llamas se alzaban a más de treinta metros de altura. "Esto es demasiado", pensó Stephen. La escala de la lucha lo espantaba. Oleadas de la explosión recorrieron la trinchera. Brennan cayó hacia adelante y se rompió una pierna.

"Debemos avanzar ahora", pensó Stephen. Pero la orden no llegó. Byrne le dirigió una mirada interrogante. Stephen meneó la cabeza. Todavía faltaban diez minutos.

El fuego alemán comenzó enseguida. El borde de las trincheras británicas saltaba y escupía tierra a medida que la barrían las ráfagas de ametralladora. Stephen se agachó. Los hombres gritaban.

—¡Todavía no! —gritó Stephen. En ese momento el aire sobre la trinchera era sólido.

El minutero de su reloj se movía con lentitud. Siete y veintinueve. Tenía el silbato entre los labios. Un pie en el primer peldaño de la escalera. Tragó con fuerza y sopló.

Trepó y miró a su alrededor. Durante un instante hubo un silencio total cuando el bombardeo cesó y las armas alemanas también se acallaron. Las alondras volaban en círculos y cantaban en lo alto del cielo sin nubes. Stephen se sintió solo, como si hubiese caído en ese mundo fresco en el instante mismo de su creación.

Entonces la artillería inició la primera barrera de fuego y los disparos alemanes recomenzaron. A su izquierda Stephen vio que los hombres trataban de salir de la trinchera, pero las balas los destrozaban antes de que pudieran ponerse de pie. En los agujeros del alambre se apiñaban los cadáveres. A sus espaldas, los hombres empezaban a subir. Vio a Gray corriendo por el borde de la trinchera, mientras gritaba palabras de aliento.

Empezó a avanzar con paso vacilante, tenso y a la espera del metal que le destrozaría la carne. Volvió el cuerpo de costado, para protegerse los ojos. Estaba agazapado como una vieja en ese capullo de ruido ensordecedor.

Byrne caminaba a su lado, despacio como les indicaban sus órdenes. Stephen miró hacia la derecha. Alcanzó a ver una larga y cimbreante fila de color caqui, muñecos primitivos que avanzaban con pasos tensos y deliberados, que caían con un silencioso aleteo de brazos, que eran reemplazados, que continuaban como si se estuvieran introduciendo en un ventarrón. Trató de que su mirada se encontrara con la de Byrne, pero fracasó. Las ráfagas de ametralladora se mezclaban con los disparos de los francotiradores y el rugido de la barrera de fuego que tenían por delante.

A su derecha vio caer a Hunt. Studd se inclinó para ayudarlo y se le cayó el casco. Stephen vio que las balas de ametralladora le abrían la cabeza convirtiéndola en una mancha roja.

Se obligó a seguir avanzando sobre la tierra destrozada. A los veinte o treinta metros tuvo la sensación de estar flotando por sobre su propio cuerpo que había adquirido una vida automática propia sobre la que él no tenía poder alguno. Era como si se hubiera separado, como en un sueño, del aire metálico a través del que su carne caminaba. En ese trance hubo una especie de alivio, algo cercano a la hilaridad.

Diez metros más adelante y hacia la derecha estaba el coronel Barclay. Empuñaba una espada.

Stephen cayó. Una fuerza lo había arrasado. Estaba, temblando, en un pozo de la tierra, junto a un hombre que sangraba. El fuego enemigo estaba adelante, tan lejos. En ese momento los disparos alemanes armaban una cortina propia. La metralla arrojaba sus conos de metal por los espacios que no estuvieran llenos de balas de ametralladora.

Todo ese metal no encontrará lugar suficiente, pensó Stephen. Debía chocar por sobre sus cabezas. El hombre que se encontraba con él gritaba de una manera inaudible. Stephen le vendó la pierna, luego miró su propio cuerpo. No estaba herido. Se arrastró hasta el borde del cráter. Había otros delante suyo. Se puso de pie y comenzó a caminar de nuevo. Tal vez con ellos estaría más seguro. No sintió nada mientras cruzaba esa tierra llena de montones color caqui tendidos cada pocos metros. El peso que cargaba sobre la espalda era muy grande. Miró hacia atrás y vio una segunda linea que avanzaba hacia la tierra de nadie. Eran como oleadas. Pero los cuerpos empezaban a dificultar la marcha.

A su lado había un hombre a quien le faltaba parte de la cara pero que seguía caminando en el mimo estado, parecido a una ensoñación, con el rifle hacia adelante. La nariz se le balanceaba y Stephen alcanzó a verle los dientes a través del trozo de mejilla que le faltaba. El ruido no se parecía a nada que hubiese oído jamás. Le chocaba contra la piel, le sacudía los huesos. Recordando la orden de no detenerse para auxiliar a los que hubieran quedado atrás, siguió avanzando con lentitud y cuando el humo se levantó delante de sí, vio los alambres alemanes.

No estaban cortados. Los británicos corrían de un lado para el otro en una total confusión, buscando un lugar por donde pasar. Quedaban enganchados en los rollos donde recibían torrentes de balas de ametralladora. Sus cuerpos saltaban y se retorcían. Pero a pesar de todo lo intentaban. Dos hombres trataban en vano de cortar los alambres en medio de los cadáveres. Sus movimientos atrajeron la desdeñosa atención de un francotirador. Quedaron tendidos.

A treinta metros a la derecha de Stephen había un agujero. Corrió hacia él, a sabiendas de que sería el foco del fuego de ametralladoras desde varias direcciones. Cuando lo alcanzó, respiró hondo y se preparó para morir.

Logró pasar en medio del aire claro y comenzó a reír mientras corría y corría y luego rodaba hasta caer dentro de una trinchera, golpeándose con su pesada mochila. Estaba desierta.

"Vivo —pensó—, ¡Dios, querido, estoy vivo!" La guerra se alejó de él. Esto no es más que un pedazo de campo bajo un cielo de Francia, pensó. Más allá del ruido hay árboles, y después del valle está el río lleno de peces. Tuvo consciencia de una sed que le abrazaba la garganta y tomó su cantimplora. El líquido tibio se deslizó por su interior y lo obligó a cerrar los ojos en estado de éxtasis.

No había nadie en la trinchera. Se movió a lo largo de la tarima. Estaba maravillosamente construida, con altos parapetos y prolijas entradas a refugios profundos. Miró hacia la línea británica, cada centímetro de la cual estaba patéticamente expuesto al fuego desde esa posición de mayor altura. A través del humo del fuego alemán alcanzó a ver la hilera de soldados que seguían avanzando, arrastrados por algún lento propósito hacia el asesinato de las armas. A los veinte metros, la trinchera tenía entradas y salidas que le impedían ver lo que había detrás. Se arrastró hacia adelante y arrojó una granada al través, después se agazapó. No hubo disparos como respuesta. Se puso de pie y el borde de la trinchera le escupió tierra en los ojos a causa de una ametralladora que disparaba desde la segunda línea. Stephen supuso que casi todos los hombres que iniciaron el ataque con él debían estar muertos. La segunda oleada no había llegado tan lejos como él, y tal vez nunca lo lograran. Consideró que tal vez debería retroceder y unirse a un segundo ataque, pero sus órdenes eran avanzar hasta pasar Beaumont Hamel y hasta Beaucourt, sobre el río. Price les había dicho que la divisa de los soldados era que, ante la duda, debían avanzar.

Siguió caminando por la trinchera y encontró una escalera. Mientras las balas de una ametralladora lamían la tierra frente a sí, se arrastró hacia adelante, en terreno abierto y luego corrió, agazapado, hacia un cráter. Seis hombres de los Fusileros de Lancashire disparaban con tenacidad contra la trinchera de reserva alemana. Al deslizarse dentro del agujero, Stephen estuvo a punto de quedar empalado en una bayoneta.

Uno de los hombres que disparaba lo miró y dijo algo que él no alcanzó a oír. Por el movimiento de los labios parecía decir "maldito muerto". El hombre aferró el distintivo del regimiento de Stephen, después hizo señas de cortarse el cuello con un dedo y señaló por sobre el hombro la carnicería que era la tierra de nadie. Tenían una ametralladora Lewis en el piso del cráter y Stephen creyó entender que trataban de colocarla detrás de unos árboles desde donde podrían barrer la trinchera.

Stephen meneó la cabeza y ubicó su rifle sobre el borde del cráter. Empezó a disparar. Estuvieron una hora, tal vez dos, bajo el fuego de la segunda línea de trincheras. Las defensas alemanas casi no habían sufrido daño alguno. Los alambres no estaban cortados, los refugios se encontraban intactos. El contraataque empezaría en cualquier momento.

Stephen miró los rostros extenuados de los hombres de Lancashire. Sabían que estaban atrapados.

Algo se movió bajo sus pies. Era la cara de un hombre con la cabeza horriblemente herida. Pedía a gritos que lo mataran, pero como no pertenecía a su propio regimiento, Stephen vaciló. Le entregó su segunda cantimplora y cuando se inclinó a dársela el hombre le suplicó que le pegara un tiro. Stephen pensó que en medio del estruendo de la batalla nadie se enteraría. Disparó dos veces en dirección a sus pies. Era la primera vida que cegaba ese día.

Jack Firebrace estaba parado con Arthur Shaw sobre un terreno alto que llamaban la Colina de un Solo Arbol, observando. Creían que las tropas avanzarían sin que casi se les opusiera resistencia.

Jack murmuraba. Shaw no decía una sola palabra. Vieron que los escoceses surgían de sus madrigueras como mujeres furibundas con sus polleras al viento, y que morían en oleadas sobre la tierra de un marrón amarillento. Vieron el avance parejo de los de Hampshire que parecían haberse embarcado en un baile en cámara lenta del que se alegraban de no volver. Vieron hombres que, desde todos los rincones, caminaban, indefensos, hacia una tormenta que los devoraba.

La contribución que ellos habían hecho ese día, el enorme agujero que fue volado a las siete y veinte, había proporcionado al enemigo diez minutos para ocupar sus posiciones con tranquilidad. Junto al cráter vieron morir a una cantidad casi imposible de muchachos jóvenes. No habían llegado a disparar un solo tiro.

La escena era tan excesiva que se aferraron mutuamente los brazos con incredulidad.

—No pueden permitir que esto continúe —dijo Jack—. ¡No es posible!

Shaw estaba con la boca abierta. No le conmovía la violencia, estaba endurecido por las mutilaciones que había visto e infligido, pero lo que veía en ese momento era distinto.

"¡Por favor, Dios, que esto no siga! —rogó Jack—. Por favor que no envíen más hombres a ese huracán." El padre Horrocks se les acercó y permaneció junto a ellos. Hizo la señal de la cruz y trató de reconfortarlos con palabras y oraciones.

Jack volvió la cara para no seguir mirando, pero al hacerlo sintió que algo moría en su interior.

Shaw empezó a llorar. Llevó sus manos de minero a los costados de la cabeza y las lágrimas le surcaron la cara.

—Muchachos, muchachos —repetía—. ¡Oh, mis pobres muchachos!

Horrocks temblaba.

—Esto es media Inglaterra. ¿Que vamos a hacer? —tartamudeaba.

Pronto todos quedaron en silencio. Se produjo una erupción de la trinchera de la que surgió otra oleada que se internó en ese paisaje que parecía lunar, tal vez el regimiento de Essex o del Duque de Wellington, era imposible distinguirlos. No avanzaron más de diez metros antes de comenzar a vacilar, al principio caían de a uno, girando sobre sí mismos, después fueron más, a medida que se acercaban al fuego enemigo, luego cuando las ametralladoras los encontraron se agitaron como el trigo mecido por el viento. Jack pensó en carne, en el olor de la carne.

Horrocks se arrancó la cruz de plata que colgaba sobre su pecho y la arrojó lejos de sí.

Su antiguo reflejo persistía. Cayó de rodillas, pero no rezó. Permaneció arrodillado, con las palmas de las manos extendidas sobre la tierra, luego inclinó la cabeza y se la cubrió con las manos. Jack supo lo que acababa de morir en su interior.

Mientras se paraba sobre el cuerpo del hombre a quien acababa de matar para adquirir una mejor posición, Stephen pensó en la breve comunión de la que había gozado. Ya nada era divino; todo era profano. En medio del rugido que lo rodeaba, sólo lograba oír una palabra con claridad.

"…la maldita ametralladora …nos están comiendo vivos."

A pesar del ruido infernal, era necesario que salieran y mataran a sus asesinos. Dos hombres consiguieron colocar la ametralladora al borde del cráter, pero recibieron una andanada de balas cuando se detuvieron para arrastrar el pesado balde de las municiones. Los demás quedaron con Stephen, tratando de rendirse. Uno de los hombres que se asomó blandiendo un pañuelo blanco recibió un silencioso y preciso disparo en un ojo.

Stephen miró hacia atrás, donde una fila de tropas de apoyo se adelantaba en orden hacia ellos, organizados y equilibrados. Cuando estaban a treinta metros, entraron en el radio de tiro de las ametralladoras que los bajaron con estudiada precisión hasta que todos cayeron, del primero al último, en una línea diagonal. Ninguno de los cuerpos volvió a moverse.

Stephen le gritó en el oído al hombre que tenía al lado y éste también le gritó, pero lo único que se alcanzó a oír era que uno de ellos decía "Jesús" y el otro "maldita arma". Stephen arrojó sus dos bombas Mills hacia adelante, a corta distancia, y cuando explotaron corrió solo hacia atrás para arrojarse dentro de un pozo detrás de un grupo de álamos.

Era mediodía y en el sol hacía mucho calor. No había nubes que lo oscurecieran ni brisa que lo refrescara. El ruido no disminuía. Tomó consciencia de una aguda extenuación. Quería dormir. Buscó sus cantimploras, pero ambas habían desaparecido.

En la lucha cerca de las trincheras alemanas, reinaba la confusión. Notó que algunos hombres estaban confusos, sin saber en qué dirección debían avanzar. La trinchera a la que él entró por la mañana, había sido retomada por el enemigo. Un nuevo ataque sobre ellos se iniciaba a espaldas de Stephen.

Consideró que tenía que seguir adelante. Ya no se sentía exaltado como antes, pero cierta determinación automática parecía haber tomado su lugar. Ante todo debía beber, porque en caso contrario moriría. Tenía la lengua hinchada como la de un buey, era como tener dos lenguas dentro de la boca. Pensó en el río Ancre, colina abajo, hacia su derecha. Había perdido a todos sus hombres de manera que el lugar donde luchara no tenía importancia. Se puso de pie y empezó a correr.

Vio hombres de un regimiento colonial, tal vez canadienses, que se adelantaban hacia una hondonada. En los cuarenta minutos que demoró en bordearlos por la retaguardia, pudo ver un batallón tendido horizontal sobre el campo. Sólo tres hombres llegaron a los alambres alemanes, donde los bajaron a tiros.

Stephen corría, frenético, como en un sueño, colina abajo, hacia el río. A su derecha vio una figura familiar. Era Byrne, cuyo bíceps derecho sangraba, pero estaba vivo.

—¿Qué sucedió? —gritó.

—Nos borraron del mapa —contestó Byrne a los gritos, junto a su oído—. El coronel ha muerto. Y dos comandantes de compañía. Se supone que debemos reagruparnos y volver a atacar con los fusileros.

—¿En el río?

—Sí.

—¿Y a ti qué te sucedió?

—Regresé y volví a salir. La segunda oleada murió en la trinchera. Está tan llena de cadáveres que uno no se puede mover.

—¿Tienes agua?

Byrne meneó la cabeza.

Cerca de las líneas alemanas se cruzaron con muchachos dormidos en los cráteres. Noches de vigilia bajo el bombardeo unidas al esfuerzo de la mañana habían sido demasiado, aunque estuvieran dentro del radio de las armas enemigas.

El cañoneo volvía a empezar y Byrne y Stephen se tendieron junto a un muchacho dormido y a un hombre que debía haber muerto hacía unas horas. Tenía parte de los intestinos derramados sobre la tierra del cráter donde el sol comenzaba a cocinarlos.

A la izquierda un sargento abría la boca enorme, tratando de urgir a sus hombres para que realizaran otro asalto contra la trinchera alemana que corría hacia el camino del ferrocarril.

—Allí hay algunos de los nuestros —dijo Byrne.

Era el pelotón de Harrington, o lo que quedaba de él.

—Debemos avanzar con ellos —dijo Stephen.

Una vez más, en una línea quebrada y suicida, se encaminaron hacia la muerte de las ametralladoras. Ensangrentado y sin que le importara, Stephen observó el grupo de vidas que, con sus recuerdos y sus amores, caían al piso retorciéndose y vomitando. La muerte ya no tenía sentido pero, pese a todo, el número de los muertos aumentaba y aumentaba y en esa nueva infinidad seguía habiendo horror.

Harrington gritaba. Tenía una esquirla clavada en el costado izquierdo y buscaba tabletas de morfina con manos temblorosas. Comenzó el fuego de los francotiradores, desde los cráteres hacia las trincheras, luego un último avance. Un muchacho fue arrojado hacia atrás contra un árbol por la fuerza del disparo que acababa de recibir en el hombro, otros caían o se arrojaban al piso.

Byrne se fue acercando poco a poco al muchacho ululante. Se colocó detrás del árbol cuyo tronco lo protegía del fuego. Stephen alcanzó a ver el blanco de una venda cuando Byrne empezó a curarlo. Los camilleros avanzaban detrás de ellos, pero las balas se lo impedían.

Stephen dejó caer la cara en la tierra y permitió que ésta le llenara la boca. Cerró los ojos porque había visto bastante. "Te irás al demonio." Las últimas palabras de Azaire le llenaban la cabeza.

De alguna manera Byrne logró llevar al muchacho hasta el cráter. Stephen deseó que no hubiera podido hacerlo. Era evidente que el chico moriría.

El sargento de Harrington ordenaba a los gritos otra carga y media docena de hombres respondieron. Stephen los observó alcanzar la primera línea de alambres antes de darse cuenta de que Byrne estaba con ellos. Cuando trataba de abrirse camino a la fuerza a través de los alambres, una andanada de balas lo levantó por el aire, donde permaneció un instante suspendido, moviendo los pies y con el cuerpo lleno de proyectiles.

Stephen se quedó en el cráter con el muchacho y el hombre que había muerto por la mañana. Durante tres horas, hasta que el sol empezó a debilitarse, oyó que el muchacho pedía agua. Trató de cerrar sus oídos a la súplica. Sobre uno de los cadáveres todavía quedaba una cantimplora, aunque por un orificio de bala hubiera perdido casi todo su contenido. Lo poco que quedaba era de un marrón rojizo, agua contaminada por la tierra y la sangre. Stephen la vertió dentro de la boca ansiosa del muchacho.

A su alrededor, los hombres heridos trataban de levantarse y retroceder, pero sólo provocaban la erupción de las ametralladoras. Volvían a agacharse con tozudez y permanecían tendidos e inmóviles.

Cuando en la tierra de nadie cesó el fuego, los alemanes de la segunda trinchera comenzaron a disparar contra los cuerpos que estaban enganchados en los alambres. En el término de dos horas, lograron hacer volar la cabeza de Byrne, pedazo por pedazo, y se la arrancaron del cuerpo de tal manera que entre sus hombros solo quedaba un agujero.

Stephen oró para que llegara la oscuridad. Después del primer minuto de la mañana, en ningún instante trató de salvar su propia vida. Siempre estuvo resignado, aún en el momento en que su cuerpo se abrió a la imaginaria penetración de las balas mientras cruzaba el agujero del alambre. Lo que deseaba era que terminara el día para entrar en la nueva invisible realidad que había traído consigo.

Si cayera la noche la tierra tal vez reanudaría su proceso natural y quizás, dentro de muchos años, lo sucedido durante el día sería considerado una aberración, sería comprendido dentro del ritmo de una vida normal. Por el momento a Stephen le parecía que era al revés: que ésa era la nueva realidad, el mundo en que estaban ahora condenados a vivir, y que la sucesión de estaciones, de noche y día, habían dejado de existir.

Cuando ya no pudo soportar el olor a carne del cráter, decidió correr, sucediera lo que sucediese. Un pequeño ataque a su izquierda dirigía hacia allí las ametralladoras alemanas, y cuando juzgó que el momento era el indicado, por una cuestión de suerte o destino o superstición, corrió hacia atrás en compañía de algunos otros que no pudieron esperar que cayera la noche.

Al borde del colapso, bajó trastabillando la colina hacia el río para beber esa agua que ansiaba desde mediodía. Dejó el rifle en la orilla y se metió en el río. Dejó caer la cabeza debajo del agua barrosa y sintió que le penetraba por los poros de la piel. Abrió la boca como un pez.

Se quedó de pie en el lecho del río, tratando de recomponerse. Levantó las manos con las palmas hacia arriba, como en ademán de súplica. El ruido le apretaba la cabeza desde ambas orillas del río. No disminuía.

Pensó en Byrne, enganchado en el alambre como una cuervo aleteante. ¿Le llenarían de agua el agujero del cuello? ¿Cómo lograría beber?

Trató de apaciguar sus pensamientos. Byrne estaba muerto: no tenía necesidad de beber agua. Lo que importaba no era su muerte sino el trastorno sufrido por el mundo. Lo que importaba no eran los millares de muertos: era que hubiera quedado demostrado que uno podía ser humano y sin embargo actuar de una manera que estaba más allá de la naturaleza.

Trató de acercarse a la orilla, pero la corriente era más fuerte de lo que creyó, y estaba muy cerca de la extenuación final. Perdió pie y la corriente lo arrastró río abajo.

Estaba rodeado de alemanes en el agua. A su lado, un hombre gritaba en un idioma extranjero. Stephen se sujetó de él. Otros se aferraban unos de otros, tratando de salir. Estaba rodeado de los que mataron a sus amigos, a sus hombres. Pero de cerca, en la piel picada de viruelas y en los ojos muy abiertos, vio hombres como él. Un sargento viejo y canoso gritaba. Un muchacho, morocho, como tantos otros, sollozaba. En ese momento Stephen hizo un esfuerzo por odiarlos tanto como los había odiado antes.

Un apretujón de carne alemana, mojada por el río, que lo rodeaba, sus uniformes empapados que se acercaban a él, sin que les importara quien era. La mezcla sollozante de esas voces que pronunciaban palabras incomprensibles, gritando por sus vidas.

Sobre el río había un puente angosto de madera, una tosca construcción de los británicos. Los alemanes trataban de treparse a él, pero los soldados ingleses les pisaban las manos. Stephen levantó la vista y vio a un solitario cabo inglés, sin casco, que miraba hacia abajo con desdén.

—¡Sáqueme de aquí! —gritó—. ¡Sáqueme de aquí!

El hombre bajó un brazo y comenzó a tironear para sacarlo. Stephen sintió que otros brazos lo aferraban desde el agua. Conseguirían arrastrarlo. El cabo disparó su arma en dirección al río y Stephen se encontró sobre el puente. Algunos lo miraron, sorprendidos.

—Son prisioneros —explicó el hombre que lo acababa de sacar—. ¿Por qué los vamos a ayudar a cruzar el río?

Stephen cruzó el puente hasta la orilla opuesta, y se acostó sobre el pasto.

Isabelle, el cuarto colorado, la casa de su abuelo… Trató de enfocar su memoria en fragmentos decididos de recuerdos, de crear un futuro posible a partir del pasado. Fijó la mente en el olor a humedad de la oficina del empleado del East India Docks. Durante un par de minutos vivió en el cuarto ubicado sobre el muelle.

Anochecía, pero la luz iba desapareciendo con lentitud y con ella, el ruido.

Stephen recobró la curiosidad. Quería enterarse de lo sucedido. Esa mañana inició el ataque y, estuviera donde estuviese, debía seguir avanzando.

El peso de la mochila, ahora empapada, le pareció tan tremendo que olvidó que no llevaba un rifle. Arriba y a la derecha se encontraba el gran bosque de Thiepval.

Se irguió y empezó a caminar hacia las líneas alemanas. Sintió un impacto en la cabeza, como si le hubieran pegado con un ladrillo lanzado a gran velocidad, y cayó al piso.

La siguiente cara que vio no fue la del oficinista, ni la de Isabelle, ni la de su madre, como de alguna manera esperaba, sino la de uno de los zapadores de Weir.

—¡Vaya si está lejos de su hogar! Debe haber recorrido como dos kilómetros —dijo el hombre mientras desenrollaba una venda.

Stephen lanzó un gruñido. La voz del hombre ya le resultaba demasiado; parecía surgida de otra época.

—Me llamo Tyson. Nos obligaron a ofrecernos como voluntarios, si entiende a lo que me refiero. Dejaron de atacar desde allá arriba donde nos encontrábamos. Y nos ordenaron que bajáramos hasta aquí. Todos los camilleros murieron. Los del Ulster resistieron allá arriba. Los suyos también.

—¿Qué tengo?

—Yo diría que una herida superficial. En la pierna izquierda. Nada del otro mundo. Enviaré al capitán Weir.

Stephen se acostó en el cráter poco profundo. No sentía ningún dolor en la pierna.

Price pasaba lista. Delante suyo estaban parados los hombres de la compañía que habían logrado regresar. En la oscuridad sus rostros estaban grises.

Para empezar preguntó por el paradero de cada uno de los hombres que faltaban. Pero al rato comprendió que eso resultaría muy largo. Los sobrevivientes no estaban seguros acerca de los que habían visto muertos. Tenían las cabezas bajas, extenuados, como si cada órgano de sus cuerpos suplicara que los dejaran descansar.

Price comenzó a acelerar el proceso. Se apresuraba de un nombre que no obtenía contestación al siguiente. Byrne, Hunt, Jones, Tipper, Wood, Leslie, Barnes, Studd, Richardson, Savile, Thompson, Hodgson, Birkenshaw, Llewellyn, Francis, Arkwright, Duncan, Shea, Simons, Anderson, Blum, Fairbrother. Los nombres resonaban en la penumbra, truncando la continuidad de sus antepasados, desolando los pueblos y ciudades a los que llegaría el telegrama, las casas donde se cerrarían las persianas, donde por la tarde surgirían suaves quejidos detrás de las puertas cerradas; y los lugares donde habían nacido, que serían como conventos, como ciudades muertas en las que faltarían sus vidas y sus propósitos. Lugares sin el sonido de padres y sus hijos, sin hombres jóvenes trabajando en fábricas y en los campos, sin maridos para las mujeres, sin voces profundas en los bares, sin los niños que pudieran haber nacido, que deberían haber crecido y trabajado o pintado, y hasta gobernado, que quedaron sin generar en los cuerpos destrozados de sus padres que se encontraban tendidos en cráteres malolientes de una tierra labrada; cuerpos en cuyos hogares en lugar de seres vivos sólo se colocarían placas de mármol sobre cuya superficie inhumana el musgo y los líquenes arrojarían su verde indiferencia.

De los 800 hombres que habían cruzado el parapeto de la trinchera, sólo 155 contestaron al oír sus nombres. Price le ordenó a su compañía que rompiera filas, aunque lo dijo sin ladrar como era su costumbre; más bien lo dijo con bondad. Los hombres intentaron volverse, luego, muy tiesos, se plegaron a una nueva formación, junto a hombres a quienes nunca habían visto hasta entonces. Cerraron filas.

Jack Firebrace y Arthur Shaw los esperaron y les preguntaron como les había ido. Los hombres siguieron caminando como en un sueño y no contestaron. Algunos escupían o se echaban atrás el casco; la mayoría miraba hacia abajo, con rostro inexpresivo pero lleno de dolor. Se dirigieron a sus carpas y se acostaron.

Afuera en su cráter, mirando la colina hacia Thiepval, Stephen seguía tendido, esperando la completa oscuridad.

Michael Weir se deslizó a su lado.

—Tyson me indicó donde estabas. ¿Cómo está tu pierna?

—Está bien. Podré moverme. ¿Qué estás haciendo acá?

—Me ofrecí como voluntario. La línea del frente es un caos. No hay bastantes trenes para sacar a los hombres. Los puestos de primeros auxilios están desbordados. La trinchera de la que partiste no es más que una masa de cuerpos, de hombres que nunca pudieron salir siquiera. —Weir hablaba con voz temblorosa. Estaba recostado contra la pierna herida de Stephen. —Dos de los generales se han suicidado. Es terrible, es terrible, es...

—Tranquilízate, Weir, tranquilízate. Y muévete un poco para ese lado.

—¿Así está mejor? ¿Qué te sucedió?

Stephen suspiró y se recostó contra la tierra. El ruido disminuía. La artillería de ambos bandos había dejado de atacar, aunque de vez en cuando se oían ocasionales ráfagas de ametralladoras y los disparos de francotiradores.

—No recuerdo —contestó Stephen—. No lo sé. Los vi matar a Byrne. Al principio creí que nos iba bien. Después me encontré en el río. No sé. ¡Estoy tan cansado!

Estaba oscuro por fin. La noche cayó en oleadas sobre ellos y por fin las armas se silenciaron.

La tierra empezó a moverse. A la derecha de donde se encontraban, un hombre que había permanecido inmóvil desde el primer ataque, se irguió y volvió a caer cuando su pierna herida no lo sostuvo. Otros se fueron moviendo y comenzaron a salir de sus cráteres, rengueando, arrastrándose, reptando casi. A los pocos minutos la colina estaba plagada de heridos que intentaban regresar a sus líneas.

—¡Dios! —murmuró Weir—. No tenía idea de que hubiera tantos hombres aquí afuera.

Era como la resurrección de un cementerio de dieciocho kilómetros de largo. Una multitud de figuras inclinadas y llenas de dolor avanzaba sobre la tierra destrozada, rengueando y arrastrándose de regreso para reclamar sus vidas. Era como si la tierra estuviera vomitando una generación de seres dormidos, cada uno de ellos distinto a los demás, pero relacionado con esos hermanos retorcidos que se alzaban sobre la tierra renuente.

Weir temblaba.

—Está bien —lo tranquilizó Stephen—. Los disparos han cesado.

—No se trata de eso —contestó Weir—. Es el ruido. ¿Alcanzas a oírlo?

Stephen no había notado nada más que el silencio que siguió a los disparos. Pero en ese momento, al escuchar, comprendió a qué se refería Weir: era un quejido bajo y continuo. No alcanzaba a distinguir ningún dolor individual, pero el sonido corría hasta el río hacia la izquierda, y trepaba la colina en una distancia de aproximadamente un kilómetros o más. A medida que sus oídos se acostumbraron a la ausencia de disparos, Stephen lo empezó a oír cada vez con mayor claridad: tuvo la sensación de que era la tierra misma la que gemía.

—¡Oh, Dios! ¡Oh, Dios! —Weir empezó a llorar. —¿Qué hemos hecho? ¿Qué hemos hecho? Escúchalo. Hemos hecho algo terrible y nunca volveremos a lo que era antes. —Stephen le apoyó la mano sobre un brazo.

—Cállate —pidió—. No debes dejarte llevar por la angustia.

Pero sabía lo que Weir sentía porque él mismo lo estaba sintiendo. Mientras escuchaba la protesta de la tierra, escuchó el sonido de un mundo nuevo. Si no luchaba por controlarse, tal vez nunca regresara a la realidad en la cual había vivido.

—¡Oh, Dios! ¡Oh, Dios! —Weir temblaba y sollozaba mientras el sonido se alzaba como un viento húmedo que raspaba un cielo de vidrio.

Stephen permitió que por un momento su mente cansada se alejara de allí. Se encontró siguiendo el sonido hasta entrar en un mundo donde sólo reinaba el pánico. Se despertó sobresaltado e hizo un esfuerzo por volver a la vieja vida que ya no podría ser la misma pero que, tal vez, si él creía en ella, pudiera continuar.

—Abrázame —pidió Weir—. ¡Por favor, abrázame!

Se arrastró por la tierra y apoyó la cabeza sobre el pecho de Stephen.

—Llámame por mi nombre de pila —dijo.

Stephen le rodeó los hombros con un brazo.

—Está bien, Michael —dijo—. Está bien, Michael. Debes contenerte. No te dejes llevar. ¡Aférrate de mí! ¡Aférrate!

TERCERA PARTE

Inglaterra, 1978

En el túnel del subterráneo, en plena oscuridad, Elizabeth Benson suspiró con impaciencia. Quería llegar a su casa para saber si había cartas o por si llegaba a sonar el teléfono. A causa de la aglomeración de pasajeros, tenía un abrigo de invierno apretado contra la cara en el pasillo del vagón. Elizabeth colocó la pequeña valija más cerca de sus pies. Esa mañana acababa de llegar de un viaje de negocios de dos días por Alemania y se dirigió directamente de Heathrow a su trabajo, sin pasar por el departamento. Por culpa de las luces apagadas no podía leer el diario. Cerró los ojos y trató de que su imaginación la alejara de ese tren detenido en el túnel angosto.

Era viernes a la noche y estaba cansada. Llenó su mente de imágenes agradables: Robert al anochecer con las sienes canosas y los ojos llenos de planes para la noche; un abrigo diseñado por ella realizado por los fabricantes y que en ese momento colgaba de su forro de polietileno.

En el vagón había un loco que comenzó a cantar viejas canciones.

—"Tipperary queda muy lejos..." —Lanzó un gruñido y se calló, como si alguien le hubiera clavado un codo al abrigo de la oscuridad.

El tren reinició la marcha por el túnel y las luces se encendieron. Al llegar a Lancaster Gate, Elizabeth se abrió paso por entre los abrigos y logró llegar al andén. Le resultó un alivio estar arriba, en la lluvia, donde el tránsito avanzaba con el chirrido de neumáticos mojados sobre las hojas que habían volado a través de la verja que cerraba Hyde Park. Inclinó la cabeza para protegerse de la llovizna, y avanzó hacia donde la luz verdosa de un negocio de segundo orden le daba su vulgar bienvenida.

Instantes después depositó la valija y la bolsa de plástico sobre los escalones de entrada mientras abría la puerta de la casa victoriana. La correspondencia todavía seguía en el buzón de la puerta principal: postales para las chicas que vivían arriba, sobres amarillos para los cinco departamentos, una factura de gas para la señora Kyriades y, para ella, una carta de Bruselas.

Una vez arriba, en su departamento, se preparó un baño de inmersión y cuando estuvo dentro del agua, abrió el sobre.

Si Robert decidía escribir además de sus llamados telefónico cortos y temerosos, por lo general quería decir que se sentía culpable. Eso o bien era cierto que lo retuvo el trabajo de la Comisión y ni siquiera tuvo tiempo para estar en su casa a ver a su mujer.

211

..."Una cantidad de trabajo apabullante ...un informe aburrido leído por la delegación británica... la semana que viene en Luxemburgo... espero llegar a Londres el sábado... la fiesta de mitad de año de Anne..."

Elizabeth depositó la carta sobre la alfombra de baño y sonrió. Había muchas frases familiares y no sabía hasta qué punto creía todo lo que Robert le decía, pero por lo menos al leerlas sentía una oleada de cariño hacia él. El agua caliente se cerró sobre ella cuando se deslizó completamente dentro de la bañadera. Sonó el teléfono.

Desnuda y goteando sobre la alfombra de la sala de estar, se llevó el receptor a la oreja mientras se preguntaba, como le sucedía siempre, si el tubo tendría electricidad y si su oreja mojada sería conductora de un *shock* que recibiría en el cerebro. La que llamaba era su madre, para preguntarle si al día siguiente quería ir a Twickenham a tomar el té. Cuando por fin aceptó, Elizabeth estaba seca. Le pareció que no valía la pena que se volviera a meter en la bañadera. Marcó un número de Bruselas y escuchó el típico campanillazo de los teléfonos europeos. Sonó veinte, treinta veces sin que nadie atendiera. Imaginó la sala de estar desordenada, con sus pilas de libros y de papeles, los ceniceros desbordantes de colillas y las tazas sin lavar, en la que el teléfono hacía sonar su campanilla.

En el vestíbulo que daba a la terraza del departamento de un último piso de Mark y Lindsay, se intercambiaban los saludos alrededor de un cochecito. En un gesto que conservaba desde sus días de universidad, Elizabeth le ofreció a Mark una botella de vino. Al entrar en la sala de estar cuya pared divisoria había sido derribada para ampliarla, Elizabeth se internó en una rutina tan familiar que se descubrió conversando, sonriendo y comportándose como si siguiera un programa predeterminado. Algunas veces, cuando iba a visitar a Mark y a Lindsay, ellos ya tenían otros invitados. Esa noche eran una pareja de la calle vecina y un hombre que estaba sospechosamente solo. De repente Elizabeth se encontró con un cigarrillo en la mano y un trago de vino tinto deslizándosele por la garganta.

Eran sus amigos más antiguos con quienes la unían experiencias compartidas. Aunque muchas veces Elizabeth pensaba que si recién se conocieran no serían amigos tan íntimos, el lazo que los unía era sorprendentemente emotivo. Lindsay era una mujer impulsiva y de tendencia dominante; Mark un hombre bondadoso y casero sin ambiciones determinadas. Cuando tenían poco más de veinte años, muchas veces invitaban a personas que trataban de impresionar con historias importantes acerca de sí mismos, o ansiosos por reclamar posiciones políticas inabordables para el resto; pero en la actualidad, las veladas adquirían un curso amistoso, poco inspirado. Para Elizabeth, a los treinta y ocho años, eran un recordatorio de lo poco que las vidas de todos ellos habían cambiado. En algún momento los demás iniciarían una conversación sobre comportamientos y colegios y ella se veía obligada a cerrar sus oídos, en parte por aburrimiento, en parte por una angustia que no se atrevía a confesarse.

Lindsay también pasó por una etapa en que cada vez que sabía que Elizabeth iría a su casa, invitaba a hombres solteros y sin compromisos. Durante dos o tres años, ese trío de viejos amigos se vio aumentado por una variedad de hombres solteros, desesperados, divorciados, borrachos o, muchas veces satisfechos de ser lo que eran.

—Tu problema —le dijo Lindsay una vez—, es que asustas a los hombres y los ahuyentas.

—¿Problema? —contestó Elizabeth—. No sabía que tenía un problema.

—Ya sabes a qué me refiero. Mírate. Tienes el aplomo que te dan tus vestidos elegantes y tu belleza parecida a la de Anouk Aimée.

—Me haces sentir una mujer de mediana edad.

—Pero sabes a lo que me refiero. En realidad, los hombres son criaturas muy tímidas. Hay que ser suaves con ellos. Lograr que se sientan seguros. Por lo menos al principio.

—¿Y después uno puede hacer lo que se le dé la gana?

—¡Por supuesto que no! Pero mírate, Elizabeth. Tienes que ceder un poco. ¿Recuerdas a ese hombre llamado David a quien te presenté? Es muy bondadoso, completamente de tu tipo. Pero no le diste una oportunidad.

—Pareces olvidar que ya tengo novio. No necesito flirtear con Dennis ni con David ni con ningún otro. Ya estoy comprometida.

—¿Te refieres al europeo?

—Se llama Robert.

—Ese hombre nunca dejará a su mujer. Lo sabes, ¿no es verdad? Todos dicen que lo harán, pero jamás lo hacen.

Elizabeth sonrió con serenidad.

—No me importa si la deja o no.

—¿No me digas que no preferirías estar casada?

—No lo sé. Tengo un trabajo que me gusta. Gente a quien debo ver. De repente no puedo dedicar mi tiempo a buscar marido.

—¿Y qué me dices de los hijos? —preguntó Lindsay—. Supongo que también dirás que tampoco te interesa tener hijos.

—¡Por supuesto que me gustaría tener hijos! Pero creo que necesito saber por qué.

Lindsay lanzó una carcajada.

—No es necesario saber absolutamente nada. Se llama biología. Tienes treinta y nueve años.

—En realidad son treinta y ocho.

—Tu cuerpo te indica que te queda poco tiempo. No eres diferente a los millones de otras mujeres que hay en el mundo. ¡No te hace falta un motivo, por amor a Dios!

—Yo creo que sí. Creo que uno debería tener alguna clase de motivo para hacer algo que, en sí mismo, es completamente innecesario.

Lindsay sonrió y meneó la cabeza.

—Esta es una conversación de solteronas.

Elizabeth rió.

—Está bien. Te prometo que lo intentaré. Haré todo lo posible por enamorarme espontánea y exóticamente de Dennis...

—David.

—Con cualquiera que se te ocurra presentarme.

Después de haberse dado por vencida, esa noche Lindsay hizo un intento final: un hombre llamado Stuart. Tenía pelo rubio rizado y anteojos. Hacía girar, con aire pensativo, un gran vaso de vino entre sus largos dedos.

—¿A qué te dedicas? —le preguntó a Elizabeth.

—Dirijo una empresa de costura. —No le gustaba que le hicieran esa pregunta. consideraba que la gente debía preguntarle a sus nuevos conocidos quiénes eran en lugar de lo que hacían, como si creyeran que los definía el trabajo que realizaban.

—Dices que la diriges. Entonces eres el jefe ¿verdad?

—Así es. Empecé hace como quince años como diseñadora, pero luego decidí que me interesaba más la parte comercial. Formamos una nueva compañía de la que soy gerente comercial.

—Comprendo. ¿Y cómo se llama esa compañía? —preguntó Stuart.

Elizabeth se lo dijo y él agregó:

—¿Debería conocerla?

—Abastecemos a un par de supermercados, pero ellos le ponen su nombre a las prendas que confeccionamos nosotros. Además hacemos una pequeña cantidad de lo que nos gusta llamar "couture" con nuestra propia marca. Tal vez hayas visto el nombre de mi empresa en ese contexto.

—¿Y exactamente qué significa la palabra "couture"?

Elizabeth sonrió.

—Es lo que por lo general se llama a los vestidos.

A medida que avanzaba la velada y Stuart abandonó el tono defensivo de su abierto interrogatorio, Elizabeth descubrió que le gustaba bastante. Estaba acostumbrada a la reacción que la gente tenía hacia ella. Muchos suponían que la mujer debía elegir entre el trabajo y el matrimonio y que, si abrazaba con entusiasmo su trabajo, con tanto más vigor debía rechazar la idea de tener hijos o marido. Elizabeth renunció a tratar de dar explicaciones. Había empezado a trabajar porque necesitaba ganarse la vida y tuvo la suerte de encontrar un trabajo interesante en lugar de uno aburrido; trató de tener éxito en lugar de fracasar. No comprendía por qué esos tres pasos lógicos implicaban un violento rechazo a los hombres o a los chicos.

Stuart le dijo que tocaba el piano. Hablaron sobre lugares que conocían. Él no le hizo una larga exposición acerca de los mercados de capital ni se enfrascó en una discusión competitiva con Mark; tampoco flirteó con ella de una manera evidente. Se rió de alguna de las cosas que ella le decía, aunque Elizabeth notó que en la diversión de Stuart había un dejo de sorpresa, como si por algún motivo no esperara que fuese alegre. Cuando no le pidió su número de teléfono, Elizabeth se sintió aliviada, aunque apenas algo desilusionada.

Mientras recorría el habitual camino hacia su casa, del otro lado del río, pensó en lo que significaría estar casada. Justo en el Fulham Road ABC habían construido un pavimento que se internaba en el camino para que fuese imposible de pasar para tránsito pesado. Elizabeth siempre inhalaba, en un esfuerzo por logar que su coche pequeño fuese aún más pequeño para que pasara entre los postes, ya manchados por la pintura de vehículos más anchos que se habían raspado contra ellos. Tal vez, si estuviera casada, su marido sería quien manejara. Cosa bastante probable a juzgar por los matrimonios que conocía.

Cuando entró al departamento era la una. Al encender la luz del living vio la valija todavía sin vaciar. Se encaminó a la cocina para hacerse un poco de té, pero recordó que no había comprado leche. Junto a la pileta de la cocina estaban su taza y su plato de desayuno, donde los había dejado dos días antes, en su apuro por no llegar tarde al aeropuerto.

Suspiró. No importaba. El día siguiente era sábado y dormiría todo lo que se le diera la gana. Podría leer el diario en la cama con la radio encendida para que le proporcionara una suave música de fondo y sin que nadie interrumpiera su tranquila rutina.

No fue tan sencillo como ella creía. Para empezar, tuvo que vestirse y salir a comprar leche. Después, cuando estaba instalada en la cama con el diario y una tetera humeante, el teléfono sonó dos veces.

Después vivió una hora de perfecta soledad. El artículo de fondo del diario se refería al 60 aniversario del armisticio de 1918. Había entrevistas a veteranos y comentarios de varios historiadores. Elizabeth lo leyó con una sensación de desesperanza: el tema parecía demasiado importante, demasiado pesado y demasiado remoto para que ella lo absorbiera en ese momento. Sin embargo, algo en él la angustiaba.

Por la tarde se dirigió a Twickenham en auto. El contador de la empresa le había aconsejado que usara un auto grande de propiedad de la compañía. Con eso impresionaría a los clientes y además resultaba conveniente para descargar impuestos. Elizabeth compró un imponente automóvil sueco, lento para acelerar y con tendencia a no arrancar.

—El problema es que trabajas demasiado —dijo su madre mientras le servía el té de una tetera adornada por pequeñas rosas rosadas.

Françoise tenía poco más de sesenta años, era una mujer bonita con la cara surcada de arrugas y expresión suave. Conservaba cierta dignidad que le conferían su postura y la luz de sus ojos azules. A pesar de que su pelo canoso le daba aspecto de abuela, en su piel y en la textura de su rostro se podían notar las etapas anteriores vividas: el pelo conservaba vestigios de rubio; los episodios de su madurez y aún de su infancia se podían leer en los planos abiertos y sólo superficialmente marcados de su rostro.

Elizabeth sonrió y estiró las piernas hacia el fuego. Las conversaciones que mantenía con su madre siempre eran previsibles, pero sólo hasta cierto punto. Por cierto que Françoise quería que su hija fuera feliz y no le gustaba verla cansada cuando iba a visitarla, pero no suponía, como Lindsay, que el matrimonio sería la solución de todos sus problemas. Ella era la esposa de un bebedor llamado Alec Benson, a quien desilusionó que Elizabeth no fuera varón y que, poco después del nacimiento de su hija desapareció, rumbo a África en pos de una mujer a quien había conocido en Londres. De vez en cuando regresaba y Françoise, paciente, lo recibía y le brindaba un hogar. Le seguía teniendo cariño a su marido, pero deseaba algo mejor para su hija.

Sobre la repisa de la chimenea había una fotografía de Elizabeth a los tres años en brazos de su abuela. Era un axioma familiar que ella "adoraba" a la nieta a quien le resultaba desconcertante no recordarla, porque la anciana murió al año de haber sido tomada esa fotografía. Allí estaba en la fotografía, sin duda feliz con su nieta, aunque ese amor no retribuido tuviera una cualidad fantasmal y enervante para Elizabeth.

—Estuve leyendo un artículo sobre el aniversario del Armisticio —le comentó a la madre.

—Sí, los diarios están llenos de ese tema, ¿verdad?

Elizabeth asintió. Si sabía poco acerca de su abuela, sabía aún menos acerca de su abuelo. De vez en cuando Françoise mencionaba "esa guerra espantosa", pero Elizabeth nunca le prestó atención. En realidad le daba vergüenza interrogar a su madre acerca del abuelo, porque con eso no haría más que revelar su ignorancia. Pero algo en el artículo sobre la guerra que leyó esa mañana la inquietaba: era como si rozara una zona de inquietud y de curiosidad que se relacionara estrechamente con su propia vida y con sus elecciones.

—¿Todavía conservas algunos de los viejos papeles de tu padre? —preguntó.

—Creo que los tiré casi todos cuando me mudé. Tal vez queden algunas cosas en el altillo. ¿Por qué lo prenguntas?

—No sé. Sólo estaba pensando. Me inspira cierta curiosidad. Debe relacionarse con mi edad actual.

Françoise alzó una ceja, que en ella era lo más cercano a hacer preguntas sobre la vida personal de su hija.

Elizabeth se pasó la mano por el pelo.

—Creo que es peligroso perder contacto con el pasado. Hasta ahora nunca lo sentí. Estoy segura de que es algo que tiene que ver con mi edad.

Lo que describía como una leve curiosidad cristalizó en su interior como una firme determinación. Comenzando por el contenido del altillo de su madre, le seguiría el rastro a ese hombre: y remediaría haber demorado tanto en interesarse por él, poniendo toda su energía en la tarea. Por lo menos sería una manera de comprenderse mejor.

Elizabeth se peinó frente al espejo. Lucía una pollera de gamuza, botas de cuero y un suéter negro de cachemira. Se echó atrás de las orejas el pelo oscuro y espeso y volvió la cabeza hacia un lado para ponerse los aros. Tenía un poco de máscara en las pestañas; la palidez de su piel le daba un aspecto menos gálico que el que sugería Lindsay, pero a pesar de todo su rostro tenía algo de dramático que un exceso de maquillaje habría exagerado demasiado. De todos modos recién era lunes por la mañana, hora de emprender su caminata hasta la estación de subterráneo de Lancaster, con la boca todavía ardiendo por la taza de café apresurada que se recalentó mientras la radio le informaba que ya eran más de las ocho y media. El tren de la Central Line cabía en su túnel como una bala en el caño de un rifle. Cuando llegó a su repentino, acostumbrado, oscuro e inexplicable detenimiento entre Marble Arch y Bond Street, Elizabeth alcanzó a ver los caños y los cables del túnel a sólo centímetros del vagón. Era la línea más profunda y calurosa de Londres, cavada por obreros sudorosos que trabajaban por la paga diaria de un marinero. Volvieron a iniciar la marcha con misteriosa suavidad y entraron en Bond Street donde esperaba una muchedumbre demorada. Elizabeth bajó en Oxford Street y se encaminó hacia el norte por entre una multitud de peatones, luego dobló a la izquierda hacia la zona de las tiendas.

Una vez por semana y a veces con más frecuencia, iba a visitar a Erich y a Irene, los principales diseñadores de la compañía. Cinco años antes, cuando se fundó la nueva empresa, ambos se negaron a mudarse de su vieja oficina y ni siquiera se avinieron a cambiar el nombre en la chapa de la puerta.

Como ya era tarde, no tendría importancia que Elizabeth se detuviera en el café italiano del barrio. Ordenó tres cafés para llevar y Lucca, el empleado regordete, rompió una caja para que ella utilizara el cartón del fondo como bandeja, para balancear los cafés durante algunos metros en su precario camino hasta la puerta que ostentaba una placa de bronce que decía: Bloom, Thompson, Carman. Venta al por mayor. Fabricación y Diseño.

—Lamento haber llegado tarde —exclamó Elizabeth al bajar del ascensor en el segundo piso y encaminarse hacia la puerta abierta.

Colocó la improvisada bandeja sobre el escritorio que en broma conocían como "Recepción" y regresó a cerrar las puertas del ascensor.

—Te traje un café, Erich.

—Gracias —dijo Erich, saliendo de una habitación interior. Era un hombre de poco más de setenta años, de pelo canoso y anteojos de marco de oro. Su suéter tenía agujeros tan grandes en los codos que, en realidad, era como si no tuviera codos. Los cigarrillos que fumaba uno tras otro y las bolsas que tenía bajo los ojos le daban un aire de cansancio sólo desmentido por los movimientos nerviosos de sus dedos cuando marcaba los números en el dial del teléfono, o por la forma en que cortaba las piezas de tela.

—El tren se detuvo en el túnel, como siempre —explicó Elizabeth.

Se sentó en el borde del escritorio, después de mover con la cadera una serie de revistas, libros de diseños, facturas y catálogos. Bebió peligrosamente el café muy caliente del vaso de plástico. El café tenía gusto a bellota, a tierra y a vapor.

Erich la miró con tristeza, y le recorrió el cuerpo con la mirada, desde el espeso pelo negro hasta las botas de cuero.

—Mírate. ¡Qué esposa habrías sido para mi hijo!

—Bebe tu café, Erich. ¿Irene todavía no llegó?

—¡Por supuesto, por supuesto! Llegó a las ocho y media. Ya te dije que a las doce vendrá un importante comprador.

—¡Por eso tu traje de Savile Row?

—No me molestes, mujer.

—Por lo menos cepíllate el pelo y sácate ese suéter.

Le sonrió y pasó a la sala de trabajo para ver a Irene.

—No lo digas —dijo Elizabeth.

—¿Qué? —preguntó Irene, apartando la mirada de la máquina de coser.

—Mira lo que te he traído.

—No pensaba mirar —contestó Irene—. Tengo demasiado trabajo para hablar de tonterías.

—Aquí tienes un poco de café. ¿Pasaste un buen fin de semana?

—No estuvo mal —contestó Irene—. Mi Bob no se sentía bien el sábado a la noche. Pero resultó que sólo era un poco de indigestión. Él temía que fuera apendicitis. ¡Y no sabes lo que se quejó! ¿Cómo está tu Bob?

—¿Mi Bob? No me llamó. No sé. Me escribió una carta, pero no es lo mismo, ¿verdad?

—No necesitas decírmelo. Mi Bob nunca ha apoyado una lapicera sobre papel a menos que sea en el cupón de Littlewoods.

—Yo creí que era experto en arqueología.

Irene alzó una ceja.

—No deberías ser tan literal, Elizabeth.

Elizabeth hizo espacio en su escritorio y comenzó a hacer llamados telefónicos. Debía concertar reuniones, visitar un almacén de telas, aplacar a algunos compradores. En 1935, cuando Erich llegó de Austria, había dejado en Viena una serie de clientes desilusionados que estaban dispuestos a pagar bien sus diseños. Al principio empleó a Irene como costurera, pero a medida que su propia energía disminuía, empezó a depender de ella. Elizabeth se asoció con ellos quince años después, cuando los cuadernos de pedidos de ambos empezaban a quedar vacíos. Tomó tiempo detener la caída, pero después la compañía creció con rapidez. En el cuartel general de Epson empleaban a quince personas y la empresa floreció en una época de dificultades económicas. La inflación comía parte de las ganancias antes de que éstas llegaran al banco; igual que Weimar, decía Erich. Aún en el éxito, su punto de vista era sombrío, pero su inspiración estaba casi extenuada y la mayoría de los diseños más exitosos de la compañías pertenecían a gente más joven contratada por Elizabeth.

A la hora del almuerzo, cerraron la oficina y se encaminaron al café de Lucca.

—Hoy la lasaña está especial —recomendó Lucca, con una lapicera apoyada sobre un anotador.

—Bárbaro —dijo Elizabeth—. Comeré lasaña.

—Buena elección *signora* —aprobó Lucca. Le gustaba pararse cerca de Elizabeth para que su vientre prominente se apretara contra el suéter de cachemira de ella. —Le traeré un poco de ensalada.

A su manera siempre implicaba que eso era un regalo especial para Elizabeth, acompañado de pequeñas tajadas de hinojo fresco y trozos de champiñones salvajes llegados esa mañana por avión desde Pisa y preparados por él mismo en secreto por temor a despertar la envidia de otros clientes. Rociaba los champiñones con el mejor aceite de oliva y los omitía en la cuenta.

—Sin demasiada cebolla, por favor —pidió Elizabeth.

—Yo sólo beberé un poco de vino —decidió Erich.

—Para mí también lasaña —dijo Irene.

Lucca se alejó y, al mirarlo desde atrás, se le veía la piel bajo una rasgadura de los pantalones a cuadros. Regresó con un litro de vino tinto y tres vasos, uno de los cuales llenó.

Elizabeth contempló el restaurante que se estaba llenando de personas que habían salido a hacer compras, de obreros y hasta de turistas dedicados a inspeccionar las tiendas de Oxford Street.

Ésas eran las líneas de su vida, ésas las cosas que la concernían. Libros de pedidos y las ensaladas de Lucca; los esperados llamados de Robert y las críticas de Lindsay y de su madre. Huelgas y crisis económicas. Tratar de no fumar pero mantener una vigilancia interminable sobre su peso. Planear unas vacaciones en compañía de tres o cuatro personas más en una casa española alquilada; un fin de semana robado con Robert en Alsacia o aún en la misma Bruselas. Su ropa, su trabajo, su departamento que mantenía ordenado sólo con la ayuda de una visita semanal de la mucama mientras ella estaba en el trabajo. Ningún sistema elaborado de jardín de infantes, de niñeras diurnas ni de ayuda, tema exhaustivamente discutido por sus amigas casadas. Londres cuando se aproximaba el invierno, el ulular del tránsito a través del parque y las caminatas en las frías mañanas de domingo que siempre terminaban en joviales encuentros en bares de Bayswater que parecían durar una hora más de lo necesario. Y la sensación de la existencia de una vida interior más importante, confirmada por los cuadros que veía en galerías, por los libros que leía, pero sobre todo por las películas; algo trunco, algo que tenía necesidad de comprender.

A veces viajaba sola a las regiones más salvajes del norte de Inglaterra, donde leía o caminaba. No se compadecía porque no veía nada de que compadecerse; las preocupaciones de su vida le resultaban interesantes. En guías de viaje encontraba pequeñas posadas donde a veces entablaba conversación con los dueños o con otros pasajeros, y otras veces sencillamente leía junto al fuego.

En una ocasión, en un pueblo de los Dales, un muchacho de no más de diecinueve años empezó a conversar con ella en un bar. Elizabeth tenía puestos sus anteojos de leer y un grueso suéter gris y blanco. Él tenía pelo rubio y una barba poco convincente. Estaba en la Universidad y había salido a caminar para leer las materias de su carrera. Se mostraba incómodo con ella y utilizaba frases hechas que denotaban ironía, como si se refiriera a libros o a películas que ambos conocían. Parecía incapaz de decir algo sin sugerir que era una cita de alguien más. Después de haber bebido dos o tres vasos de cerveza se tranquilizó un poco y le habló de sus estudios de zoología y de las novias que tenía en su pueblo. Implicó que llevaba una vida amorosa desenfrenada. A Elizabeth le gustó el entusiasmo del muchacho y el grado de excitación que parecía estar viviendo, aún en esa taberna primitiva de Yorkshire que sólo podía depararle el pastel de carne y riñones que preparaba el dueño del lugar.

Recién después de comer, cuando Elizabeth empezó a subir la angosta escalera que conducía a su cuarto y oyó que él la seguía, se le ocurrió pensar que el interés que tenía por ella trascendía el de una simple conversación. Casi lanzó una carcajada cuando al llegar a la puerta de su cuarto, el muchacho le tomó el brazo con torpe cautela. Lo besó en la mejilla y le aconsejó que siguiera con sus libros. Sin embargo, cuando una hora después él llamó a su puerta, lo dejó entrar. Tenía mucho frío.

El muchacho estaba sobrecogido de gratitud y de excitación; no pudo contenerse ni un solo minuto. En las primeras y heladas horas de la madrugada, volvió a intentarlo. Elizabeth, sin ganas de que la despertaran de su sueño profundo después de un día de largas caminatas, lo aceptó con cansancio. Por la mañana, el chico no quiso conversar con ella, lo único que deseaba era salir de allí lo antes posible. Elizabeth experimentó cierta ternura hacia él. Se preguntó que función tendría ese episodio en la vida del muchacho y en la mitología que creaba acerca de sí mismo.

Le gustaba vivir sola; le gustaba estar sola. Comía lo que quería, no comidas convencionales y completas, sino platos de champiñones y papas asadas, uvas, duraznos o sopas que ella misma se preparaba. Llenaba vasos de cubos de hielo y tajadas de limón y luego los cubría con gin, escuchaba la explosión del hielo y casi no dejaba espacio para el agua tónica. Tenía tapones plásticos que le permitían que el vino siguiera siendo bebible de un día para el otro.

En el cine podía ahogarse en la carga sensual de imagen y sonido sin la distracción de un acompañante ni la necesidad de conversar. En los filmes malos, dejaba vagar su imaginación e introducía una historia propia en el argumento. Le producía cierta timidez ir sin acompañante, por miedo a encontrarse con alguna pareja conocida que estuviera de la mano en el hall del cine, así que por lo general iba los sábados por la tarde, enseguida de almorzar. De ese modo entraba a plena luz y salía en la oscuridad con toda la velada por delante.

Al terminar el fin de semana, tenía ganas de conversar con alguien. Había leído artículos en los diarios o visto algo en televisión que ponía en marcha su imaginación; tenía necesidad de poner a prueba su respuesta al estímulo.

—¿Qué sabes sobre la guerra, Irene? —preguntaba—. Me refiero a la Primera Guerra Mundial.

—Fue una cosa espantosa, ¿no es cierto?

—¿Tu padre luchó en ella? —preguntó Elizabeth mientras cortaba un trozo de tomate.

—No creo. Nunca se lo pregunté. Pero luchó en alguna guerra, porque he visto sus medallas.

—¿Cuándo nació?

—Bueno, cuando nací yo todavía no tenía treinta años, de manera que calculo que él debe haber nacido alrededor de 1895.

—De modo que tenía la edad indicada.

—Yo ni siquiera sé cuando se produjo esa maldita guerra. Pregúntaselo a Erich. Los hombres siempre saben esas cosas.

Erich vertió en su vaso el vino que quedaba en la botella.

—Ni siquiera yo soy bastante viejo para haber luchado en esa guerra. Pero la recuerdo un poco. En esa época estaba en el colegio.

—¿Y cómo fue? —preguntó Elizabeth.

—No tengo idea. Ni se me ocurre pensar en la guerra. En todo caso tus colegios ingleses deberían haberte enseñado todo acerca de esa conflagración.

—Tal vez lo hayan hecho. Pero no debí prestar atención. Todo me parecía aburrido y deprimente, con tantas batallas y armas y todo lo demás.

—Exactamente —dijo Erich—. Es morboso pensar en eso. Yo he visto bastantes cosas de ese tipo en mi propia vida sin necesidad de desenterrar el pasado.

—¿Por qué estás de repente tan interesada en el pasado? —preguntó Irene.

—No estoy segura de que sea historia antigua —contestó Elizabeth—. No hace tanto tiempo que sucedió. Debe haber hombres viejos que siguen vivos y que lucharon en esa guerra.

—Deberías preguntárselo a mi Bob. Él lo sabe todo.

—¿Les sirvo el café ahora? —preguntó Lucca.

El camino descendía hacia Dover en una curva amplia que, a la izquierda, daba al mar gris. Al ver el agua Elizabeth experimentó una sensación de alegría infantil; era el comienzo de las vacaciones, era el fin de Inglaterra. En un jueves de invierno por la tarde, era como romper lazos.

Avanzó, como se le había indicado, bajo altos puentes transversales de grúas corredizas, subió una rampa y bajó por los angostos carriles marcados, mientras estudiaba el trozo de papel que un hombre en un kiosco le había pegado en el parabrisas. Le hicieron señas de que se colocara al principio de una fila vacía. Bajó del auto y sintió que el viento del mar le azotaba el pelo. A su izquierda había dos camiones con contenedores y alrededor de un par de docenas de vehículos más pequeños en carriles cuidadosamente demarcados; el cruce no era popular. En la tienda compró un mapa del noreste de Francia y otro de las rutas de Europa que la llevarían a Bruselas.

Ya en la temblorosa bodega del barco, tomó su libro, un par de anteojos y un suéter de más por si tenía ganar de salir a cubierta. Huyó agradecida del humo del diesel que arrojaban los enormes camiones con acoplado y subió la escalera que conducía a las cubiertas de pasajeros.

Se sentía un poco presuntuosa. Habiendo vivido hasta los treinta y ocho años sin echar más que una mirada distraída a los ocasionales noticieros que recordaban la guerra, no estaba segura de lo que esperaba encontrar. ¿Qué aspecto tenía un "campo de batalla"? ¿Era una zona de conflicto preparada con las posiciones de ambos bandos marcadas? ¿En ese caso, no interferirían los árboles y los edificios? Tal vez a la gente que en la actualidad vivía en esos lugares les molestara la llegada de turistas morbosos, como los que se acercan con una cámara al lugar donde se ha producido un accidente aéreo. Pero lo más probable, pensó, es que no sepan nada del asunto. Todo había sucedido mucho tiempo antes. "¿Qué batalla?" preguntarían. La única persona que ella conocía y que demostraba interés en esas cosas era un chico del colegio: una criatura graciosa y suave, con voz chillona y que se destacaba en álgebra. ¿La historia estaría allí para que ella la viera, o todo se habría emprolijado hasta no dejar rastros? ¿Sería justo esperar que sesenta años después de un acontecimiento —por un capricho de alguien que hasta entonces no había demostrado ningún interés— un país revelara obediente su pasado para su inspección de aficionada? De todas maneras, en ese momento casi toda Francia se parecía a Inglaterra: edificios en torre e industrias, comida preparada y televisión.

Se echó atrás el pelo, se puso los anteojos y tomó el libro que el marido de Irene le había prestado. Le resultó difícil de leer. Parecía dirigido a conocedores, a gente que ya estaba enterada de la terminología y de todo lo que se refería a los distintos regimientos; le recordaba las revistas sobre aviones que, de chica, le compraba su padre en un intento final de convertirla en el varón que él esperaba. Sin embargo, en algunos momentos de ese libro lleno de estadísticas y de datos geográficos, hubo algo que le llamó la atención. Lo más elocuente de todo eran las fotografías. En una de ellas, un chico de cara redonda miraba la cámara con triste paciencia. Ésa era su vida, su actualidad, pensó Elizabeth, tan real para él como las reuniones de negocios, las aventuras amorosas; tan real como la atmósfera banal de la sala de estar del ferry, conocida por todos los veraneantes ingleses: su terror y su muerte inminente eran para esa criatura tan actuales como lo eran para ella la posibilidad de ordenar una bebida en el bar, pasar la noche siguiente en un hotel y todas las otras fruslerías de la vida en tiempos de paz que formaban su existencia tranquila y sin estrés.

A pesar de ser nieta de una francesa, no conocía bien el país. Cuando, ya en el muelle, un policía inexpresivo metió la mano por la ventanilla del auto y le hizo un pedido rápido y gutural, ella buscó las palabras para contestarle. En el muelle temblaban los grandes camiones; ningún otro automóvil parecía haber hecho ese cruce invernal a un continente frío y oscuro.

Saliendo de Calais, encontró el camino hacia el sur. Pensó en Robert. Imaginó la velada que pasarían en Bruselas. Robert era muy hábil para descubrir restaurantes donde sabía que no se toparía con nadie conocido y donde podría conversar con ella sin tener que estar en guardia. No porque a alguien le hubiera importado; la mayoría de los diplomáticos y empresarios que pasaban largos períodos de tiempo lejos de su hogar, siempre hacían "arreglos". El caso de Robert era poco habitual: tenía en Inglaterra tanto a su mujer como a su amante. Ese pensamiento hizo reír a Elizabeth. Era típico de la falta de sentido práctico de Robert. Pero no quería que nadie los viera juntos porque se sentía culpable. A diferencia de sus colegas mundanos, que presentaban sus amantes a los amigos y a veces hasta a sus esposas, Robert simulaba que Elizabeth no existía. Eso era algo que a ella le resultaba menos fascinante, pero tenía planes al respecto.

Eligió un hotel en la ciudad de Arras, que Robert le había dicho se encontraba cerca de una serie de cementerios y de campos de batalla. El hotel estaba ubicado en una angosta calle lateral que terminaba en una plaza tranquila. Cruzó las verjas de hierro forjado y recorrió un sendero de grava hasta la puerta principal. Entró. A la derecha había un salón comedor donde media docena de personas distribuidas entre una serie de mesas vacías, comía en medio de un audible sonido de cubiertos sobre porcelana. Un mozo los observaba desde la puerta de entrada a la cocina. El mostrador de recepción se encontraba debajo de la escalera. Una mujer de pelo color metálico atado en un rodete dejó la lapicera y la miró a través de gruesos anteojos. Tenía un cuarto con baño privado; más adelante alguien se ocuparía de subirle las valijas. ¿Cenaría en el hotel? Elizabeth decidió que no. Tomó ella misma su pequeña valija y recorrió un largo corredor cuyas luces eran cada vez más mortecinas a medida que se alejaba del pie de la escalera. Por fin encontró el número de su cuarto. Era una habitación amplia en la que un papel llamativo cubría la témpera original del siglo XIX. Se había intentado obtener un efecto serrallo con cortinados que caían de un dosel alrededor de la cama, aunque no pretendieron crear un efecto oriental en los picaportes redondos de porcelana ni en las mesas de luz con tapa de mármol. La habitación tenía olor a humedad, o tal vez de tabaco de una década anterior, mezclado con un aroma más dulce, una crema de afeitar anterior a la guerra o tal vez el intento de ocultar una falla de las cañerías.

Elizabeth salió a la noche. De regreso en la calle principal, alcanzaba a ver la plaza y la estación a su derecha y delante de sí, el techo de una catedral o de una iglesia importante. Sin perder de vista la aguja, se internó por las angostas callecitas laterales, buscando un lugar para comer, donde una mujer sola no llamara la atención. Poco después se encontró en una gran plaza que, de alguna manera, se parecía a la Grand Place de Bruselas. Trató de imaginarla llena de tropas británicas con sus camiones y caballos, aunque no sabía con seguridad si en esa época existían los camiones y, para el caso, si todavía se usaban los caballos. Comió en una atestada *brasserie* llena de hombres jóvenes que jugaban al fútbol de mesa. De un altoparlante situado sobre la puerta de entrada, surgía una atronadora música pop. De vez en cuando el ruido aumentaba cuando algún joven ponía en marcha su motocicleta justo frente a la puerta.

Buscó Arras en el índice del libro de Bob y encontró referencias a cuarteles generales, transportes y una serie desconcertante de números de regimientos, batallas y oficiales. El mozo le sirvió un plato de pescado con ensalada de papas, que parecían salidos de una lata. Junto a su vaso depositó una jarra de vino tinto.

¿Entonces, exactamente qué hacían en una ciudad? Ella suponía que las guerras se luchaban en el campo, en terreno abierto.

Bebió un poco de vino tinto. ¿De todos modos, qué importancia tenía? Ése no era más que un alto en su camino para encontrarse con Robert.

Leyó algunas páginas del libro y bebió un poco de vino. La combinación de ambas cosas despertó en ella una pequeña decisión: iba a comprender esa guerra, llegaría a tenerla clara en la cabeza. Su abuelo había luchado en esa guerra. Aunque no tuviera hijos propios, por lo menos debía comprender lo sucedido antes que ella; debía saber qué línea de sangre interrumpía.

El mozo le sirvió un bife y una enorme pila de papas fritas. Después de cubrir la carne con mostaza, comió todo lo que pudo. Notó que el jugo de la carne bañaba las papas fritas del borde tiñéndolas de colorado. Disfrutaba de los pequeños detalles físicos que notaba por su cuenta; de haber estado acompañada sólo habría conversado y tragado.

La comida y el vino la relajaron. Se recostó contra el respaldo tapizado de plástico colorado. Notó que dos de los jóvenes que estaban frente a la barra del bar la miraban y bajó la vista con rapidez clavando los ojos en el libro, para que no creyeran que los alentaba.

Su pequeña determinación se fortaleció y se convirtió en algo parecido a la resolución. ¿Qué importancia tenía? Importaba muchísimo. Importaba porque su propio abuelo había estado allí, en esa ciudad, en esa plaza: su propia carne y sangre.

Al día siguiente se dirigió en el auto hasta Bapaume y siguió las indicaciones a Albert, una ciudad, le había dichio Bob, que se encontraba cerca de una serie de lugares históricos y que, según el libro, tenía un pequeño museo.

El camino desde Bapaume era completamente recto. Elizabeth se echó atrás en el asiento y dejó que el coche siguiera su marcha, dejando tan solo la mano izquierda apoyada en la parte inferior del volante. Había dormido bien en la cama con dosel y el café fuerte del hotel y su agua mineral helada le produjeron una extraña sensación de bienestar.

Después de diez minutos de marcha, empezó a ver pequeños mojones marrones al costado del camino; luego vino un cementerio, idéntico a cualquier campo santo municipal, ubicado detrás de un muro y bañado por el humo de los camiones con contenedores. Los mojones empezaron a ser más frecuentes, a pesar de que todavía faltaban diez kilómetros para llegar a Albert. Más allá del campo, a su izquierda, Elizabeth vio un arco extraño y feo que se levantaba entre montecillos y bosques. Al principio creyó que debía ser una refinería de cerveza, pero enseguida notó que era demasiado grande: estaba construido en piedra y en una escala monumental. Era como si se hubiese arrojado el Partenón o el Arco de Triunfo en una pradera.

Intrigada, dobló por un camino lateral que atravesaba terrenos suavemente ondulados. El curioso arco seguía a la vista, se destacaba desde cualquier ángulo, cosa que sin duda debía haber sido la intención de sus diseñadores. Llegó a un grupo de casas, demasiado escasas, y demasiado distantes unas de otras para poder considerarlas un pueblo. Estacionó el auto y se acercó al arco.

Frente a él había un parque de césped muy verde, bien cortado y formal, de estilo inglés, con un sendero de grava en el medio. Desde cerca, el tamaño del arco era impresionante: se apoyaba sobre cuatro enormes columnas y dominaba por completo el campo abierto. Su tamaño estaba de acuerdo con el diseño brutalmente moderno; aunque era sin duda un monumento recordatorio, le evocaba los edificios de Albert Speer realizados para el Tercer Reich.

Elizabeth subió los escalones de piedra que llevaban al arco. Un hombre de chaqueta azul barría el espacio entre los pilares.

Al acercarse al arco, Elizabeth comprobó, sobresaltada, que estaba cubierto de nombres tallados. Se acercó más. Estudió la piedra. Los nombres eran innumerables. Cada centímetro de la superficie, desde la altura de sus tobillos hasta el arco mismo, estaba cubierta de nombres ingleses. En todas las caras de cada columna y hasta donde alcanzaba la vista había nombres, sobre metros, cientos de metros de piedra.

Cruzó el espacio entre los arcos y se acercó al hombre que barría. Los demás pilares también estaban tallados, en todos sus costados en los que apenas cabían los nombres.

—¿Quiénes son esos, esos...? —preguntó, señalándolos con la mano.

—¿Esos? —preguntó el hombre con tono sorprendido—. Los desaparecidos.

—¿Los hombres que murieron en esta batalla?

—No. Los desaparecidos, los que no se pudieron encontrar. Los demás están en los cementerios.

—¿Entonces estos son sólo los... desaparecidos?

Miró la bóveda que se alzaba sobre su cabeza y luego a su alrededor, presa del pánico que le provocaba esa escritura interminable, como si la superficie del cielo hubiera sido empapelada con nombres.

Cuando pudo volver a hablar, preguntó:

—¿De toda la guerra?

El hombre meneó la cabeza.

—Sólo de estos campos —indicó, señalándolos con un gesto de los brazos.

Elizabeth cruzó el monumento y se sentó sobre los escalones del lado opuesto. Debajo de ella había un jardín formal con algunas hileras de cruces blancas también formales, cada una de ellas con una planta o flor cuidada en la base, todas limpias y hermosas bajo el débil sol invernal.

—Nadie me lo dijo. —Se pasó las manos de uñas pintadas de rojo por el espeso pelo oscuro. —¡Mi Dios! Nadie me lo dijo.

Después de dar vueltas durante casi una hora, Elizabeth desesperó de encontrar el departamento de Robert. La única vez que pudo acercarse a la calle indicada se vio obligada a seguir la mano única que la alejó directamente de ella. Dejó el auto en un estacionamiento y llamó un taxi.

Estaba deseando verlo; a medida que el auto avanzaba por entre el tráfico, se sentía más y más excitada. También estaba un poco nerviosa, porque cada vez que se encontraba con Robert le preocupaba la posibilidad de que quizás él no estuviera a la altura de sus recuerdos. Era como si esa presión justificara el efecto que él tenía sobre su vida. Se negaba a otros hombres, vivía sola y en un engaño permanente; lo menos que él podía hacer era estar a la altura de las circunstancias. Sin embargo Robert era el más inseguro de los hombres, incapaz de pedirle que hiciera algo por él; un hombre que no le hacía promesas y que la urgía siempre a actuar de acuerdo con sus propios intereses. Tal vez ése fuese uno de los motivos por los que lo amaba.

Pagó el taxi y tocó el timbre del portero eléctrico. La voz de Robert resonó por el intercomunicador y la puerta se abrió con un zumbido. Subió la escalera corriendo, con los talones repiqueteando sobre los escalones de madera. Robert la esperaba en la puerta de su departamento del primer piso, cigarrillo en mano, todavía en traje de calle, pero con el cuello desabrochado y el nudo de la corbata suelto. Elizabeth se arrojó en sus brazos.

Durante algunos instantes, como casi siempre le sucedía en su presencia, se sintió desorientada y con necesidad de que la tranquilizaran. Le explicó lo sucedido con el auto y, cuando Robert terminó de reír, le dijo que sería mejor que fueran a buscarlo y lo estacionaran en el garaje del subsuelo. Media hora después estaban de regreso en el departamento y en condiciones de volver a empezar. Elizabeth se duchó mientras Robert, con los pies apoyados sobre la mesa ratona, comenzaba a llamar a restaurantes. Ella volvió a la sala de estar luciendo un vestido nuevo, negro, y lista para salir. Él le entregó una copa.

—Te prometo que no le puse ni una gota de agua tónica. Estás maravillosa.

—Gracias. Tú tampoco estás nada mal. ¿Vas a salir con ese traje o piensas cambiarte?

—No sé. Ni siquiera había pensado en el asunto.

—¡No me digas!

Robert fue a sentarse a su lado en el sofá, después de apartar una serie de libros y papeles. Era un hombre de físico pesado, alto, de pecho hundido y barrigón. Comenzó a acariciar el pelo de Elizabeth y a besarla en los labios. Deslizó una mano bajo su pollera y le murmuró al oído.

—¡Robert, no sigas! ¡Acabo de vestirme!

—Me arruinarás el maquillaje —agregó él.

—Te lo digo en serio. Sácame las manos de encima. Debes esperar hasta más tarde.

Robert rió.

—Así me relajaré y podré disfrutar de la comida.

—¡Robert!

Le corrió una media y el *rouge* de los labios, pero Elizabeth tuvo tiempo de reparar los daños antes de salir. En cierto sentido él tenía razón, pensó, es más fácil conversar después de haber restablecido nuestra intimidad.

Durante la comida le preguntó que había estado haciendo y ella le habló de su trabajo, y de su madre y de la intriga que tenía con respecto a sus abuelos maternos. A medida que hablaba, el asunto se le aclaraba cada vez más. Había llegado a una edad en la que ya no debía ser la última en morir; debería existir alguien más joven que ella, la generación de sus hijos, que en ese momento podrían gozar de la lujosa seguridad de sus abuelos y sus padres, que todavía formaban una barrera entre ellos y la mortalidad. Pero al no tener hijos propios, Elizabeth empezó a mirar hacia atrás y a preguntarse por el destino de una generación diferente. Debido a que sus vidas habían llegado a su fin, ella se sentía protectora; le inspiraban una sensación casi maternal.

Describió su visita a la casa de Irene donde conoció a su marido, Bob, una persona que, según las descripciones de Irene pocas veces se encontraba fuera de la taberna o de los locales de juego. Y le contó que había resultado un hombre pequeño, con aspecto de pájaro, gruesos anteojos y manos de movimientos rápidos quien le ofreció que eligiera algunos libros de su biblioteca.

—Pero nada me preparó para lo que vi. Para esa escala. El arco conmemorativo es tan grande como Marble Arch, más grande, y tiene nombres tallados en cada centímetro de la piedra. Todo parece tan reciente. El encargado de la limpieza me enseñó una bala de cañón que encontraron la semana pasada en el bosque.

Mientras hablaba, Robert le volvió a llenar varias veces el vaso y cuando salieron del restaurante y se encaminaron a la Grande Place, Elizabeth se sentía relajada y con la cabeza liviana. Bruselas parecía una ciudad muy sólida, un monumento a la eficiencia de los obreros flamencos, al deleite de largas comidas preparadas con imaginación francesa y, por sobre todo, al placer de la paz.

Le tentó la posibilidad de sentir que una vida sin acontecimientos no era necesariamente una vida frívola; que las habilidades valederas de los ciudadanos debían ser trabajadas con seriedad antes de pasárselas a otros. Cuando empezó a llover, caminaban por una callecita angosta. Sintió que el brazo de Robert la impulsaba hacia el refugio del café que él había elegido para después de la comida. Al doblar una esquina, de repente se encontraron en la Grande Place. Elizabeth levantó la mirada y vio las fachadas doradas de los edificios de los comerciantes, oro resplandeciente bajo la llovizna, iluminado por las luces suaves de la plaza.

El domingo por la tarde comenzó a sentir la presión de la separación inminente. A veces tenía la sensación de empezar a temer el regreso casi en cuanto llegaba.

Robert puso un disco y se recostó en el sofá, balanceando la ceniza del cigarrillo mientras escuchaba la música.

—¿Cuándo vamos a casarnos? —preguntó Elizabeth.

—¿Hay un cenicero debajo de ese papel?

—Sí. —Se lo pasó—. ¿Y?

—¡Oh, Elizabeth! —dijo él, irguiéndose—. El problema contigo es que eres demasiado impaciente.

—¿Así que ése es el problema conmigo, verdad? ¡Hay tantas teorías! Y no me parece que haber esperado dos años sea ser tan impaciente.

—Me divorciaré, pero no puedo hacerlo ahora.

—¿Por qué?

—Ya te lo expliqué. Anne acaba de entrar a un nuevo colegio. Y Jane necesita hacer amigas en el lugar adonde nos hemos mudado y...

—Y no es justo para Anne.

—Exactamente. Sólo tiene diez años.

—Y pronto tendrá exámenes, y entonces hará falta alegrar a Jane y después tú tendrás un nuevo trabajo.

Robert meneó la cabeza.

—Y el año después de eso —agregó Elizabeth—, será demasiado tarde.

—¿Demasiado tarde para qué?

—Para ti y para mí.

Robert suspiró.

—Esto no es fácil, Elizabeth. Te prometo que me divorciaré. Si quieres hasta te daré una fecha tope. Digamos dentro de tres años.

—No puedo depender de eso —contestó Elizabeth—. No puedo planificar mi vida en base a una promesa tan inadecuada.

—¿Estás cavilando?

—Preferiría que no utilizaras esa palabra. No soy una gallina. Cuando veo una criatura pequeña se revuelve todo en mi interior. Mi cuerpo tiene tanta necesidad de tener un hijo que debo detenerme y respirar varias veces antes de seguir caminando. ¿Cavilar quiere decir eso?

—Lo siento, Elizabeth. Realmente lo siento. Yo no te convengo. Debes renunciar definitivamente a mí. Encontrarás a otro. Te prometo que no te pondré dificultades.

—No tienes ni idea de lo que te estoy diciendo, ¿verdad?

—¿Que quieres decir?

—Es a ti a quien quiero. Tú eres el hombre de quien estoy enamorada. No me interesa ningún otro.

Robert meneó la cabeza. Parecía conmovido por la convicción de Elizabeth, pero indefenso.

—En ese caso no sé qué proponerte.

—¡Casarte conmigo, pedazo de idiota, eso es lo que me deberías proponer! Seguir los dictados de tu corazón.

—Pero es que mi corazón está muy tironeado. Está tironeado por Anne. Sería incapaz de herirla.

Elizabeth comprendió que debía haber supuesto lo que le contestaría Robert. Adoptó un tono más conciliador.

—Yo la cuidaría —dijo con suavidad—. La cuidaría cada vez que viniera a quedarse con nosotros.

Robert se puso de pie y se dirigió a la ventana.

—Debes renunciar a mí —dijo—. ¿Lo sabes, verdad? Es la única respuesta coherente.

Pese a su furiosa decisión de no hacerlo, Elizabeth lloró al despedirse de él en el garaje. Se sentía dependiente e indefensa y se odió por ello. Él la abrazó y la retuvo contra su cuerpo.

—Te llamaré —dijo, cerrando la puerta del conductor.

Ella asintió y arrancó para enfrentar la lucha con el tránsito de la hora del té.

El jueves a la tarde, Elizabeth fue a Twickenham a visitar a su madre y mientras Françoise estaba ocupada en la cocina, subió al altillo donde había varios baúles llenos de documentos, fotografías y libros. No le dijo a su madre cuál era el objetivo de su búsqueda; explicó que andaba en busca de un diario escrito por ella años antes.

El altillo no era lo suficientemente alto como para permanecer de pie y Elizabeth debió agazaparse debajo del techo. Como el altillo tenía luz eléctrica, pudo apreciar la tarea que le esperaba.

Había cinco baúles de cuero y seis baúles negros de lata, además de varias cajas de cartón. Casi todo parecía haber sido guardado sin ningún orden: decoraciones de Navidad y viejos juegos a los que les faltaban partes importantes estaban encajonados junto con paquetes de cartas y de recetas.

Empezó por los baúles de cuero. Ignoraba que a su madre le gustara tanto el teatro. Encontró una cantidad de programas del West End y una colección de revistas en las que los actores que ella había veía en la actualidad en viejas películas por televisión, aparecían en el escenario treinta años antes.

En otro baúl había una caja con una etiqueta que decía "Los bienes de Alec Benson" que contenía documentos varios. Nada de dinero, pero sí algunas deudas interesantes. Sin que su esposa lo supiera, el padre de Elizabeth había comprado parte de una empresa de transporte de caballos en Newmarket, cuya venta cubrió parte de sus deudas. El resto del contenido del baúl era una variedad de prospectos y cartas de distintas compañías que compró, vendió o en las que invirtió; casi todas se encontraban en Kenia y en lo que en esa época era Tanganica. Tenían en común una falta de capital y cierto optimismo al estilo de El Dorado. Más tarde, los documentos llegaban de Rodesia y de Sudáfrica. Después encontró atados de tarjetas de golf cuidadosamente preservadas. Golpes 79, handicap 6, neto 73. "Fracaso debido a defectos en el uso del *putter*" decía una anotación hecha en una de ellas fechada en Johanesburgo el 19 de agosto de 1950.

En el primero de los baúles de metal, Elizabeth encontró una casaca militar color caqui. La sacó y la levantó a la luz. No le decía nada. Estaba en buenas condiciones, con los galones prolijamente cosidos en las mangas. También había un casco de lata, en condiciones igualmente buenas, con la parte exterior un poco saltada. En el fondo del baúl descubrió una pequeña caja de escribir de cuero y, dentro de ella, un anotador sin usar y una fotografía en sepia de un grupo de soldados sentados en mangas de camisa en un vehículo blindado. Una nota en la parte posterior decía: "Túnez, 1943. Los invencibles cinco. (Jarvis ausente)."

Guerra equivocada, hombre equivocado. Después de todo lo que había visto, después de todos los nombres tallados en el gran arco, acababa de aterrizar a sólo veinte años de distancia de ese momento. Si ella tuviera un hijo varón, ¿qué garantías tenía de que él también no pasaría años de su vida adulta en esa endiablada perversión? Avanzó, agazapada, por el altillo, hacia la hilera de baúles de metal. Dentro del primero encontró más cosas inservibles: algunos de sus viejos juguetes, cuentas y cartas comerciales referentes a la compra de la casa.

Elizabeth se detuvo a leerlas, porque aunque eran triviales en sí mismas, de alguna manera la emocionaban. Las líneas de deudas e intereses, escritas en azul y marcadas en rojo en el margen y las sumas anotadas en una máquina de escribir manual, y firmadas en tinta negra, hablaban de sumas poco importantes obtenidas a bondadosas tasas de interés. ¡Pero qué aterrorizantes debieron parecer en su momento! Un obstáculo constante a la paz mental. Por sobre todo, para Elizabeth representaban a una familia, por poco firme que fuese, una casa y una criatura, y la presunta decisión de los padres, por lo menos de la madre, de hacer un esfuerzo más para mejorar el pasado. Y para saldar esa leve deuda a una sociedad mutual, hubo que sacrificar ambiciones personales, viajes, vivir una vida mejor. Pero a pesar de todo, a Elizabeth le resultaba difícil considerar su propia vida como el pináculo de los sacrificios de generaciones anteriores.

En el tercer baúl de metal, casi en el fondo, encontró un paquete atado con una cinta. El polvo que lo cubría le secó la piel de los dedos y la hizo apretar los dientes. Abrió el nudo y el paquete se deshizo dejando caer sus entrañas en las manos de Elizabeth. Eran más papeles y cartas y un anotador. También había algunas cintas de colores, tres medallas, y una cantimplora. Todo parecía anterior al contenido de los otros baúles.

Entre los papeles había algunos escritos en francés. Uno de ellos tenía una dirección de Ruán. Elizabeth se descubrió leyéndolo con sensación de culpa. Le resultaba difícil comprender su significado. La letra era compacta y ornamentada, la tinta estaba desteñida y el francés de Elizabeth no era bueno. También encontró una segunda carta escrita con la misma letra y con una dirección de Munich.

Del fondo de la pila sacó dos libros. El primero era un reglamento militar para oficiales. La primera hoja decía "Capitán Stephen Wraysford, abril de 1917". Elizabeth lo abrió. Entre las instrucciones que se impartían a los oficiales había uno que les indicaba que "debían ser sedientos de sangre, pensar constantemente en matar al enemigo y ayudar a sus hombres a que también lo hicieran". Algo en las palabras "sedientos de sangre" estremeció a Elizabeth.

El segundo libro era un anotador con los renglones marcados con gruesas líneas azules. Estaba cubierto de anotaciones que se extendían por los renglones a partir de la línea colorada vertical del margen.

Para Elizabeth resultó un problema aún peor que las cartas. Parecía escrito en griego. Lo miró, intrigada. Si pertenecía a un extranjero, a alguien sin relación con su familia, ¿que hacía en ese pequeño paquete que contenía las pertenencias de su abuelo? Lo deslizó dentro del bolsillo de su pollera y volvió a atar el resto del paquete.

Su madre estaba en la sala de estar, leyendo un libro.

Elizabeth sacó el tema utilizando un pequeño subterfugio.

—No pude encontrar el diario que buscaba. En él tenía una antigua dirección de hace años. Porque cuando me mudé de departamento me permitiste guardar cosas allá arriba, ¿recuerdas?

—Sí, lo recuerdo. Me encantaría que tiraras algunas de esas cosas.

—Lo haré. Mientras buscaba mi diario encontré un paquete que me parece que debe contener papeles de tu padre.

—Creí que los había tirado todos. Había muchos, pero se traspapelaron cuando me mudé de casa.

—¿Qué clase de cosas eran?

—Había cajas llenas de anotadores que él guardó desde la primera vez que fue a Francia. Creo que eran como veinte o treinta. Pero no pude comprender lo que decían porque estaban escritos en una especie de código.

—Queda uno allá en el altillo. Parece escrito en griego.

—Sí, eso es —dijo Françoise, bajando el libro—. Había cantidades. Siempre pensé que si quería que alguien los comprendiera bien podría haberlos escrito directamente en inglés.

—¿Cómo era tu padre?

Françoise se irguió en el sillón y un leve rubor le tiñó la cara.

—Ojalá lo hubieras conocido. Te habría adorado. Ojalá te hubiera podido ver aunque fuera una sola vez para poder acariciarte las mejillas.

El sábado siguiente Elizabeth bajó a la estación de subterráneo que rodó por su ruta eléctrica en el túnel cavado en la arcilla, debajo de la ciudad. En Stratford salió a la luz del día invernal y tomó un ómnibus para seguir viaje.

La casa de Bob e Irene estaba situada frente a una plaza protegida por una verja de hierro, en un parque con media docena de plátanos desnudos. En un extremo había un cantero de arena con juegos infantiles pintados de rojo y de anaranjado, cuyas superficies estaban cubiertas por palabras sólo conocidas por los que las habían pintado. A Elizabeth le causaron la impresión de furiosas advertencias de un manuscrito religioso fundamentalista. Hacía demasiado frío para que los niños estuvieran jugando en la plaza, pero una mujer con la cabeza cubierta por una bufanda de lana era arrastrada por el verde barroso por un perro alsaciano.

Elizabeth se apresuró a acercarse a la casa y tocó el timbre. Alcanzó a ver la parte superior de la cabeza de Irene cuando ésta se inclinó para contener a su terrier que ladraba con furia frente a la puerta entreabierta. Después de amenazar al perro y de tranquilizar a Elizabeth, Irene consiguió hacer lugar para que ambas entraran al vestíbulo, cerrando luego la puerta a sus espaldas.

Se encaminaron a la sala de estar del frente, donde Elizabeth se sentó mientras Irene iba a preparar el té. La habitación tenía un empapelado oscuro, aunque casi cubierto en su integridad por fotografías y estantes que contenían recipientes de vidrio con pájaros embalsamados y colecciones de tazas y platos de porcelana. Había dos maniquíes, uno vestido con un traje color púrpura del siglo XIX y el otro con el torso desnudo apenas cubierto por un encaje antiguo. Además una serie de mesitas esparcidas por la habitación, sobre las que se exhibían figuras y curiosidades en bronce.

—Espero que a Bob no le moleste que lo esté utilizando como biblioteca de referencias —dijo Elizabeth cuando Irene volvió con el té.

—No creo que le moleste —contestó Irene—. Al contrario. Es probable que le agrade que lo consultes. ¿Te ayudaron los libros que te prestó?

—Sí, me ayudaron mucho. Ya te hablé del monumento que encontré, ¿no es cierto? El problema es que estoy obsesionada con el tema y quiero saber más. Encontré este anotador de mi abuelo. Por lo menos creo que es de mi abuelo porque estaba con algunas cosas suyas. Está escrito en un idioma que no comprendo y me preguntaba si Bob lo conocería, considerando todo lo que sabe sobre arqueología y todo eso.

—¿Jeroglíficos egipcios y todo eso?

—Bueno, esto no es egipcio, pero…

—Ya sé lo que me quieres decir. Bob solía saber mucho sobre idiomas. Ha hecho cursos sobre el tema. No creo que hable ningún idioma, pero es probable que los reconozca, sobre todo si se trata de un idioma antiguo. A Bob no le interesa demasiado el mundo moderno. Un año, para las vacaciones, le regalé uno de esos grupos de discos para aprender francés, y ni siquiera los escuchó.

Cuando, al tercer intento, Bob se dejó persuadir por Irene de que entrara del jardín, estrechó la mano de Elizabeth y se sirvió una taza de té. Ella le contó la experiencia de su visita a Francia y él asintió mientras escuchaba a la vez que bebía ruidosamente el té. Era más bajo que su mujer, totalmente calvo y usaba anteojos con armazón de carey. Mientras ella hablaba, ladeó la cabeza, la apoyó sobre un hombro y de vez en cuando se rascaba el mentón. Una vez que Elizabeth le explicó el motivo de su segunda visita, su expresión fue atenta y ansiosa.

—¿Puedo mirar ese anotador? —preguntó, extendiendo la mano.

Elizabeth se lo entregó con sensación de culpa, porque no sabía si sería correcto permitir que ese extraño hombrecito escudriñara algo escrito tantos años antes por su abuelo.

—Ya veo —dijo Bob, pasando las páginas como pasa los billetes el cajero de un banco. Elizabeth temió que el viejo papel se rasgara.

—Escribió mucho, ¿verdad? ¿Tiene algún anotador más?

—No, creo que es el único que queda.

—Creo que tendremos que ir a mi estudio. Enseguida volvemos, Irene. —Se puso de pie con rapidez y le hizo señas a Elizabeth de que lo siguiera por el oscuro vestíbulo hasta una habitación de la parte trasera de la casa que daba al jardín, donde los últimos rayos del sol de la tarde habían desaparecido dejando sólo las formas oscuras de una carretilla y de un montón de hojas.

—Le traje de vuelta los libros que me prestó —dijo Elizabeth.

—Gracias. Déjelos allí nomás. Los pondré en su lugar en cuanto haya acabado con esto.

Bob emitió una serie de ruidos con la boca mientras pasaba las páginas del anotador hacia atrás y hacia adelante.

—Tengo una idea de lo que es esto —murmuró—. Tengo una idea…
—Se puso de pie y sacó un libro de uno de los estantes de la biblioteca que cubría desde el piso al techo las paredes de la habitación. Los libros estaban colocados por orden alfabético y de tanto en tanto había una marca que anunciaba el cambio de tema. Bob se volvió a sentar en un profundo sillón de cuero, y, a su invitación, Elizabeth lo hizo en la silla de madera frente al escritorio.

—...pero por otra parte no coincide del todo. —Bob apoyó el anotador sobre sus rodillas. Levantó los anteojos, los apoyó sobre su frente y se refregó los ojos. —¿Por qué quiere saber lo que significa todo esto?

Elizabeth sonrió con tristeza y meneó la cabeza.

—En realidad, no lo sé. Tal vez no sea más que un capricho, una vaga idea que tengo de que tal vez me explique algo. Pero supongo que allí no debe haber nada interesante. Lo más probable es que sólo sean listas domésticas o recordatorios de cosas que debía hacer.

—Es probable —contestó Bob—. Si quiere podría hacerlo revisar por un experto. Lo podría llevar a un museo o a una universidad que tenga un departamento que se especialice en esta clase de cosas.

—No me gustaría molestarlos porque temo que sea un asunto trivial. ¿No podría hacerlo usted

—Tal vez. Depende de la cantidad de código personal que su abuelo haya utilizado. Por ejemplo, suponga que usted llevara un diario en el que, digamos, se refiriera a Irene como la Reina Bess. Alguien podría llegar a decodificar las palabras "reina Bess" pero con eso no se ganaría mucho, ¿verdad?

—Supongo que no. No quiero que pierda demasiado tiempo con el asunto, Bob. ¿Por que no...?

—¡No, no! Me interesaría. Me gustaría trabajar en eso. Desde ya le puedo decir que el problema no reside en el idioma en que está escrito. Está escrito en griego, pero las palabras no son griegas. Creo que las palabras en sí mismas están escritas en un lenguaje mezclado, tal vez con algunos términos privados.

—¿Quiere decir que el lenguaje original puede ni siquiera ser inglés?

—Exactamente. Cuando decodificaron Linear B, durante años creyeron que trataban de decodificar griego, pero no era así. Una vez que llegaron a la conclusión correcta, todas las piezas del rompecabezas cayeron en su lugar. Aunque le aseguro que esto no es tan difícil como Linear B.

Elizabeth sonrió.

—¿Cómo sabe tanto sobre estas cosas?

—Tuve que hacer algo para mantenerme a la par de Irene. En la época en que los negocios eran buenos, ella era la que ganaba todo el dinero. Yo sólo tenía mi empleo. Así que hice algunos estudios en mis ratos libres. Es sorprendente todo lo que uno puede aprender con sólo dedicar un poco de tiempo a la lectura. Se lo aseguro. Si yo no consigo descifrar esto en dos semanas, se lo devolveré para que se lo lleve a algún otro.

—¿Está seguro de que no le molesta?

—No. Al contrario. Lo disfrutaré. Me gustan los desafíos.

Tenía un llamado de Stuart, el hombre a quien había conocido en la casa de Lindsay. A Elizabeth le sorprendió tener noticias suyas, pero no le desagradó. Stuart la invitó a salir a comer y ella aceptó. Siempre experimentaba una pequeña sensación de culpa cuando salía con otros hombres. No lo podía evitar, por más que pensara en lo "infiel" que Robert era con ella, pero no por eso rechazaba las invitaciones.

Fueron a un restaurante chino que Stuart insistió era más auténtico que la mayoría de los que por lo general se encontraban en Inglaterra. Él había trabajado un año en Hong Kong donde aprendió algo de chino. Ordenó media docena de platos y pronunció algunas palabras en mandarín, que el mozo comprendió. Elizabeth escuchó con interés la explicación que le hizo de cada plato. Tenían la misma consistencia de los de las casas de comidas para llevar de Paddington, pero Stuart insistía en que eran más auténticos. Ella hubiera deseado beber vino en lugar de té.

Stuart le preguntó si después de la comida lo acompañaría a su departamento. Se encontraba en St. John's Wood, no lejos del restaurante. Ese hombre intrigaba a Elizabeth y tenía ganas de saber en qué clase de lugar vivía. Recorrió con rapidez con la mirada los pisos de madera entarugada, las alfombras de buen gusto, las bibliotecas rebosantes de libros. De las paredes de un gris pálido sólo colgaban tres cuadros, pero todos eran elegantes… algo que estaba entre el arte y la decoración.

Mientras ella bebía el café, Stuart se acercó al piano de cola y prendió una luz con pantalla colorada que había junto a él.

—¿Vas a tocar algo? —preguntó ella.

—Estoy fuera de práctica.

Elizabeth tuvo que convencerlo, pero por fin él se restregó las manos y se sentó.

Tocó una pieza que a Elizabeth le resultaba vagamente familiar; tenía una melodía frágil cuya eficacia dependía tan sólo de dos o tres notas. Sin embargo su manera de tocarla, con mucha suavidad y un ritmo sutil, era emocionantemente buena. En cuanto escuchó la melodía, Elizabeth supo que no la olvidaría.

—Ravel —declaró él al terminar de tocar—. Una belleza, ¿verdad?

Le habló sobre Ravel y Satie y los comparó con Gershwin. Elizabeth, que los consideraba compositores diametralmente distintos, quedó impresionada.

Cuando por fin llamó un taxi, ya era medianoche. Bajó la escalera tarareando feliz la melodía que él había interpretado. En el camino hasta su casa tuvo pensamientos traicioneros con respecto a Robert. Siempre le decía que la hacía infeliz que no se separara de Jane; le prometía que sería más feliz a su lado. Hasta donde ella misma sabía era absoluta y apasionadamente sincera en sus protestas. Sin embargo, mientras el taxi cruzaba Edgware Road, concedió que existía la posibilidad de que hubiera elegido a alguien imposible de tener por ese mismo motivo: porque no amenazaba su independencia.

CUARTA PARTE

Francia, 1917

Bajo la protección del anochecer, Stephen Wraysford entrecerró los ojos en la llovizna. En el frente los hombres eran invisibles bajo la cantidad de ropa que llevaban y las pesadas mochilas llenas de pertrechos que cargaban. Era como si estuvieran por hacer una expedición al polo, exploradores rumbo a las regiones más lejanas. Stephen se preguntó qué fuerza lo impelería, mientras comenzaba a mover de nuevo las piernas.

Hacía tres semanas que llovía; pasaba de una garúa a un pesado chaparrón y luego el tiempo limpiaba durante alrededor de una hora, después las nubes volvían a cubrir el horizonte de Flandes con su luz invernal. Los sobretodos de los hombres estaban impregnados de agua, cada fibra de la tela manando agua, y su peso agregaba diez kilos a los que ya llevaban a cuestas. Habían marchado desde sus alojamientos de descanso hasta la retaguardia y ya tenían las espaldas en carne viva por el movimiento de las mochilas sobre la ropa. Con repetidas marchas militares y canciones lograron llegar hasta las líneas de apoyo, pero entonces cayó la oscuridad y comprobaron que faltaban casi cinco kilómetros para llegar al frente. Poco a poco, las canciones y las conversaciones fueron muriendo y tuvieron que concentrarse en levantar los pies del barro que amenazaba con chuparlos. El mundo de cada uno se estrechó a la espalda empapada del hombre que lo precedía.

La trinchera de comunicación estaba cubierta de un limo anaranjado que les cubría las botas y las polainas. Cuanto más se acercaban a la línea del frente más olor percibían. Al kilómetro se había convertido en un zigzagueante sumidero, lleno de un barro profundo diluido con los excrementos de las letrinas desbordadas y engrosado por los cuerpos en estado de descomposición que cada nuevo derrumbe de una pared de la trinchera revelaba bajo la tierra.

Un grito de irritación resonó a lo largo de la línea: los hombres de adelante iban demasiado rápido, alguien acababa de caerse. El problema residía en que podían terminar en un lugar equivocado de la trinchera, lo cual les obligaría a empezar de nuevo. Pero no era la primera vez que estaban allí; de una manera casi automática ya lograban encontrar el camino en plena oscuridad y doblar hacia el lado correcto cuando llegaban a una bifurcación de la trinchera. El sudor y las protestas violentas también eran algo rutinario. De alguna manera se parecían al orgullo.

Esos hombres debieron contemplar cosas que ningún ojo humano tuvo que mirar hasta entonces, y no desviaron la las miradas.

Desde su propio punto de vista, eran un grupo formidable de hombres. Ya no habría infierno que los derritiera, ni tormenta que los destruyera, porque después de haber visto lo peor, sobrevivían.

En sus mejores momentos, Stephen sentía por ellos el amor del que Gray le había hablado. El coraje desesperado, nacido de la necesidad, era sin embargo querible. Cuanto más lúgubres, más duros y más sarcásticos se ponían esos hombres, más los quería. Sin embargo, no podía creerles del todo; no alcanzaba a comprender que permitieran que se los llevara hasta tales extremos. Antes tenía curiosidad por saber hasta donde podían llevarlos, pero al obtener la respuesta su interés disminuyó: no existían fronteras que no cruzarían, ni límites a lo que serían capaces de soportar.

Les vio las caras envueltas en bufandas de lana, las gorras que se asomaban por debajo de los cascos, y tenían el aspecto de criaturas de otros mundos. Algunos se ponían suéteres y chalecos que les enviaban de sus casas, otros llevaban tiras de género o vendas alrededor de las manos, en lugar de los guantes que perdieron o que les robaron los menos escrupulosos. Todo trozo de tela o de lana que pudieron conseguir en los pueblos se utilizaban como medias auxiliares o como capas con que cubrirse las cabezas; algunos tenían diarios de Flandes metidos dentro de los pantalones.

Estaban hechos para soportar y resistir; tenían el aspecto de criaturas pasivas que se adaptaban a un infierno de circunstancias que los oprimían. Pero Stephen sabía que llevaban encerrado en sus corazones el horror de lo que habían visto, y que el orgullo jovial de su flexibilidad no era convincente. Se vanagloriaban en tono burlón de lo visto y de lo hecho; pero en sus rostros tristes, envueltos en trapos, percibía el peso de ese conocimiento no deseado.

Stephen sabía lo que sentían porque estaba al lado de ellos y él mismo no se sentía endurecido ni fortalecido por lo vivido; más bien se sentía empobrecido y disminuido. Compartía la conspiración de fortaleza de sus hombres, pero a veces sentía por ellos lo que sentía por sí mismo, no amor sino un lamentable desprecio.

Decían que por lo menos habían sobrevivido, pero ni siquiera eso era cierto. Del pelotón original, sólo quedaban en el frente él, Brennan y Petrossian. Los nombres y los rostros de los demás ya eran indistintos en su recuerdo. Conservaba la impresión de un grupo de hombres cansados, con sobretodos y polainas manchadas, del humo del cigarrillo que se alzaba desde debajo de los cascos. Recordaba una voz, una sonrisa, una manera habitual de hablar. Recordaba miembros individuales, separados de sus cuerpos, y la forma de alguna herida en particular; podía recordar la intimidad repentina y revelada de órganos interiores, pero no siempre lograba decir a quién había pertenecido esa carne. Dos o tres regresaron definitivamente a Inglaterra, el resto desapareció, o estaba enterrado en fosas comunes o, como el hermano de Reeves, quedó reducido a partículas tan pequeñas que sólo el viento era capaz de transportarlas.

Si podían reclamar la supervivencia, era cerrando filas y amalgamando diferentes unidades reforzadas por conscriptos. Gray se convirtió en comandante de batallón en reemplazo de Barclay y Thursby, que habían muerto, y Stephen se hizo cargo de su compañía. Harrington inició el largo camino de regreso a su hogar de Lancashire, dejando parte de la pierna izquierda en la orilla del lado norte del Ancre, donde los cuervos se hicieron un festín con ella.

Era de noche cuando llegaron a la línea del frente. Los hombres a quienes relevaban les pasaron botas de goma que les llegaban a los muslos y que habían estado en continuo servicio durante ocho meses. La pulpa deteriorada del interior de esas botas era una mezcla de aceite de ballena y de trapos podridos que se podían acomodar a pies de casi cualquier tamaño. Durante las horas de oscuridad, ninguno de ellos permaneció tranquilo. Los lejanos relámpagos de luz producidoss por la explosión de granadas disparadas por obús se podían considerar reconfortantes por lo remotas. Pero cerca de la trinchera siempre había ruidos y formas que excitaban los viejos reflejos. A veces Stephen pensaba que ésa era la única manera en que podían estar seguros de seguir con vida.

El refugio, que hacía las veces de cuartel general de la compañía, era un pozo techado ubicado en la segunda trinchera. A pesar de ser pequeño, contaba con una litera improvisada y una mesa. Stephen descargó parte de los pertrechos que llevaba: un cuaderno de dibujo, barras de chocolate y cigarrillos, un periscopio y un chaleco tejido que le había comprado a una vieja. Compartía el refugio con un subalterno joven y pelirrojo de apellido Ellis a quien le gustaba leer en la cama. No debía tener más de diecinueve o veinte años, pero parecía sereno. Fumaba en forma incesante, pero rechazaba todo ofrecimiento de bebida.

—Cuando nos toque la próxima licencia, quiero ir a Amiens —dijo.

—Queda muy lejos —aclaró Stephen—. No alcanzarás a llegar.

—El adjunto me dijo que podríamos. Dijo que todo formaba parte de la nueva eficiencia. Los oficiales deben tener licencias decentes en el lugar que elijan.

—Te deseo suerte —dijo Stephen sentándose ante la mesa y acercando la botella de whisky.

—¿No quiere acompañarme?

—¿Yo? No lo creo. No es más que un empalme ferroviario.

—¿Ya ha estado allí?

—Sí. Antes de la guerra.

—¿Qué tal es?

Stephen se sirvió whisky.

—Si te interesa la arquitectura, tiene una excelente catedral. Personalmente a mí no me gustó demasiado. Es un edificio muy frío.

—Bueno, de todas maneras iré. Avíseme si cambia de idea. Me dijeron que usted habla muy buen francés.

—¿Eso te dijeron? Iré a ver si todo está en condiciones. —Stephen bebió el contenido del vaso. —¿Sabes dónde está la cabecera del túnel?

—Para ese lado, como a cincuenta metros.

Más o menos donde Ellis le indicó, Stephen encontró un agujero en el piso. Le preguntó al centinela cuando se produciría el relevo.

—Más o menos dentro de media hora, señor.

—¿El capitán Weir está con ellos?

—Sí.

—Si sube antes de que yo vuelva, dígale que me espere.

—Está bien, señor.

Stephen recorrió la trinchera y en dos oportunidades tropezó con las piernas de unos hombres que se habían cavado un agujero para dormir en la pared delantera. Se preguntó si realmente sería posible llegar hasta Amiens. Ya hacía casi siete años desde que él e Isabelle habían partido en el tren nocturno. Sin duda ahora sería seguro regresar. Después de la ocupación y el bombardeo de los alemanes, después de haber transcurrido casi siete años, sin duda en el lugar nadie conservaría recuerdos inquietantes.

Cuando Stephen volvió, Michael Weir estaba saliendo del túnel. Hubo entre ellos un momento de incomodidad física, cuando ninguno de los dos extendió la mano para estrechar la del otro. Poco después del ataque inicial que se produjo en esa calurosa mañana de julio, la compañía de Weir fue enviada de regreso a su posición inicial. Él se mostró encantado cuando, algunos meses después, también regresó el batallón de Stephen.

—¿Tuviste un buen descanso? —preguntó Weir.

—Sí, perfecto. ¿Qué anda sucediendo bajo tierra?

—Hemos recibido una nueva consignación de canarios. Los hombres están encantados. Estaban preocupados por el gas.

—Me alegro. Si quieres ven a tomar una copa. Todo parece bastante tranquilo. Más tarde enviaremos afuera a una patrulla, pero no creo que haya problemas.

—¿Tienes algo de whisky?

—Sí. Riley siempre lo consigue en alguna parte.

—Me alegro. A mí se me acabó.

—No creí que eso fuese posible. ¿No puedes ordenar más?

—Por lo visto ya he consumido la ración que me correspondía.

Una vez en el refugio, las manos de Weir temblaban cuando tomó la botella para llenarse el vaso. Ellis los observaba en silencio desde el camastro. Le atemorizaba el aspecto desaliñado de Weir y su aparente incapacidad de hablar con sensatez hasta que el whisky le dio fuerzas y razonamiento. Parecía demasiado viejo para andar gateando bajo tierra con cargas explosivas, sobre todo considerando cómo le temblaban las manos.

Weir bebió el whisky de un solo trago y se estremeció al sentirlo correr por su cuerpo. Cada vez le resultaba más difícil soportar el largo turno de trabajo bajo tierra, aún con la ayuda de lo que llevaba en la cantimplora. Siempre encontraba razones para ordenarle a algún otro que bajara con los hombres.

Weir había estado de licencia en Inglaterra. Llegó al anochecer a la villa victoriana que sus padres tenían en Leamington Spa y tocó el timbre de la puerta de calle. La mucama abrió y le preguntó quién era. El telegrama en que anunciaba su llegada nunca llegó; nadie lo esperaba. La madre no estaba, pero la mucama le dijo que creía que encontraría a su padre en el jardín. Era una tarde de octubre, tres meses después del ataque en el Ancre.

Weir se sacó el sobretodo y lo dejó sobre una silla del vestíbulo. Dejó caer la mochila sobre el piso y se encaminó a la parte de atrás de la casa. Había un jardín importante con arbustos de laureles y un cedro gigante en una esquina. Vio los mosquitos que volaban a su alrededor en el aire húmedo y sintió que sus botas se enterraban en el pasto cortado. El césped soportaba sus pies en una forma casi lujuriosa. En el aire de la tarde flotaban los perfumes de las flores. Lo denso del silencio le oprimió los oídos. Entonces oyó que una puerta de cerraba con fuerza dentro de la casa, después el motor de un camión que pasaba por la tranquila calle suburbana.

Sobre la izquierda del parque había un enorme invernadero. Weir alcanzaba a ver que salía un hilo de humo por la puerta. Mientras se aproximaba percibió el aroma familiar del tabaco de su padre. Permaneció de pie en la puerta y miró hacia adentro. Su padre estaba arrodillado debajo de un estante cubierto de pequeñas cajas con semillas. Parecía estar hablando con alguien.

—¿Qué estás haciendo? —preguntó Weir.

—Alimentando al sapo —contestó el padre sin levantar la vista—. No hables.

De una vieja lata de tabaco que había en el piso, sacó un insecto muerto, lo tomó entre el índice y el pulgar y adelantó la mano con lentitud metiéndola debajo del estante. Weir alcanzaba a ver el fundillo brillante de sus pantalones y su cabeza calva, pero muy poco más.

—¡Así me gusta, ésa es mi belleza! Este sapo es un campeón. Deberías ver su tamaño. Hace semanas que no tenemos un solo insecto aquí adentro. Ven a verlo.

Weir se adelantó sobre las planchas de cemento del centro del invernadero y se arrodilló al lado del padre.

—¿Lo ves allí? ¿En el rincón?

Weir oyó que el animal croaba desde la dirección indicada por su padre.

—Sí —dijo—. Es un ejemplar espléndido.

Weir padre retrocedió y se puso de pie.

—Será mejor que entres a la casa. Tu madre está en el ensayo del coro. ¿Por qué no nos avisaste que venías?

—Les mandé un telegrama. Debe haberse perdido. Recién me enteré de mi licencia el día en que empezaba.

—Bueno, no importa. Hemos recibido tus cartas. Tal vez quieras lavarte después del viaje.

Mientras cruzaban el parque, Weir observó la figura corpulenta de su padre. Se había puesto un suéter sobre la camisa, pero todavía conservaba el cuello duro de su día en la oficina y una corbata oscura, a rayas. Weir se preguntó si le diría alguna palabra de bienvenida. Cuando llegaron a los ventanales que daban a la sala de estar, era evidente que el momento había pasado.

—Si piensas quedarte, le diré a la mucama que te haga la cama —dijo el padre.

—Si no te parece mal —contestó Weir—. Sólo durante una noche o dos.

—Por supuesto que no me parece mal.

Weir cargó su mochila y se dirigió al cuarto de baño. El agua rugió dentro de los caños, borboteó con una fuerza que sacudió la habitación y luego salió un chorro de la canilla. Weir dejó caer su ropa en el piso y se sumergió en la bañera. Pronto esperaba volver a sentirse cómodo en su casa. Regresó a su antiguo cuarto y se vistió cuidadosamente con un par de pantalones de franela y una camisa a cuadros. Esperaba con ansiedad el momento en que lo invadiría la normalidad familiar, devolviéndole su ser; el momento en que las experiencias de los dos últimos años retrocederían hasta adquirir una perspectiva clara. Notó que la ropa le quedaba grande. Los pantalones descansaban sobre el hueso de sus caderas. Encontró un par de tiradores y se los puso. No sucedió nada; la caoba lustrada de la cómoda le parecía extraña; le resultaba difícil recordarla, imaginar que hubiera podido verla antes. Se acercó a la ventana y observó el paisaje familiar, el lugar junto al cedro donde terminaba el jardín, y el rincón de la casa vecina, con su terraza trasera. Recordaba tardes aburridas de infancia en las que miraba ese paisaje, pero el recuerdo no le proporcionó la sensación de pertenecer a ese lugar.

Cuando bajó, su madre había vuelto.

Ella le besó la mejilla.

—Se te ve un poco flaco, Michael —comentó—. ¿Qué te han estado dando de comer en Francia?

—Ajo —contestó él.

—Bueno, no me sorprende —exclamó ella—. Recibimos tus cartas. Que debo decir que eran muy lindas. Muy tranquilizadoras. ¿Cuál fue la última que recibimos?

—Llegó hace como quince días —intervino el padre—. Dijiste que habían sido trasladados. —El padre de Weir estaba de pie junto a la chimenea, cargando su pipa.

—Sí, es cierto —confirmó Weir—. Nos trasladaron de Beaucourt. Nos volveremos a mover pronto, hacia Ypres. Cerca de un lugar llamado Messines, donde estuvimos al principio. Se supone que no debo comentarles mucho al respecto.

—¡Ojalá hubiéramos sabido que llegabas! —exclamó la madre—. Tomamos el té temprano para que yo pudiera llegar al ensayo del coro, pero si tienes hambre, queda un poco de jamón y de lengua fría.

—Eso me gustaría mucho.

—Está bien. Le diré a la mucama que te lo sirva en el comedor.

—Me temo que hayas llegado tarde para mis tomates —dijo el padre—. Este año tuvimos una cosecha excelente.

—Le pediré a la chica que trate de encontrar un poco de lechuga.

Weir comió solo en el comedor. La mucama le colocó un puesto con un vaso de agua y una servilleta limpia. A un costado había un plato con una rebanada de pan con manteca. Tragó en silencio, el sonido que hacía al masticar magnificado por la falta de conversación.

Después jugó a las cartas con sus padres en la sala de estar hasta las diez de la noche, hora en que la madre anunció que se acostaría.

—Es una alegría verte en una sola pieza, Michael —dijo mientras se dirigía a la puerta—. No se queden conversando toda la noche.

Weir estaba sentado frente a su padre, con la chimenea entre ambos.

—¿Cómo anda la oficina?

—Bien. Los negocios no han cambiado tanto como uno podría suponer. Hubo un silencio. A Weir no se le ocurría nada que decir.

—Si quieres invitaremos a algunas personas —sugirió el padre—. Siempre que te quedes hasta el fin de semana.

—Sí. Me parece bien.

—Supongo que te gustará tener un poco de compañía después de todo... después de... ya sabes.

—¿Francia?

—Exactamente. Te debe hacer falta un cambio.

—Ha sido algo terrible —dijo Weir—. Debo contarte que ha sido...

—Lo hemos leído en el diario. Estamos todos deseando que se apuren y que lo terminen de una vez.

—No, ha sido peor que lo que leyeron. Te aseguro que no te lo puedes imaginar.

—¿Peor que eso? ¿Peor de lo que dicen los diarios? ¿Más bajas?

—No, no es eso. Es... no sé.

—Debes tomarlo con calma. No te angusties. Supongo que sabrás que todo estamos haciendo nuestra parte. No vemos la hora de que termine, pero mientras tanto debemos seguir adelante.

—No se trata de eso —dijo Weir—. Es que... ¿Me pregunto si podría beber una copa?

—¿Una copa? ¿De qué?

—Un vaso de… cerveza tal vez.

—No tenemos cerveza en la casa. Tal vez haya un poco de jerez en el aparador, pero supongo que no tendrás ganas de tomar eso, ¿verdad? Sobre todo a esta hora de la noche.

—No. Supongo que no.

El padre de Weir se puso de pie.

—Lo que te hace falta es una buena noche de sueño. Es lo mejor que puedes hacer. Mañana le diré a la mucama que compre un poco de cerveza. Después de todo tendremos que robustecerte.

Extendió una mano y palmeó a su hijo en el bíceps izquierdo.

—Entonces, buenas noches —dijo—. Yo me ocuparé de cerrar.

—Buenas noches —contestó Weir.

Cuando dejó de oír los pasos de su padre en el piso de arriba, se encaminó al aparador del que sacó una botella de jerez casi llena. Salió al jardín donde se instaló en el banco, prendió un cigarrillo y se llevó la botella a la boca con manos temblorosas.

—Quiero que me leas el destino —dijo Weir. Stephen le sonrió.

—Eres incurable, ¿verdad? Este tipo quiere que le diga que va a sobrevivir —le aclaró a Ellis quien los observaba desde el camastro.

—¡Vamos! —dijo Weir—. No vengas a simular que tú no lo crees. Fuiste tú quien me acostumbró a esto.

Stephen se puso de pie y se encaminó hacia la cortina que cerraba la entrada del refugio.

—¡Riley! ¡Consígueme una rata! —gritó.

Mientras esperaban, Stephen sacó un mazo de cartas, algunos cabos de velas y un poco de arena del estante junto a la puerta. Formó un pentágono sobre la mesa, luego colocó algunas cartas boca abajo y las unión con líneas de arena. Encendió las velas y las ubicó en cinco lugares equidistantes. A sus espaldas sentía que los ojos de Ellis se clavaban en él.

—Esto es una especie de vudú que inventé para que me ayudara a pasar el tiempo. A Weir le gusta. Le hace sentir que alguien se preocupa por él. Es mejor tener una providencia maligna que una indiferente.

Ellis no hizo ningún comentario. No comprendía la relación que unía a esos dos hombres. El capitán de los zapadores parecía estar siempre al borde del colapso mientras que Wraysford, su oficial superior, parecía tan tranquilo que era capaz de ser cruel con Weir, de decir cualquier cosa sin que el otro protestara. Weir llegaba tembloroso al refugio en busca de whisky y de que lo tranquilizaran; por lo visto dependía de la frialdad de Wraysford. Sin embargo a veces, a altas horas de la noche, Ellis tenía la impresión de que había otro aspecto en la amistad ruda de esos hombres. Al bajar la mirada notaba que los ojos hundidos de Wraysford, negros a la luz de las velas, no se apartaban de Weir, como si de él dependiera por alguna cualidad de que carecía. Una vez Ellis pensó que era casi como si le tuviera cariño.

Entró Riley llevando una rata por la cola.

—La cazó Coker, señor. Con la treta del queso en la bayoneta.

Ellis miró a Riley con disgusto. Era un hombrecito muy inteligente, siempre estaba a la altura de las circunstancias. Ellis admiraba eso en él, pero lo encontraba obsecuente y siempre dispuesto a quebrantar los reglamentos.

—Toma una copa, Riley —lo invitó Stephen—. Sírvete un poco de este chocolate.

Riley vaciló al ver que Ellis lo miraba, pero por fin aceptó.

—¿Ellis? —dijo Stephen—. ¿Esta noche no te arriesgarás a beber una copa? No sería necesario que te cargáramos para llevarte a la cama. Podrías permanecer allí tendido.

Ellis meneó la cabeza. Afuera comenzaban los disparos. No alcanzaba a distinguir a los francotiradores de los artilleros, ni los diferentes tamaños de la artillería enemiga. Sin embargo, en el entrenamiento había estudiado los efectos de las explosiones de los proyectiles. Conocía el poder destructivo demostrado en mapas; tuvo que trazar diagramas del despliegue cónico de la metralla, y de la explosión compactada del mortero. Lo que hasta la semana anterior no pudo comprobar fue el efecto explosivo sobre materiales blandos, sobre la piel rosada de dos soldados de su pelotón que uno de los demás tuvo que juntar en una sola bolsa; observó los pequeños trozos de carne que iban cayendo en la bolsa. Cuando volvió a escuchar el sonido de disparos, empezó a preocuparse. El sobresalto que le provocaba una explosión era tolerable; se parecía a una ola que rompía, ruidosa pero breve. Mucho peor que eso era la corriente de fondo de miedo que comenzaba cuando el ruido desaparecía. Era como si lo chupara y lo arrastrara, dejándolo cada vez un poco más débil.

—Esta noche no cabe duda de que saben adonde apuntan —dijo Riley—. Por lo visto nos han sobrevolado con aviones toda la semana.

Stephen no levantó la mirada de la mesa.

—Ahora apaga la lámpara —ordenó—. A él le gusta esta parte —le dijo a Ellis—. Le da miedo.

Colocó en el centro de la mesa una pequeña figura de madera tallada por él. La luz titilante de las velas iluminó la forma tosca. Sacó del bolsillo un cortaplumas, con una sola hoja, cuidadosamente afilada. La clavó en el pecho de la rata y la arrastró hacia abajo. Mientras sostenía a la rata con la otra mano, desperdigó sus entrañas por la mesa.

A pesar de todo lo que ya había visto, Weir estaba fascinado. La pila formada por el bazo y el hígado era de un verde rojizo y caliente sobre la madera cubierta de arena de la mesa. Stephen volvió a hundir la hoja del cortaplumas en la cavidad y sacó lo que quedaba adentro. Weir se inclinó y lo examinó.

—¿Qué quiere decir? —preguntó.

Stephen lanzó una carcajada.

—¿Cómo quieres que lo sepa? No es más que una rata muerta. ¿Esos son los intestinos? Sí, creo que sí. Ha estado comiendo… ¿Qué es eso? ¿Carne?

—¿Cómo se llamaban esos dos hombres de tu pelotón? —preguntó Weir.

—¡Por amor de Dios! —exclamó Ellis—. ¡Esto es muy desagradable! Voy a salir. Deberían avergonzarse. Esto es cosa de ignorantes. Ustedes deberían dar el ejemplo.

—¿A quién? —preguntó Stephen—. ¿A ti?

Ellis se levantó de su camastro. Stephen le pegó un empujón y lo obligó a volver a sentarse.

—Siéntate y mira. —A regañadientes, Ellis permaneció sentado en el borde de la litera.

Stephen hundió la hoja del cortaplumas en las entrañas de la rata.

—La lectura es dudosa —dijo—. Sugiere un futuro seguro siempre que no tengas nada que ver con mujeres ni con sacerdotes. Si lo hicieras, es probable que encuentres problemas.

—¿Cuál de las cartas es el sacerdote?

—El diez —contestó Stephen—. Diez, por los diez mandamientos. La reina es una mujer.

—¿Y qué puedo esperar?

Stephen empujó el cortaplumas sobre el lío que había sobre la mesa.

—Paz. Y hasta números. Y tu propio número: el cuatro. Naciste en abril, ¿no es cierto?

—Sí.

—Ahora daré vuelta las cartas —dijo Steven. Insertó la hoja del cortaplumas debajo de la carta que tenía más cerca y la dio vuelta. Era un ocho. —Muy bien —dijo. La siguiente era el cuatro de corazones. Weir parecía encantado. Stephen levantó con lentitud la otra carta. Era el dos de trébol. —Creo que el Hombre de Arriba está de tu lado, Weir —pronosticó. La cuarta carta era el as de corazones. —Paz —dijo Stephen—. El as representa poder y estabilidad. Éste es el mejor horóscopo que podrías haber tenido. —Estiró el cortaplumas para dar vuelta con un floreo la última carta. Era el cuatro de diamantes.

—Las arreglaste —dijo Weir en el tono del que está deseando que lo contradigan.

Stephen meneó la cabeza.

—Sabías las cartas que estaban en la mesa y lo inventaste todo para que fuera lo que yo necesitaba.

—¿Me viste arreglarlas?

—No, pero es evidente que lo hiciste.

—No sé por qué me obligas a soportar esta performance ridícula si no vas a creer en los resultados. ¿Coker quiere que le devolvamos su rata, Riley?

—Lo dudo, señor.

—Será mejor que regreses a tu lugar. Yo me encargaré de limpiar todo esto. Al salir, prende la lámpara, ¿quieres?

Después de la partida de Riley hubo un largo silencio. Ellis tomó su libro y encendió otro cigarrillo. Weir miraba como hipnotizado las líneas de arena que quedaba sobre la mesa.

—¿Por qué estás tan ansioso por sobrevivir? —preguntó Stephen.

—Sólo Dios lo sabe —contestó Weir—. Mi vida es todo lo que tengo. En estas condiciones, lo único que uno quiere es aferrarse a ella. Tal vez después haga algo con ella, tal vez se me clarifique todo.

Stephen limpió la tapa de la mesa con un cepillo y un balde dejado allí por los anteriores ocupantes. Parecía vagamente avergonzado.

Ellis los miró desde el camastro.

—En esta guerra la mayor parte de los soldados quiere sobrevivir para que la podamos ganar. Estamos luchando por nuestro país.

Weir miró la lámpara recién encendida con los ojos muy abiertos. De alguna manera había logrado mancharse la mejilla con sangre de rata. Tenía la boca abierta, la expresión incrédula. Stephen sonrió.

—¿Y? —dijo Ellis—. ¿No están de acuerdo? Para eso estamos luchando, ¿no es cierto? Por eso toleramos que tantos hombres valientes sufran y mueran. Sabemos que lo hacen por una buena causa.

—El otro día salí de patrulla con un chico de tu pelotón, Ellis, y estaba fumando unos cigarrillos llamados "Futuro Dorado" —dijo Stephen—. ¿Dé dónde los sacó? Tenían un olor parecido al de los establos en verano.

—Llegan con las raciones —contestó Ellis—. Tienen nombres llenos de inventiva: "Muchachos Gloriosos", "Soldados invencibles". Pero no ha contestado mi pregunta.

Stephen sirvió más whisky. Pocas veces bebía más de dos vasos, a menos que fuera para hacerle compañía a Weir. Esa noche ya había bebido media botella. Tal vez lo hiciera simplemente para irritar a Ellis. Sentía la lengua pesada dentro de la boca; se le había aflojado la mandíbula y le resultaba difícil pronunciar las palabras.

—Weir, tú amas tu país, ¿no es cierto?

—Me pareció una porquería cuando estuve de licencia —contestó Weir—. Esos cerdos gordos no tienen la menor idea de lo que estamos haciendo por ellos. Ojalá un gran bombardeo destrozara desde Picadilly hasta Whitehall y los matara a todos.

—¿Incluyendo a tu familia?

—Sobre todo a mi familia. Sobre todo a ellos. Traté de explicarles lo que era esto y, ¿saben? mi padre se aburrió. Estaba realmente aburrido por todo el asunto. Me encantaría que hubiera un bombardeo de cinco días sobre la calle donde ellos viven. Y que también bombardearan a la gente que hizo huelga para que les aumentaran el sueldo en las fábricas mientras nosotros morimos por un chelín diario. —A Weir le temblaba la voz. —Me gustaría verlos a todos formando largas filas y caminando hacia las armas enemigas. Por un chelín. —Le corría saliva por el mentón.

—¿Y usted? —le preguntó Ellis a Stephen—. ¿Está tan amargado como ese hombre?

Stephen poseía una falsa elocuencia proporcionada por la bebida; podría haberlo llevado a explicar cualquier opinión con fuidez.

—No puedo recordar el país —contestó—. ¿Debemos luchar por

campos y cercos y árboles? Tal vez deberíamos. Tal vez, si están llenos del afecto que la gente ha volcado en ellos, merezcan que les ofrendemos nuestra vida. Y tal vez las ciudades adonde yo iba a visitar fábricas, y Londres, con sus muelles y sus edificios... tal vez esos pedazos de piedra y de argamasa valgan más que los trozos de piedra que tiene el enemigo en Hamburgo o en Munich. Tal vez si las praderas y las colinas han sido amadas por suficiente gente, deberíamos tendernos y permitir que nos maten por ellas, deberíamos permitir sencillamente que las balas y las granadas nos desmembraran con tal de que esas verdes colinas permanezcan inalteradas.

—¿Está diciendo que la tierra en sí vale más que la gente y nuestra manera de vivir? —preguntó Ellis.

—No.

—¿Entonces por qué estamos luchando?

—Si yo estoy luchando por alguien —contestó Stephen— creo que es por aquellos que han muerto. No por los que están vivos en nuestro país. Por los muertos, los que murieron aquí. Wilkinson, Reeves y su hermano el que desapareció. Desapareció en la nada. Byrne, enganchado en el alambre de púas. Por él lucho. —La voz se le puso ronca y cerró los puños. —Y por todos los demás. Los conocí. Studd y ese otro fulano, el de pelo rubio que siempre estaba con él. ¡Dios! Ni siquiera recuerdo su nombre.

—No te preocupes por eso —dijo Weir—. Con tal de que sepas quienes son los hombres en este momento.

—Sí, por supuesto que lo sé. De alguna manera el pelotón todavía existe. Petrossian y... Brennan, por supuesto. Y los hombres nuevos. Hay uno que se llama Goddard. Hay un Barlow y un Coker. Y muchos otros. Son buenos tipos. ¿Cómo se llamaba el amigo de Brennan? ¡Sangró tanto! Douglas. Bajo tierra tú no pierdes tantos.

—Hemos tenido nuestras bajas. Tyson en Beaumont Hamel y los que murieron en los túneles. Pero yo no moriré.

A medida que avanzaba la noche, enfervorecido por la esperanza y por el alcohol, los ojos de Weir iban adquiriendo un brillo azul. El poco pelo que le quedaba se alzaba sobre sus orejas en mechones finos y rubios. La excitación le aflautaba la voz.

—¡Y no te muestres tan escéptico! No vengas a decirme que nunca has creído en ninguna clase de poder mágico —dijo.

Stephen estaba lo suficientemente borracho como para dejarse llevar por la sinceridad. Su fluidez pasajera había desaparecido dando paso a la honestidad.

—Solía creer en eso cuando era chico. Tratábamos de levantar los espíritus de los muertos. En las ferias yo siempre recurría a los adivinos. Quería creer que tenía un destino importante. Quería tener un mundo de fantasías porque no toleraba vivir en el mundo real.

El refugio se estremeció por el impacto de un obús cercano.

Weir parecía sorprendido.

—¿Ya en esa época?

—Un día, cuando estaba en el hospital, Gray me dijo que eso era bastante común entre los chicos que... ¿cómo fue la frase que usó? A quienes se les había quitado la magia normal de la infancia... algo así.

—¿Y qué demonios sabe Gray acerca del asunto?

—Se lo dijo uno de sus médicos austríacos.

Ellis, que todavía escuchaba desde la cama, decidió intervenir.

—¿Qué sucedió cuando lo hirieron?

—Empecé a creer en algo.

—¿En qué?

Stephen apoyó el mentón en las manos. Hablaba arrastrando las palabras y con largos silencios durante los que intentaba poner en orden sus pensamientos. En sus silencios resonaba el aullido de los obuses.

—Oí una voz. Había algo más allá de mí. Toda la vida he creído que no había nada más allá... la carne, el momento de estar vivo... luego nada. Había buceado en las supersticiones. —Hizo un gesto con la mano. —Ratas. Pero no había nada. Entonces escuché el sonido de mi propia vida que me abandonaba. Era tan... tierno. Lamenté no haberle prestado atención. Después creí en la sabiduría de lo que otros hombres habían descubierto antes de mí... comprendí que esas cosas sencillas podían ser ciertas... nunca quise creer en ellas porque me parecía mejor ganar mi propia batalla. —En un rapto de elocuencia, agregó: —Uno puede creer en algo sin comprometer la carga de la propia existencia.

Weir lo miró sin comprender. Ellis tosió.

—¿Entonces en qué cree?

—En un cuarto, un lugar, un lugar bien asentado sobre la tierra. —La cabeza de Stephen estaba cerca de la mesa y su voz era casi inaudible. —Tan sólo un cuarto. Donde se comprenda.

—Creo que debe recorrer un largo camino antes de poder considerarse un buen cristiano.

Stephen levantó la cabeza. Sus ojos se fijaron con lentitud, luego ardieron de furia, la furia incontrolable de un granjero. Se puso de pie y se dirigió tambaleante al camastro. Tomó a Ellis por la camisa y lo arrojó sobre él.

—Mire, lo siento, no quise ofenderlo. —Ellis estaba alarmado por la expresión de Stephen. —Usted está borracho, déjeme en paz.

Stephen respiró hondo. Dejó caer las manos a los costados del cuerpo.

—Ve a cuidar de tus hombres —dijo con suavidad—. Son las tres. ve a conversar con los centinelas. Sabes lo asustados que deben estar.

Ellis se puso el sobretodo y salió. Stephen lo miró marcharse, luego se volvió hacia Weir.

—¿Eso es lo que corresponde, verdad Weir? Debe ir a ver si sus hombres están bien.

—¿Quién? ¿Ellis? Debiste pegarle un puntapié. Déjame dormir en su camastro hasta que vuelva. Desde que hirieron a Adamson, no tengo con quien conversar.

Jack Firebrace y Arthur Shaw estaban tendidos juntos en su refugio. Había diez hombres en un espacio de siete metros de ancho por uno cincuenta de alto. Una vez que se introducían allí, ya no tenían posibilidades de moverse. Jack se había acostumbrado a dormir toda la noche de un solo lado; con Arthur Shaw tendido a su lado no se podía mover. La respiración profunda de Shaw lo mecía y de alguna manera estaba acostumbrado a los contornos de su cuerpo. Dormía tan bien con él como había dormido en Londres con Margaret, haciendo oídos sordos al traqueteo de los trenes que pasaban junto a la ventana trasera.

Por la mañana escribió a su casa:

"Querida Margaret: Muchas gracias por el paquete que llegó sano y salvo y que me gustó mucho. Siempre nos vienen bien algunos cubos de Oxo de más y todos apreciaron mucho la torta. Últimamente hemos estado en mucho mejores alojamientos y estoy muy bien de salud. Tenemos buenos refugios...¡que ya no son sólo para los oficiales! Te aseguro que son casi lujosos y todos hemos dormido mucho.

"También estamos cavando. Creo que ahora la infantería nos acepta más y que lo que estamos haciendo es muy importante para el próximo gran ataque. Sí, habrá otro ataque.

"Por cierto que es peligroso y hemos tenido algunas alarmas de gas, pero nos sentimos mejor ahora que recibimos una nueva remesa de canarios. Creo que hay minas enemigas, pero todavía no nos hemos topado con ellas. Te cuento todo esto, pero no debes preocuparte por mí. Porque si te preocuparas, lamentaría habértelo escrito.

"La infantería siempre quiere que nos hagamos cargo de algunos de sus trabajos, pero ya hacemos bastante bajo tierra. Te puedo asegurar que no pensamos cavar trincheras para nadie. Les dimos una mano para enterrar algunos cables telefónicos, pero eso fue todo. Ahora envían a algunos de ellos para que nos ayuden a nosotros. ¡Eso me parece más justo!

"Nos hicieron marchar siete kilómetros y medio para darnos un baño cuando nos habíamos bañado el día anterior. Te puedo asegurar que hubo muchas protestas. ¿Qué sentido tiene bañarse si uno no se puede cambiar de ropa y la tiene llena de "visitantes"? Pero fue un buen baño, con abundante agua tibia y con ducha. Después los hombres estuvieron felices porque nos dieron un poco de descanso y había un lugar donde servían cerveza. Al volver recibimos una buena amonestación del sargento, pero valió la pena.

"Dices que no tienes noticias y que debes aburrirme con tus cartas, pero no es así. Estamos deseando recibir cartas de casa. Es en lo único que pensamos: hogar, hogar, hogar.

"También pienso bastante en el chico. Debo confesar que me cuesta mantener la alegría. Los domingos tenemos servicio divino y el sermón siempre es interesante. La semana pasada el padre nos contó la historia del Hijo Pródigo, que un hombre rico tenía dos hijos y uno de ellos tomó por el mal camino, pero cuando volvió a su casa su padre mató para él el becerro más gordo. Yo también habría querido hacer lo mejor por John, pero no puede ser.

"Estoy haciendo grandes esfuerzos por ser alegre, y no debes preocuparte por mí. Por favor agradécele a la señora Hubbard sus buenos deseos. Escríbeme pronto. Con cariño, Jack."

Las minas se enterraban muy hondo en la arcilla azulada. En las cabeceras de las más grandes, los hombres cavaban cámaras amplias donde podían descansar y dormir sin necesidad de subir a la superficie. Soportaban el olor de sus cuerpos apretujados y sucios con tal de gozar de cierta calidez y seguridad. Cualquier minuto era mejor si no había que pasarlo bajo la lluvia interminable. Ninguna noche era insoportable si estaban al abrigo de los vientos gélidos que les endurecían las chaquetas y pantalones empapados hasta convertirlos en tablones helados. Era difícil respirar ese mal olor del túnel, pero no era mejor afuera donde el cloruro de sal no parecía aliviar sino empeorar la atmósfera de carne putrefacta, donde las letrinas habían sido enterradas o abandonadas y los hombres preferían inhalar el humo tóxico de los braceros que el olor de los excrementos.

Mientras las principales minas hondas, que estaban en construcción desde hacía dos años se iban ampliando en forma gradual y avanzaban hacia la colina, la compañía de Weir trabajaba en un túnel superficial desde donde podían escuchar las contra-minas del enemigo. Una mañana oyeron ruido de actividad alemana por encima de ellos. Era como si hubiera una escalera bajo tierra, de la que los hombres saltaban. El ruido de sus botas se escuchaba por sobre las cabezas de los mineros británicos. Weir ordenó que evacuaran el túnel pero en todo momento hubo dos o tres hombres en puestos de escucha para estar seguros de que los alemanes no minaran la trinchera misma. Para ese trabajo no se presentaron voluntarios, de manera que Weir se vio obligado a organizar una rotación diaria. Llevaban consigo velas para poder leer mientras escuchaban. Sólo llegaron a bajar y regresar veinte hombres cuando la explosión que temían sacudió la tierra. Los alemanes acababan de hacer volar su propio túnel. Los dos británicos que estaban en el puesto de escucha quedaron enterrados bajo toneladas de tierra de Flandes.

Cuando se produjo la explosión, Weir estaba en la trinchera, bebiendo té con Stephen y explicándole sus dificultades. Al sentir que la tierra se sacudió bajo ellos, se puso blanco como el papel. El té caliente se derramó sobre su mano temblorosa.

—Lo sabía —dijo—. Sabía que lo volarían. Debo llegar allá abajo. Dejar a esos hombres de guardia fue idea mía. ¡Oh, Dios! ¡Sabía que esto sucedería!

Miró como frenético a Stephen en busca de comprensión, luego pasó a su lado y se encaminó a la cabecera del túnel.

—¡Un momento! —dijo Stephen—. Puedes haber perdido tres hombres allá abajo, pero si el enemigo tiene un túnel debajo de esta trinchera, yo perderé la mitad de mi compañía. Será mejor que te asegures de que ese túnel ya no existe.

—Si tanto te preocupa, ven a verlo tú mismo. Yo tengo que pensar primero en mis propios hombres —contestó Weir.

—Lleva contigo a uno de tus hombres y ordénale que vuelva a informarme.

Weir estaba tan furioso que había dejado de temblar.

—¡No me digas lo que debo hacer! Si estás tan preocupado por tus hombres, tú mismo…

—¡Por supuesto que estoy preocupado por ellos! Si creen que debajo de ellos hay una mina, no permanecerán en su lugar durante veinticuatro horas. Habrá un motín.

—Entonces baja y compruébalo por ti mismo.

—No me corresponde andar arrastrándome bajo tierra.

Stephen seguía a Weir a lo largo de la trinchera hacia donde éste guardaba los abastecimientos del túnel. Tomó una pequeña jaula de madera con un canario dentro y se volvió a mirar a Stephen.

—¿Tienes miedo? —preguntó.

Stephen vaciló mientras miraba la jaula.

—¡Por supuesto que no! Simplemente…

—Entonces ven.

Stephen quien pocas veces se había sentido dominado por Weir, se dio cuenta de que no le quedaba alternativa.

—No nos tomará más de una hora —explicó Weir, ya más tranquilo al notar que Stephen cedía. Hubo una pausa. —La última vez te hirieron, ¿verdad? De manera que supongo que ahora tienes miedo de bajar.

—No —aseguró Stephen—. No tengo miedo de bajar.

Weir le pasó un pico y un casco de minero con una luz.

—Allí el túnel es muy angosto y cuando lleguemos al lugar de la explosión tendremos que limpiar algunos escombros.

Stephen asintió en silencio. Le ordenó al soldado más cercano que le informara a Ellis adonde iba, luego siguió a Weir hasta la cabecera del túnel.

La cubría una pieza de tela engomada estirada sobre un marco de madera a sólo sesenta centímetros de la pared delantera de la trinchera. Retiraban la arcilla excavada en bolsas de arena y la arrojaban lejos, a retaguardia, para que los aviones enemigos no pudieran tener idea del lugar donde se estaba haciendo la excavación. La entrada no era mucho más que una cueva de conejo.

Weir se volvió hacia Stephen, con expresión ansiosa.

—Sígueme con la mayor rapidez posible.

Debajo del parapeto de la trinchera había un agujero vertical que descendía a la oscuridad de la tierra. Los peldaños de madera estaban separados a varios centímetros unos de otros. Weir bajó con la facilidad que brinda la práctica, sosteniendo con los dientes la manija de la jaula del canario, pero Stephen debía tantear con los pies para encontrar cada peldaño.

Por fin llegó a la plataforma de madera donde lo esperaba Weir.

—¡Vamos, por amor de Dios! Ya estamos. No es más que un túnel superficial.

—¿No debiste haber enviado a los camilleros? —preguntó Stephen que respiraba agitado.

—No, están preparados, pero no vendrán a menos que un oficial les indique adónde deben ir.

Weir se adelantó agazapado en la oscuridad, sosteniendo la jaula en la mano izquierda. Stephen lo seguía a dos o tres pasos de distancia. El pájaro gorjeaba, aunque era imposible saber si de alegría o de miedo. Al oírlo, Stephen se estremeció. Pensó en la superficie de la tierra que había sobre sus cabezas; una serie de cráteres redondos que constituían la tierra de nadie, todos llenos de agua en la que jugaban las ratas que se hacían un festín con los cuerpos que no habían sido rescatados; después alrededor de nueve metros de arcilla compactada y resistente, a través de la que todavía penetraba la humedad del mundo exterior.

Weir se arrastraba sobre manos y rodillas a medida que disminuía la altura del túnel que llegó a noventa centímetros. Los costados del túnel se apretaban contra los cuerpos de ambos y a Stephen le resultaba difícil distinguir el haz de luz de la lámpara de Weir. La suya sólo parecía iluminar los clavos de las suelas de las botas de Weir y de vez en cuando la tela que le cubría el trasero.

A medida que iban avanzando, Stephen sintió que la arcilla se le adhería a las manos. Tenía ganas de colocar los brazos a los costados del cuerpo y empujar las paredes del túnel para tener espacio para respirar. Pero mientras el cuerpo de Weir estuviera entre él y la jaula, cualquier miedo que le provocara el peso de la tierra que lo rodeaba resultaba tolerable. Cualquier cosa era tolerable con tal de que no tuviera que acercarse demasiado a ese pájaro.

Weir respiraba agitado, en jadeos, mientras se esforzaba por avanzar utilizando una mano para empujarse hacia adelante y la otra para arrastrar la jaula. Stephen sintió que la punta de una piedra le cortaba la mano. No podía hacer nada. La tierra que los cubría estaba envenenada por las esporas de gangrena de gas, una enfermedad de caballos implantada por la cantidad de bosta de caballo que utilizaban los labradores; Stephen abrigaba la esperanza de que no se hubiera hundido hasta donde ellos estaban. Siguió adelante, tratando de apoyar el peso sobre el revés de la mano herida. En ese momento el túnel era tan angosto que debían tratar de ensancharlo con los picos. Pero como el espacio no era suficiente para que hicieran palanca, el avance era muy lento.

De repente Weir se detuvo y Stephen lo oyó maldecir.

—Hasta aquí llegamos —dijo—. Aquí termina. Debería haber nueve metros más. Lo han hecho volar todo. Mis dos hombres tienen que haber muerto.

Stephen se le acercó y vio el muro de tierra que se alzaba delante de ellos. Sintió un pánico repentino. Si en ese momento también se derrumbara la parte de atrás del túnel... Movió los pies e inició una maniobra para volverse: una explosión de ese calibre sin duda debía haber debilitado toda la estructura de ese túnel que se apoyaba sobre maderos. De su mochila Weir sacó un disco de madera que apretó contra la pared del túnel. Luego sacó un estetoscopio que apoyó contra el disco y escuchó. Se llevó un dedo a los labios. Stephen no tenía la menor intención de interrumpirlo. Él también escuchaba con atención. Reinaba un curioso silencio. Había algo inquietante en ese silencio: no se oían disparos.

Weir se quitó el estetoscopio de las orejas.

—Nada —anunció.

—¿Y esa cosa es efectiva?

—Sí, es buena. La inventó un científico de París. Pero por supuesto que uno nunca puede estar totalmente seguro.

—¿Quiénes estaban aquí adentro?

—Uno de ellos era Shaw. El otro creo que se llamaba Stanley. Era nuevo.

—¿Y cómo haremos para sacarlos?

—No los sacaremos. Si tratamos de cavar esta tierra no haríamos más que provocar el derrumbe del techo. Enviaremos a algunos hombres para que lo aseguren con madera y si ellos logran pasar, mejor. Pero ahora yo quiero cerrar este túnel.

—¿Y si no llegan hasta donde están Shaw y el otro?

—Diremos una oración. En definitiva todos terminaremos enterrados.

—¿No quieres que recemos ahora?

La cara de Weir estaba tan cerca de la suya, que Stephen alcanzaba a percibir su aliento a alcohol rancio.

—Yo no conozco ninguna oración. ¿Tú sí?

—Podría inventar alguna —El canario lanzó un leve gorjeo. Stephen tembló de miedo. Las palabras surgieron de sus labios: —En tus manos, oh Dios, ponemos la vida de estos dos hombres. Que descansen en paz. Que no hayan muerto en vano. En nombre de Jesucristo, Amén.

—Salgamos —dijo Weir—. Será mejor que me dejes ir adelante. Trataré de pasar a tu lado. Muévete un poquito para atrás, así, y apriétate contra la pared.

Stephen se tiró al piso para que Weir pasara sobre él. Cuando el cuerpo de Weir se apretó contra el suyo, el pico que llevaba se enganchó con la tierra del techo. Un terrón cayó encima de él. Eso provocó una caída mucho más pesada que fue a dar sobre su brazo derecho. Weir lanzó un grito. En un movimiento instintivo, Stephen trató de retroceder hacia donde el túnel era más ancho por si se derrumbaba por completo. Weir maldecía y se quejaba.

—Tengo el brazo roto. ¡Sácame de aquí! ¡Sácame de aquí! Rápido antes de que se derrumbe todo.

Stephen retrocedió hasta donde él estaba y, con mucho cuidado, comenzó a retirar la tierra que le cubría el cuerpo. La empujaba hacia atrás, hacia la pared bloqueada. Weir gemía de dolor.

—¡Sácamela de encima! ¡Sácamela de encima! ¡Tenemos que salir de aquí!

—Estoy haciendo todo lo que puedo —dijo Stephen por entre los dientes apretados—. Tengo que hacerlo con suavidad. —Estaba encima de Weir, con la cabeza hacia los pies de éste. Cuando terminó de retirar la tierra que le cubría el brazo, debió retroceder por sobre el cuerpo de Weir, obligándolo con su peso a clavar la cara en la tierra. Por fin quedaron tendidos con las caras una junto a la otra, los pies de Weir hacia la pared del derrumbe, los de Stephen hacia la salida. Weir escupía la tierra que se le había metido en la boca.

—¿Podrás lograrlo? —preguntó Stephen.

—Me he roto el brazo y tal vez también una costilla. Tendré que arrastrarme con una mano. Hazte cargo tú del pájaro.

Stephen estiró la mano para tomar la jaula. El débil marco de madera había sido destrozado por el derrumbe de tierra; la jaula estaba vacía.

—El pájaro no está —dijo—. Vamos.

—¡Maldición! —exclamó Weir—. No lo podemos dejar. Tendremos que buscarlo y llevarlo de vuelta. Porque si los Boches lo encuentran sabrán que nosotros...

—¡Por amor de Dios, de todos modos ya saben que hay un túnel! Por eso lo volaron.

—Bajo ninguna circunstancia podemos dejar un canario en libertad —escupió Weir en medio de su dolor—. ¡Nunca! Está en el reglamento. Me someterían a una corte marcial. Encuentra a ese canario.

Stephen volvió a arrastrarse hacia atrás por sobre el cuerpo postrado de Weir. Estaba al borde de las lágrimas mientras revisaba el túnel a la débil luz de la linterna de su casco. Un poco a la izquierda del agujero dejado por el derrumbe, alcanzó a ver un punto amarillo. Con suavidad estiró la mano hacia allí.

Sentía que su corazón golpeaba contra el piso del túnel; tenía la ropa empapada de sudor que le corría hasta los ojos. Mantuvo la mano firme y fue abriendo los dedos en la penumbra mientras la acercaba al canario.

—¡Por favor, Dios! —susurró—. ¡Por favor! ¡Por favor! —Cuando su mano estuvo a diez centímetros del canario, la estiró para agarrarlo. El canario levantó vuelo y, al pasar, sus alas le rozaron el revés de la mano. Stephen lanzó un grito. Se le convulsionó el cuerpo y pateó los muslos de Weir.

—¡Qué pasa, por amor de Dios! Vas a derrumbar este túnel.

Stephen permanecía tendido de cara al piso, jadeante y con los ojos cerrados.

—¡Quédate quieto! Y por amor de Dios no hagas ruido. Ahora lo tengo cerca —agregó Weir.

Stephen permaneció inmóvil, sin pronunciar palabra. Weir no hizo ningún movimiento. Stephen lo oyó lanzar unos leves silbidos. Trataba de tranquilizar al canario asustado para poder tomarlo. Stephen seguía de cara al derrumbe. El cuerpo de Weir le bloqueaba la salida hacia la luz.

Sintió que Weir hacía un repentino movimiento.

—¡Lo tengo! —exclamó—. Lo tengo en la mano.

—Está bien. Entonces vamos. Empieza a moverte y yo te seguiré.

—No tengo más que una mano. No puedo llevar el canario.

—¡Entonces mátalo! No es más que un pájaro. ¡Vamos! Quiero darme vuelta. Me estoy acalambrando. Quiero salir de aquí de una vez.

Hubo un instante de silencio. Weir no hizo ningún movimiento. Por fin dijo:

—No lo puedo matar. No puedo.

Stephen sintió un extraño peso en el estómago.

—Debes matarlo —insistió. La voz le surgía con suavidad de la garganta seca.

Hubo otro instante de silencio. Luego Weir dijo:

—No puedo hacerlo, Wraysford. Sencillamente no puedo. No es más que un pajarito. No ha hecho nada malo.

Stephen hizo un esfuerzo por controlarse.

—¡Por amor de Dios, mátalo! Apriétalo en la mano. Muérdele la cabeza. Cualquier cosa.

—Hazlo tú.

—No. Es demasiado arriesgado que me lo pases. Tal vez vuelva a escapar.

Weir rodó sobre sí mismo hasta quedar de espaldas al piso y extendió el puño hacia Stephen. La cabeza del canario aparecía entre su índice y su pulgar.

—Aquí lo tienes —dijo—. Lo mantendré quieto mientras sacas el cuchillo y lo degüellas.

Stephen sintió que Weir clavaba en él la mirada. Metió la mano en el bolsillo y encontró el cortaplumas. Abrió la hoja y se subió sobre las rodillas de Weir. Hizo un esfuerzo para erguirse y Weir pudo mirar a Stephen a los ojos cuando la cabeza de éste apareció entre sus piernas. Los dos hombres se miraron por sobre la pequeña cabecita amarilla que había entre ambos. Stephen pensó en las filas de hombres a quienes había visto caminando hacia las armas del enemigo; pensó en el mundo que aullaba en el crepúsculo de Thiepval. Weir lo miraba fijo. Stephen guardó el cortaplumas en el bolsillo. Luchó contra las lágrimas que pugnaban por brotarle. Si las veía tal vez Weir soltara al canario. Porque tal vez se emocionara.

—Yo lo llevaré —dijo.

—Te harán falta las dos manos para cavar y arrastrarte —advirtió Weir.

—Ya lo sé.

Stephen fabricó un cabestrillo para el pájaro con su pañuelo. Ató tres puntas y dejó una abertura en la cuarta.

—Está bien. Métclo allí adentro y yo lo ataré.

Cerró los dientes con fuerza y le tendió ambas manos a Weir quien soltó al canario dentro del pañuelo. Stephen se sobresaltó al sentir el batir de alas contra la palma de sus manos. Temblando, consiguió acercar la cuarta esquina del pañuelo a las otras tres y atarla a ellas. Se puso el nudo entre los dientes y volvió a arrastrarse sobre el cuerpo de Weir.

Iniciaron el lento regreso, Stephen empujaba hacia los lados la tierra suelta y siempre que podía ensanchaba un poco el túnel. Weir luchaba por avanzar valiéndose de la mano izquierda.

En la angosta oscuridad, Stephen percibía el peso plumoso bajo su cara. Por momentos el ave aleteaba y luchaba, por momentos permanecía inmóvil y asustado. A Stephen le parecía ver el esqueleto extendido de un ala, los movimientos veloces de la cabeza y los ojos negros e implacables. Trató de pensar en otra cosa, pero no lo logró. Era como si se le hubiera cerrado el cerebro y conservara una sola imagen: la forma fósil de un ave, un pterodáctilo tallado en piedra, el pico largo y cruel con su gancho prehistórico y los huesos extendidos, su ancho exiguo y su enorme envergadura, sobre todo la parte inferior del ala con sus plumas que luego se estirarían, aletearía y le golpearían el rostro cuando la frenética criatura, presa de la tormenta de su hostilidad, le enterrara el pico en los ojos.

El pequeño canario que llevaba suspendido de la boca, realizaba débiles movimientos y sus plumas amarillas sobresalían del pañuelo y le cepillaban la cara con suavidad. Stephen cerró los ojos y siguió adelante. Estaba deseando llegar al barro y al olor a podredumbre, al estruendo de los morteros.

A sus espaldas, Weir se arrastraba lo mejor posible. Le pidió a Stephen que se detuviera y metió el brazo roto dentro de la camisa, para protegérselo. Gritó de dolor cuando, en determinado momento, los dos huesos se rozaron.

Llegaron a la escalera y pudieron ponerse de pie. Stephen se sacó el pañuelo de la boca y se lo alcanzó a Weir.

—Treparé y enviaré a un par de tus hombres a ayudarte. Tú encárgate de esto.

Weir asintió. Stephen notó que estaba muy pálido. Entonces Weir esbozó esa sonrisa ancha y de ojos inexpresivos que tanto preocupaba a Ellis.

—Eres un hombre valiente, Wraysford —dijo.

Stephen alzó las cejas.

—Espera aquí, por favor.

Subió la escalera de la mina con creciente placer. Arriba en el barro, en la luz amarillenta, bajo la lluvia, estiró los brazos y respiró hondo el cloruro de sal como si se tratara del más fino perfume de la rue de Rivoli.

Encontró a Ellis esperando nervioso cerca de la entrada del túnel.

—¡Ah, Ellis! Busca a un par de ratas de albañal, ¿quieres? El mayor Weir se ha roto un brazo.

—¿Dónde ha estado, señor?

—Ayudando a los zapadores, ¿sabes? Hay que mostrar buena voluntad. Si uno se los pide de buena manera, hasta son capaces de edificarte un refugio.

—Estaba preocupado, señor. ¿No podría haber enviado a algún otro?

—Ya basta, Ellis. Sólo te pido que hagas bajar dos hombres. Yo iré a caminar. Lindo día, ¿verdad?

En un extremo de la línea podía oír a Price impartiendo órdenes para que un grupo comenzara a trabajar en la reparación de trincheras. Stephen sonrió. Cuando los campos de Europa ya no fueran necesarios para uso humano y se les permitiera volver a hundirse en los fuegos de la creación, Price seguiría confeccionando listas.

—¡Por supuesto que puede ir! —dijo el coronel Gray—. Ahora se supone que ésta es una guerra civilizada. Y sabremos donde encontrarlo. Lo único que le pido es que el joven Ellis, aquí presente, no lo lleve por el mal camino.

Stephen asintió.

—Gracias, señor.

Gray volvió a tomar el libro y apoyó los pies sobre el escritorio. Cuando Stephen y Ellis abandonaron la casa que hacía las veces de cuartel general del batallón, ya estaba enfrascado en otra página de Tucídides.

Al día siguiente el tren los condujo hasta el campo casi enterrado en desechos del conflicto. Al principio a Stephen le resultaba extraño asomarse desde una trinchera bombardeada y alcanzar a ver a pocos kilómetros de distancia, detrás de la línea de batalla, una vida de campo normal. Pero después de tres años de lucha, el terreno estaba sembrado de despojos de la industria liviana de la guerra. Barriles de petróleo, cajones que antes contenían granadas, cajas de madera, latas, los embalajes de toda clase de abastecimientos y de proyectiles cubrían el campo a ambos lados de los rieles.

A los diez minutos alcanzaron a ver el primer árbol verde, el primer tronco que no estaba ennegrecido por los proyectiles de morteros, que conservaba su corteza marrón y estaba coronado de ramas en las que se reunían las palomas y otras aves.

Ellis le ofreció un cigarrillo. Stephen tomó el paquete y lo estudió.

—"La Bandera". ¿Dónde consigues estas cosas, Ellis?

—Estoy tratando de ver cuántas marcas distintas llego a encontrar. Por lo visto existe una llamada "Cocinero, Tamaño Pequeño" que todavía no conozco.

El humo de cigarrillo barato llenó el compartimento.

Desde que Ellis mencionó la posibilidad de viajar a Amiens, Stephen se fue ablandando poco a poco. Siempre supuso que jamás volvería, pero estaba convencido de que lo sucedido allí era algo tan lejano en el tiempo y que a la vez era una experiencia tan particular, que no tenía ninguna relación con su vida presente. Tal vez fuese peligroso volver a visitar lugares de un tiempo anterior de la vida, pero no se sentía propenso a ninguna forma de sentimentalismo. Sólo tenía cierta curiosidad por saber lo que le había ocurrido a la ciudad. Gray comentó que la habían bombardeado.

—Dígame algo, señor —dijo Ellis—. Me refiero a esas cartas de la otra noche. Usted…

—No es necesario que me llames señor, ¿sabes? En cuanto a las cartas… ¿qué te pareció?

—Creo que usted las arregló.

Stephen sonrió.

—¡Por supuesto que las arreglé. Eso es algo que hasta el mismo Weir sabe.

—¿Y entonces por qué le pide que se las tire?

—Porque está asustado.

Ellis parecía intrigado.

—Sí, supongo que es extraño —explicó Stephen—.Weir no cree en nada. Necesita algo que lo sustente. Trata de convencerse de que su propia supervivencia es algo por lo que vale la pena luchar. Casi se podría decir que algo por lo que vale la pena morir.

—¿Y las cartas lo ayudan?

—Tal vez. Está aterrorizado. Es posible que se haga trampas a sí mismo.

—Comprendo —dijo Ellis. Hablaba en un tono abrupto. —¿Y cuándo se aterrorizó?

—No creo que se trate del miedo que tú crees —contestó Stephen con mucha suavidad—. No le teme al gas, ni a los obuses, ni a quedar enterrado vivo. Lo que le da miedo es que todo esto no tenga sentido, que no tenga un propósito. De alguna manera tiene miedo de haberse perdido en una vida equivocada.

—Comprendo —dijo Ellis, dubitativo.

El tren avanzaba ruidosamente hacia Amiens y Stephen sintió una agradable anticipación. Ellis no era precisamente el hombre a quien habría elegido como acompañante, pero estaba decidido a ser bondadoso con el muchacho. Weir descansaba en un centro de rehabilitación cerca de Arras. Tenía esperanzas de que lo enviaran a Inglaterra, pero las heridas como la suya provocaban desconfianza desde el principio de la guerra, cuando los soldados de la infantería adquirieron la costumbre de meter los brazos en los malacates con la esperanza de sufrir heridas de consideración. Ellis sacó un bloc y comenzó a escribir a su casa. Stephen miraba por la ventanilla. Los sonidos de la guerra lo abandonaban. A diferencia de Weir, quien en el silencioso dormitorio de la casa paterna seguía aprisionado por imaginarios sonidos de granadas, Stephen era capaz de olvidar.

¿Cómo era él siete años antes? ¿En qué mundo vivía, en qué existencia llena de aturdimiento? En su momento le pareció coherente; los fuertes sentimientos que se desataron en él, inflamados cada día por el renovado placer de sus sentidos, parecían algo no solo comprensible, sino importante. En su vida de ese tiempo, sentía que estaba a punto de comprender, hasta de probar algo, aunque ya no podía decir de qué se trataba.

—¿Qué piensas hacer en Amiens? —le preguntó a Ellis.

—No sé. Nunca he estado de licencia. Ignoro hasta qué punto continúa la vida normal. ¿Qué cree que debería hacer?

Stephen se encogió de hombros.

—Casi todos quieren emborracharse primero y luego ir a un burdel.

Ellis frunció el entrecejo.

—No creo que eso me guste.

Stephen lanzó una carcajada.

—¿Qué? ¿Emborracharte?

—No… lo otro.

—Creo que debes hacerlo. El ejército está convencido de que es saludable que los soldados se acuesten con regularidad con alguna mujer. Los burdeles están aprobados por la policía militar.

—Bueno, ¿usted piensa ir? —preguntó Ellis en tono desafiante.

Stephen meneó la cabeza.

—No. No me interesa en lo más mínimo.

—Entonces yo tampoco iré —decidió Ellis.

—¿A quién le estás escribiendo?

—A mi madre.

Stephen sonrió.

—Posiblemente te lo haya preguntado en un mal momento. Pero yo decididamente iré a un bar. Debes permitir que te invite con una copa de champaña. Así es como empezaremos.

Cuando el tren entró a la estación, al principio Stephen no la reconoció. Estaba preparado para que lo asaltaran los recuerdos, pero no fue así. Una vez en el andén, miró el techo abovedado y luego dirigió la vista hacia el vestíbulo abierto. Él e Isabelle habían partido desde otro andén, en el otro extremo de la estación. Mientras esperaba que el tren arrancara, recordaba haber mirado fijo una puerta verde desde la ventanilla. Miró hacia el otro lado de las vías y la vio, idéntica a la que recordaba.

Él y Ellis salieron a la calle a media tarde. Era un día nublado pero con las primeras señales de que tal vez el invierno de seis meses comenzara a aflojar. Ya no llovía, y la brisa no los aguijoneaba con su frío.

Caminaron hacia la catedral. Algunos edificios tenían huellas de impactos de disparos. Ubicada pocos kilómetros detrás de las líneas aliadas, Amiens había sufrido de acuerdo a los vaivenes de la guerra. Los recientes avances aliados la convertían, por primera vez, en un lugar seguro: ya no la alcanzaban los bombardeos y los negocios locales trataban de sacar provecho a la nueva tranquilidad que reinaba en la región del Somme. Las tiendas se reabrían; el toque de queda de las ocho de la noche que regía sobre bares y restaurantes, ya no tenía vigencia.

Stephen miró con intenso interés las calles que recordaba. A pesar de la ausencia de alguna pared, o de algún frente ennegrecido, en su mayoría estaban iguales que antes. Durante los siete años de su ausencia, Stephen nunca las recordó conscientemente; pensó poco en la ciudad.

Sin embargo mientras avanzaba por los lugares que le eran familiares, las calles mismas se rememoraban en su mente.

En una esquina estaba el edificio a través de cuya ventana abierta Isabelle una vez oyó una canción que le encantó, aunque no le sucedió lo mismo a Bérard, el amigo de su marido. A su derecha, en un angosto pasadizo, estaba el restaurante al que con tanta frecuencia iba a almorzar. Tal vez siguiera allí su asiento predilecto, junto a la ventana; hasta era posible que el mismo parisién se encontrara detrás de la barra del bar.

—Ellis, ¿te importa si vamos hacia allí? Hay un café que recuerdo.

—Siempre que tenga champaña. ¿Es el Gobert? Ése es el que me recomendaron.

—No recuerdo como se llamaba. Lo dirigía un individuo que antes era dueño de un café en la Place de l'Odeon de París.

Se detuvieron frente al café y Stephen miró hacia adentro por la vidriera. Las sillas de madera habían desaparecido. A un lado había una barra desnuda y en el otro una serie de mesas y sillas baratas. Stephen abrió la puerta de madera liviana con el vidrio cubierto de alambre tejido. Adentro el lugar estaba desierto. Se acercaron al bar detrás del que vieron algunos estantes no muy bien provistos.

Un hombre calvo, de rostro extenuado y delantal grasoso, bajó la escalera con dificultad y entró por una pequeña puerta ubicada en un extremo de la habitación. De su labio inferior colgaba un cigarrillo. Los saludó con un gruñido. Stephen pidió dos cervezas.

—¿Por casualidad sabe qué fue del anterior propietario de este lugar?

—Está en Alemania. Prisionero. Se los llevaron en 1914.

—¿A quiénes?

—A todos los hombres de Amiens. Cuando los alemanes ocuparon la ciudad.

Stephen tomó el vaso de cerveza.

—¿Me quiere decir que se llevaron a Alemania a todos los hombres que vivían en la ciudad?

El individuo se encogió de hombros.

—Sólo a los imbéciles. Y a los cobardes. El resto se las arregló para quedarse.

—¿Y qué me dice de usted?

—Era demasiado viejo, no les interesé.

—¿Qué está diciendo? —preguntó Ellis.

—Dice que el hombre que dirigía este restaurante fue deportado a Alemania. Es un lugar bastante sombrío, ¿verdad? Antes era muy animado, estaba lleno de estudiantes y de gente así.

Stephen depositó su vaso sobre el sucio mostrador de zinc. Acababa de comprender lo sucedido a todos los alegres estudiantes que solían pedir bebidas a los gritos y que llenaban el aire con el humo de sus cigarrillos. Aquellos que no hubieran muerto en Verdún debían estarse reuniendo bajo las órdenes de su inspirado nuevo general para el ataque al río Aisne.

—Vamos —dijo—. Busquemos otro lugar.

—¿Por qué? Recién empezaba a…

—Es un lugar demasiado triste. Vamos —insistió Stephen depositando algunas monedas sobre el mostrador.

Afuera empezaba a oscurecer y Stephen no quería frustrar la primera licencia de Ellis con sus propios pensamientos.

—Elije tú un lugar —propuso— y yo pagaré las bebidas.

Caminaron hasta más allá de la catedral, que estaba cubierta de bolsas de arena hasta la altura de las ventanas inferiores. La piedra seguía intacta, aunque algunos de los vitrales ya no existían. Stephen notó que la mayoría de las mujeres de Amiens vestían de negro en señal de luto por algún familiar.

Se detuvieron en un bar llamado Aux Huitres, aunque adentro no se despacharan ostras. Estaba repleto de soldados de todas nacionalidades; ingleses, franceses, belgas, portugueses. Stephen compró una botella de champaña y llenó la copa de Ellis. Alzó la suya y ambos brindaron por la salud del otro. Stephen estaba deseando alcanzar el olvido con rapidez. Le costaba más de lo previsto poder adaptarse a ese mundo relativamente normal. La presencia de tantos soldados era desconcertante. Sabía que el día anterior, muchos de ellos estaban hundidos en barro hasta la cintura y arrastrándose entre ratas. Miró sus cinturones lustrosos y sus rostros bien afeitados. ¿Si en ese momento eran capaces de reír con tanta convicción, de qué otros engaños no serían capaces?

Las mujeres de Amiens que no lloraban la muerte de sus maridos, parecían bien dispuestas hacia los soldados extranjeros. Aceptaban las copas que les ofrecían y se sentaban a sus mesas, donde hacían esfuerzos por comprender el francés balbuceante de los oficiales ingleses.

Antes de haber terminado su segunda copa, Ellis ofreció a Stephen para que oficiara como traductor. Un tímido mayor de alrededor de treinta años tragaba bocanadas de humo de su pipa para ocultar la confusión que le provocaba otro oficial del regimiento de los escoceses, que se esforzaba por lograr cierta intimidad entre él y una francesa chillona que bebía vino tinto.

—Dile que él está deseando mostrarle su refugio —dijo el escocés.

Stephen tradujo y luego dijo:

—Ella dice que lo considera muy buen mozo y que se pregunta si le gustaría llevarla a comer a alguna parte. —En realidad la frase de la mujer no había sido tan directa.

El mayor trató de emitir una respuesta balbuceante pero su francés no iba más allá de: "Est-ce que possible pour", después de lo cual volvió a dedicarse a su pipa luego de hacerle una serie de gestos caballerescos a la mujer.

—Creo que a ella le gustaría beber una copa —dijo Stephen.

—Comprendo. Lo siento terriblemente, yo...

—No se preocupe, yo iré a buscársela. Usted siga charlando.

El escocés entonces intentó explicar por qué le había resultado gracioso lo que dijo Stephen, porque en el ejército "charlar" significaba tratar de matar piojos. Como ignoraba como se decía piojo, ni matar, se dedicó a hacer una serie de gestos con los dedos como si estuviera dando muerte a los insectos. La mujer meneó la cabeza confundida, de manera que él se apoderó de un encendedor, lo acercó al dobladillo de su chaqueta y luego se tendió de espaldas en el piso, pegando puntapiés en el aire.

Cuando Stephen regresó la mujer reía a carcajadas. Ellis miró a Stephen con cierta inseguridad, pero al ver que éste sonreía, también él empezó a reír y a golpear la tapa de la mesa. Otros, que rodeaban la barra del bar, los miraban con expresión tolerante. Stephen cerró los ojos y bebió con rapidez. Acababa de comprar una botella de whisky en el bar, un vaso del cual bebió junto con la champaña. Cuando volvió a abrir los ojos, lo invadió una sensación de calidez hacia los otros hombres. Estaba aliviado.

—Dile que durante su próxima licencia le gustaría llevarla a pasar un fin de semana a París —dijo el escocés—. Tiene ganas de ir al Moulin Rouge.

—Moulin Rouge —repitió la mujer, riendo—. Muy bien.

La felicitaron por su dominio del inglés.

—Dile que aprendí inglés de un general que estuvo alojado en el pueblo —le pidió ella a Stephen.

—Dice que cree que pronto te ascenderán a general.

El mayor meneó la cabeza, en actitud de modesta confusión. Algo en su torpeza hizo que Stephen se acordara de Weir y sintió una oleada de compasión por su amigo ausente. Ojalá estuviera allí ese pobre y extraño Weir, tan poco mundano y, sin embargo, con una experiencia casi inimaginable en el último sentido que hubiera deseado.

Era evidente que, mientras simulaba ayudar a su amigo, era el escocés mismo quien esperaba impresionar a la francesa.

—Pregúntale a la señora si vive en Amiens, ¿quieres? Pregúntale si le sobra alguna habitación donde alojar a dos oficiales bien educados y que pertenecen a uno de los mejores regimientos de Escocia.

La mujer miró a Stephen con expresión inquisitiva. Tenía ojos castaños, expresión humorística y piel sonrosada.

—Bueno —dijo—. ¿Supongo que quiere acostarse conmigo?

Stephen contuvo una sonrisa.

—Me parece que sí.

La mujer rió.

—Dile que busque una casa con una luz azul. O colorada, si quiere algo más barato. Estoy dispuesta a ofrecerles a tres hombres una comida de primer orden, una habitación con sábanas limpias y huevos frescos y café para el desayuno, todo por un precio razonable. Pero me temo que nada más. Si quieres, tú puedes venir.

—Gracias. ¿En la ciudad hay bares que frecuenta la gente de la ciudad? No me refiero a soldados, sino a las personas que siempre han vivido aquí.

—Sí, hay dos o tres en esa dirección, hacia la rue de Beauvais o lo que queda de ella.

—¡Vamos compañero! —exclamó el escocés—. ¿Qué dice?

—Dice que tiene lo que ustedes necesitan.

—¡Dios Santo! —exclamó el mayor, exhalando con fuerza—. Habla como si fuera el Oráculo de Delfos.

De repente el escocés parecía inseguro y a Stephen le preocupó la posibilidad de haberle arruinado la diversión.

—No, no —se apresuró a aclarar—. Se la ve muy amistosa. Les dará una cama para pasar la noche y... estoy seguro de que le encantará continuar con la fiesta.

El escocés parecía aliviado.

—¡Bárbaro! Pidamos algo más de beber. Ahora te toca el turno a ti, Anderson.

Stephen se inclinó y le habló a Ellis en voz baja:

—Voy a salir un momento. Aquí hace demasiado calor. Pero por si no llegara a volver, ¿estarás bien? ¿Tienes dinero?

—Sí, estoy bien. Me estoy divirtiendo.

Stephen le sirvió un vaso de whisky y luego se metió la botella en el bolsillo.

—Bueno —dijo—. Te veré más tarde.

En la calle de nuevo se hacía sentir el invierno, aunque después del calor y el humo del bar, a Stephen le gustó sentir el aire frío contra la cara. Se arrebujó en el sobretodo y se subió el cuello. Un perro olisqueaba los adoquines. Se movió con agilidad por un callejón, con la cola blanca en alto e iluminada por la luna. Tenía cosas que hacer; casi todos los de la ciudad tenían cosas que hacer y, aunque las tiendas estuvieran cerradas y oscuras, a través de las vidrieras se alcanzaban a ver los mostradores silenciosos detrás de los cuales había rollos de tela o frascos de farmacia. Al día siguiente se produciría el mismo intercambio de formalidades en la panadería, el acostumbrado saludo de cada cliente con el dueño y luego con los demás clientes, el pan amablemente adquirido con agradecimiento por ambos lados. Una ceja alzada o un leve encogimiento de hombros podían indicar que todo no era exactamente como debería ser, pero eso era un hecho sabido. En cuanto al resto, sus vidas continuarían igual que antes, porque sencillamente no les quedaba alternativa. Junto a la panadería estaba la carnicería que ofrecía tres tipos diferentes de carne de caballo. En los caminos y en las líneas de apoyo ciertamente sobra la materia prima, pensó Stephen, aunque trató de no imaginar siquiera la calidad de la carne inferior.

En la vereda opuesta oyó que cantaban en un bar y cruzó la calle para inspeccionarlo. Al entrar, se volvió a encontrar rodeado de soldados, aunque ésos eran casi todos subalternos británicos. Sus rostros juveniles estaban arrebolados por el alcohol y muchos de ellos lanzaban sonidos que eran una mezcla de palabras y de risas, una especie de rugido. Habiendo entrado, Stephen no podía dar media vuelta y salir sin resultar ofensivo, de manera que se abrió paso hasta el bar y pidió una copa.

Uno de los jóvenes oficiales tocaba el piano en un rincón, aunque no todos los hombres cantaban la misma canción. Un jovencito se acercó a Stephen.

—Nunca lo había visto en lo de Charlie. ¿A qué regimiento pertenece?

Stephen sintió que el muchacho se apoderaba de un botón de su chaqueta y lo examinaba. No parecía impresionado.

—¿Ya ha visto algo de acción?

—Algo.

—¡Pobres viejas mulas! Ustedes siempre están bajo fuego, ¿no es cierto?

—Sí. Pero por lo general bajo el de nuestras propias armas.

—No lo tome a mal. Lo siento muchísimo. Creo que estoy por descomponerme.

El joven pasó junto a Stephen y se acercó a la puerta, a los tropezones.

—Le aconsejo que vaya a cuidar a su amigo —le dijo Stephen a un teniente que estaba a su lado.

—¡Dios Santo! ¿De nuevo? ¿Está descompuesto, verdad? El problema es que no tiene límites. Discúlpeme.

Stephen sentía que la masa de cuerpos que llenaba el bar lo empujaba hacia atrás y hacia adelante. Comenzaron a cantar todos juntos, con voces fuertes y confiadas. Después de un rato de esfuerzos, por fin Stephen logró llegar a la puerta. Caminó con paso ágil hacia la rue de Beauvais.

Encontró un bar con cortinas blancas en las ventanas. Vio un par de hombres apoyados en la barra. Lo miraron con desconfianza, pero asintieron y le devolvieron el saludo.

Stephen pidió una copa y fue a sentarse junto a la ventana. El lugar era silencioso y fresco y pudo poner en orden sus pensamientos. Cerró los ojos y trató de disfrutar del silencio, de la ausencia de armas, pero todavía tenía la mente demasiado excitada. Se preguntó si bebiendo un poco más alcanzaría el grado de relajación necesario. En ese momento se le ocurrió que lo que en realidad necesitaba era contacto humano, pero no impuesto por la proximidad de la guerra, sino entregado voluntariamente, por amistad.

Cuando abrió los ojos y levantó la mirada vio que una mujer acababa de entrar en el bar y estaba comprando una botella de licor verde. Le daba la espalda y tenía la cabeza cubierta por una bufanda. Cuando se volvió, con la botella en la mano, Stephen sintió que el estómago se le ponía rígido mientras lo recorrían oleadas producidas por el impacto.

Cuando la mujer miró a su alrededor notó la expresión de agonía de Stephen e inclinó la cabeza hacia un lado, en parte a la defensiva pero también preocupada. Los ojos de ambos se encontraron y ella desvió la mirada mientras que él la observaba con desesperación.

La mujer se encaminó a la puerta, algo avergonzada, con pasos rápidos que resonaron sobre el piso de madera. Con la boca abierta, Stephen echó atrás la silla y salió tras ella mientras el *barman* le gritaba que no había dejado dinero para pagar su consumisión.

Stephen corrió sobre los adoquines de la calle hasta que la alcanzó.

—Discúlpeme.

—Por favor, Monsieur, déjeme en paz o llamaré a la policía.

—No, escuche. ¡Por favor! Creo que la conozco. Le doy mi palabra de que no tengo la menor intención de hacerle daño.

A regañadientes, la mujer se detuvo y lo miró con cautela. Él le examinó el rostro, con sus ojos separados y sus huesos fuertes.

—Por casualidad no se llama... Perdóneme, porque si me equivoco esto le parecerá ridículo. ¿Pero usted no se llama... Jeanne?

Aunque con cierta renuencia, la mujer asintió.

—¿Y su apellido es Fourmentier?

Ella asintió en silencio. Sus gestos se parecían a los de su hermana Isabelle.

—¿Sabe quién soy? —preguntó Stephen.

Ella lo miró a los ojos. Su expresión era de cansancio resignado.

—Sí, creo que lo sé.

—¿Le molesta que la haya detenido?

Ella no contestó. En ese momento llegó el *barman* con la gorra de Stephen. Él se la agradeció y le pagó lo que debía.

Cuando estuvieron de nuevo a solas, Stephen dijo:

—¿Podríamos conversar en alguna parte? Quisiera hacerle algunas preguntas.

—Está bien. Sígame.

Stephen la siguió. No había nada que quisiera preguntarle, nada que tuviera necesidad de saber. Pero en cuanto la vio y adivinó quién era, tuvo que tomar una decisión: ignorarla o reconocerla. Sin tiempo para considerar el asunto, instintivamente eligió la última opción, con todo lo que podía traer aparejado.

Jeanne entró en la Place de l'Hotel de Ville y se sentó en un banco. Stephen permaneció vacilante, de pie delante de ella.

—No podemos conversar aquí. Quiero decir, ¿no le parece que podríamos ir a alguna parte donde estuviéramos bajo techo?

Jeanne meneó la cabeza.

—No quiero que me vean con usted en un bar.

—¿Y qué me dice de su casa? ¿No podríamos...?

—No, no podemos ir a casa. ¿Qué quería preguntarme?

Stephen lanzó un profundo suspiro. A la luz de gas, su aliento formó frágiles figuras. Se cerró el sobretodo sobre el pecho.

—Tal vez debería contarle algo de lo ocurrido. —Notó que Jeanne desconfiaba de él y pensó que tal vez dejaría de temerle si le demostraba que no tenía intenciones de dañarlas a ella o a Isabelle. Hizo una breve síntesis de su vida con Isabelle, aunque estaba convencido de que Jeanne ya debía conocer la historia. Pero si confirmaba lo que ella ya sabía, tal vez demostrara que era confiable. De vez en cuando Jeanne asentía con leves movimientos de cabeza.

Mientras hablaba, Stephen comprendió con claridad lo que quería saber y lo desconcertó su simplicidad. Quería saber si Isabelle todavía lo amaba. Al mirar a los ojos a la hermana mayor de Isabelle, la percibía hasta el punto de que su presencia volvía a ser una realidad. Y con ella retornó su curiosidad.

—Después volví a Francia y desde entonces ha habido esta guerra. No me he movido mucho, sólo algunos kilómetros hacia arriba y hacia abajo de la línea. Los años han pasado. Tal vez algún día esta guerra termine. —Sintió que su historia llegaba a un final poco convincente. No quería darle a Jeanne demasiados detalles de su vida en la guerra; supuso que todo eso le resultaría bastante conocido por lo sucedido a sus familiares y amigos. Tampoco quería que creyera que estaba tratando de ganar su comprensión, cuando sus propias experiencias eran idénticas a las de millones de otros.

—¿Y qué me dice de usted? —preguntó—. ¿Ahora vive en Amiens?

Jeanne asintió. Se echó atrás un poco la bufanda que le cubría la cabeza y él notó la forma de sus ojos grandes y castaños y la blancura casi traslúcida de su piel. Su rostro era más fuerte pero de construcción más simple que el de Isabelle, y carecía de esos tonos contradictorios de carácter y de colorido. Sin embargo, en la textura de la piel de Jeanne había tanta delicadeza como fuerza. Su voz era baja y suave.

—He vivido aquí durante algún tiempo. Vine a… vine cuando se me pidió que viniera, en noviembre del año pasado.

—¿Está casada?

—No.

—¿Vive sola?

—No, vivo con… amigos.

Era imposible saber si su reticencia era general o si existía algo concreto que quería ocultar. No cabía duda de que el monólogo de Stephen no la había tranquilizado por completo. Stephen se estremeció cuando una ráfaga de viento del norte azotó la plaza. Notó que Jeanne se arrebujaba en su capa. No le quedaba más remedio que ser más directo.

—Quiero tener noticias de Isabelle. Quiero saber si está bien y si es feliz. No pienso crearle dificultades. Tengo plena consciencia de que es posible que usted piense mal de mí por haber destrozado el matrimonio de su hermana, y no quiero perturbar la vida que lleve en este momento. Después de seis años, sólo quería saber si está bien.

Jeanne asintió.

—¿Bien, Monsieur? Sí, está bien. Debe comprender que lo que usted hizo le causó grandes sufrimientos al marido y sobre todo a sus hijos. Fue un escándalo. Por supuesto que Isabelle también fue responsable de lo sucedido. Lejos de ello: tiene la vida arruinada porque la gente le echa la culpa de lo sucedido. Pero en cuanto a usted, hay personas en esta ciudad que con gusto le pegarían un tiro por lo que hizo.

—Lo comprendo. Nunca lo tomé con liviandad, siempre fue un asunto muy serio para los dos. ¿Usted conoce la naturaleza del matrimonio de Isabelle con Azaire? ¿Ella alguna vez le habló de eso?

—Isabelle me ha hablado de todo, Monsieur. Soy su única amiga y confidente y ha derramado en mí toda la pasión y los detalles que una persona normal compartiría con numerosas otras personas: hermanas, amigos y familiares. Lo sé todo.

—Me alegro. No se trata de que su infelicidad matrimonial nos disculpe a mí o a ella, pero es importante que usted esté enterada del asunto y comprenda que eso la motivó.

—Yo no culpo a nadie —dijo Jeanne—. Tomé mi postura más o menos como usted ha tomado la suya. Isabelle confiaba en mí y no me quedó más remedio que devolver su confianza. Le he sido fiel en todo.

Stephen se sintió satisfecho por lo que le decía Jeanne.

—Es cierto que la lealtad no puede ser parcial sino completa —dijo—. Quiero asegurarle que mi lealtad es hacia la felicidad de Isabelle, no hacia la mía o la de ningún otro. Debe confiar en mí.

—No lo conozco bastante como para confiar en usted. Sé lo que mi hermana me ha dicho de usted que, junto con lo que yo misma he visto, me predispone a creerle. Pero hay cosas que es mejor no saber ni decir. Creo que ahora deberíamos despedirnos.

Stephen le retuvo brevemente la muñeca para impedir que se fuera.

—Dígame, ¿por qué vive en Amiens?

Jeanne lo miró con intensidad antes de contestar:

—Vine a cuidar a Isabelle.

—¿Isabelle vive aquí? ¿Está aquí ahora? ¿Y qué quiere decir con eso de "cuidarla"? ¿Está enferma?

—No quiero decirle demasiado. No quiero darle alas.

—Ya es demasiado tarde —aseguró Stephen. Él mismo alcanzaba a oír el eco de su voz en la plaza silenciosa. Tragó con fuerza y trató de bajar el tono. —Dígame: ¿Isabelle está en Amiens? ¿Y está enferma? ¿Qué ha sucedido?

—Está bien, se lo diré siempre que prometa que en cuanto haya terminado, me dejará ir. Le diré todo lo que debe saber y luego volveré a casa. No debe seguirme ni hacer ningún intento de ponerse en contacto conmigo. ¿Está claro?

—Sí. Estoy de acuerdo.

Jeanne habló con cuidado, como si midiera el grado de verdad que podía decir.

—Isabelle regresó a Ruán, a la casa de mis padres. Lo hizo por sugerencia mía. Ellos se mostraron renuentes a recibirla, pero yo insistí. Algunos meses después, mi padre hizo un trato con Azaire para que ella pudiera volver a su lado. No, escuche. Déjeme contárselo. Isabelle no tuvo demasiadas opciones. Porque en caso contrario mi padre la habría echado de casa. Azaire prometió que volverían a empezar, que la recibiría como si nada hubiera sucedido. Grégoire, el hijo de Azaire, le suplicó que volviera. Creo que fue él quien la convenció. De manera que Isabelle volvió a él, a su antigua casa. Hubo otros motivos, que no puedo contarle. Como posiblemente sepa, durante el primer año de la guerra, la ciudad fue ocupada por los alemanes. Se llevaron a muchos hombres, incluyendo a Azaire. Entonces... bueno, pasó el tiempo, sucedieron cosas. Isabelle se quedó. La casa del bulevar du Cange fue cañoneada y la parte trasera quedó destruida. No hubo ningún herido, pero Isabelle se mudó a un departamento en la rue de Caumartin. Lissete estaba casada y Grégoire ya tenía edad suficiente para dejar el colegio. El año que viene ingresará en el ejército. Después, en noviembre pasado, hubo un fuerte bombardeo y la casa de la rue Caumartin recibió un cañonazo. Isabelle resultó herida, pero tuvo suerte. Dos personas de esa calle murieron. Mientras estaba en el hospital me escribió pidiéndome que viniera a cuidarla, así que vine. Ahora ya ha sido dada de alta en el hospital y está completamente recuperada, aunque nunca volverá a estar... en buen estado físico. De manera que me quedaré con ella algunas semanas más.

—Comprendo. —Las palabras de Jeanne evocaban a Isabelle con tanta fuerza que Stephen tuvo la sensación de que era casi como si estuviera sentada en el banco, entre ellos. Sin embargo había algo que Jeanne no le había contado. Tal vez mucho.

—Quiero verla —dijo. Sus propias palabras lo sorprendieron. Cuando estaba hundido en el barro y la mugre, en ningún momento deseó que ella fuese más real para él que ese recuerdo no demasiado claro que con poca frecuencia lo asaltaba; nunca tuvo ganas de verla en carne y hueso. Algo de lo dicho por Jeanne había alterado esa indiferencia. Tal vez fuese la ansiedad que le provocaba su bienestar lo que lo impulsaba a creer en lo que veía en lugar de lo que recordaba o lo que le contaba Jeanne.

Jeanne meneó la cabeza.

—No, es imposible. No sería prudente. Sobre todo después de todo lo que ha sucedido.

—¡Por favor!

La voz de Jeanne adquirió un dejo de ternura que era una respuesta a la de Stephen.

—Piénselo. Piense en todas los desgarrones y los dolores que esto ha causado. Volver atrás ahora, reabrir todo eso, sería una locura. —Se puso de pie para irse. —Monsieur, tal vez le haya dicho más de lo que debía, pero sentí que podía confiar en usted. También sentí que teníamos una pequeña deuda hacia usted. Cuando lo dejó, Isabelle no le dio ninguna explicación, pero yo creo que, a su manera, usted fue honorable. No la siguió ni le hizo la vida más difícil de lo que ya era. Creo que por lo menos merecía que se le dijera lo que le he dicho. Pero ahora, mi lealtad es hacia Isabelle y, como usted mismo decía, esas cosas deben ser completas, no es posible llegar a componendas.

Stephen se puso de pie a su lado.

—Comprendo —dijo—. Gracias por haber confiado en mí hasta el punto en que lo hizo. Pero permítame que le pregunte algo. ¿Por lo menos le dirá a Isabelle que estoy aquí? Dígale que me gustaría verla, tan sólo para desearle buena suerte en una breve visita. Después podrá decidir lo que quiera.

Jeanne frunció los labios con renuencia y comenzó a menear la cabeza. Stephen la interrumpió.

—Eso no sería desleal. Sería tan sólo permitirle que decida por sí misma. Sigue siendo su propia vida, ¿no es cierto?

—Está bien. Va en contra de mis principios, pero le diré que nos hemos encontrado. Y ahora debe permitir que me vaya.

—¿Y cómo sabré lo que ella contesta?

—Me encontraré con usted en el mismo bar, mañana a las nueve de la noche. Y ahora debo irme.

Se estrecharon las manos y Stephen observó desaparecer en el otro extremo de la plaza esa figura alta con una botella de licor en la mano.

Cruzó la ciudad rumbo al bulevar du Cange. Dejó atrás la catedral, con su frío estilo gótico, fortificada por bolsas llenas de tierra, como si sus verdades espirituales no fueran, en sí mismas, una prueba contra el metal que explotaba. Descendió hacia las orillas del canal donde, en las tardes cálidas de su primera visita a la ciudad, había observado a los hombres en mangas de camisa que, esperanzados, arrojaban sus líneas a las mansas aguas del Somme.

Estaba nuevamente vivo. Lo que él creía muerto y reducido a un recuerdo casi fósil, empezaba a crecer y a inflamarse en su interior. Jamás supuso cosa semejante, ni siquiera en sus momentos de mayor soledad, ni bajo los peores bombardeos cuando debió recurrir a sus recuerdos más infantiles y fundamentales para tranquilizarse. En ningún momento recurrió al recuerdo de Isabelle ni de lo sucedido entre ellos como una fuente de esperanza o de significado, ni siquiera como una forma de huida de la oprimente realidad en la que se encontraba. Sin embargo, el encuentro con Jeanne acababa de producir algo extraordinario en su interior: redujo los acontecimientos de los últimos tres años a algo, si no incomprensible, por lo menos contenido.

Cruzó al extremo sur del bulevar y comenzó a caminar. No podía creer que la casa pudiera seguir allí; tenía la misma cualidad poco confiable que poseía su recuerdo de haber muerto, cuando la vida lo atrajo de vuelta con promesas inseguras, o de sus recuerdos de momentos de batalla, cuando el tiempo parecía desplomarse.

Entonces vio la hiedra colorada que llegaba hasta el balcón de piedra del primer piso, la puerta de entrada formidable con su intricado hierro forjado; el techo gris de pizarra que caía en diversos ángulos sobre la forma irregular de las habitaciones y pasillos que cubría. Su fachada sólida y tranquila poseía una indudable resistencia.

Volvió a sentir en la boca el gusto de aquellos días. Le parecía percibir el olor de la cera que sobre los pisos de madera aplicaba la mucama llamada… Marguerite; el vino que Azaire por lo general servía con las comidas, un tinto seco, que no era barato pero sí pesado; después el ruido de pasos, su sonido engañoso que resonaba más cercano o lejano de lo que realmente era; el aroma del tabaco de pipa en la sala de estar. Y, sobre todo, la ropa que usaba Isabelle, esa sugestión de rosas, su limpieza y la sensación que producía no sólo de haberse vestido sino de haberse esmerado en su vestimenta, como si fuese un disfraz que no correspondía a esa casa sino a un mundo distinto en el que ella habitaba mentalmente. Recordó todo eso con sorprendente claridad, como recordó sus propios sentimientos que le indicaban que la vida interior sofocada de Isabelle, de alguna manera concordaba con la suya. Y mientras permanecía en la calle oscura, mirando la casa, también recordó la jubilosa urgencia con que descubrió que no se equivocaba.

Cruzó la calle para mirar más de cerca. La verja estaba cerrada con llave y no se veían luces en el interior. Avanzó para poder ver el costado de la casa. La parte trasera estaba cubierta con una larga tela engomada y había señales de trabajos de reparación y pilas de ladrillos a la espera de ser colocados. Por lo que Stephen podía juzgar, era evidente que el cañoneo destruyó un trozo importante de la parte trasera de la casa. Debían haber usado cañones pesados y ése, sin duda, fue un golpe directo o hasta dos. Stephen calculó que la mayor parte de la sala de estar principal había quedado destruida, lo mismo que varias habitaciones de menor importancia de la planta baja. Sobre ellos se encontraban los dormitorios traseros, los cuartos de servicio y el cuarto colorado.

Se sentó al borde del camino, debajo de un árbol. Estaba sobrecogido por la fuerza de sus recuerdos. Todo le volvía a resultar claro, como si lo estuviera reviviendo. El fuego encendido en el cuarto colorado, el caballero medieval, los clematis que crecían junto a la ventana… Trató de contener esa oleada de recuerdos, aunque al mismo tiempo se sentía revivir con ellos.

Se puso de pie y comenzó a alejarse de la casa, rumbo a la ciudad y luego hacia las orillas del canal. De repente se preguntó si Ellis se las podría arreglar solo. En la ciudad había abundancia de alojamientos y de oficiales amistosos dispuestos a indicarle adonde debía ir. En cuanto a él, no tenía ganas de dormir. Estaba cerca de los jardines del río, esas tierras fértiles que una tarde calurosa recorrió con Azaire y su familia y con Monsieur y Madame Bérard.

Caminó durante toda la noche, deteniéndose de vez en cuando para descansar en algún banco, en un intento de aclarar sus ideas. El amanecer lo encontró en el barrio de Saint Leu, donde escuchó las primeras señales de la actividad diurna cuando los panaderos encendieron sus hornos y carros tirados a mano pasaban por la calle cargados de tachos metálicos llenos de leche.

A las siete entró en un café donde comió huevos fritos con pan, acompañados por una taza de café. Se lavó y afeitó en una pequeña habitación trasera que le indicó el dueño del local. Estaba tan acostumbrado a no dormir, que la noche en blanco no le producía ningún efecto pernicioso. Tal vez lograra encontrar algún cine donde exhibieran una película; en caso contrario compraría un libro y leería en los jardines frente a la catedral.

Pasó el día lleno de lógicas expectativas. Durante la tarde durmió más profundamente de lo que esperaba en la habitación que tomó en un pequeño hotel. Al caer la noche se cambió de ropa y se preparó para encontrarse con Jeanne. Mientras se encaminaba al bar notó que su camisa limpia, igual que la sucia, estaba llena de piojos.

Jeanne llegó al bar poco después de las nueve. Stephen depositó su vaso sobre la mesa y se puso de pie. Apartó una silla para que se sentara. Apenas pudo cumplir con las formalidades de ofrecerle una copa y de preguntarle como estaba, sin que su mirada buscara en su rostro alguna indicación de las noticias que ella le traía.

—¿Habló con Isabelle?

—Sí, hablé con ella. —Después de rechazar una copa, Jeanne permaneció sentada y con las manos cruzadas sobre la mesa. —Le sorprendió saber que usted estuviera en Amiens. Y le sorprendió aún más saber que usted quería verla. Hasta esta noche se negó a darme una respuesta. Es muy difícil para ella, Monsieur, por un motivo que ya conocerá. Por fin aceptó. Esta misma noche debo conducirlo hasta la casa.

Stephen asintió.

—Está bien. No tiene sentido que perdamos tiempo. —Sentía una enorme frialdad, como si se tratara de un asunto rutinario, como inspeccionar una trinchera.

—Bueno —dijo Jeanne—. Podemos caminar. No queda lejos.

Recorrieron juntos y en silencio las calles oscuras. Stephen se dio cuenta de que a Jeanne no le gustaría que él le hiciera preguntas; parecía severamente enfrascada en su misión, acerca de la que, era evidente, tenía dudas.

Por fin llegaron a una puerta azul con picaporte de bronce. Jeanne miró a Stephen, los ojos resplandecientes a la sombra de la bufanda que le envolvía la cabeza.

—Debe tomar esto de la mejor manera posible, Monsieur. Trate de mantener la calma, de ser fuerte. No angustie a Isabelle. Ni se angustie usted mismo.

Su suavidad conmovió a Stephen quien asintió a su pedido. Entraron a la casa.

En el vestíbulo modesto brillaba una luz sombría, cuya lámpara estaba apoyada sobre una mesa de vidrio con un jarrón de margaritas, bajo un espejo de marco dorado. Jeanne subió la escalera y Stephen la siguió. Cruzaron un pequeño descanso al final del que había una puerta cerrada.

—Espere aquí, por favor —pidió Jeanne mientras llamaba a la puerta.

Stephen oyó que una voz contestaba desde el interior. Jeanne entró. Oyó el sonido de sillas que se movían y de conversaciones en voz baja. Miró a su alrededor, a los cuadros que colgaban a ambos lados de la puerta, y la pintura clara de las paredes.

Jeanne reapareció.

—Está bien, Monsieur. Puede entrar.

Le tocó el brazo como alentándolo, pasó a su lado y se alejó por el corredor.

Stephen tenía la boca seca. No podía tragar. Apoyó la mano sobre el picaporte y abrió la puerta. La habitación estaba en tinieblas. Sólo había una luz prendida cubierta por una pesada pantalla en una mesa lateral. En el otro extremo de la habitación vio una pequeña mesa redonda, como las que se usaban para jugar a las cartas. Frente a ella estaba sentada Isabelle.

Dio algunos pasos dentro de la habitación. "Esto es el miedo —pensó—, esto es lo que hace que los hombres se oculten en los cráteres o se peguen un tiro."

—Isabelle.

—Stephen. Me alegro de verte. —Su voz baja seguía siendo idéntica a la que él oyó la primera noche, una voz que llenaba la habitación y desplazaba la cháchara aburrida de Bérard. Una voz que en ese momento se deslizó a lo largo de cada nervio del cuerpo de Stephen.

Se acercó para verla mejor. Allí estaban el pelo castaño y los ojos grandes; allí estaba esa piel que, de haber habido bastante luz, reflejaría igual que antes los cambiantes estados de ánimo de su dueña.

Pero había algo más. Tenía el lado izquierdo de la cara desfigurado por una larga cicatriz que corría desde su oreja, a lo largo de la mandíbula y que luego le bajaba por el cuello y desaparecía bajo el vestido. Stephen comprendió que le habían suturado la carne hacia afuera. Después cicatrizó y se secó. La oreja estaba bien reparada. Pero la línea alterada del mentón indicaba que el impacto debió ser muy fuerte. Además, Isabelle tenía la parte izquierda del cuerpo incómodamente apoyado contra la silla, como si careciera de posibilidad de movimiento.

Isabelle siguió la mirada de Stephen.

—Fui herida por una granada. Supongo que Jeanne te lo habrá dicho. Primero sufrió un impacto la casa del bulevar, luego el lugar en la rue de Caumartin al que nos habíamos mudado. Tuvimos mala suerte.

Stephen no podía hablar. Tenía la garganta cerrada. Alzó la mano derecha, con la palma hacia Isabelle. Se suponía que debía indicar que se alegraba de que estuviera viva, que había visto cosas mucho peores, que la comprendía y muchas cosas más, pero el gesto no tradujo ese mensaje ni esos deseos.

Isabelle parecía mucho mejor preparada para la entrevista. Continuó hablando con tranquilidad.

—Me alegro de verte tan bien. Estás un poco canoso, ¿no es cierto? —Sonreía. —Pero es una gran cosa que hayas sobrevivido a esta guerra espantosa.

Stephen apretaba los dientes. Se volvió, apretando los puños. Meneó la cabeza de un lado a otro, pero seguía sin poder hablar. No esperaba experimentar esa sensación de impotencia física.

Isabelle siguió hablando, aunque empezaba a vacilar.

—Me alegro de que hayas querido verme. Me encanta que hayas venido. No debes preocuparte por mi herida. Ya sé que es fea, pero no me produce ningún dolor.

Seguía hablando en dirección a la espalda de Stephen. Poco a poco él comenzó a dominar los sentimientos que bramaban en su interior. El sonido de la voz de Isabelle lo ayudó. Apeló a toda su fuerza de voluntad y poco a poco se fue controlando.

Con alivio y cierto orgullo, oyó que por fin un sonido surgía de su garganta en el momento en que se daba vuelta a mirarla. Lo mismo que Isabelle, decía cosas sencillas, vacías.

—Tuve la suerte de toparme con tu hermana. Ha sido muy buena conmigo.

Los ojos de ambos se encontraron y Stephen se acercó a la mesa y se sentó frente a ella.

—Durante un rato no tuve palabras. Lo siento. Debo haber sido un grosero.

Isabelle le tendió la mano derecha por sobre la mesa. Stephen la tomó entre las suyas y la sostuvo durante algunos instantes. Pero luego la soltó porque no se animaba a prolongar ese contacto.

—Isabelle, ¿te molestaría que tomara un vaso de agua? —dijo él de repente.

Ella sonrió.

—Mi querido Stephen. Hay una jarra en esa mesa del rincón. Sírvete todo lo que quieras. Después debes beber un poco de whisky inglés. Esta tarde Jeanne salió especialmente a comprarlo.

—Gracias.

Stephen cruzó a la mesa. Después de beber el agua se sirvió un poco de whisky. La mano apenas le temblaba y al volverse pudo sonreír.

—Te has podido mantener a salvo —comentó ella.

—Sí, así es. —Sacó de la chaqueta una cigarrera de metal y de ella un cigarrillo. —La guerra durará por lo menos otro año, tal vez más. Me cuesta recordar como era antes la vida. Los que hemos logrado sobrevivir, ni siquiera pensamos en eso.

Le contó que había sido herido en dos oportunidades y que en ambas logró sanar. A Stephen la conversación le parecía completamente desapasionada, pero se alegraba de que fuera así.

—Espero que no te impresione mi aspecto —dijo Isabelle—. En realidad, en comparación con otros, tuve mucha suerte.

—¡Cómo me va a impresionar! Deberías ver lo que he visto yo. Te ahorraré las descripciones.

Estaba pensando en un hombre a quien vio, cuya cara había sido abierta por una bala, un simple tiro de rifle. Un triángulo prolijo apareció en medio de su frente y otros dos, uno a cada lado del mentón. Le quedaba la mitad de uno de los ojos, pero ya no tenía más facciones. Con excepción de algunos dientes enterrados en un ángulo, el resto era carne vuelta de adentro hacia afuera. El hombre estaba consciente y despierto, oía y seguía las instrucciones que le daba el oficial médico. En comparación con esa herida, la de Isabelle era discreta.

Y sin embargo le acababa de mentir. Estaba impresionado por esa herida. A medida que sus ojos se acostumbraban a la débil luz, alcanzaba a ver el lugar donde la piel de la sien izquierda estaba estirada, de manera tal que le deformaba un poco el ojo. Lo que lo espantaba no era la gravedad de la herida, sino la sensación de densa intimidad. A través de la piel y de la sangre de Isabelle, él había encontrado cosas que ningún metal debió compartir.

Poco a poco, cuando entre ellos se fue restableciendo la confianza, Isabelle se animó a contarle lo que le había sucedido. Pasó con rapidez las referencias a la vida que ambos compartieron, aún en St. Rémy o en otros lugares donde vivieron.

—De modo que regresé a Ruán, a la casa de mi familia. Fue como volver a ser una criatura, pero no existía inocencia ni ninguna sensación de posibilidades futuras. En cierto sentido fue bondadoso que me aceptaran, pero me sentía aprisionada por mi fracaso. ¿Lo imaginas? Era como si me hubieran enviado de vuelta a empezar de nuevo porque no había servido para nada.

"Mi padre introdujo con suavidad la idea de que regresara a Amiens. Al principio no creí que hablara en serio. Suponía que Azaire nunca querría volver a verme... para no hablar del escándalo. Pero mi padre es un hábil negociador. Manejó el asunto tal como antes manejó el tema del casamiento. Llevó a Lisette y a Grégoire a visitarme. Yo lloré de felicidad al volver a verlos. Lissete había crecío mucho, ya era una joven mujer. Ella no tenía necesidad de que yo volviera, pero me trató con bondad cuando podría no haberlo hecho. Y Grégoire me suplicó. Derribaron todas mis defensas. No podía creer que me perdonaran después de lo que le había hecho al padre. Aseguraron que todo eso estaba olvidado. Creo que después de haber perdido una madre, estaban dispuestos a hacer cualquier cosa con tal de no perder otra. Y me perdonaron. Me perdonaron porque me querían tan solo por lo que yo era.

"Después vino el encuentro con Azaire, que me aterrorizaba. Lo extraño fue que él parecía avergonzado. Porque yo lo había dejado por otro hombre. Creo que se sentía disminuido. Me trató con delicadeza. Hasta me prometió que sería un marido mejor. Yo no podía creer que todo eso estuviera sucediendo. No tenía ganas de volver. Lo que me decidió a hacerlo era lo infeliz que me sentía en casa de mis padres... algo que papá explotó con inteligencia.

—¿Así que volviste? —preguntó Stephen. No le encontraba sentido; era inconcebible, a menos que hubiera algo en la historia que Isabelle le estuviera ocultando.

—Sí, Stephen, volví, no por mi voluntad, sino porque no me quedaba alternativa. Pero me sentí muy infeliz. En cuanto puse mis pies en la casa, lo lamenté. Pero en ese momento supe que ya no podría cambiar de idea. No tendría más remedio que quedarme. A los pocos meses, lo que ellos llaman "sociedad" volvió a aceptarme. Monsieur y Madame Bérard me invitaron a comer. Era la antigua vida, sólo que peor. Pero la guerra me salvó. Tal vez sea por eso que contemplo con filosofía todo lo que me pasa. —Se tocó el cuello con los dedos de la mano derecha. Stephen se preguntó qué se sentiría al tacto.

"Ese mes de agosto las tropas cruzaron la ciudad. Las observé, con la esperanza de verte. La gente cantaba "Dios Salve al Rey". Después las cosas se pusieron feas. A fines de mes el ejército decidió no defender la ciudad. Nos dejaron a merced de los alemanes. Yo quería que nos fuéramos, pero Azaire era consejero comunal e insistió en que nos quedáramos. Esperamos dos días. Fue una tortura. Por fin llegaron, marchando por el camino que lleva a Albert y recorrieron la rue Saint Leu. Durante algunos momentos reinó un clima festivo. Pero después nos enteramos de sus exigencias. El alcalde tenía dos días para proporcionarles una enorme cantidad de comida, caballos y pertrechos. Como garantía, exigían que se les entregaran doce rehenes. Doce de los consejeros se ofrecieron como voluntarios. Azaire fue uno de ellos.

"Se presentaron en la casa del bulevar du Cange y se apoderaron de ella para acomodar a doce oficiales alemanes. Esa noche retuvieron a mi marido en la sala del consejo. Hubo mucha demora en producir todo el alimento que exigían y amenazaron con matar a los doce rehenes. Apuntaron una enorme batería de cañones contra la ciudad. Al día siguiente nos enteramos de que los rehenes habían sido puestos en libertad, pero luego resultó que el alcalde no había pagado suficiente dinero de manera que retuvieron a cuatro de ellos, incluyendo a mi marido. Después de tres días de vivir en la incertidumbre, los alemanes confesaron que habíamos cumplido con sus exigencias y que todos los consejeros quedaban en libertad. Pero bajo la ocupación, la ciudad era un lugar distinto.

Isabelle pasó con rapidez la faceta siguiente de la historia. No dejaba bien parado a ninguno de los involucrados en ella.

Se pidió que todos los hombres en edad de servicio se presentaran para ser deportados. Muchos corrieron el riesgo que salir de la ciudad, pero cuatro mil se entregaron. Los alemanes se sorprendieron ante tanta docilidad. Carecían de la capacidad necesaria para encargarse de tal cantidad de hombres. Liberaron a todos con excepción de quinientos que, por propia voluntad, quedaron como prisioneros y a quienes hicieron marchar fuera de la ciudad. Al llegar a los suburbios de Longueau, los menos temerosos comprobaron que no los vigilaban estrechamente y volvieron tranquilamente a sus casas. En Péronne, aquellos que no habían hecho sus propios arreglos fueron cargados en automóviles franceses requisados y llevados a Alemania. Azaire, que consideró que su deber de consejero era permanecer con la gente de Amiens, fue con ellos. A pesar de que por su edad, le hicieron varios ofrecimientos informales de dejarlo en libertad, siguió decidido a permanecer junto a los ciudadanos que estaban en peores circunstancias.

Para Isabelle, sin duda la ciudad ocupada era un lugar diferente, a pesar de que en la casa del bulevar du Cange, la ocupación trajo aparejada la libertad.

Los oficiales alemanes eran puntillosos y tenían buen humor. Un joven prusiano llamado Max le tenía especial simpatía a la hija de dos años de Isabelle. La llevaba al jardín y jugaba con ella; convenció a sus colegas de que era necesario que Isabelle la cuidara y que por ese motivo debían dispensarla de servirlos, cosa que podía ser adecuadamente cumplida por los sirvientes del ejército. Gracias a su insistencia, a Isabelle se le permitió conservar la mejor habitación de la casa.

Al contarle la historia a Stephen, Isabelle no hizo mención de la pequeña. Fue por el bien de esa pequeña que aceptó regresar primero a Ruán y luego a Amiens: la chiquita necesitaba un hogar, una familia. Pero no se animaba a mencionársela a Stephen, a pesar de que era hija de él. Nunca le había hablado de su embarazo y obligó a Jeanne a jurarle que no diría nada. Creía que si él se enteraba de la existencia de la criatura, la situación entre ambos sería más dolorosa y complicada.

Por el mismo motivo que omitió mencionar a su hija, le habló a Stephen de Max. Supuso que si se lo decía todo sería más sencillo y definitivo.

La ocupación sólo duró algunos días, pero en esa época frenética de la guerra, fue tiempo suficiente para que Isabelle se enamorara de ese soldado que jugaba con su hijita y se preocupaba por su bienestar. Max no sólo era un hombre cortés, sino de gran imaginación y de enorme sentido del humor. Por primera vez en su vida, Isabelle tuvo la sensación de haber conocido a alguien con quien podía ser feliz bajo cualquier circunstancia y en cualquier país. Él se dedicaba por completo a su bienestar y ella sabía que, con sólo retribuir esa fidelidad, no habría circunstancias, ni alteraciones, ni siquiera guerras que pudieran interponerse en esa sencilla felicidad. En comparación con la pasión que le inspiró Stephen, la relación era tibia, pero muy profunda. Le producía un gran contento y la confianza de que por fin lograría convertirse en la mujer que debía ser, sin obligaciones ni engaños, y dentro de un estilo de vida tranquilo y beneficioso para su hija.

Max parecía gratificantemente excitado por lo que describía como su buena suerte. Para sorpresa de Isabelle, le costaba creer que ella pudiera retribuir sus sentimientos. Durante el corto tiempo que estuvieron juntos, fue como si su incredulidad lo iluminara. Para Isabelle, la única sombra era la nacionalidad de Max. En algunos momentos, cuando permanecía despierta por la noche, se sentía una traidora, ya no una sola vez, ni siquiera dos hacia su marido, sino tres, porque a partir de ese momento también traicionaba a su gente y a su país. No lograba comprender por qué habría atraído ese destino tan extraño cuando era, a sus propios ojos, un ser tan poco complicado, la misma chiquita de su infancia que en casa de sus padres sólo buscaba un poco de amor y de atención, una dosis de intercambio humano. ¿Por qué sería que sus sencillos deseos la convertían en una extravagante descastada?

Ése era el problema que no conseguía resolver cada vez que hacía un análisis interior. Cuando pensaba en ello se entristecía; pero había conseguido desarrollar un instinto práctico de supervivencia. Max era un hombre de carne y hueso, un buen hombre, un ser humano, y en definitiva eso era más importante que el accidente de la nacionalidad, aún en una época tan terrible. La capacidad de Isabelle para realizar las elecciones difíciles de la vida diaria le permitieron seguir adelante en el camino que ella consideraba correcto, a pesar de sus convicciones teóricas.

Se carteó con Max. Viajó en secreto a Viena para verlo cuando él estuvo de licencia. La larga separación que habían sufrido no disminuyó los sentimientos que abrigaba por él; más bien reforzó su decisión. Ésa era su última oportunidad para redimirse y para crear una vida para su hija.

En junio de 1916 el regimiento de Max fue trasladado a reforzar un sector antes tranquilo, sobre el río Somme, cerca de Mametz. Isabelle recibió la carta que Stephen le escribió desde las trincheras. Durante seis meses no se animó a leer un periódico. Le resultaba insoportable pensar siquiera que Max y Stephen tuvieran que luchar uno contra el otro. Desde el hospital le escribió a Max. La noticia de que estaba herida, redobló la devoción del prusiano. Cuanto más difícil fuera, más importante consideraban ambos que era honrar las promesas que habían intercambiado.

—No es fácil —dijo Isabelle—. Esas elecciones son todas muy, muy difíciles. Pero cuanto más dura la guerra, más decididos estamos.

Terminó de hablar y miró a Stephen. Él no había pronunciado una sola palabra durante toda su narración. Isabelle se preguntó si en realidad la habría comprendido toda. Como en ningún momento hizo mención de la criatura, le pareció mucho más difícil de explicar que lo esperado. Se dio cuenta que Stephen estaba intrigado.

Era tan grande su cambio, que le resultaba casi desconocido. Tenía el pelo lleno de hebras grises y también el bigote. Estaba mal afeitado y se rascaba constantemente el cuerpo, sin duda sin darse cuenta de lo que hacía.

Los ojos, que siempre habían sido oscuros, ahora estaban hundidos. En ellos no había luz. Su voz, que en una época reverberaba de una manera significativa, llena de matices, de emociones contenidas, ahora carecía de tonos o hablaba a los ladridos. Parecía un hombre alejado a una nueva existencia en la que se había enterrado y fortificado por falta de sentimientos o respuestas naturales.

Isabelle se conmovió al ver esos cambios, pero temía tender una mano hacia ese mundo en el que él ahora habitaba. Lloraría por él cuando se fuera, pero no hasta haber terminado ese asunto práctico de esclarecerlo todo.

Stephen sacó otro cigarrillo de su cigarrera y lo golpeó con lentitud sobre la mesa. Sonrió. Sorprendentemente fue un movimiento amplio e irónico de sus labios.

—Sin duda no has elegido ningún camino fácil ¿no es cierto?

Isabelle meneó la cabeza.

—Pero nunca quise estar obligada a enfrentar tantas dificultades. Fueron cosas que parecieron ir sucediéndome.

—¿Cómo está Lisette?

—Se ha casado. Para furia de mi marido se casó con Lucien Lebrun. ¿Lo recuerdas? Fue el hombre que organizó la huelga.

—Sí, lo recuerdo. Solía sentirme celoso de él. ¿Pero Lisette es feliz?

—Sí. Muy feliz, pero por desgracia Lucien está en el ejército. Si la guerra continúa, Grégoire se enrolará el año que viene.

—Me gustaría ver a Lisette. Era una chica muy agradable.

—Vive en París.

—Comprendo. —Stephen asintió. —¿Qué es ese ruido?

—Deben ser los gatos. Jeanne tiene dos.

—Me pareció el llanto de una criatura.

Oyeron pasos en el corredor. Una puerta se abrió y se cerró.

Isabelle tuvo conciencia de que, bajo el rostro inexpresivo de Stephen ardía un fuerte deseo.

—Isabelle, me alegro de todo lo que me has dicho. Ahora ya no quiero volver a verte más. Esto era todo lo que necesitaba saber. Te deseo que seas feliz con tu amigo alemán.

Isabelle sintió que se le llenaban los ojos de lágrimas. Sin duda Stephen no se iría enseguida de esa frase generosa. Ella nunca quiso verlo tan deprimido.

Stephen se inclinó hacia adelante, por sobre la mesa.

—¿Puedo tocarte? —preguntó con un leve temblor en la voz.

Ella le miró los ojos oscuros.

—¿Quieres decir…?

—Sí —contestó él, asintiendo con lentitud. Extendió la mano derecha. Ella la tomó y percibió los dedos grandes y toscos. Lentamente con cierta vacilación guió la mano de Stephen hasta su rostro y la colocó debajo de la oreja.

Sintió que los dedos de él le recorrían con suavidad la cicatriz. Se preguntó si serían lo suficientemente suaves para que él percibiera la cualidad de su piel o si eran tan callosos que le impedirían registrar las diferentes texturas que tocaban.

Mientras los dedos de Stephen le acariciaban la cicatriz, ella se sintió sobrecogida por el deseo. Era como si no le estuviera tocando la mejilla, sino que le abriera la carne entre las piernas; volvió a sentir la lengua de él dentro de su boca; a experimentar el éxtasis de la entrega y la posesión. Se le coloreó la piel, sintió que algo se le derretía dentro del vientre y percibió una cálida humedad en la parte más íntima de su cuerpo. Estaba roja de excitación, la piel le latía y le quemaba bajo el vestido.

Stephen mantenía la cabeza quieta y seguía con los ojos el lento curso de su mano sobre la cicatriz. Cuando llegó al cuello del vestido, la detuvo allí unos instantes, con los dedos apoyados sobre la herida. Después apoyó el dorso de la mano sobre la piel suave y sana de la mejilla de Isabelle, como lo había hecho tantas veces antes.

Se puso de pie y salió sin hablar. Isabelle lo oyó conversar con Jeanne junto a la escalera, luego sus pasos bajaron por la escalera. Se cubrió la cara con las manos.

L a luz del día ya desaparecía cuando Stephen llegó a la estación. Vio a Ellis esperando en la plataforma y se le acercó.

—¿Qué le sucedió? —preguntó el muchacho, nervioso. Hablaba con tono de enojo.

—Me encontré con un amigo.

Encontraron dos asientos en el tren y Stephen miró por la ventanilla mientras la estación iba quedando atrás.

Ellis prendió un cigarrillo.

—Es como esa hora del día de los domingos cuando uno espera oír el repicar de campanas de las iglesias —dijo—. Daría cualquier cosa con tal de no tener que volver.

Stephen cerró los ojos. Ya no sabía lo que quería o no quería hacer. El tren los llevaría adonde correspondía que fuesen.

Al día siguiente se encaminó al cuartel general del batallón para ver al coronel Gray.

Cuando Stephen abrió la puerta de la oficina, que antes era la sala de estar de una granja, Gray bajó el libro que estaba leyendo.

—Siéntese, Wraysford. ¿Disfrutó de su licencia?

—Sí, gracias, señor.

—Me temo que su compañía deba regresar mañana al frente.

—No me importa —contestó Stephen. Cruzó las piernas y le sonrió a su superior. —Simplemente seguimos y seguimos. Hasta que todo termine. —Gray le gustaba porque era un hombre directo. Lo único que le preocupaba de él era su preferencia por extrañas teorías psicológicas.

Gray encendió su pipa.

—Me presionan para que lo ubique en un puesto administrativo —explicó—. Esta vez tendrá que aceptarlo.

Stephen se puso tenso.

—No he llegado hasta aquí para abandonar ahora a mis hombres.

—¿A qué hombres? —preguntó Gray en voz baja.

—Los hombres con quienes he estado durante más de dos años.

Gray meneó la cabeza en silencio y levantó las cejas. Stephen tragó con fuerza y clavó la mirada en el piso.

—Ésos se han ido, Wraysford —dijo Gray—. Se han ido todos. No puede nombrar más que a dos de su pelotón original.

Stephen se lamió los labios. Había lágrimas en sus ojos.

—Usted está cansado —dijo Gray.

—No, estoy...

—No evita ningún peligro. Participa en incursiones y en patrullas. Hasta me informaron que bajó al túnel con los zapadores. No, no es eso. Está mentalmente cansado, Wraysford, ¿no es así?

Stephen meneó la cabeza. No podía contestar. Hacía mucho tiempo que nadie le hablaba de una manera tan comprensiva.

—No es algo de lo que deba avergonzarse —agregó Gray—. ¡Por amor de Dios! Ha hecho más que ningún otro de ese batallón. Lo mejor que puede hacer ahora es ayudar a los administrativos de la brigada. Les hace falta su conocimiento del francés. Su conocimiento fluido del idioma no nos resulta útil si está enterrado en un cráter.

—¿Durante cuánto tiempo?

—Sólo unos pocos meses. Se están creando algunos problemas en las filas de nuestros aliados franceses. Tenemos necesidad de saber exactamente lo que sucede porque le aseguro que ellos mismos jamás nos lo dirán.

Stephen asintió. No tenía manera de negarse.

—Ante todo gozará de una licencia para volver a Inglaterra. Y esta vez tampoco la evadirá.

Watkins, el ordenanza de Gray, les sirvió té y unas tajadas de torta de nuez enviadas desde Inglaterra por la esposa del coronel.

Durante algunos instantes comieron en silencio, luego Gray dijo:

—En la compañía B hubo un incidente desagradable con prisioneros enemigos. ¿Se enteró? Fue después de un largo bombardeo y los hombres estaban extenuados. Hubo una incursión y se llevaron a una docena de Boches. Cuando se enteraron de que debían escoltarlos siete kilómetros y medio loma arriba y bajo la lluvia, los llevaron al borde de un matorral y los mataron. El oficial cerró los ojos y simuló no haber visto nada.

Stephen tuvo conciencia de que Gray lo observaba de cerca mientras esperaba su respuesta. Pensó que tal vez hasta cabía la posibilidad de que Gray hubiera inventado la historia para ponerlo a prueba.

—Deben ser acusados —dijo.

—¡Y yo que creí que usted era tan duro con nuestros amigos los alemanes! —dijo Gray con un leve aumento de su tonada escocesa, lo cual significaba que estaba intrigado.

—Y lo soy —contestó Stephen, bajando su taza. Aún en el cuartel general el té tenía gusto a los barriles de nafta en que se lo transportaba. —La parte más difícil de mi trabajo es conseguir que los hombres los odien tanto como los odio yo. Todo anda bien mientras estamos en descanso o en la reserva, pero cuanto más nos acercamos al frente, más empiezan a hablar sobre el "pobre viejo Jerry". Y lo peor sucede cuando los oyen conversar o cantar; entonces sé que tendremos problemas. Les recuerdo a sus amigos muertos.

—¿Y qué me dice de usted?

—A mí no me cuesta mantener viva la llama del odio —contestó Stephen—. No soy como ellos. He aprendido a amar el libro de los reglamentos, a estar sediento de sangre, tal como lo prescribe. No tengo más que pensar en mis hombres, en lo que les han hecho, en la forma en que murieron.

Stephen estaba agitado. Hizo un esfuerzo por tranquilizarse y no decir ninguna imprudencia. Estaba pensando en Brennan, cuyo hermano había desaparecido algunos días antes, mientras hacía un patrullaje.

Gray asentía con excitación intelectual, como un cirujano que ha descubierto un cálculo biliar que ocuparía un lugar de prominencia en los tratados médicos.

—No creo que sea necesario que los oficiales vivan alentando un odio permanente hacia el enemigo —dijo—. Se supone que deben estar sedientos de sangre, por supuesto, pero con la cabeza clara y teniendo en cuenta la seguridad de sus hombres.

—Es algo en lo que siempre he creído —contestó Stephen—. Cuando se ha visto lo que usted y yo hicimos durante el mes de julio pasado, uno nunca quiere volver a ver innecesariamente perdida la vida de uno de sus hombres.

Gray se golpeó los dientes con la cuchara.

—¿Le daría placer matar a un gran número de enemigos... personalmente, con sus propias manos?

Stephen clavó la mirada en la mesa. No podía sacarse de la cabeza la idea de Isabelle y su prusiano. Imaginó lo que haría si llegaba a encontrarse con ese hombre. No tendría ninguna dificultad, ningún inconveniente en apretar el gatillo de su revólver; no vacilaría en sacar la clavija de una granada. No estaba seguro de lo que Gray esperaba que dijera. Tenía la mente embotada, pero algo le resultaba claro: habiendo llegado tan lejos, con tantos muertos, sería una locura llegar a una componenda o dar la espalda a la situación. Dijo la verdad, tal como la veía.

—Sí, a un gran número de ellos.

—Y sin embargo se muestra puntilloso con respecto a media docena de alemanes que fueron muertos por hombres cuyas vidas habían convertido en miserable.

Stephen sonrió.

—Yo sé como son, como se rinden en cuanto comprenden que no nos pueden matar y seguir seguros; todo ese *kamerad* y los *souvenirs*. Pero de alguna manera existe la corrección. Parece extraño, pero hemos degradado la vida humana hasta tal punto, que debemos dejar cierto espacio para que vuelva a crecer la dignidad. Como se pueda, algún día. No para usted ni para mí, sino para nuestros hijos.

Gray tragó con fuerza y asintió, sin hablar. Poco después agregó:

—Llegará el día en que haremos de usted un oficial. Pero primero debe olvidar su odio. ¿Recuerda esa vez que fui a visitarlo al hospital? Le dije que no siguiera con esos jueguitos de vudú. ¿Lo hizo?

—Los sigo haciendo a pedido especial del capital Weir. Para nadie más.

—¿Pero usted mismo no cree en el asunto?

—Yo arreglo las cartas. ¿Cómo quiere que crea en eso?

Gray rió y se limpió la boca a la que se habían adherido algunas migas.

—¿Y en qué cree?

—En la guerra.

—¿Qué quiere decir con eso?

—Quiero ver como terminará.

—¿En alguna otra cosa? —insistió Gray que había vuelto a adquirir su expresión de médico inquisitivo.

—A veces —contestó Stephen, que estaba demasiado cansado para andar con evasivas—. Creo en normas superiores. En distintos niveles de experiencia; creo en la posibilidad de una explicación.

—Era lo que yo suponía —dijo Gray—. Con la mayor parte de la gente sucede al revés. Cuanto más ven, menos creen.

Stephen se puso de pie. Dijo, hablando con dificultad.

—Yo le vi la cara esa mañana de julio en que atacamos en Beaucourt. Usted me impartió mis órdenes en la cabecera de la trinchera de comunicación.

—¿Y?

—Lo miré a los ojos y los tenía completamente inexpresivos.

Por primera vez desde que Stephen lo conocía, Gray parecía incómodo. Tosió y bajó la mirada. Cuando pudo volver a mirar a Stephen a los ojos, dijo:

—Esos son momentos muy íntimos.

Stephen asintió.

—Ya sé. Yo estaba allí. Vi el gran vacío de su alma, y usted vio el mío.

Enterraron a Arthur Shaw y a Bill Stanley, el hombre que había muerto con él. Pero antes tuvieron que desenterrarlos de esa tumba que era el túnel. Fue necesario utilizar equipos de cuatro hombres durante tres días para cavar y abrirse camino hasta donde estaban, y hubo que afianzar el túnel con tablones hasta llegar a los cuerpos. Fue un ejercicio peligroso que el mismo Weir desaconsejó, pero dado que él todavía descansaba en la retaguardia, los hombres consiguieron convencer a su comandante temporario, un hombre de poco carácter de apellido Cartwright.

Mientras el sacerdote leía las oraciones del servicio fúnebre, Jack Firebrace permaneció de pie entre Jones y Evans. Tenían las gorras en las manos. Luego arrojaron puñados de tierra sobre los cuerpos de los hombres. A Jack no le sorprendía lo sucedido. No creía que hubiera motivos para suponer que su amigo sobreviviera más que su propio hijo. Cuando oyó la explosión del túnel alemán, esperó que llegara la noticia: allá abajo había dos hombres y uno de ellos era Arthur Shaw. Cuando Fielding se lo dijo, Jack sólo asintió. La violencia fortuita del mundo reinaba, suprema; no tenía sentido tratar de encontrarle explicaciones.

Entonaron un himno. "Allá lejos hay una gran colina" que Jack sabía era uno de los preferidos de Shaw. Muy lejos en realidad, pensó Jack, mirando el barro amarillento que tenía adherido a las botas. Sonó un clarín. Los hombres se alejaron caminando pesadamente y tratando de levantar los pies del barro. Por última vez, Shaw quedó bajo tierra.

La sección de Jack estaba en la reserva, alojada en el rancho de una granja. Tyson, Shaw y él habían colaborado en la compra de un pequeño calentador, que a partir de ese momento era sólo propiedad suya. Invitó a Jones y a Evans a compartir una lata de guiso, que Evans suplementó con algunas arvejas y con una torta que le acababan de enviar de su casa.

—Esto no sirve para nada —dijo Jack—. Deberíamos estar bebiendo a su salud. —Se acercó a la puerta del rancho y arrojó afuera la mezcla de guiso y arvejas.

Una vez que oscureció, cruzaron las líneas de apoyo y encontraron el camino a un pueblo donde Fielding les comentó que había un café amistoso. Siguiendo sus instrucciones, llegaron a una casita ubicada detrás de la calle principal.

Cuando por fin llegaron, Jack tenía las manos casi congeladas. El puño del uniforme le raspaba las venas heladas y enviaba pequeñas descargas eléctricas a lo largo de sus dedos. Su cuerpo bramaba por agua caliente. El lugar estaba repleto de hombres de pie que pugnaban por acercarse al cocinero que, en un extremo de la habitación, blandía una sartén llena de aceite hirviendo. Dos mujeres arrojaban en ella puñados de papas que servían con huevos fritos, que recibían ruidosamente los hombres que tenían la suerte de haber encontrado una ubicación en la larga mesa.

Jack se abrió camino a los empujones hasta el lugar donde una mujer servía vasos de cerveza pálida. Sabía por experiencia que esa no era manera de emborracharse. Pidió una botella de vino blanco y Jones le compró un poco de miel a un hombre que salía. Bebieron el contenido de la botella con rapidez, mientras Evans maldecía a los gritos a la vieja que se afanaba en freír los huevos. Ella le replicaba con felices maldiciones hasta que por fin le llegó el turno a él.

Compraron más vino y lo bebieron con las papas grasientas, que les parecieron deliciosas, calientes y parecidas a las que comían en sus casas. Jack se limpió la boca con la manga y alzó su vaso. Evans y Jones estaban de pie cerca suyo, en medio del gentío.

—Brindo por Arthur Shaw —dijo Jack—. El mejor compañero que un hombre pueda haber tenido.

Bebieron y volvieron a beber, Jack con la rítmica y lenta determinación que ponía en su trabajo del túnel. Conservaba un recuerdo de Shaw, un recuerdo doloroso que su mente sobria y consciente se negaba a olvidar. De manera que estaba decidido a terminar poco a poco con esa sobriedad hasta que por fin desapareciera, llevándose consigo el recuerdo.

El local tenía que cerrar a las ocho y media, hora en que llegaría la policía militar para asegurarse de que no quedaba allí ningún soldado. Con veinte minutos por delante, la velocidad con que bebían aumentó. Evans empezó a cantar y Jones, cuyos antepasados galeses se habían instalado en Londres muchas generaciones antes, apeló a la memoria celta que llevaba en las venas para apoyarlo. Luego conminaron a Jack Firebrace para que también él interviniera en esa especie de "music hall" que estaban viviendo.

Jack se sintió inspirado al oír que Evans pedía silencio a los presentes. Se lanzó a contar algunos chistes que conocía y comprobó que el resentimiento inicial de los soldados por tener que interrumpir sus conversaciones pronto se convertía en sonoros aplausos. A partir de ese momento fue contando cada chiste con una tranquilidad profesional, y hasta hacía breves pausas para aumentar la excitación de su auditorio. El alcohol le quitaba las inhibiciones; tuvo la sensación de que ya había trascendido ese estado en que tal vez pudiera arrastrar las palabras u olvidar su lugar, y se sentía poseído de una total claridad. Había cierto desdén, casi crueldad en su confianza.

A los hombres les encantaban los chistes, aunque los hubieran oído ya más de una vez. Jack los contaba con persuasión; eran pocos los que habían oído contarlos tan bien. El mismo Jack reía un poco, pero alcanzaba a percibir el efecto que su actuación tenía en el auditorio. El ruido de las carcajadas rugía como el mar en sus oídos. Quería que fuera cada vez más fuerte; quería que todos ellos ahogaran a la guerra con sus risas. Si lograran gritar con bastante fuerza, tal vez consiguieran que el mundo recuperara su buen sentido; tal vez pudieran reír lo suficientemente fuerte como para que los muertos se levantaran de sus tumbas.

Jack bebió más vino de la jarra que le pasó uno de sus admiradores. Cruzó la línea divisoria entre ese estado de particular tranquilidad, que le proporcionaba su completa falta de inhibiciones, hasta llegar a una furiosa incoherencia en la que imaginó que lo que sentía y lo que quería —esa gran descarga de risas— podía provocarla urgiéndola y no con su fría concentración para lograrlo. Empezó a repetir las palabras más importantes de los chistes y a dirigir con los brazos la respuesta del público. Algunos hombres quedaron intrigados, otros comenzaron a perder interés y a reanudar las conversaciones interrumpidas.

Jack siempre terminaba con una canción. Resultaba extraño que las cosas más sencillas y más baratas siempre fueran las mejores; eran las que permitían que los hombres pensaran en sus hogares. Empezó a cantar "Si tú fueras la única chica en el mundo". Alzó la voz y movió los brazos, invitando a todos a acompañarlo. Aliviados al comprobar que los chistes acababan de llegar a su fin, muchos agregaron sus voces a la suya.

Al ver sus rostros, una vez más amistosos y llenos de aprobación, Jack se sintió emocionado y alentado. Recordó las facciones de su amigo muerto. Dentro de ese extraña vida que vivían, Shaw fue la única persona en el mundo para él: la cabeza apuesta con los ojos de mirar tranquilo, la espalda enorme y musculosa, las uñas rotas. Jack casi alcanzaba a percibir la forma del cuerpo de Shaw cuando se curvaba para darle lugar en el refugio angosto y maloliente en que dormían. Las palabras de la canción tonta empezaron a ahogarlo. Sintió los ojos de la audiencia, de nuevo amistosa, clavados en él. Miró por sobre las caras coloradas y rugientes como lo había hecho antes al entonar esa misma canción. En ese momento se había dicho que no quería tomarle cariño a ninguno de esos hombres más que a otro, porque sabía lo que les esperaba.

La habitación caliente y ruidosa se hamacó frente a sus ojos llenos de lágrimas. He cometido el mismo error no una sino dos veces en la vida, pensó Jack, porque quise a alguien más de lo que mi corazón es capaz de soportar.

Con ese pensamiento de desesperanza, cayó hacia adelante en la silla y fue a dar en los brazos de sus amigos Jones y Evans quienes lo condujeron hacia la noche bajo la mirada intrigada pero indiferente de sus compañeros de armas.

•   •   •

Dos días después llegó el poco frecuente rito del baño de las divisiones. La compañía de Jack debió retroceder casi cinco kilómetros hasta una antigua fábrica de cerveza. Jack disfrutaba del ritual y le divertía el optimismo de una sucesión de jóvenes oficiales que estaban seguros de que esa breve inmersión sería capaz de curar definitivamente los problemas higiénicos de sus hombres.

Al principio Jack supuso que los piojos que tenía en el cuerpo eran simples parásitos cuya presunción lo indignaba. Le asqueaba la manera en que introducían sus cuerpos desagradables en los poros privados de su piel. Le proporcionaba un enorme placer sostener una vela encendida en la mano y moverla con lentitud a lo largo de los dobladillos de su ropa donde los insectos se ocultaban y procreaban. Por lo general sus muertes eran silenciosas, aunque de vez en cuando oía un satisfactorio crujido. También recorría con la vela la ropa de Shaw, porque su amigo no poseía la necesaria delicadeza manual y era capaz de llegar a incendiar su ropa interior. Cuando no podían conseguir una vela, un dedo pulgar aplicado con fuerza era hasta cierto punto eficaz. Con la desaparición de algunas de esas criaturas, ellos gozaban de una sensación de alivio, aunque era lo mismo que aplastar un mosquito lleno de sangre: Jack siempre sentía que ellos no tenían derecho de estar allí. La evidente ventaja de reducir el número de piojos era el alivio pasajero que les proporcionaba disminuir el olor que dejaban esas criaturas, aunque ese alivio fuese relativo porque el olor de los piojos por lo general se mezclaba o era superado por olores corporales más fuertes y persistentes.

Jack, como casi todos los hombres, se rascaba de una manera casi constante, sin darse cuenta, y poco a poco fue perdiendo conciencia de que lo hacía. Pero no todos se resignaban. En una oportunidad Tyson se puso tan frenético que el médico le ordenó quince días de descanso. En su caso, la irritación constante era hasta peor que el ruido de cañones pesados o el miedo de morir.

Al llegar a la antigua cervecería, los hombres formaron filas y entregaron su ropa. La ropa interior se arrojaba en una pila, un montón gris y reptante que los más infortunados refugiados debían levantar y llevar a la lavandería del ejército. Los hombres bromeaban con las mujeres encargadas de esa tarea. Éstas usaban guantes y se cubrían las caras con pañuelos. Jones le ofreció su máscara antigás a una belga delgada y desgraciada que no le entendió. Les entregaban los pantalones y las chaquetas a otras quienes, bajo las directivas del sargento del pelotón de Jack, los llevaba a un rincón de esa especie de granero donde una máquina desinfectante, que era arrastrada con optimismo de una punta a la otra de la línea del frente, se suponía que los fumigaba.

Jack se metió en una tina con varios de sus compañeros de pelotón. El agua todavía se conservaba tibia, aunque jabonosa por sus anteriores ocupantes. Se fregaban todo el cuerpo y reían de la sensación de calor que les daba en la piel. En las obras del subterráneo de Londres no se proporcionaban duchas a los obreros que lo cavaban; Jack debía volver a su casa cubierto de arcilla y de tierra. Allí, en los antiguos barriles de cerveza vivían un momento de amistad y de relajación que les resultaba casi desconocido. Evans y O'Lone empezaron a salpicarse con agua que levantaban con las manos. Jack descubrió que se había unido al juego. Durante un instante se sintió culpable hacia la memoria de sus camaradas muertos, como si se tratara de una falta de respeto, pero la sensación pronto pasó. Estaba decidido a disfrutar de cualquier placer que le proporcionara un alivio.

Después permanecían tiritando mientras el oficial del servicio de intendencia chequeaba el asunto de la ropa interior y las camisas limpias. Cuando volvían las chaquetas y los pantalones, ya desinfectados, se quedaban fumando bajo el débil sol de primavera. El tiempo comenzaba a cambiar. Aunque todavía hacía frío por la noche, durante el día el aire era más cálido. Jack pensó en los narcisos que empezarían a crecer a lo largo de las orillas del canal, cerca de su casa. Recordó cómo jugaba con John, cómo le enseñaba a arrojar una línea o a patear una pelota de aquí para allá durante horas. Abrigaba la esperanza de que con esas prácticas su hijo sería más capaz de integrarse a los juegos de los otros chicos de la calle, aunque nunca obtuvo resultados notorios. Lo único que Jack alcanzaba a ver eran las mejillas arreboladas de excitación del chico mientras corría hacia él, aferrando la pelota que parecía demasiado grande contra su pecho angosto. Le pareció oír su voz excitada cortando el aire lleno de niebla con su inocencia y su alegría.

Sofocó esos pensamientos y se miró las botas. Estiró los pies dentro de las medias limpias. Formaron para regresar a sus alojamientos. Esa tarde estarían reparando trincheras de la línea del frente. La diferencia entre estar en la línea del frente y la reserva, como comentaba Evans, era que cuando uno estaba en la línea del frente por lo menos se le permitía estar bajo tierra, fuera del alcance de granadas y cañones.

Cuando llegaron a su alojamiento, Jack sintió la primera irritación en la piel. En las tres horas transcurridas durante la marcha del regreso, el calor de su cuerpo había empollado los huevos de centenares de piojos que permanecían en los dobladillos de su camisa. Cuando llegó al frente, tenía el cuerpo lleno de piojos.

A la mañana siguiente, Stephen recibió una carta de Amiens. La letra le resultaba desconocida, pero se parecía a una que le había dejado notas en St. Rémy o mensajes en el bulevar du Cange. La llevó a su refugio y la abrió a solas, cuando Ellis salió a hablar con los centinelas. Era la primera carta que recibía desde el principio de la guerra.

Dio vuelta el sobre a la luz y se maravilló al ver su nombre escrito en él. Lo abrió y experimentó una extraña intimidad en ese papel azul y crujiente.

Le escribía Jeanne para decirle que Isabelle acababa de partir de Amiens rumbo a Munich, donde se encontraba mal herido su alemán. Max se vio obligado a pagar una enorme suma de dinero para lograr sacarla de Francia via Suiza. Isabelle se había despedido de ella y ya nunca más regresaría a Francia. Era una descastada, tanto en la casa de sus padres como en la ciudad.

"Cuando me preguntaste si te escribiría —concluía diciendo Jeanne—, dijiste que te gustaría tener noticias de una vida normal. No creo que en ese momento ninguno de los dos sospechara que mi carta empezaría con una noticia tan importante. Sin embargo, ya que me pediste que te diera detalles de la vida doméstica en Amiens, permíteme decirte que aquí todo está bien. Las fábricas están ocupadas fabricando uniformes para el ejército. Por supuesto que ahora que los soldados no usan pantalones colorados, fabricar esa ropa ya no es tan entretenido. La vida es sorprendentemente normal. Espero quedarme aquí un tiempo más antes de regresar a Ruán. Si en tu próxima licencia quisieras hacerme una visita, te aseguro que serías bienvenido. Podrías comer en el lugar donde estuviste la última vez. La comida no es tan buena como en épocas de paz, pero es probable que sea mejor que la que ustedes reciben en el frente. Con los buenos deseos de Jeanne Fourmentier."

Stephen depositó la carta sobre la tosca superficie de la mesa en cuyos intersticios se había secado la sangre de la rata. Después apoyó la cabeza sobre las manos. Acababa de recibir una respuesta a la pregunta que lo acosaba. Isabelle ya no lo amaba; y si así fuera, lo amaba de una manera distante que no afectaba sus actos ni sus sentimientos hacia otro hombre.

Al analizar sus reservas de fuerzas, comprendió que era capaz de soportarlo. Se dijo que el sentimiento que Isabelle y él compartían todavía existía, pero en un tiempo distinto.

En una oportunidad, de pie en la helada catedral de Amiens, pudo prever el número de los muertos. No era una premonición, sino más bien un reconocimiento; se dijo que la diferencia entre la muerte y la vida no era un hecho sino una cuestión de tiempo. Esa creencia le ayudó a soportar los quejidos de los moribundos en las colinas de Thiepval. Y por lo tanto en ese momento estaba en condiciones de creer que su amor por Isabelle, y el de ella por él, se encontraba a salvo en su extremo ardor. No perdido sino pasajeramente vivo de un modo tan significativo como podía estar cualquier sentimiento presente o futuro en la larga oscuridad de la muerte.

Guardó la carta de Jeanne en el bolsillo y salió a la trinchera donde se le acercó Ellis.

—Todo tranquilo, ¿verdad? —comentó Stephen.

—Tolerable —contestó Ellis—. Tengo un problema. Estoy tratando de conseguir que un grupo de trabajo salga a buscar algunos cadáveres. Como usted dice, está bastante tranquilo y no es probable que tengamos una oportunidad mejor.

—¿Y dónde está el problema?

—Mis hombres se niegan a hacerlo a menos que también vaya yo. De manera que dije que lo haría. Entonces insistieron en que por lo menos nos acompañara un minero, pero el reglamento de los mineros dice que esto no tiene nada que ver con ellos y, de todos modos, están hartos de hacer trabajos que nos corresponden a nosotros.

El rostro blanco y pecoso de Ellis estaba agitado. Se echó la gorra hacia atrás y dejó al descubierto su frente y una mata de pelo ya no tan espesa como antes.

Stephen esbozó una leve sonrisa y meneó la cabeza.

—Deberíamos ir todos. No tiene importancia. No es más que la muerte.

—Bueno, ¿pero le pedirá al capitán Weir que designe a alguno de sus zapadores para que nos acompañe?

—Se lo puedo preguntar. Tal vez también él tenga ganas de venir ahora que se le ha curado el brazo.

—¿Habla en serio? —preguntó Ellis, algo enojado.

—No lo sé, Ellis. Hay algo en ti que me llena de inseguridades. Prepara a tu grupo de trabajo para las doce.

Weir rió con sequedad cuando Stephen le hizo la propuesta.

—Habrá ron —dijo Stephen.

Weir abrió los ojos con interés.

Pero, cuando llegó el momento, trajo consigo un repentino miedo y una sensación de irrealidad. Nunca estarían preparados para mirar a la muerte con la crudeza que los aguardaba. Stephen se sintió, como le había sucedido antes en momentos de extrema tensión, descolocado en su sentido del tiempo. Parecía temblar y luego congelarse.

A mediodía, en la escalera de salida de la trinchera, con máscaras de gas. Gusto a muerte, olor a muerte, pensó Stephen. Coker cortó bolsas de arena para fabricar guantes.

—Use éstos.

Firebrace y Fielding de los mineros, Ellis, blanco como el papel, Barlow, Bates, Goddard, Allen de la infantería; Weir que bebía ron encima del whisky, inseguro en los peldaños de la escalera.

—¿Qué haces, Brennan?

—Yo también voy.

Caminaron hacia un cráter, bajo el sol radiante. Sobre ellos revoloteaba una alondra. Cielo azul, extraño para ojos entrenados a mirar el barro. Se encaminaron hacia el cráter producido por una mina donde hacía semanas que yacían cadáveres no recuperados.

—Trata de levantarlo.

Ningún ruido de ametralladoras o de francotiradores, a pesar de que escuchaban con atención.

—Tómalo por los brazos. —Una orden incomprensible impartida a través de una máscara antigás. Los brazos del cadáver se desprendieron del cuerpo con suavidad.

—¡No te dije eso, no te dije que le sacaras los brazos!

Sobre el cuello de Weir, una rata de gran tamaño comenzó a perseguir algo colorado que él tenía en la espalda. Un cuervo se asustó y levantó vuelo de repente, batiendo el aire con sus grandes alas. Coker, Barlow, movieron sus cabezas ante el asalto de una bandada de moscas que, al abandonar los cadáveres, transformaron la piel negra de los cuerpos en verdusca. El rugido del vómito de Goddard les dio risa. Goddard se quitó la máscara y lo que respiró fue peor que lo que acababa de expeler. Weir estiró las manos, cubiertas por bolsas de arena y las acercó a un cadáver apartando la ropa del cuello del que retiró un disco que se metió en el bolsillo junto con un puñado de piel que se desprendió con él. Jack se echó atrás al tocar la carne esponjosa de un muerto a través de la tela burda del uniforme. Brillante, una rata emergió del abdomen para dejarse caer sobre las costillas del muerto, relamiéndose de gusto. Trozo a trozo fueron colocando esa carne sobre camillas; lo que caía quedaba en el barro. No había hombres sino moscas y carne, pensó Stephen. Brennan desvistió ansioso un torso sin cabeza. Lo tomó con ambas manos y lo arrastró sin piernas fuera del cráter; sus dedos se hundieron en la carne verde y blanda como la manteca. Era su hermano.

Cuando llegaron de vuelta a la seguridad de la trinchera, Jack estaba furioso de que los hubieran obligado a ir a él y a Fielding. Pero Weir señaló que tres hombres de su compañía permanecían sin sepultar. Goddard no podía dejar de vomitar, aunque hacía rato que tenía el estómago vacío. Cuando no hacía arcadas, se sentaba en la escalera sollozando sin consuelo. Tenía diecinueve años.

La sonrisa de Michael Weir era rígida. Les dijo a Fielding y a Jack que los excusaba de todo trabajo por una semana, luego se encaminó al refugio de Stephen con la esperanza de encontrar whisky.

—Me pregunto que diría mi padre —dijo con tono reflexivo—. Por supuesto que todos "están cumpliendo con su parte" como él lo expresó. —Tragó y se pasó la lengua por los labios. —Sólo que su "parte" y la mía parecen muy diferentes.

Stephen lo observó y meneó la cabeza con afecto.

—¿Sabes lo que realmente me aterrorizó? —preguntó. Lo que me aterrorizó fue la posibilidad de que alguno de esos hombres estuviera vivo.

Weir lanzó una carcajada.

—¿Después de tanto tiempo?

—Ha sucedido —contestó Stephen. Se le ocurrió una idea. —¿Dónde está Brennan? ¿Lo viste cuando volvimos?

—No.

Stephen salió a buscarlo por la trinchera. Lo encontró sentado en silencio en la escalera, cerca del refugio donde él y algunos otros dormían.

—Lo siento, Brennan —dijo Stephen—. Debe haber sido terrible para ti. No era necesario que fueras.

—Ya lo sé. Pero quise ir. Ahora me siento mejor.

—¿Te sientes mejor?

Brennan asintió. Tenía una cabeza angosta cubierta por una mata de pelo oscuro, espeso y grasiento. Cuando levantó la cara, su expresión era tranquila.

—Por lo menos lávate las manos, Brennan —sugirió Stephen—. Desinféctatelas con clorato de sal. Si quieres tómate un tiempo libre. Le diré al sargento que estás exceptuado de los trabajos.

—No se preocupe. De alguna manera me siento afortunado. ¿Sabe que en julio, cuando explotó la mina caí de la escalera y me rompí una pierna? Entonces, cuando los vi a ustedes subiendo hacia la tierra de nadie, me sentí afortunado.

—Sí, pero lamento lo de tu hermano.

—Está bien. Lo importante es que lo haya encontrado. Que no lo haya dejado allí tirado. Lo traje de vuelta y ahora tendrá un entierro como la gente. Habrá una tumba con su nombre. Y cuando la guerra termine, podré venir a ponerle flores.

A Stephen le sorprendió la seguridad de Brennan de que él sobreviviría. Cuando se volvió para alejarse, Brennan empezó a cantar en voz baja, una canción irlandesa que también había entonado esa mañana, mientras esperaban el momento del ataque. Tenía voz de tenor y conocía muchas canciones.

Durante toda la noche le cantó a ese hermano a quien había llevado de vuelta con sus propias manos.

En el comedor del Hotel Folkestone de Boulogne había un grupo excitado de jóvenes oficiales. Muchos de ellos sólo llevaban seis meses en el frente y estaban llenos de historias para contar a sus amigos y familiares. Para ellos la guerra no iba demasiado mal. A pesar de haber sido testigos de mutilaciones y de muertes, lograron soportar la incomodidad física del frío, la humedad y la fatiga hasta un punto del que nunca se creyeron capaces. Pero pese a todo todavía consideraban pasable ese plan de servicios en el frente alternados con licencias regulares para volver a sus casas, por lo menos por el momento. Bebían champaña y alardeaban de lo que harían cuando llegaran a Londres. No participaron en la gran matanza del año anterior y no podían prever el matadero mecanizado que se esperaba pocos meses después en el barro intransitable de Flandes. El horror del entreacto era soportable; se estremecían de júbilo por haber sobrevivido y las bromas nacían de su alivio. Sus voces juveniles se alzaban bajo las arañas como el canto de los estorninos.

Stephen los escuchaba desde su cuarto del primer piso donde estaba escribiéndole una carta a Jeanne. La petaca que había llenado de whisky en Arras, estaba casi vacía y el cenicero desbordaba de colillas de cigarrillos. A diferencia de los hombres a sus órdenes que escribían diariamente a sus casas, él tenía poca experiencia como corresponsal. Las cartas de los soldados que él leía con cansancio, consistían en palabras tranquilizadoras para sus familiares, comentarios sobre el contenido de los paquetes recibidos y pedidos de más noticias.

Stephen no creía que a Jeanne le hiciera falta que la tranquilizara con respecto a su salud; tampoco disfrutaría conociendo detalles de la vida en las trincheras. A pesar de que se obligó a no mencionar a Isabelle, le parecía sensato escribir acerca de cosas que fueran comunes para él y para Jeanne. Eso significaba hablar de Amiens y sobre la forma en que habían sobrevivido su gente y sus edificios.

Lo que en realidad quería decirle a Jeanne era que, aparte de Michael Weir, ella era la mejor amiga que tenía. Y considerando que en un mes más podía haber muerto, no veía motivo para no decírselo. Escribió:

"Para mí significa mucho recibir tus cartas, tener algún contacto con una persona que pertenece al mundo cuerdo. Aprecio tu bondad hacia mí. Tu amistad me permite sobrevivir."

Arrancó la hoja y la arrojó al papelero que tenía a sus pies. Jeanne no apreciaría esas frases; era precipitado y vulgar de su parte. Debía ser más formal, por lo menos por el momento. Apoyó la cabeza entre las manos y trató de recordar el rostro largo y sabio de la hermana de Isabelle. ¿Cómo sería esa mujer? ¿Qué le gustaría que le dijera? Imaginó sus ojos oscuros bajo las cejas arqueadas. Eran ojos inteligentes, irónicos y sin embargo comprensivos. La nariz era idéntica a la de Isabelle, pero su boca era más ancha, con un colorido más oscuro en la piel de los labios. El mentón era más puntiagudo, aunque pequeño. La fuerza de sus facciones, su tez oscura y esa cualidad de sus ojos le daban un aspecto levemente masculino. Sin embargo, la belleza de su piel pálida, no expresiva como la de Isabelle, pero de un color marfil, hablaba de una delicadeza extraordinaria. No sabía cómo dirigirse a ella.

Describió algunos detalles de su viaje en tren hasta Boulogne y prometió que le escribiría desde Inglaterra, donde por lo menos tendría algo interesante para contarle.

Cuando al día siguiente el barco atracó en Folkestone, se había congregado una pequeña multitud en el muelle. Muchos de los chicos y de las mujeres hacían flamear banderas y vitoreaban mientras los soldados de la infantería bajaban por la planchada. Stephen notó que la expresión de la multitud, de alegría se trocaba en incredulidad: para aquellos que habían ido a recibir a hijos o hermanos, ellos eran los primeros soldados que veían. Esos seres delgados e inexpresivos que bajaban a tierra no eran los hombres sonrientes de uniformes resplandecientes que antes embarcaron al son de marchas militares. Algunos vestían pieles de animales adquiridas en granjas; muchos de ellos habían cortado trozos de sus chaquetas para estar más cómodos o para envolverse las manos heladas. En lugar de gorras con botones brillantes, alrededor de las cabezas tenían bufandas. Había costrones de suciedad en sus cuerpos y en sus ropas y la expresión de sus ojos era inexpresiva e intransigente. Se movían de una manera automática y torva. A los civiles les resultaban atemorizantes porque no se habían convertido en criminales sino en seres pasivos cuya única meta era sobrevivir.

Stephen sintió que una mano se apoyaba en su hombro.

—¡Hola! ¿Usted es el capitán Wraysford? Me llamo Gilbert. Estoy a cargo aquí. No pude ir con ustedes... tengo problemas en una pierna. Y ahora mire, tome estas planillas y cuando llegue a la estación quiero que sea el oficial de enlace con el oficial de embarque. Aquí están todos los nombres de los hombres. ¿De acuerdo?

Stephen miró al hombre con incredulidad. Cuando se acercó a mostrarle los formularios, de su cuerpo surgía un olor acre, como de podrido.

El andén de la estación estaba lleno de otro gentío para darles la bienvenida. Había mesas en las que organizaciones de voluntarios ofrecían té y buñuelos. Stephen se dirigió a la cabecera del andén y cuando la sala de espera impidió que lo vieran, dejó caer los formularios en un tacho de basura.

El tren se puso en marcha con los hombres alineados en los corredores, sentados sobre sus mochilas, fumando y riendo, saludando a los que los despedían desde el andén. Stephen le cedió su asiento a una mujer de sombrero azul.

Apretado contra la ventana de un compartimento, no logró ver mucho de Inglaterra mientras el tren pasaba por plazas que sólo ocasionalmente alcanzaba a percibir bajo la curva de su propio brazo. El encuentro con su tierra natal no le produjo ningún sentimiento de afecto o de profunda bienvenida. Estaba demasiado cansado para apreciarlo. Lo único que sentía era dolor de espalda por el esfuerzo de mantener la cabeza gacha con tal de no golpearla contra la red del equipaje. Tal vez con el tiempo llegaría a apreciar la vista del campo y los sonidos de la paz.

—Me bajo en la próxima estación —dijo la mujer del sombrero azul—. ¿Le gustaría que llamara por teléfono a su esposa o a sus padres para avisarles que va en camino?

—No. No, yo... no lo creo, gracias.

—¿Dónde vive?

—En Lincolnshire.

—¡Oh, Dios! Eso queda muy lejos.

—Pero no voy hacia allí. Pienso ir a... —No tenía ningún plan definido. Recordaba algo que le dijo Weir en una oportunidad: "Ve a Norfolk. Es muy lindo en esta época del año."

Al llegar a la estación Victoria, Stephen se abrió paso a los empujones hasta llegar a la calle. No quería ver más soldados, sino perderse en la gran nada de la ciudad. Cruzó el parque con paso ágil hasta llegar a Picadilly, luego continuó caminando con lentitud por el lado norte. En Albemarle Street entró en una tienda de ropa de hombre. Durante el año había perdido gran parte de su ropa y por lo menos le hacía falta una muda de camisas y de ropa interior. Se quedó parado frente a un mostrador con su extensa exhibición de corbatas y de medias. Un hombre se le acercó detrás del mostrador.

—Buenos días, señor. ¿En qué puedo serle de utilidad?

Stephen notó que el hombre recorría con la mirada su uniforme y su rango. Bajo su amabilidad, también notó un involuntario disgusto. Se preguntó que habría en él para repeler a ese hombre. No sabía si olía a cloruro de sal, a sangre o a ratas. Con gesto reflexivo se llevó una mano al mentón pero sólo percibió la mínima barba que le había crecido desde que se afeitó en el hotel Folkestone.

—Quiero unas camisas, por favor.

El hombre trepó a una escalera y bajó dos cajones de madera cuyo contenido exhibió ante Stephen. Había camisas blancas almidonadas para usar de noche y otras de algodón rayado y sin cuello para usar de día. Al ver que Stephen vacilaba, el empleado bajó camisas de todos colores y tipos de telas. Stephen estudió los tonos pastel, el gran arco de posibilidades que el hombre extendía ante él, camisas de ojales hechos a mano, con los pliegues de los puños bien planchados y almidonados, las texturas que iban de lo rígido a lo lujosamente suave.

—Discúlpeme señor, mientras usted elige debo atender a ese otro cliente.

El vendedor se alejó dejando a Stephen confuso por la elección que debía hacer y por la actitud del vendedor. Con el otro cliente, un individuo robusto, de más de sesenta años y costoso sobretodo, se mostró mucho más efusivo. Después de elegir varias prendas que hizo cargar a su cuenta, el recién llegado salió de la tienda sin darse por enterado de la presencia de Stephen. La sonrisa del vendedor se congeló y luego se borró al volver a acercarse a Stephen. Era evidente que deseaba mantener cierta distancia.

A los pocos instantes dijo:

—No quiero apurarlo, señor, pero si no está conforme con nuestro surtido de camisas, tal vez le convendría buscar en otra parte.

Stephen lo miró con incredulidad. Debía tener alrededor de treinta y cinco años, una calvicie incipiente y un prolijo bigote.

—Sí, me resulta difícil elegir —dijo. Al hablar se dio cuenta de que le pesaba el mentón. Se dio cuenta de lo cansado que estaba. —Discúlpeme.

—Creo que tal vez sería mejor que…

—Usted no me quiere aquí adentro, ¿verdad?

—No es eso, señor, lo que pasa es que…

—Déme estas dos. —Tomó las camisas que tenía más cerca. Diez años antes le habría pegado un puñetazo a este hombre, pensó. Pero en ese momento sólo pagó lo que debía y salió.

Una vez afuera, respiró hondo el aire espeso de Picadilly. En la vereda de enfrente vio las arcadas del Hotel Ritz con el nombre escrito en luces. Por las puertas entraban mujeres de tapados de piel con sus acompañantes, hombres de prolijos trajes grises y sombreros negros. Tenían un aire de urgencia, como si estuvieran enfrascados en asuntos de importancia financiera o de peso internacional que ni siquiera les permitían dirigir una sonrisa al portero de sombrero de copa y uniforme con galones. Desaparecían detrás del vidrio, los suaves abrigos tras ellos, ignorando la calle y lo que pudiera ocurrir más allá de sus propias vidas.

Stephen se quedó un momento observándolos, luego tomó su valija de servicio y se encaminó a Picadilly Circus donde compró un diario. Informaba de un escándalo financiero y de un accidente en una fábrica de Manchester. En la primera plana no había noticias de la guerra, aunque después, cerca de las cartas de los lectores, encontró un informe de las maniobras del Quinto Ejército y una cálida alabanza de la experiencia táctica de su comandante.

Cuando más caminaba, más aislado se sentía. Le maravilló la suavidad de las veredas sanas. Le alegraba que en la capital subsistiera una vida ordinaria, pero no se sentía parte de ella. Le habría resultado muy incómodo que los civiles lo trataran de otra manera, porque eran gente de un país en el que, en todo caso, hacía tiempo que no vivía. Pero lo que le sorprendía era que su presencia no provocara tan sólo una reacción de indiferencia sino de resentimiento. Pasó la noche en un pequeño hotel cerca de Leicester Square y por la mañana tomó un taxi hasta la calle Liverpool.

A mediodía salía un tren para King's Lynn. Tuvo tiempo de ir a una peluquería a hacerse afeitar y cortar el pelo antes de la hora de partida. Subió a un tren casi vacío y pudo elegir el asiento que más le gustó. Los tapizados del Great Eastern Rail eran elegantes y limpios. Se instaló en el asiento de un rincón y sacó un libro. El tren salió con lentitud de la estación y empezó a tomar velocidad a medida que se alejaba de las bajas y oscuras terrazas del noreste de Londres.

Stephen comprendió que no podía concentrarse en el libro. Tenía la cabeza demasiado entumecida para poder seguir la sencilla narración. A pesar de tener los brazos y las piernas un poco tiesos, no sentía dolor o fatiga de ninguna especie; había dormido razonablemente bien en el pequeño hotel, y desayunado tarde. Pero su mente parecía no funcionar. Sólo era capaz de mirar por la ventanilla y observar el paisaje que iban pasando. Los campos estaban iluminados por el sol de primavera. De vez en cuando los cruzaba en silencio un arroyo estrecho o un río. En lo alto de las colinas, en un par de oportunidades alcanzó a distinguir las torres grises de una iglesia, o el grupo de edificios de una granja, pero por lo general sólo se veían terrenos chatos y cultivados, aparentemente deshabitados, cuya tierra profunda y húmeda sufría las mismas rotaciones de crecimiento y descomposición, invisible pero implacable, tal como había sucedido durante siglos bajo ese cielo frío y húmedo, de día, de noche, sin nadie que lo viera.

Sin embargo a medida que el tren avanzaba matraqueando tuvo la sensación de escuchar un ritmo conocido en una parte remota de su memoria. Se quedó adormilado en el asiento del rincón y despertó sobresaltado, después de soñar que se encontraba en el pueblo de Lincolnshire de su infancia. Luego descubrió que seguía dormido; sólo había soñado que despertaba. Se volvió a encontrar en un granero que se erguía en un campo chato y pálido por el que pasaba un tren. Despertó por segunda vez, algo asustado y trató de mantenerse consciente, pero de nuevo descubrió que sólo había soñado que despertaba.

Cada vez que abría los ojos trataba de ponerse de pie, de levantarse del elegante asiento del vagón, pero le pesaban demasiado las piernas y se volvía a dejar llevar por el sueño.

Por fin consiguió despertar y se obligó a ponerse de pie. Se quedó parado junto a la ventanilla y miró el campo.

Demoró algunos instantes en convencerse de que no soñaba. Porque la sensación era la misma de esa media docena de veces en que creyó haber despertado, sólo para descubrir que seguía dormido y soñando.

Poco a poco fue recuperando cierta claridad. Aferró el marco de la ventanilla y respiró hondo. La sensación de desorientación disminuyó. "Estoy cansado —pensó mientras sacaba un cigarrillo del atado—. Como dijo Gray, estoy física y mentalmente cansado." Tal vez Gray o alguno de sus médicos austríacos también pudieran explicar la curiosa secuencia de sus sueños alucinantes.

Se enderezó el uniforme y se alisó el pelo desordenado por el sueño. Abrió la puerta del compartimento y se encaminó hacia el coche restaurante. Sólo había dos mesas ocupadas y pudo sentarse junto a una ventanilla. Un mozo se le acercó con el menú.

Stephen se asombró ante la variedad de platos que se ofrecían. Hacía años que no veía nada parecido. Pidió consomé, luego lenguado y después pastel de carne. El mozo le ofreció la lista de vinos. Stephen tenía el bolsillo lleno de billetes ingleses que había comprado con su paga en Folkestone. Ordenó el vino más caro de la lista, uno que costaba seis chelines la botella.

El mozo se le acercó con una sopera rebosante de sopa hirviendo, gran parte de la cual consiguió servir en el plato de Stephen, aunque cuando terminó de hacerlo el mantel estaba manchado de marrón. Stephen encontró que la sopa era demasiado fuerte para ser agradable; el gusto de carne fresca y de especias lo confundía. No había almorzado ni comido en Amiens y su paladar estaba acostumbrado al pastel de manzanas y ciruelas, a la carne de buey y a las galletitas, y de vez en cuando a un trozo de torta que Gray o Weir recibían de Inglaterra.

Los pequeños filetes de lenguado con su delicada película de venas y con su carne tan blanca era demasiado sutiles para que pudieran gustarle. Con gesto ceremonioso, el mozo le sirvió un poco de vino en la copa de cristal. Stephen la bebió con rapidez y le indicó que se la volviera a llenar. Mientras esperaba el pastel de carne, bebió como correspondía. El gusto del vino le resultó irresistible. Era como si su cabeza íntegra estuviera llena de pequeñas explosiones de perfume y de color. Hacía seis meses que no bebía vino, y aún entonces se trataba de un vino ordinario, sin marca. Depositó la copa sobre la mesa con rapidez. En el frente el agua tenía simplemente gusto a agua si había llegado con las raciones, o de algo mucho peor si la habían recolectado de los cráteres. El té también tenía un sabor definido: el de la nafta en cuyos bidones se transportaba. Pero al beber ese vino tuvo la sensación de estar bebiendo una esencia compleja de la misma Francia, no del infierno visceral de Picardía, sino de un lugar pastoril, más antiguo, donde todavía existía la esperanza.

No cabía duda de que estaba más cansado de lo que creía. Comió todo lo que pudo del pastel de carne. Renunció al postre y fumó un cigarrillo con el café. Al llegar a Kings Lynn tomó otro tren que corría a lo largo de la costa de Norfolk hacia Sheringham, que creía era el lugar recomendado por Weir. Pero a medida que el pequeño tren avanzaba bufando, se dio cuenta de que estaba harto de viajar. Quería estar afuera, en el aire claro y pacífico; estaba deseando encontrarse en una posada con una cama blanda. En la estación siguiente, un lugar llamado Burnham Market, bajó su valija y saltó al andén. Pudo llegar caminando hasta el pueblo rodeado por un camino flanqueado de césped muy verde y bien cortado. La mayoría de las casas que daban a ese camino habían sido edificadas en el siglo XVIII; eran espaciosas pero modestas, y también había media docena de tiendas, incluyendo una farmacia, un comercio de objetos navales y un lugar que vendía arneses para caballos.

Detrás de un nogal inmenso, descubrió una posada llamada The Blackbird. Entró y tocó el timbre colocado al pie de la escalera. Como nadie contestaba, pasó al bar. Estaba desierto y sobre las mesas todavía estaban los vasos de cerveza sin lavar de la hora del almuerzo. Reinaba una atmósfera oscura y fresca que proporcionaban los pisos de piedra y los pesados tirantes del techo.

Oyó una voz femenina a sus espaldas y se volvió. Una mujer regordeta, de delantal, le sonrió con cierta vacilación. Le explicó que no era más que la mucama y que el dueño de la posada había salido, pero que ella podía darle un cuarto siempre que él firmara el registro. Lo condujo a un pequeño dormitorio del piso superior, con una cómoda de caoba y una antigua cama de madera cubierta por un grueso edredón blanco. Junto a la puerta había una silla de respaldo recto y un estante sobre el que vio una palangana y una jarra para higienizarse. Al lado de la puerta también había una pequeña biblioteca con media docena de libros sin duda ya muy leídos. Más allá de la cómoda, una ventana daba al jardín del frente del hotel donde las flores blancas del nogal impedían ver el cielo. Stephen le agradeció a la mucama y arrojó su valija sobre la cama. Era justamente el tipo de habitación que quería.

Después de desempacar, se tendió en la cama y cerró los ojos. Quería dormir, pero no podía dejar de parpadear. Cada vez que tenía la sensación de que se acercaba el sueño, se sobresaltaba y volvía a la realidad. Por fin cayó en un estado de adormecimiento, parecido al que experimentó en el tren, durante el que pasaron por su mente una serie de escenas brillantemente iluminadas sucedidas en los últimos dos o tres años. Incidentes y hombres a quienes había olvidado renacían en su mente con vívida inmediatez, para volver a desaparecer. Trató de evitar esa espeluznante secuencia de recuerdos. Veía constantemente a Douglas cayendo de la camilla al piso resbaloso de la trinchera en el momento en que explotaba una granada; alcanzaba a oír el golpe sordo de su cuerpo sin vida. Volvió a su mente un hombre ya olvidado, llamado Studd, el casco volado hacia atrás y la cabeza destrozada por balas de ametralladora en el momento en que se inclinaba a ayudar a un compañero.

Stephen se levantó. Le temblaban las manos, lo mismo que le temblaban a Michael Weir durante los bombardeos. Respiró hondo y se dio cuenta de que el aire le raspaba dentro del pecho. Le pareció insólito estar en estado de *shock* en ese momento, cuando se encontraba a salvo en un tranquilo pueblo de Inglaterra.

Lo emocionó pensar donde se encontraba. Hacía mucho tiempo que no estaba en Inglaterra. Tal vez le haría bien salir a caminar y mirar a su alrededor.

Sus botas repiquetearon sobre la madera sin alfombrar de la escalera mientras bajaba, sin sombrero y salía al exterior.

Irguió los hombros y luego los dejó caer, lanzando un profundo suspiro entrecortado. Empezó a caminar por el pasto, luego dobló para alejarse del pueblo. Trató de relajarse. "He estado bajo fuego —pensó—, pero ahora, por lo menos por el momento, todo eso ya pasó." Bajo fuego. Las palabras repiqueteaban en su mente. ¡Qué poco adecuada era esa frase!

Los cercos eran anchos y desparejos. En el aire había una sensación de pureza, como si nadie lo hubiese respirado; recién comenzaba a refrescar con la primera brisa de la tarde. Desde los altos olmos que alcanzaba a ver en el extremo de la pastura, se oía el canto de los grajos, y desde más cerca el suave arrullo de las palomas. Se detuvo y se recostó contra una verja. El silencio y la quietud del mundo que lo rodeaba parecía estar fuera del tiempo; no había voz humana que lo ubicara.

Por sobre su cabeza vio la luna blanca, todavía muy baja sobre los olmos. Detrás de ella y a sus costados había nubes que parecían flecos y que corrían en el celeste del cielo para luego perderse en un blanco vaporoso.

Stephen se sintió sobrecogido por sensaciones supremas. Lo atemorizó porque pensó que debían poseer un fondo físico, algo parecido a un espasmo, a sangrar, a la muerte. Entonces comprendió que lo que sentía era una apasionada afinidad. Ésa que le producía ese campo que descendía hacia los árboles, y el sendero que volvía hacia la ciudad donde alcanzaba a ver la cúpula de una iglesia: eso y la distancia del cielo no eran factores separados, sino parte de una sola creación, y él también —todavía un hombre joven— por el repetido pulsar de su sangre era uno con todo eso. Levantó la vista y vio el cielo tachonado de estrellas, las luces opacas que se veían a inmensas distancias. En ese momento comprendió que no se trataba de mundos separados sino unidos a través de la mente de la creación a esas nubes vaporosas y blancas, al aire puro y no respirado de mayo y a la tierra que había a sus pies, bajo el pasto húmedo. Aferró una verja con fuerza y apoyó la cabeza sobre los brazos, presa de un miedo residual de que la fuerza del amor que sentía pudiera borrarlo de la tierra. Quería abrir los brazos y envolver en ellos el campo, el cielo, los olmos con sus pájaros; quería sostenerlos con el interminable perdón de un padre hacia el hijo pródigo y errante, pero amado. Isabelle y los muertos con crueldad por la guerra; su madre perdida, su amigo Weir. Nada era inmoral ni estaba más allá de la posibilidad de redención, todo podía unirse y comprenderse en la perspectiva del perdón. Y mientras se aferraba a la madera, también quiso ser perdonado por todo lo que había hecho; anhelaba que la unidad de la creación del mundo derritiera sus pecados y su furia, porque su alma se había unido a ella. La pasión del amor recién descubierto lo estremeció; un amor del que estuvo exiliado en la carne y la sangre de largo tiempo de matanzas.

Levantó la cabeza y se dio cuenta de que sonreía. Caminó en paz por el sendero durante alrededor de una hora, aunque no tenía noción alguna del tiempo. La tarde seguía siendo luminosa mientras él caminaba, los campos resplandecían con sus distintos colores y los árboles en hileras, formando bosquecito o solos donde por casualidad había caído una semilla.

Cuando el sendero dobló descubrió que estaba entrando a un pueblo pequeño. Dos chicos jugaban en un amplio espacio verde más allá de una fosa que lo separaba del camino. Stephen entró a un bar ubicado en la vereda de enfrente y se encontró en lo que parecía una casa particular. Un viejo irritable le preguntó qué quería. Le sirvió cerveza de un barril y junto con el vaso le entregó un recipiente más pequeño con una bebida con canela. Stephen salió con ambos vasos en las manos y se sentó en un banco junto al parque. Desde allí miró jugar a los chicos hasta que por fin el sol se puso y resplandeció la luna blanca.

Stephen volvió a Francia un día antes de lo necesario para poder ir a visitar a Jeanne en Amiens. Su transferencia a personal de brigada había sido demorado por quince días y mientras tanto debía reunirse con su compañía en el frente. Consideró que tal vez su regreso a la guerra le resultaría más fácil si pasaba una noche en Francia antes de dirigirse al alojamiento al que por el momento Gray lo hubiese destinado.

La estación de Amiens le produjo la impresión de un antiguo mojón en su vida, aunque al pensarlo bien se dio cuenta de que sólo era la tercera vez que llegaba allí. La primera vez lo condujo a consecuencias extraordinarias e imprevisibles y, en cierta forma, también la segunda. En esta ocasión sin duda no habría Isabelle; tal vez tampoco habría drama o infortunios. Así lo esperaba.

Jeanne estaba decidida a confiar en él y Stephen se lo agradecía. En realidad no existían fundamentos para esa confianza pero, a menos que fuese sólo por lástima, demostraba que Jeanne era una mujer generosa y con imaginación. En ese momento, a Stephen le resultaba difícil saber qué clase de sentimientos despertaba en la gente, pero aún en el caso de que el de Jeanne fuese sencillamente un impulso de caridad hacia un soldado solitario, no pensaba desecharlo. Era una buena mujer. Le sorprendía que no se hubiera casado: ya debía tener treinta y ocho o treinta y nueve años, casi demasiados para poder tener hijos.

Tuvo la precaución de enviarle un telegrama desde Boulogne, donde esperó su respuesta. Ella le contestó que estaría encantada de verlo esa tarde, a cualquier hora.

Stephen recorrió a pie la ciudad, todavía con su incómoda valija de servicio. Lucía una de las camisas nuevas compradas en Londres y ropa interior también nueva. Por lo visto los piojos que tanto lo molestaban habían perecido en la fogata que hizo en Norfolk con su antigua ropa. Al pasar por Liverpool Street, en el camino de regreso, le pidió al barbero que le afeitara el bigote. Gracias a todo eso tenía la sensación de parecerse al jovencito que en otros tiempos llegó al bulevar du Cange.

Cruzó la plaza frente al café donde se encontró con Jeanne y llegó a la pequeña casa donde ella se alojaba con Isabelle. Tocó el timbre. Mientras esperaba trató de recordar como era Jeanne físicamente, pero no pudo.

—Adelante Monsieur —dijo Jeanne, tendiéndole la mano.

Stephen se volvió a encontrar en el modesto vestíbulo, aunque esa vez parecía mejor iluminado. Jeanne abrió la puerta de la derecha que llevaba a la sala de estar. Tenía un piso de madera muy encerado y una mesa redonda con un florero con fresias en el medio. A cada lado de la chimenea de mármol había un sillón.

—¿Está cansado después de su viaje?

—No, nada de eso. Me siento muy bien.

Stephen se instaló en el sillón que Jeanne le indicaba y la miró. Recordaba sus facciones fuertes y la piel pálida; cuando la miraba lo invadía una extraña tranquilidad. En los ojos y en los movimientos de cabeza, por momentos tenía cierto parecido con Isabelle, cierta impetuosidad que la seriedad del porte de Jeanne sofocaba.

—Isabelle me comentó que usted solía mirar fijo a la gente —dijo Jeanne.

Stephen se disculpó.

—Después de estar tantos años en medio del barro... he olvidado mis buenos modales. —Le alegraba que el tema de Isabelle hubiera salido tan pronto. —¿Ha tenido noticias de Isabelle?

—Sí —contestó Jeanne—. Es muy feliz. Max está mal herido, pero sobrevivirá. Me pidió que le agradeciera que hubiera venido a verla. Creo que significó mucho para ella. Mi hermana ha tenido muy mala suerte... o ha sido muy tonta, como diría mi padre. Todas sus decisiones fueron difíciles. Volver a verlo y saber que usted por lo menos le deseaba lo mejor fue un verdadero apoyo para ella.

—Me alegro —dijo Stephen. Pero no le alegraba. Le resultaba confuso pensar que el papel que en ese momento desempeñaba en la vida de Isabelle consistía en ofrecerle cierta tranquilidad. —Me alegro —repitió, y en ese momento de pequeña falta de sinceridad creyó sentir que lo abandonaban los últimos vestigios de la presencia de Isabelle, no porque entraran en un falso olvido, como la primera vez, sino por simple ausencia.

Se volvió hacia Jeanne.

—¿Cuánto tiempo se quedará en Amiens? ¿No vive en Ruán?

Jeanne se miró las manos.

—Mi padre es viejo y le gustaría que viviera con él y lo cuidara. A pesar de que mi madre todavía vive, no está bien y no lo puede atender como a él le gustaría.

—¿De manera que regresará?

—No sé —contestó ella—. He sido una buena hija. Pero me atrae la idea de ser independiente. Me gusta vivir aquí en Amiens, en esta casita.

—¡Por supuesto! —Stephen volvió a pensar en la edad que debía tener. —¿Y sus otras hermanas? ¿No podría cuidarlo alguna de ellas?

—No. Están todas casadas. Bueno, Monsieur, cenaremos dentro de alrededor de una hora. Tendré que ir a ver como anda todo. No sé si le gustaría descansar un rato o beber algún aperitivo... no estoy acostumbrada a esta clase de cosas. —Hizo un gesto con la mano. —La situación es bastante poco convencional.

—En este momento en el mundo no existe nada convencional —Stephen sonrió. —Le agradezco que lo comprenda. Mientras tanto, sí, beberé algo.

Jeanne le retribuyó la sonrisa. Era la primera vez que Stephen la veía sonreír y le pareció la expresión más extraordinaria que hubiera visto en un rostro humano. Comenzaba con un lento movimiento de los labios, luego la piel pálida de su rostro se ponía radiante, no sonrosada por el flujo de sangre como le sucedía a Isabelle, sino como iluminada por una luz interior. Por fin la sonrisa llegaba a sus ojos, que brillaban y que ella entrecerraba con confianza y humor. "No es sólo su expresión —pensó Stephen—, sino que todo su rostro se convierte en indulgente y sereno."

—Tengo algo que Isabelle me mandó comprar la última vez que usted vino —dijo Jeanne—. Tiene un olor horrible. Se llama Old Orkney. Es una bebida inglesa.

Stephen lanzó una carcajada.

—Creo que es escocesa. La conozco bien.

Jeanne le alcanzó la botella y una jarra con agua. Stephen vertió un poco dentro de un pequeño vaso de cristal y miró a su alrededor mientras Jeanne iba a la cocina. Alcanzaba a oír el ruido de cacerolas y de cubiertos; una fragancia de hierbas y de vino le provocaron un hambre repentino. Encendió un cigarrillo y buscó un cenicero en esa salita elegante. Encontró una serie de pequeños recipientes de cerámica y de porcelana, pero no se animó a ensuciarlos, de manera que arrojó el cigarrillo a la chimenea y lo apagó con el pie. A pesar de su ropa nueva y libre de piojos, se sentía incómodo y torpe en esa habitación tan prolija y femenina. Se preguntó si alguna vez recuperaría su naturalidad en ambientes normales, o si se habría convertido en un ser cuyo habitat natural eran los techos de chapa, las paredes de madera y la comida que colgaba en jaulas de los tirantes del techo, para impedir que se la comieran las ratas.

En una mesa del extremo de la habitación, Jeanne le sirvió sopa preparada por ella. Explicó que se suponía que era una sopa de pescado a la manera de Dieppe, un lugar cerca de su casa en Normandía, pero que en Amiens no pudo encontrar todos los ingredientes necesarios. Stephen recordó el enojo de Isabelle cuando él le comentó que Amiens no se destacaba por sus bondades culinarias.

—Supongo que la guerra ha afectado los abastecimientos —dijo.

—No estoy segura —contestó Jeanne—. Tal vez sólo sea que a la gente de Amiens no le interese demasiado la comida. ¿Quiere servir el vino? No sé si es bueno, pero es el que bebe mi padre.

Stephen todavía no sabía con seguridad si Jeanne lo consideraba un refugiado a quien había que proteger, o si la impulsaba una simple sensación amistosa. Mientras comían la interrogó.

Ella no se mostró generosa con las informaciones. En su manera de ser había una agradable timidez, como si tuviera la sensación de que el encuentro de ambos no estuviera permitido por las reglas de etiqueta y que en cualquier momento podía entrar alguien y prohibir que continuara. Stephen dedujo que había permanecido en su casa por un sentido del deber hacia su padre, quien parecía capaz de imponer en ella su voluntad, lo mismo que hizo con Isabelle. Jeanne se resistió a su elección de marido con más éxito que su hermana menor, pero él se vengó impidiéndole casarse con el hombre a quien ella quería. Así como ahuyentó al soldado de Isabelle, impidió el casamiento de Jeanne con un viudo, por miedo de que le quitara a su hija.

Jeanne hablaba en frases muy medidas; su modo de ser era algo estricto, pero el sentido del humor que brillaba en sus ojos y los movimientos repentinos de sus dedos largos y finos contradecían esa severidad.

Stephen continuaba sintiendo una gran tranquilidad en su presencia. Descubrió que lo hacía feliz oírla hablar y cuando ella lo interrogaba conseguía contestarle manteniendo un sentido de proporción, aunque hablaran de la guerra.

Luego, a medida que se hacía tarde, empezó a temer el regreso. Desde esa primera vez cuando, siendo niño, lo sacaron del campo y lo obligaron a regresar al asilo donde vivía, lo que más temía en el mundo era el momento de la separación: era sinónimo de abandono. Volver a las trincheras era algo que no podía contemplar. Y a medida que se acercaba el momento, perdió toda posibilidad de seguir conversando.

—¿Está pensando en su regreso, no es verdad? —preguntó Jeanne—. Ha dejado de contestar mis preguntas.

Stephen asintió.

—No durará indefinidamente. Estamos esperando tanques y la entrada de los norteamericanos, eso es lo que dice el Mariscal Pétain. Todos debemos tener paciencia. Piense en su próxima licencia.

—¿Cuando la tenga puedo volver a verla?

—Sí, si lo desea. Cuente los días y las semanas. Manténgase a salvo. Creo que con su nuevo trabajo no tendrá que entrar tanto en acción. Sea cuidadoso.

—Tal vez tenga razón. —Stephen suspiró. —¡Pero ya ha durado tanto, tanto tiempo! Pienso en los hombres con quienes he estado y…

—Entonces debe dejar de pensar en los que murieron. Hizo todo lo que pudo por ellos y ya no puede hacer más. Cuando todo termine, podrá recordarlos. Ahora debe centrar sus esfuerzos en sobrevivir. Otra muerte no ayudaría a los que ya han dejado de existir.

—No lo puedo hacer, Jeanne. No puedo. ¡Estoy tan cansado!

Jeanne miró la cara suplicante de Stephen. Estaba al borde de las lágrimas.

—Lo he dado todo —agregó—. No me obligue a seguir. ¡Por favor, permita que me quede aquí!

Jeanne volvió a sonreír.

—Ésa no es la manera de hablar del hombre que condujo a sus soldados en el Ancre. Algunas semanas detrás de las trincheras, donde no hay peligro. Es algo que podrá soportar.

—No se trata del peligro. Es el esfuerzo. ¡Ya no puedo más!

—Lo sé —dijo Jeanne apoyando una mano sobre la de él—. Lo comprendo. Pero debe ser fuerte. Le he preparado una cama, porque pensé que tal vez quisiera pasar la noche aquí. Mañana lo despertaré bien temprano. Y ahora, venga.

Stephen la siguió a regañadientes hasta la puerta. Sabía que al día siguiente regresaría a la guerra.

E l asalto contra la colina de Messines fue planeado en detalle. Los veteranos del mes de julio anterior eran cuidadosos con las vidas que estaban a su disposición.

—Tengo buenas noticias para usted —dijo Gray cuando Stephen se presentó ante él—. Antes de que asuma sus nuevas funciones tendrá tiempo de organizar un amplio raid sobre las trincheras enemigas. Esto forma parte de nuestro nuevo y cauteloso régimen de conocer a nuestros enemigos. Reconocimiento. —Trató infructuosamente de sofocar una sonrisa.

—Comprendo —dijo Stephen—. ¿Y a nuestra gran estrategia le hará mucha diferencia saber si debemos enfrentar el regimiento cuarenta y uno en lugar del cuarenta y dos?

—Lo dudo mucho —contestó Gray—. Pero tengo órdenes de apoyar la inteligencia a lo largo de la línea. Creo que esta semana su compañía sale de la reserva. Es un buen momento para un soldado del frente como usted.

—Gracias, señor.

Gray lanzó una carcajada.

—Está bien, Wraysford. Tranquilícese. En realidad lo que quiero es que conduzca un ataque sobre el flanco izquierdo del canal. Necesitamos una firme cabecera de playa en ese lugar. Sólo se trata de un ataque localizado. Usted se dirige hacia allí al amanecer, junto con el resto del batallón. Ese mismo día, más tarde, recibiremos el apoyo de nuestros amigos de Black Country. ¿Eso le gusta un poco más?

—Parece una forma más útil de morir que examinando las insignias de las gorras del enemigo.

—¡Así me gusta, Wraysford! Siga adelante. Sabía que lo haría.

—¿Y usted cómo logra seguir adelante, señor? —preguntó Stephen.

Gray volvió a reír.

—Gracias a mi sangre escocesa. Además, recién hemos empezado.

Después de atravesar la larga trinchera de comunicación, los hombres volvieron una vez más a la línea y se introdujeron en la tira de tierra protegida por bolsas de arena. Aparte de patrullajes, hacía nueve meses que no atacaban. Reinaba un gran nerviosismo y se desencadenaban discusiones entre los hombres a quienes se les encargó que colocaran las escaleras contra la pared de la trinchera. Durante toda la mañana se oyó el ruido de serruchos y de martillos mientras cortaban la madera y la aseguraban a intervalos contra el parapeto. Stephen tenía la impresión de que a pesar de todos los presagios de una gran ofensiva en Bélgica que, según se informaba, era tan cara al general Haig, de alguna manera ellos tenían la esperanza de no volver a verse involucrados otra vez en ese huracán de armas.

Al volver de su turno bajo tierra, Jack Firebrace observó los preparativos que le trajeron recuerdos que hasta ese momento había logrado evitar. Recordó cuánto había rezado por los hombres que atacarían esa mañana de verano y cuánto confió en que estarían seguros. Esa vez no tenía oraciones para ofrecerles.

Se encaminó al amplio refugio ubicado en la cabecera de la mina, donde por el momento dormían. Preparó té y lo bebió con Evans, luego sacó su cuaderno de bocetos. Desde la muerte de Shaw no hacía más bocetos de su amigo. En lugar de eso, Jack adquirió la costumbre de dibujar a Stephen. Desde el momento en que Stephen se arrojó en sus brazos, regresando de entre los muertos, ese hombre lo intrigaba. Ahora dibujaba su gran cabeza morena desde distintos ángulos y en diferentes poses, con los grandes ojos abiertos de incredulidad o entrecerrados por la decisión; también la sonrisa con que Wraysford se burlaba de su propio oficial, el capitán Weir; de esa cara inexpresiva y remota, como si le fallara la memoria, con que había despedido a Jack cuando él se presentó por haberse dormido en el cumplimiento de su deber. Porque Jack no recordaba bastante la cara de su hijo John como para poder dibujarla.

La espera hasta el momento del ataque fue corta, pero no por eso menos difícil. Stephen habló ante todo con los comandantes de los pelotones que serían los primeros en subir por las escaleras rumbo al mundo inseguro que había más allá.

—No deben vacilar —les dijo—. Lo que les espera es algo que no se puede modificar, pero si vacilan pondrán innecesariamente en peligro las vida de otros.

Vio que Ellis se pasaba la lengua por los labios. Tenía la frente cubierta de transpiración. Acababa de iniciarse el bombardeo que empezaba a sacudir la tierra que cubría el techo del refugio.

Stephen hablaba con la tranquilidad de la experiencia, pero eso no lo ayudó. Su experiencia anterior no era garantía de que pudiera volverlo a hacer. Cuando llegara el momento debería volver a enfrentar una vez más las profundidades de su ser, y temía haber cambiado.

El bombardeo sólo duraría un día. La artillería les había asegurado que estaba dirigido con precisión científica basada en reconocimientos aéreos exactos. No habría alambres sin cortar, ni reducto sano de cemento que pudiera provocar perezosas oleadas de muertos sobre el campo.

A medianoche, Weir entró en el refugio de Stephen. Tenía una expresión enloquecida en los ojos y estaba despeinado. Al verlo, Stephen se angustió. No quería que le contagiara su miedo.

—¡Este estruendo! —exclamó Weir—. Ya no puedo seguir soportándolo.

—Hace dos años que dices lo mismo —replicó Stephen, cortante—. La verdad es que eres uno de los hombres más flexibles del ejército inglés.

Weir sacó un atado de cigarrillos y miró a su alrededor con expresión esperanzada. A regañadientes, Stephen le acercó una botella.

—¿Cuándo atacan? —preguntó Weir.

—A la hora habitual. Saldrá bien.

—Estoy preocupado por ti, Stephen. Odio estos presentimientos.

—No quiero oír hablar de tus presentimientos.

—Has sido un amigo maravilloso para mí, Stephen. Nunca olvidaré esa vez que estuvimos tendidos en un cráter y me conversaste y...

—¡Por supuesto que lo olvidarás! Y ahora cállate la boca.

Weir temblaba.

—No me comprendes. Te quiero agradecer. Lo que pasa es que tengo ese presentimiento. ¿Recuerdas la última vez que hicimos la prueba de las cartas y que tú...?

—Yo arreglo las cartas. Hago trampa. Todo eso no tiene ningún significado. —Stephen no podía tolerar esa conversación.

Weir parecía sobresaltado y acongojado. Bebió un largo trago.

—Ya sé que no debería estar diciendo esto. Ya sé que es un egoísmo de mi parte, pero...

—¡Te digo que te calles la boca, Weir! —Stephen gritaba y en su voz se notaba un principio de sollozo. Acercó su rostro al de Weir. —Lo único que te pido es que trates de ayudarme. Si me estás agradecido por algo, trata de ayudarme. ¡Dios mío! ¿Crees que quiero hacer esto? ¿Crees que mi vida fue hecha para esto?

Weir retrocedió, salpicado por la saliva que la indignación de Stephen hacía surgir.

Empezó a protestar, pero Stephen ardía de furia.

—¡Piensa en todos esos chicos de dieciocho y diecinueve años que saldrán caminando por la mañana, y yo tendré que ir con ellos y observar lo que sucede. Por una vez, te pido por favor que trates de hablar de otra cosa.

A su manera oblicua y de borracho, Weir era tan apasionado como Stephen.

—Esto es algo que debo decir y no me importa si es o no atinado. Hay cosas más importantes que eso. Quiero agradecerte y despedirme de ti por si...

Stephen lo tomó por las solapas y lo alzó hasta la puerta del refugio.

—¡Vete a la mierda, Weir, vete a la mierda y déjame en paz! —Le pegó un empujón que lo hizo caer de boca sobre el barro. Weir se levantó con lentitud, dirigió a Stephen una mirada de reproche mientras se quitaba el barro de la cara y del frente del uniforme y luego se alejó, solitario, por la trinchera.

Solo, tal como quería estar, Stephen inició el viaje hasta las profundidades de su ser, un viaje que terminaría al amanecer. Miró su cuerpo con cuidado y recordó las cosas que sus manos habían tocado; miró sus impresiones digitales y apoyó el dorso de la mano sobre la membrana suave de sus labios.

Se acostó sobre el tablón de la cama y sintió el contacto de la frazada de lana contra su rostro. Era una sensación que recordaba desde la infancia. Cerró los ojos con fuerza y pensó en los primeros recuerdos que tenía de su madre, del contacto de sus manos, de su aroma. Se envolvió en la capa de su mundo de recuerdos, con la esperanza de que en él estaría a salvo y no lo podrían alcanzar balas ni granadas. Tragó y percibió la sensación familiar de su lengua y su garganta. Era la misma carne que tenía cuando era un chico inocente. Sin duda no permitirían que nada le sucediera en ese momento. Su renovado amor por el mundo convertía la perspectiva de abandonarlo en algo intolerable.

Una hora antes del amanecer, Riley llegó con agua hervida para que se afeitara. A Stephen le agradó ver a ese hombrecito inteligente y de modales obsequiosos. También había logrado prepararle un gran recipiente de té. Stephen se afeitó con cuidado y se puso el cinturón con la hebilla lustrada por Riley.

Al salir a la trinchera, constató que las raciones habían llegado a tiempo y que algunos de los hombres se habían cocinado tocino para el desayuno. Debía moverse con cuidado en la oscuridad, para no enganchar los pies en las tablas del piso. Encontró a Price chequeando los pertrechos. Esa manera de ser metódica de Price lo ayudaba; era como si ése tan sólo fuese un día más. Después habló con Petrossian, el cabo de su antiguo pelotón. Él miró a Stephen como con la esperanza de que lo salvara. Stephen apartó la vista. Se acercó a un grupo de hombres que todavía no tenían experiencia en el combate, Barlow, Coker, Goddard y algunos otros, que estaban acurrucados contra una escalera. Se detuvo a conversar con ellos y a pesar de la oscuridad alcanzó a ver la extraña expresión de sus rostros. Era como si tuvieran la piel tan estirada que resplandecían. No pudieron contestarle; cada uno de ellos había descendido a lo más profundo de sí mismo, un lugar donde el tiempo se detenía y la ayuda no existía.

La artillería empezó a armar la barrera de fuego en la tierra de nadie. Alcanzaban a ver la tierra que escupía y saltaba a una altura mayor que el parapeto protegido por bolsas de arena. Stephen chequeó su reloj. Faltaban cuatro minutos. Se arrodilló y rezó, un deseo sin palabras.

¡Había sucedido todo con tanta rapidez! El prolongado bombardeo antes del ataque de julio fue casi intolerable, pero por lo menos les dio a los hombres tiempo de prepararse. Esta vez tenía la sensación de que sólo algunas horas separaban su comida con Jeanne y ese momento en que se preparaba para morir. No hacía mucha diferencia el hecho de que, en comparación, éste fuera un ataque pequeño: la muerte no tenía grados.

Se puso de pie y volvió sobre sus pasos hasta que alcanzó a ver a Ellis que en ese momento miraba su reloj. Se le acercó y le rodeó los hombros con un brazo. El rostro espantado de Ellis lo alentó; de alguna manera logró dedicarle una sonrisa tranquilizadora con la que acompañó el apretón que le dio en los hombros. En la cabecera de la trinchera de comunicación estaba Price, con una tablilla con sujetapapeles. Le tendió la mano a Stephen quien se la estrechó. Price no participaría del ataque, pero contaría su costo.

Stephen levantó la mirada al cielo donde las primeras luces del alba se asomaban detrás de las nubes. Lanzó un suspiro profundo que lo estremeció hasta las botas.

—¡Oh, Dios, Oh, Dios! —exclamó mientras un escalofrío le recorría la columna vertebral. ¿Dónde estaba en ese momento el amor que unía a la humanidad? Cuando faltaba sólo un minuto la realidad lo golpeó como en ese momento golpeaba al resto de los hombres: no había manera de retroceder. Dirigió una mirada de añoranza a la trinchera de comunicación y luego se volvió a mirar hacia el frente. Se oyó un silbato, los hombres comenzaron a trepar con torpeza las escaleras, casi aplastados por el peso de sus mochilas y salieron al aire metálico.

Stephen observó sus movimientos tontos, casi parecidos a los de los cangrejos y sintió que se le llenaba el corazón de amor hacia ellos. Se apresuró a seguirlos.

Los hombres corrían a toda la velocidad posible por la tierra quebrada; no existía la repetición de la marcha lenta ordenada el año anterior. Sus propias ametralladoras establecían una barrera de fuego por sobre sus cabezas donde se encontraban con el fuego defensivo del enemigo. Stephen quedó ensordecido por la densidad del sonido y bajó la cabeza, tratando de protegerse con el casco de acero. Tuvo que esquivar cuerpos caídos y saltar sobre pequeños cráteres del barro. Alcanzó a ver que la línea delantera llegaba a la trinchera enemiga. Su propia compañía, que tenía una tarea de apoyo, empezó a reagruparse dentro de los cráteres como a cincuenta metros de distancia del enemigo.

Stephen se deslizó por el barro para ir a caer al fondo de un cráter de tres metros de profundidad donde vio a Goddard y a Allen quien sostenía una venda sobre su bíceps. Coker, subido a la espalda de otro hombre, miraba por sobre el borde del cráter, tratando de ver por medio de un largavistas, las señales que emitían las tropas que tenían delante.

Saltó hacia abajo y cayó en el barro.

—No veo nada, señor —le gritó a Stephen por sobre el estruendo—. Ninguna señal, nada. Parece que han pasado la alambrada. Dentro de la trinchera explotan granadas.

Stephen sintió un hálito de esperanza. Cabía la posibilidad de que, por primera vez en su experiencia, la artillería hubiera cortado los alambres. En ese caso, sus hombres no serían muñecos a merced de las ametralladoras enemigas.

Petrossian cayó dentro del cráter. Estaba negro de barro y de toda la mugre que había encontrado en los refugios anteriores, pero no sangraba.

—Señales de la compañía B —gritó—. Están adentro.

—Muy bien. Vamos.

Stephen trepó al borde del cráter e hizo flamear una bandera. La tierra comenzó a moverse y a dar paso a hombres a lo largo de más de cien metros. El ruido frente a ellos se redobló cuando los alemanes comenzaron a disparar desde la trinchera de apoyo. Aunque los hombres de la compañía B trataban de cubrirlos, sus rifles no podían competir con las ametralladoras alemanas. Los últimos cincuenta metros se convirtieron en un ejercicio de saltos y de esfuerzos por esquivar las balas mientras los hombres avanzaban bajo fuego y pasaban sobre cuerpos caídos.

Stephen siguió a otros dos a través de un agujero en la alambrada alemana y saltó a una trinchera atestada. Nadie sabía lo que estaba sucediendo. Contra las paredes de la trinchera había grupos de prisioneros alemanes que esbozaban sonrisas nerviosas, aliviados de haber sido tomados, pero nerviosos de que algo pudiera salir mal cuando ya se consideraban casi a salvo. Entregaban recuerdos y cigarrillos a los hombres de la compañía B. La trinchera enemiga, con sus enormes y profundos refugios y sus parapetos, era una fuente de admiración para los británicos que miraban en una especie de rapto de curiosidad esa largamente imaginada privacidad que por fin acababan de violar.

Stephen consiguió agrupar a los prisioneros dentro de un refugio que no estaba dañado y dejó a Petrossian de guardia, para que los custodiara. Sabía que para Petrossian sería un alivio no tener que seguir avanzando y que, en caso de necesidad, le resultaría un placer matar a los alemanes. Recorrió la trinchera y encontró a Ellis, bañado en sudor y con la mirada perdida, como si la batalla se estuviera desarrollando en algún otro mundo.

Todavía continuaba la lucha dentro de la trinchera, hacia la izquierda, donde se unía con el canal, aunque a la media hora vieron llegar más prisioneros alemanes y el sonido de los disparos comenzó a morir.

Ellis miró expectante a Stephen.

—¿Y ahora, qué?

—A mediodía recibiremos apoyo desde ese bosque de la derecha, de los que Gray llama nuestros amigos del Continente Negro. Debemos asegurar el extremo del canal, luego seguir adelante hacia la segunda trinchera.

Ellis sonrió vacilante. Stephen le devolvió la sonrisa.

—Ahora empiezan a atacar la segunda trinchera con obuses —gritó al oír el gemido de los proyectiles por sobre sus cabezas—. No te vayas a sacar el casco y mantén cruzados los dedos.

Dentro de la trinchera reinaba una actividad frenética: los hombres apilaban bolsas de arena sobre la parte posterior para poder disparar contra la línea de apoyo alemana.

Mientras trataban de encontrar un espacio desde donde disparar, muchos recibían un balazo en la frente y caían hacia atrás. Los artilleros de Lewis buscaban un lugar seguro desde donde poder concentrar su puntería, pero por el momento era difícil saber si lograrían avanzar antes de que se iniciara el contraataque.

Poco a poco, la artillería empezó a dar en el blanco. Hubo informes transmitidos a los gritos, de explosiones de bombas en el borde de la trinchera, que levantaban por el aire tierra y hombres al mismo tiempo. Ubicada detrás de las líneas, la artillería alemana inició una pesada respuesta. No existía comunicación con el cuartel general del batallón y, en medio del ruido y de la creciente carnicería de la batalla, la única manera que se le ocurrió a Stephen de imponer el orden, fue seguir el plan original. Trepó por una improvisada escalera. Por lo que podía ver, el enemigo se estaba preparando para retroceder a su trinchera de reserva. Si tan sólo existiera alguna manera de poder comunicarse con la artillería, podrían apresarlos en la huida.

A través de una serie de órdenes, impartidas a los gritos y oídas a medias, comenzó un segundo ataque. Era menos coordinado que el primero, pero los soldados sobrevivientes estaban exaltados. En ese estado de ánimo siguieron hacia la segunda línea. Sin lugar para los rifles, entraron en la trinchera a fuerza de bayonetas y de puños. Algunos murieron destrozados por la propia artillería que recibió tarde la noticia del segundo ataque y otros saltaron derecho hacia la muerte que los esperaba debajo. Stephen arremetió contra los alambres y aterrizó sobre el cuerpo de un alemán a quien una granada le había arrancado las piernas. Estaba con vida e intentaba ponerse a salvo. Trataron de reunirse en grupos y de empujar hacia ambos lados de la trinchera para tener la retaguardia siempre cubierta, pero nuevas llegadas les impedían arrojar granadas por miedo a matar a sus propios compañeros. La única alternativa era doblar a ciegas en cada esquina. El destino de los primeros dos o tres era un eficaz indicador para los que los seguían. Stephen observó a los hombres que avanzaban como enloquecidos, pisando los cuerpos de sus amigos, limpiando un tramo de la trinchera tras otro y luchando entre ellos por ser los primeros en llegar. Tenían hermanos y amigos muertos en la mente; estaban galvanizados más allá del miedo. Experimentaban el placer de matar. No eran seres normales.

A última hora de la mañana habían conquistado la trinchera de apoyo. Stephen envió un grupo hasta el canal para que cavaran defensas en preparación de un contraataque. A partir de ese momento lo único que tenían que hacer era mantener la línea hasta que, a mediodía, llegaran los refuerzos a proteger el otro flanco.

Stephen no toleraba ver alemanes y trataba de encerrar a los prisioneros lo antes posible para que estuvieran fuera de su vista. A pesar del continuo fuego de obuses, siempre encontraba voluntarios para escoltarlos. Haber tomado dos líneas en una sola mañana era considerado por los hombres el colmo de la buena suerte. Después de cinco horas de lucha, estaban desesperados por descansar. Stephen observó con envidia las cansadas espaldas de los que se alejaban.

Durante unos instantes la intensidad del fuego disminuyó, luego volvió a aumentar, sobre todo en el flanco derecho que recibía el ataque de granadas y de invisibles ametralladoras. Stephen no tuvo tiempo de disfrutar del triunfo del avance antes de notar que estaban sitiados. La construcción irregular de la trinchera impedía saber lo que sucedía a pocos metros de distancia, pero para él el sonido del contraataque era ominoso.

Tuvo conciencia de un movimiento que avanzaba por la derecha dentro de la trinchera, como si ésta hubiera sido evacuada o sencillamente silenciada. A mediodía trepó por una escalera sobre lo que había sido el parapeto y miró el bosque, esperando ver aparecer los refuerzos. No había nadie allí. Saltó a la trinchera y encontró un periscopio. Revisó con él la tierra de nadie y sólo pudo ver una línea distante de prisioneros que avanzaban hacia las posiciones británicas. Cerró los ojos y suspiró. Debió haberlo sabido. Debió adivinarlo.

Un comandante de pelotón llamado Sibbley le gritó al oído. Quería saber cuándo llegarían los refuerzos.

—No existen. No vendrán —aulló Stephen.

—¿Por qué? —preguntó Sibbley.

Stephen no contestó. Una hora más tarde los alemanes estaban de regreso en un extremo de la trinchera y comenzó la lucha cuerpo a cuerpo. Poco después, la compañía B recibió ordenes de su comandante de retroceder a la primera trinchera enemiga, tomada durante la mañana. Al trepar el parapeto, los soldados quedaron a merced del fuego de ametralladoras enemigas que se habían reubicado en la trinchera de apoyo.

El ruido era tan tremendo que resultaba imposible pensar. Stephen se dio cuenta de que Ellis le gritaba.

—¡Nos hundimos! ¡Nos hundimos! —decían los movimientos de sus labios aunque no se oía una sola palabra que pronunciaba.

Stephen meneó la cabeza.

Ellis acercó los labios a los oídos de Stephen.

—La compañía B se ha ido.

—Ya sé. Ya sé. —No le dio ninguna explicación. El trabajo de su compañía consistía en ocupar; a la compañía B se le había ordenado el asalto y tenían derecho a decidir por sí mismos cuándo retroceder. Stephen no hubiera podido lograr que Ellis le oyera, pero quería atenerse a las órdenes del coronel Gray.

Junto a ellos pasó un sargento con la cara ensangrentada, seguido por una serie de hombres que eran empujados a la trinchera desde el flanco derecho desprotegido. El contraataque ahora avanzaba también desde la trinchera de reserva. Dos armas Lewis no eran capaces de contenerlos. Sólo hacía falta que los atacaran desde el extremo del canal y estarían completamente rodeados. Stephen calculó con rapidez la posibilidad de una retirada. Ya había tantos alemanes dentro de la trinchera que podrían volver a ocupar sus posiciones en el parapeto y matar a sus hombres por la espalda mientras corrían.

Ellis lloraba.

—¿Qué haremos? —gimió—. ¡Quiero salvar a mis hombres! ¿Qué haremos?

En su imaginación Stephen sólo veía un resultado: los cuerpos de sus hombres amontonados unos sobre otros como bolsas de arena. No era lo que él había elegido, pero era lo único que les quedaba por hacer.

—¿Qué vamos a hacer? —volvió a gemir Ellis.

—¡Mantener la línea, mantener la maldita línea! —Los dientes y la lengua de Stephen eran visibles en la aullante cavidad de su boca.

Desesperados por tratar de salvar sus vidas, los hombres luchaban por cada metro de la trinchera. Stephen se les unió, disparando con rapidez contra las líneas de uniformes grises que avanzaban.

Justo antes de las tres de la tarde, percibió una voz con acento de Yorkshire en su oído y una cara que no le resultaba familiar. Intrigado, miró al hombre a los ojos. Era un teniente del regimiento del Duque de Wellington. Le informó a Stephen a los gritos que sus hombres habían vuelto a controlar el extremo de la trinchera.

En el término de otra hora habían logrado abrirse nuevamente camino hasta el canal. Llegaron más refuerzos con morteros y más ametralladoras. Por el momento el contraataque alemán había llegado a su fin y los sobrevivientes se retiraron a su posición de reserva.

Stephen bajó al fondo de la trinchera y se encaminó a un refugio donde encontró a un mayor del regimiento del Duque de Wellington.

—Parece extenuado —le dijo el mayor con voz alegre—. Sus órdenes son que se retire. Nos enviaron a cubrirlos. Antes algo salió mal. Otro de los éxitos del planeamiento.

Stephen miró el rostro del coronel. "Parece tan joven —pensó—, y sin embargo ha llevado a cabo una especie de milagro."

—¿Y ustedes qué van a hacer? —preguntó.

—Cubrirles la retirada y después salir de aquí como alma que lleva el diablo.

Stephen le estrechó la mano y luego salió.

Ante todo sacaron a los muertos y a los heridos y al anochecer, lo que quedaba de la compañía estaba de regreso en su propia trinchera. Una ráfaga de ametralladora había dado muerte a Ellis. El pequeño grupo de sobrevivientes se arrastró sobre el barro que habían cruzado esa misma mañana. No preguntaron por el destino de sus amigos; lo único que les importaba era llegar a algún lugar donde pudieran acostarse.

El nuevo trabajo de Stephen consistía en estudiar mapas y tratar de asegurarse del lugar que ocupaba cada batallón. Estaba alojado en una casa agradable del pueblo, aunque de vez en cuando se le pedía que pasara la noche en un refugio de la línea de reserva. Hasta eso era un adelanto enorme después de todo lo visto y vivido.

El trabajo era bastante urgente puesto que el ataque contra el monte Messines era inminente. Para Stephen fue un placer irónico confirmar que a la compañía de zapadores de Weir le tocaba descanso poco antes. De esa manera su trabajo estaría cumplido y alguien más se encargaría de hacer volar las minas.

El mayor de brigada, un hombre llamado Stanforth, en cierto modo le recordaba al coronel Barclay. Tenía tendencia a gritar sin necesidad y se expresaba en frases breves que se suponía comunicaban una sensación de urgencia. Si llegaba a suceder algo inesperado, de inmediato demostraba hasta qué punto tenía autoridad, impartiendo órdenes complicadas, aunque por lo general el asunto se solucionaba solo.

El día de su llegada, Stephen tuvo el desagradable deber de escribirle a la madre de Ellis, quien ya había recibido el informe oficial de la muerte de su hijo. En su oficina, Stephen masticó la lapicera durante más de una hora antes de poder empezar a escribir. Era un día de verano y en el jardín de la casa jugaban mirlos y tordos.

Empezó repetidas veces la carta y trató de describir el ataque o los momentos que había compartido con Ellis en el refugio o en Amiens. En definitiva sólo escribió palabras formales de condolencia.

"Estimada señora Ellis: Escribo para hacerle llegar mi más sentido pésame por la muerte de su hijo. Como supongo le habrán informado, perdió la vida durante una acción ofensiva llevada a cabo en la mañana del 2 de junio. Lo mataron las balas de una ametralladora enemiga mientras trataba de organizar la defensa de una trinchera alemana valientemente capturada por los hombres a sus órdenes. Está enterrado con el teniente Parker y el teniente Davies. La tumba ha sido marcada y su posición informada a la Comisión de Registro de Tumbas.

"Durante la última conversación que mantuve con él, me aseguró que no le temía a la muerte y que se sentía completate capacitado para cualquier misión o tarea que se le encomendara.

"En toda circunstancia, siempre pensó ante todo en la comodidad y en el bienestar de sus hombres.

"Ellos lo querían, y en esta carta no expreso sólo mi propio pésame sino también el de todos los soldados a su mando. Al morir por los ideales que el Imperio se esfuerza en sustentar y en defender, se cuenta entre los que han pagado por ello un gran precio. Encomendamos las almas de nuestros hermanos caídos a la misericordia y a las manos de Dios."

Cuando releyó la carta, Stephen subrayó la palabra "toda". En "toda" circunstancia… Era cierto. En pocos meses, Ellis se había ganado el respeto de sus hombres porque no tenía miedo o, si lo tenía, no lo demostraba. Llegó a ser un buen soldado, aunque eso no lo hubiera ayudado.

Stephen estaba cansado de escribir cartas como ésa. Notó lo seco y desapasionado que era en ese momento su estilo. Imaginó el efecto que tendría esa carta sobre la viuda angustiada que la abriría. Después de perder a su único hijo… Ni siquiera quería pensarlo.

Durante la semana anterior al ataque, la compañía de Jack permaneció en los túneles profundos cavados bajo los montes de Messines, donde colocaron toneladas de amonal en cámaras especialmente preparadas.

El trabajo quedó terminado dos días antes del ataque y Jack salió al sol, extenuado. Evans, Fielding y Jones salieron detrás de él. Permanecieron en la sección de la trinchera cercana a la cabecera del túnel y se felicitaron unos a otros por el esfuerzo realizado. Se les ordenó que antes de quedar oficialmente licenciados debían presentarse ante el capitán Weir y se encaminaron por la trinchera hasta el refugio de su superior.

—Corren rumores de que te darán licencia para ir a Inglaterra, Jack —dijo Fielding.

—No lo creo. Antes nos harán cavar un túnel hasta Australia.

—Decididamente aquí no nos queda nada más que cavar —opinó Evans—. Ya hay una verdadera madriguera de conejos bajo tierra. Me haría feliz alejarme de la línea de fuego y tenderme en una cama blanda con un par de vasos de vino adentro.

—Sí —corroboró Fielding—. Y tal vez con una de esas chicas francesas como acompañante.

Jack empezaba a creer que tal vez para él hubiera pasado lo peor de la guerra. Se permitió imaginar el vestíbulo de su casa de Londres y a Margaret esperándolo.

Weir se acercó a recibirlos. Parecía más contento que lo habitual. Vestía botas, la chaqueta del uniforme y una gorra blanda. Mientras Weir se les acercaba, Jack notó que algunas de las bolsas de arena del parapeto no habían sido bien reemplazadas desde el día en que la infantería salió sobre ellas a la tierra de nadie. Trató de advertirle a Weir que no estaba bien cubierto. Weir trepó por la escalera para dar paso a un grupo de abastecimientos y la bala de un francotirador le penetró encima de un ojo, desparramando parte de su cerebro sobre las bolsas de arena a sus espaldas.

Durante algunos instantes fue como si su cuerpo no tuviera noción de lo que acababa de suceder, como si estuviera por seguir caminando. Después cayó como un títere, con los miembros extendidos y se estrelló de cara contra el barro.

· · ·

Stephen se enteró a la noche siguiente por boca de un oficial de inteligencia llamado Mountford. Se encontraba en su refugio de la línea de reserva, donde actuaba como enlace entre el cuartel general y los hombres que a la mañana participarían de la oleada siguiente. Mountford le dio la noticia sin andar con vueltas.

—Tengo entendido que era amigo suyo —dijo. Y por la expresión de Stephen comprendió que no ganaría nada con seguir hablando.

Stephen permaneció un instante sentado, inmóvil. La última vez que vio a Weir fue cuando lo empujó hasta hacerlo caer de cabeza sobre el piso de la trinchera. Ése fue su gesto final. Durante algunos instantes sólo pudo pensar en la expresión dolida y de reproche de Weir mientras se limpiaba el barro de la cara.

Y sin embargo lo quería. La sola presencia de Weir convertía la guerra en algo tolerable. El terror de Weir por los disparos había sido un conductor de su propio miedo, y en la inocencia de su amigo Stephen pudo burlarse de las cualidades que él mismo había perdido. Weir había sido mucho más valiente que él: vivió en constante contacto con el horror, lo conoció día a día y, gracias a su extraña tozudez, pudo vencerlo. No rehuyó un solo día de su servicio y murió en el frente de batalla.

Stephen apoyó los codos sobre la tapa de la tosca mesa de madera. Se sentía más solo que nunca en la vida. En los bordes de realidad en que vivía, sólo Weir lo acompañaba; sólo Weir escuchó el ruido del cielo en Thiepval.

Permaneció tendido en la cama, con los ojos secos. Poco después de las tres de la mañana, las minas explotaron y sacudieron su cama. "La explosión se oirá en Londres" alardeaba Weir.

Sonó el teléfono y Stephen volvió a sentarse frente al escritorio. Durante toda la madrugada se ocupó de retransmitir mensajes. A las nueve el Segundo Ejército estaba en el monte. En las voces que le hablaban reconoció un dejo de júbilo: por fin algo que resultaba bien. Las minas tuvieron un efecto colosal y la infantería, utilizando métodos copiados a los canadienses, pudo pasar. En los hilos telefónicos vibraba la celebración.

A mediodía relevaron a Stephen. Se tendió en la cama y trató de no dormir. Alcanzaba a oír el bombardeo insistente que continuaba atacando las líneas alemanas. Maldijo su mala suerte que le impedía participar en ese ataque. Para contestar la pregunta hipotética que le había hecho Gray, en ese momento habría segado vidas sin remordimiento alguno. Envidiaba a los hombres que podían disparar contra los alemanes indefensos, hombres que tenían la oportunidad de hundir las bayonetas en cuerpos desguarnecidos, hombres con la posibilidad de regar con balas de ametralladora a aquellos que dieron muerte a su amigo. En ese momento él habría podido matar con ligereza de corazón.

Trató de pensar que la victoria en el monte le daría placer a Weir o que lo reivindicaría, pero no logró imaginarlo. Su amigo ya no era más que una ausencia. Stephen pensó en su rostro intrigado, abierto, con la piel muy blanca surcada de venas producidas por el exceso de alcohol; pensó en su cabeza casi calva y en los ojos sorprendidos que no podían ocultar su inocencia. Pensó en la pena de esa carne que volvía a estar bajo tierra sin el conocimientos de otro ser humano.

Permaneció sin moverse de la cama durante toda la noche y el día siguiente. No respondió cuando Mountford se le acercó para tratar de despertarlo. Rechazó la comida que le ofrecieron. Se maldijo por su última impaciencia con Weir. Se odió por el egoísmo de sus sentimientos, porque se apiadaba más de sí mismo que de su amigo muerto. No lo podía evitar. Igual que todos los demás, había aprendido a borrar la muerte de sus pensamientos; pero no podía evitar su sensación de soledad. Desaparecido Weir, ya no quedaba nadie que pudiera comprender. Hizo un esfuerzo por llorar, pero las lágrimas se negaron a llegar para expresar su desolación o su cariño por el pobre loco Weir.

Al tercer día recibió la visita del coronel Gray.

—Éxito por fin —anunció—. Esos zapadores hicieron un trabajo espléndido. ¿Le importa si me siento, Wraysford?

Stephen estaba sentado en el borde de la cama. Al ver entrar a Gray hizo un esfuerzo por levantarse y saludar, pero Gray le indicó con un gesto que no lo hiciera. El coronel se instaló en la silla frente al escritorio.

Después cruzó las piernas y encendió su pipa.

—Los Boche ni siquiera supieron lo que los había golpeado. Yo nunca creí demasiado en esas ratas de albañal que le proporcionaban al enemigo pequeños cráteres donde fortificarse, pero hasta yo debo reconocer que esta vez cumplieron con su cometido.

Continuó hablando algunos minutos sobre el ataque, como si no se percatara de que Stephen no respondía.

—Los nuestros estaban en la reserva —siguió diciendo—. No hubo necesidad de usarlos. Creo que algunos quedaron un poco desilusionados. —Aspiró el humo de la pipa. —Aunque no creo que hayan sido muchos.

Stephen se alisó el pelo con la mano. Se preguntó si habrían enviado a Gray o si éste había ido a verlo por decisión propia.

—Stanford —dijo Gray—. Parece el típico oficial burocrático inglés, ¿no es cierto? Gordo, complaciente, mal informado. Perdóneme. Como usted sabe Wraysford, no tengo nada contra los ingleses. En este caso, las apariencias engañan. Es un planificador muy competente. Estoy convencido de que en este ataque ha salvado muchas vidas.

Stephen asintió. Una sensación de interés empezaba a abrirse paso en su dolor. Se parecía a la dolorosa sensación de la sangre que vuelve a circular por una extremidad aterida.

Gray siguió hablando y fumando.

—Existe un asunto bastante delicado que se refiere a nuestros nobles aliados franceses. Experimentan algunas dificultades. Se extiende entre ellos una cierta... ¿cómo decirlo?... renuencia. La remoción del impactante general Nivelle ha ayudado a crear esta situación. Pétain parece un poco más frugal con sus vidas, pero es alarmante. Entendemos que, de alguna manera, dos tercios del ejército han sido afectados, y que tal vez una división de cada cinco esté seriamente comprometida.

Stephen tenía curiosidad por enterarse de lo que Gray le contaba. En circunstancias parecidas, el ejército francés se había desempeñado mejor que el inglés demostrando una formidable ductilidad. Que se amotinaran parecía inconcebible.

—Stanforth les pedirá a usted y a Mountford que lo acompañen. Se trata de una reunión completamente informal. Los oficiales franceses involucrados están con licencia. Será tan solo una reunión entre amigos.

—Comprendo —dijo Stephen—. Me sorprende que eso se permita. Casi nunca nos encontramos con los franceses.

—Por supuesto —dijo Gray con una pequeña sonrisa de triunfo. Acababa de lograr que Stephen hablara. —No está permitido. Pero le repito que sólo será una reunión entre amigos. Y ya que estoy aquí, le diré una cosa. Usted tiene un aspecto terrible. Aféitese y dese un buen baño. Lamento lo de su amigo zapador. Y ahora, levántese.

Stephen lo miró con ojos inexpresivos. Sentía que su cuerpo carecía de energía. Fijó la mirada en los ojos desteñidos de Gray. Trató de extraer fuerzas de ese hombre mayor.

Al ver que Stephen intentaba responder, Gray suavizó su tono de voz.

—Yo sé lo que significa que uno se quede solo, como si nadie más hubiera compartido lo que han compartido ustedes. Pero tendrá que proceder, Wraysford. Lo voy a recomendar para que le concedan una Cruz Militar por su actuación en el ataque del canal. ¿Eso le gustaría?

Stephen volvió a reaccionar.

—No, decididamente no me gustaría. No se les pueden entregar estrellas de lata a la gente, cuando hay personas que han entregado sus vidas. ¡Por amor de Dios!

Gray sonrió de nuevo y Stephen volvió a tener la sensación de que había jugado con él.

—Está bien. Nada de condecoraciones.

—Recomiende una condecoración, pero que sea para Ellis o para alguno de esos hombres que murieron. Tal vez sea un consuelo para sus madres.

—Sí —contestó Gray—. Y también podría destrozarles el corazón.

Stephen se puso de pie.

—Volveré al cuartel general y me cambiaré.

—Así me gusta —dijo Gray—. Si usted vacila ahora, le robará todo propósito a la vida de su amigo. Sólo podrá concederle el descanso si llega hasta el final.

—Hace mucho que nuestras vidas perdieron su significado. Y usted lo sabe. En Beaucourt.

Gray tragó con fuerza.

—Entonces hágalo por nuestros hijos.

Con esfuerzo, Stephen salió del refugio y se internó en el aire del verano.

Cuando al mirar a su alrededor vio los árboles y los edificios que todavía seguían en pie, y el cielo sobre ellos, volvió a sentir algo de ese amor que lo sobrecogió en Inglaterra. Pudo obligarse a actuar, aunque temiera que la realidad en la que en ese momento habitaba fuera muy frágil.

Durante un tiempo le escribió a Jeanne casi todos los días, pero después comprendió que no tenía nada que decir. Ella le contestaba con detalles de su vida en Amiens y le contaba lo que publicaban los diarios franceses sobre la guerra.

Stephen fue en auto con Stanforth y Mountford a Arras donde se reunieron en un hotel con dos oficiales franceses llamados Lallement y Hartmann. Lallement, el mayor de los dos, era un hombre de mundo regordete. En tiempos de paz era un abogado vinculado a la administración pública. Ordenó numerosos vinos para el almuerzo y comió varias perdices que despedazaba con los dedos. El jugo le corría por el mentón hasta la servilleta con que se había rodeado el cuello. Stephen lo miraba con incredulidad. El oficial más joven, Hartmann, era un individuo morocho y de aspecto serio que no podía tener mucho más de veinte años. Su rostro era inescrutable y no parecía dispuesto a decir nada que pudiera avergonzar a su oficial superior.

El tema preferido de Lallement era la caza y la vida silvestre. Stephen le traducía sus palabras al mayor Stanforth, quien miraba al francés con desconfianza. Mountford, que hablaba francés, lo interrogó con respecto a la moral del ejército francés. Mientras se limpiaba el jugo que le corría por el mentón, Lallement le aseguró que nunca había sido mejor.

Después del almuerzo, Lallement interrogó a Stanforth, por intermedio de Stephen, acerca de su familia en Inglaterra. Tenían un amigo en común, una anciana francesa que estaba emparentada con la esposa de Stanforth. A partir de ese momento Lallement los interrogó acerca del ejército británico y sobre la opinión que tenían del estado de la guerra. Stanforth fue sorprendentemente franco en sus respuestas y Stephen se sintió tentado de censurarlas. Pero supuso que el oficial sabía lo que hacía y, de todos modos, Mountford habría notado cualquier alteración en la traducción.

Stephen, que no estaba acostumbrado a los operativos de reuniones de inteligencia, por informales que fuesen, se preguntó cuándo se enterarían de algo referente a la desmoralización del ejército francés y hasta qué punto los había afectado. Para la hora del té había proporcionado un recuento detallado de los movimientos de todas las divisiones y un cuadro del estado de ánimo deprimido de los hombres, que los éxitos obtenidos en Vimy y Messines sólo habían logrado levantar durante un tiempo. La depresión comenzaba a clavarse en los huesos del ejército, sobre todo entre los que conocían las perspectivas de una ofensiva importante en Ypres.

Por fin Lallement se limpió la boca con la servilleta y sugirió que se dirigieran al bar recomendado por un amigo, cerca de la plaza principal. Permanecieron allí hasta las diez de la noche, hora en que despacharon a Stephen a buscar al chofer del automóvil de Stanforth. Lo halló dormido en el asiento de atrás del auto. Cuando se despidieron de los franceses, había empezado a llover. Stephen miró hacia atrás y vio a Lallement y a Hartmann de pie juntos bajo el goteante peristilo.

Había vuelto a visitar a Jeanne en agosto y en septiembre. Salían a caminar por la ciudad, aunque él se negó cuando ella le sugirió que hicieran un paseo por los canales.

Jeanne le dijo que le preocupaba verlo tan apático. Era como si hubiese abandonado toda esperanza y se dejara llevar por la corriente. Stephen contestó que era difícil no hacerlo cuando la actitud de la gente de su país con respecto a lo que ellos sufrían, era de una total indiferencia.

—Entonces debe ser fuerte por mí —le contestó ella—. Yo no soy indiferente a lo que les suceda a usted o a sus amigos. No soy impaciente. Lo esperaré.

Stephen se sintió alentado por Jeanne. Le contó lo que había sentido durante su licencia en Inglaterra, ese día en que estuvo de pie contemplando el campo.

—¡No ve! —exclamó Jeanne—. Dios existe y existe un propósito en todo. Pero debe ser fuerte.

Y con esas palabras le tomó la mano y la sostuvo con fuerza. Stephen miró su rostro pálido e implorante.

—¡Hágalo por mí! —volvió a pedir ella—. Vuelva y vaya adonde le ordenen que vaya. Usted tiene suerte. Sobrevivirá.

—Me siento culpable de haber sobrevivido cuando todos los demás se han ido.

Stephen regresó al cuartel general de la brigada. No quería seguir en su trabajo de oficina. Quería estar de regreso en las trincheras, con los hombres.

Sólo lograba existir.

Su vida se convirtió en algo gris y leve, como una luz que en cualquier momento podía extinguirse; estaba lleno de silencio.

QUINTA PARTE

Inglaterra, 1978 - 79

—¿Algún progreso? —le preguntó Elizabeth a Irene durante su visita semanal.

—En realidad, no —contestó Irene—. Bob dice que es más difícil de lo que él pensaba. Sigue trabajando en el asunto, pero por lo visto tu abuelo cubrió muy bien sus rastros.

Ya hacía dos meses desde que Elizabeth le había dado el diario a Bob y decidió que tendría que buscar alguna otra manera de establecer contacto con el pasado. Por el libro de anotaciones de su oficial, descubrió en qué regimiento militaba su abuelo e intentó rastrear su cuartel general.

Después de una serie de llamados telefónicos y de dejar mensajes que no obtuvieron respuesta, pudo averiguar que el regimiento dejó de existir diez años antes, al ser amalgamado con otro. El cuartel general se encontraba en Buckinghamshire, hacia donde Elizabeth se dirigió en auto un domingo por la tarde.

La recibieron con desconfianza. Revisaron su automóvil a fondo por si contenía una bomba y la hicieron esperar durante una hora, hasta que por fin fue recibida por un joven.

Era el primer soldado a quien Elizabeth conocía en su vida. Le sorprendió lo poco militar que parecía. La suya era la actitud de los empleados de poca importancia: los documentos del regimiento se encontraban bajo custodia y era difícil llegar a ellos; se trataba de material confidencial. No era probable que tuviera éxito en su búsqueda.

—Lo que sucede —explicó Elizabeth—, es que mi abuelo luchó en esa guerra y me gustaría saber un poco más acerca de ella. La gente no siempre aprecia los sacrificios que las fuerzas armadas han hecho por ella, que todavía hacen por ella. Lo único que necesito es una lista de nombres de personas que hayan estado en su batallón, o compañía o lo que sea. Estoy convencida de que una institución tan eficiente como el ejército debe llevar registros, ¿no es así?

—Estoy seguro de que todo está en orden. El problema reside en la dificultad del acceso a esos datos. Porque, como ya le he dicho, son confidenciales.

Estaban sentados en una pequeña sala de guardia de madera, cerca de la verja principal. El cabo cruzó los brazos. Tenía pelo castaño y una tez muy pálida que parecía poco saludable.

Elizabeth volvió a sonreír.

—¿Fuma? —preguntó tendiéndole un atado.

—Le diré lo que voy a hacer —dijo el cabo, inclinándose sobre la mesa para que Elizabeth le encendiera el cigarrillo—. Le puedo dejar echar una mirada a la historia del regimiento. Eso por lo menos le proporcionará algunos nombres. A partir de allí usted podrá seguir investigando. Por supuesto que no creo que muchos de ellos sigan con vida.

—Entonces no debemos perder tiempo —dijo Elizabeth.

—Espere aquí. Tendré que ir a conseguirle un pase.

Salió de la habitación y un muchacho muy joven, armado con un rifle fue a montar guardia en la puerta. Elizabeth supuso que sería por si ella atacaba.

Al volver, el cabo le entregó un pedazo de cartón con un alfiler de gancho que ella se prendió al pecho, y la hizo pasar al interior de un enorme edificio de ladrillos. La condujo hasta una habitación con una simple mesa y dos sillas duras y de respaldo recto. Elizabeth tuvo la sensación de que debía ser el lugar donde se efectuaban los interrogatorios. El cabo le entregó un pesado volumen y se retiró a un rincón desde donde la vigiló mientras ella lo hojeaba.

Entre los nombres de la historia del regimiento se destacaba la de un capitán, Gray, luego ascendido a coronel. Elizabeth anotó algunos otros nombres en un sobre que tenía en la cartera. Por lo visto no había ninguna posibilidad de que el cabo encontrara, y menos aún revelara, ninguna dirección. Le agradeció efusivamente y regresó a Londres.

Esa noche llamó a Bob para averiguar si había hecho algún progreso con el anotador.

—He conseguido algunos nombres de personas que creo pueden haber estado con él —le contó—. Lo malo es que no sé cómo ponerme en contacto con ellos. Hay un hombre de apellido Gray, que parece haber sido importante, pero si sigue con vida debe ser increíblemente viejo.

Oyó que en el otro extremo de la línea Bob silbaba, pensativo.

—¿Has pensado en consultar el *Quién es quién*? —preguntó—. Si ese Gray fue de alguna manera famoso o si en la vida civil llegó a ser alguien, no cabe duda de que figurará.

Elizabeth encontró un ejemplar de tres años de antigüedad del *Quien es quien* en la biblioteca pública de Porchester Road y leyó los pormenores de los cincuenta y dos Grays que figuraban en ella. Eran hombres que se distinguieron en actividades empresariales o en cargos públicos pero eran pocos los nacidos antes de 1918. En el reverso de la hoja encontró un último Gray.

"GRAY, William Allan McKenzie —leyó—. Asesor del Hospital de la Reina Alejandra, Edimburgo, 1932-38. Nacido en Calcuta el 18 de septiembre de 1887. Hijo de Thomas McKenzie Gray y Maisie Maclennan; casado en 1920 con Joyce Amelia Williams, hija del doctor. A.R. Williams; padre de un hijo y de una hija. Educado en Thomas Campbell College, Universidad de St. Andrews. Egresado en 1909."

Recorrió con la mirada la letra chica hasta llegar a las palabras: "Sirvió en la guerra de 1914-1918."

Al pie de la nota figuraba una dirección y un número de teléfono de Lanarkshire. El único problema era que el libro tenía tres años de antigüedad y aún en ese momento ese coronel debía tener...ochenta y ocho años. Como le dijo al cabo, no había tiempo que perder. Se apresuró a volver a su departamento y se encaminó al teléfono. Sonó antes de que ella lo alcanzara.

—Hola.

—Soy yo.

—¿Qué?

—Stuart.

—¡Ah, Stuart! ¿Cómo estás?

—Yo estoy bien. ¿Cómo estás tú?

—Ah, sí. Bien, gracias. Bastante ocupada. —Elizabeth hizo una pausa para que Stuart pudiera decirle por qué la llamaba. Como no dijo nada, ella conversó algunos minutos más. Pero cuando le tocaba el turno de hablar, él seguía en silencio. Por fin ella dijo: —Bueno. ¿Sucede algo... ya sabes... especial?

—No sabía que era necesario tener un motivo especial para llamarte. —Parecía ofendido. —Sólo llamé para que conversáramos un rato.

No era la primera vez que la llamaba para conversar un rato y después se quedaba mudo. "Tal vez sea tímido", pensó Elizabeth mientras seguía hablando de sus últimas actividades. Le resultaba difícil despedirse de la gente sin por lo menos simular que se encontrarían pronto, y cuando cortó se dio cuenta de que había invitado a Stuart a comer.

—Debes venir por aquí alguna vez —dijo.

—¿Debo? —contestó él—. ¿Cuándo?

—Bueno... ¡Dios! ¿Que te parece el sábado?

No importaba. Stuart le resultaba simpático. Tendría tiempo para cocinar algo. Mientras tanto sacó el sobre de la cartera y comenzó a marcar el número de Escocia.

Mientras su dedo volvía al cero, imaginó una granja fría y gris de Lanarkshire donde un teléfono antiguo sonaría estruendosamente sobre la mesa del vestíbulo y un hombre muy viejo que tendría que levantarse de un sillón a varios cuartos de distancia y avanzar con dificultad por un pasillo, sólo para tener que enfrentar a una completa desconocida que quería hacerle preguntas acerca de la guerra en que había luchado sesenta años antes.

¡Era ridículo! Le faltó decisión y cortó.

Se dirigió a la cocina y vertió un poco de gin sobre tres cubos de hielo y una tajada de limón. Agregó un chorrito de agua tónica, encendió un cigarrillo y volvió a la sala de estar.

¿Para qué era todo eso? Quería averiguar lo que había sido de su abuelo para poder... ¿qué? ¿Comprenderse mejor? ¿Poder hablarles a sus hijos inexistentes acerca de sus antepasados? Tal vez no fuera más que un capricho, pero estaba decidida. Si hacía ese llamado, lo peor que le podía pasar era hacer un papelón. No parecía un precio demasiado alto.

Volvió a marcar y oyó sonar la campanilla. Sonó ocho, nueve, diez veces. Catorce, quince. Sin duda hasta el hombre más débil ya podría…

—¿Hola? —Era una voz de mujer. Por algún motivo, Elizabeth se sorprendió.

—¡Ah! ¿Hablo… hablo con la señora Gray?

—Si, soy yo. —La voz tenía un leve acento a Edimburgo. Sonaba distante y era la voz de una mujer muy anciana. Joyce Amelia.

—Lamento mucho molestarla. Me llamo Elizabeth Benson. Tengo que hacerle un pedido bastante fuera de lo común. Mi abuelo luchó en la misma compañía que su marido durante la Primera Guerra Mundial y estoy tratando de averiguar algo acerca de él.

La señora Gray no dijo nada. Elizabeth se preguntó si la habría oído.

—Ya sé que es un pedido muy extraño —agregó—. Y le aseguro que lamento molestarla. Pero no sabía a quién más llamar. ¡Hola! ¿Está allí?

—Sí. Iré a buscar a mi marido. Tendrá que tener paciencia. Y hable fuerte. Es un poquito sordo.

Elizabeth sintió que se le humedecían las palmas de las manos a causa de la excitación al oír que la señora Gray depositaba el receptor que hizo un sonoro ruido a baquelita. Lo imaginó sobre una mesa, debajo de una escalera, en un lugar lleno de corrientes de aire. Esperó un minuto, luego otro. Por fin escuchó una voz de hombre, una voz temblorosa pero fuerte.

Elizabeth volvió a explicar lo que le sucedía. Gray no alcanzaba a oírla, de manera que lo hizo por tercera vez, pronunciando a gritos el nombre de su abuelo.

—¿Para qué quiere saber todo eso? ¡Santo Dios! Sucedió hace muchos años. —El anciano parecía enojado.

—Lo siento, le aseguro que no quiero molestarlo, pero estoy ansiosa por poder comunicarme con alguien que lo haya conocido y que me pueda decir cómo era.

Del otro lado de la línea Gray lanzó un bufido.

—¿Lo recuerda? ¿Lucharon juntos?

—Sí, lo recuerdo.

—¿Cómo era?

—¿Cómo? ¿Cómo era? Sólo Dios lo sabe. No puedo creer que quiera hablar de eso ahora.

—Pero necesito hacerlo. ¡Por favor! Le aseguro que lo necesito.

En el extremo de la línea de Gray hubo otros ruidos. Por fin dijo:

—Pelo oscuro. Alto. Era huérfano o algo así. Era supersticioso. ¿Se refiere a ese tipo?

—¡No sé! —Elizabeth se descubrió hablando a los alaridos. Se preguntó si la señora Kyriades estaría disfrutando de la conversación desde el departamento vecino. —¡Quiero que usted me lo diga a mí!

—Wraysford. Dios… —Hubo otro bufido. Después Gray dijo: —Era un hombre extraño. Lo recuerdo. Un luchador tremendo. Con un temple increíble. Pero era algo que nunca parecía hacerlo muy feliz. Algo lo preocupaba.

—¿Era un buen hombre, un buen amigo con los otros soldados? —preguntó Elizabeth. No creía estar utilizando bien la terminología del ejército pero era la mejor manera en que podía expresar lo que necesitaba saber.

—¿Bueno? ¡Dios Santo! —Gray parecía estar riendo. —Yo más bien diría que era contenido e introvertido.

—¿Era… gracioso?

—¿Gracioso? ¡Estábamos en guerra! ¡Qué pregunta tan extraordinaria!

—¿Pero cree que tenía sentido del humor?

—Supongo que sí. Un sentido del humor bastante seco, hasta para un escocés como yo.

Elizabeth se dio cuenta de que Gray empezaba a recordar. Lo presionó.

—¿Qué más recuerda? Cuéntemelo todo.

—Nunca quería salir de licencia. Decía que no tenía hogar adonde ir. Francia le gustaba. Recuerdo haberlo ido a visitar al hospital, cuando estaba herido. Debe haber sido en 1915. No, en 1916.

Gray demoró algunos minutos en determinar la fecha exacta de su visita, mientras Elizabeth trataba infructuosamente de interrumpirlo.

—¿Recuerda algo más? ¿Tenía amigos? ¿Alguien con quien yo pudiera hablar ahora y que lo recordara?

—¿Amigos? No lo creo. No, había un zapador. No recuerdo como se llamaba. Wraysford era un solitario.

—Pero un buen soldado.

Hubo ruidos de estática en la línea mientras Gray lo pensaba.

—Era un luchador tremendo, pero eso no es lo mismo que ser un buen soldado.

Elizabeth volvió a oír la voz de la señora Gray.

—Lo siento, pero ahora tendré que llevarme a mi marido. No está acostumbrado a esta clase de cosas y no quiero que se canse. ¿Lo comprende, verdad?

—Sí, por supuesto que lo comprendo —contestó Elizabeth—. Les estoy muy agradecida a los dos. Espero no haber sido una cargosa.

—¡Por supuesto que no! —contestó la señora Gray—. Hay un hombre a quien mi marido solía escribir. Se llamaba Brennan. Estaba en un hogar para Héroes de Guerra en Southend. No queda lejos de Londres.

—¡Muchísimas gracias! Ha sido muy amable.

—Adiós.

Se oyó el sonido del receptor al ser colgado.

En el silencio Elizabeth oyó la música que resonaba en el departamento de arriba.

E lizabeth tomó el tren que partía de Fenchurch Street, una de las más modernas variedades del British Rail, con asientos de terciopelo anaranjado. Recorrió el coche bamboleante con una taza de café en la mano e hizo un gesto de dolor cuando el líquido hirviente se le deslizó por los dedos. Cuando se enfrió bastante como para que pudiera beberlo, descubrió que su gusto se mezclaba con el olor de humo de diesel y el de las colillas de cigarrillos, hasta el punto de que resultaba difícil saber dónde empezaba uno y terminaba el otro. La calefacción funcionaba al máximo y la mayoría de los que viajaban en el coche parecían hallarse al borde de la inconsciencia mientras miraban por la ventanilla las llanuras de Essex.

Elizabeth había llamado por teléfono a la directora de la institución quien le informó que prácticamente no valía la pena visitar a Brennan, pero que la recibiría si de todos modos decidía ir. A ella la excitaba la posibilidad de tomar contacto con alguien de la época de su abuelo. Su tarea sería parecida a la del historiador que, luego de estudiar otras fuentes, por fin ponía las manos en el material auténtico. Tenía una imagen poco clara de Brennan. Aunque sabía que sería viejo y, a juzgar por las palabras de la directora, decrépito, seguía imaginándolo de uniforme y con un arma en la mano.

Cuando salió de la estación en Southend, llovía. Abrió la puerta de un taxi que esperaba en la fila. El automóvil avanzó por las calles brillantes, con su muelle largo tiempo abandonado y sus desvencijados hoteles estilo Regency. Cuando trepaban la colina, el conductor le señaló un barco pesquero que arrastraba un artefacto parecido a una gigantesca aspiradora.

El asilo era un amplio edificio victoriano de ladrillo colorado que apenas resultaba visible bajo las escaleras contra incendios. Elizabeth le pagó al chofer y entró. Unos escalones de piedra llevaban al mostrador de recepción. Enormes corredores de altos techos partían de allí en diferentes direcciones. La recepcionista era una mujer rechoncha de suéter color malva y anteojos de armazón de carey.

—¿El paciente la espera?

—Sí, creo que sí. Hablé con la directora, la señora Simpson.

La recepcionista marcó dos dígitos en el teléfono.

—Sí. Una visitante para Brennan. Sí. Está bien. Sí. —Colgó el tubo.

—Ya vendrán a buscarla —dijo, dirigiéndose a Elizabeth. Volvió a tomar la revista que estaba leyendo.

Elizabeth bajó la mirada y se quitó una miga de la pollera.

Una mujer de uniforme de enfermera se le acercó y se presentó como la señora Simpson.

—¿Usted viene a visitar a Brennan, verdad? Le pido que antes pase unos instantes por mi oficina.

Recorrieron algunos metros por el corredor y entraron a un cuarto pequeño y excesivamente calefaccionado con las paredes cubiertas de ficheros. De la pared colgaba un calendario con la fotografía de un gatito en una canasta. Sobre la mesa había un potus cuyas ramas caían hasta el piso.

—¿Usted nunca ha estado aquí antes, verdad? —preguntó la señora Simpson. Era una mujer sorprendentemente joven, con el pelo teñido de rubio y *rouge* de un rojo intenso. El uniforme de enfermera no condecía con sus aspecto.

—Debe comprender que algunos de estos hombres han estado aquí durante casi toda su vida. Esto es lo único que conocen, lo único que recuerdan. —Se puso de pie y sacó una carpeta de un fichero. —Sí, aquí lo tengo. Su señor Brennan ingresó en 1919. Fue dado de alta en 1921. Regresó en 1923. Desde entonces ha estado aquí, a cargo del gobierno. No tiene familiares sobrevivientes. Su hermana murió en 1950.

Elizabeth hizo un rápido cálculo. Hacía casi sesenta años que Brennan estaba allí.

—Casi todos estos viejos son muy ignorantes. No se han mantenido al día con los acontecimientos ocurridos en el mundo. Nosotros tratamos de que escuchen radio y vean televisión, pero les cuesta seguirlas.

—¿Y cuál es, exactamente, el problema del señor Brennan?

—Amputación —contestó la señora Simpson—. Déjeme ver. Sí. Herida recibida durante la ofensiva final. Octubre 1918. Por explosión de una granada. En el hospital de campo le amputaron la pierna izquierda. Regresó a Inglaterra. Lo internaron en el Hospital de Southampton. Luego lo trasladaron a North Middlesex, después a Roehampton adonde ingresó en 1919. En estado de *shock* a causa de la explosión de la granada. ¿Sabe lo que eso significa?

—¿Un problema psicológico?

—Sí, es una expresión que califica diferentes estados. Debilidad cerebral. Algunos la superan, otros no.

—Comprendo. ¿Y cree que él sabrá quien soy? Es decir, ¿si le explico por qué he venido?

—No sé si he sido lo suficientemente clara —dijo la señora Simpson y en su voz suave se asomó un dejo de exasperación—. Este hombre vive en un mundo propio. Es lo que les sucede a todos. No tienen el menor interés por el mundo exterior. Algunos no lo pueden evitar, por supuesto. Pero hay que hacerles absolutamente todo... Darles de comer, bañarlos, todo.

—¿Y él recibe muchas visitas?

La señora Simpson lanzó una carcajada.

—¿Muchas visitas? ¡Dios mío! La última visita que recibió fue...
—Consultó la carpeta que tenía sobre el escritorio. —Su hermana vino
a verlo en 1949.

Elizabeth se miró las manos.

—Bueno, si está preparada, la llevaré a verlo. Pero, por favor, no
espere demasiado, ¿quiere?

Avanzaron por el linóleo verde del corredor. Las paredes de ambos
lados estaban azulejadas hasta la altura de la cintura, luego trepaban en una
forma semi cilíndrica hasta el cielo raso del que colgaban luces amarillas.

Doblaron una vez, luego otra, pasando frente a grandes canastas en
las que se apilaban las sábanas, después pasaron por un puerta de la que
surgió un repentino olor a repollo antes de que volviera a reinsertarse el
olor a desinfectante. Llegaron a una puerta pintada de azul.

—Ésta es la sala de estar de día —explicó la señora Simpson. Abrió
la puerta. Había una serie de viejos sentados a lo largo de las paredes del
cuarto. Algunos en sillas de ruedas, otros en sillones tapizados en una
tela plástica marrón.

—Está allí, junto a la ventana.

Elizabeth cruzó la habitación tratando de no respirar demasiado
profundamente el aire rancio y con olor a orina. Se acercó a un hombrecito en silla de ruedas que tenía las piernas cubiertas con una manta.
Le tendió la mano. Él levantó la cabeza y la tomó.

—No es ése —indicó la señora Simpson desde la puerta—. El de la
ventana siguiente.

Con una sonrisa, Elizabeth soltó la mano del anciano y se alejó
algunos pasos. Una alfombra de dibujos marrones y anaranjados cubría
el piso en el centro de la habitación. Deseó no haber ido.

El hombrecito de la silla de ruedas se parecía a un pájaro posado en
una rama. Usaba gruesos anteojos uno de cuyos vidrios estaba unido al
armazón por una tela adhesiva. Tras ellos Elizabeth vio sus ojos lagri-
meantes.

Le tendió la mano. Él quedó inmóvil, de modo que ella le tomó la
mano y la apretó.

La embargaba la timidez, se sentía una intrusa. ¿Por qué demonios
habría ido? Por vanidad con respecto a su pasado, una tonta auto indulgencia. Acercó una silla y volvió a tomar la mano de Brennan.

—Me llamo Elizabeth Benson. He venido a visitarlo. ¿Usted es el
señor Brennan?

Los ojos azules y acuosos de Brennan reflejaron sorpresa. Elizabeth
sintió que le aferraba la mano. Tenía una cabeza pequeña. Su pelo no era
gris sino incoloro. Lo tenía sucio y pegado al cuero cabelludo.

Hizo un intento de retirar la mano pero sintió que él trataba de
retenerla, de manera que allí la dejó y acercó su silla.

—He venido a verlo. Vine a verlo porque creo que usted conoció a mi abuelo. Stephen Wraysford. Fue en la guerra. ¿Lo recuerda?

Brennan no contestó. Elizabeth lo miró. Vestía una camisa de lana rayada abrochada hasta el cuello, pero sin corbata, y un suéter marrón. Era muy pequeño y le faltaba una pierna; Elizabeth se descubrió preguntándose cuánto pesaría.

—¿Recuerda la guerra? ¿Recuerda algo de esos días?

En los ojos de Brennan seguía habiendo una expresión de profunda sorpresa. Era evidente que no comprendía lo que estaba sucediendo.

—¿Quiere que yo le converse durante un rato? ¿O prefiere que nos quedemos aquí sentados, en silencio?

Al ver que él tampoco contestaba, Elizabeth le sonrió y apoyó la otra mano sobre la de él. Sacudió la cabeza para echar atrás el pelo que le había caído sobre la cara.

Brennan empezó a hablar. Tenía una voz aguda, como la de una chica. Surgía a través de una serie de flemas que Elizabeth oía moverse dentro de su pecho. Después de cada palabra tenía que respirar un poco de aire.

—¡Qué fuegos artificiales! Estábamos todos allí, los que vivíamos en esa calle. Se bailaba. Estuvimos afuera toda la noche. Barbara y yo. Mi hermana. Se cayó. Fue durante un oscurecimiento. Teníamos que soportarlos todas las noches. Se cayó de una escalera.

—¿Su hermana se cayó de una escalera?

—Entonces había una canción que entonábamos todos. —Respiró hondo y trató de cantársela a Elizabeth.

—¿Y recuerda algo de la guerra? ¿No puede decirme nada de mi abuelo?

—¡Nos dan un té tan malo! No puedo tomarlo. ¡Es una porquería! Y todo a causa de ese maldito Hitler. —Su mano estaba caliente entre las de ella.

Una mesa de té empezó a rodar dentro del cuarto y se acercó a ellos con ruido metálico.

—¡Qué bien, Tom! ¿Así que tienes una visita? —dijo a voz en cuello la mujer que empujaba la mesita—. ¿Qué haces con una chica tan linda como ésta? Supongo que has vuelto a hacer alguna de tus viejas tretas. ¡Te conozco, viejo pillo! Te dejaré tu taza allí ¿quieres? —Colocó una taza sobre una mesita, cerca del codo de Brennan. —Nunca lo bebe —le informó a Elizabeth—. ¿Usted quiere un poco, mi amor?

—Gracias.

Se alejó con la mesita. Elizabeth bebió un sorbo del té. Su garganta se rebeló contra el gusto extraordinario y depositó la taza en el platillo con rapidez.

Miró a su alrededor. Había cerca de veinte hombres en ese ambiente encerrado. Ninguno de ellos hablaba, aunque uno escuchaba una pequeña radio. Todos tenían la mirada fija y perdida en el vacío. Elizabeth trató de imaginar lo que sería tener que pasar sesenta años en ese lugar, sin nada que diferenciara uno del siguiente.

Brennan volvió a empezar a hablar, saltando de un recuerdo a otro. Al mirarlo, Elizabeth comprendió que creía vivir en el tiempo que recordaba: ese momento se convertía para él en el presente. La mayoría de sus recuerdos se referían al fin del siglo, a los principios de la década de los 40 y a la Blitz. Volvió a nombrar a su abuelo. Si el pobre viejo no respondía, lo dejaría en paz y no volvería a meterse con cosas que no le incumbían.

—Mi hermano. Le aseguro que lo traje de vuelta. Siempre lo cuidé.

—¿Su hermano? ¿Eso fue durante la guerra? ¿Él luchaba con usted? ¿Y mi abuelo? ¿El capitán Wraysford?

La voz de Brennan se agudizó.

—Todos creíamos que ése estaba loco. Y también el zapador. Mi compañero Douglas decía: "Ese hombre es raro". Pero él lo tuvo en sus brazos cuando murió. Estaban todos locos. Hasta Price. El día que terminó la guerra, salió corriendo desnudo. Lo metieron en un manicomio. Me traen ese té, les digo que no lo quiero. Sin embargo mi hermano es bueno conmigo. Y además pescaba buenos peces. Me gusta comer pescado. Debió haber visto los fuegos artificiales. Todos los de la calle bailaban.

Se volvió a perder en el tiempo, pero Elizabeth estaba conmovida por lo que acababa de oír. Tuvo que apartar la vista de Brennan y clavarla en la alfombra anaranjada y marrón.

No porque lo que él dijo fuese importante. Le acababa de decir que su abuelo era raro, y eso podía querer decir cualquier cosa; le dijo que ellos creían que él y un amigo suyo estaban locos, y que —aunque eso no estaba muy claro— había ayudado a morir a un hombre. No se sentía inclinada a exigirle aclaraciones. Aún en el caso de que Brennan estuviera lo suficientemente lúcido para darlas, tenía la sensación de que no haría diferencia. No se trataba de lo que Brennan decía; era el hecho de que alguna parte incoherente de sí mismo recordaba. Y oyendo la voz aguda de ese pequeño cuerpo mutilado, de alguna manera ella logró mantener intacta la cadena de experiencias.

Permaneció, llena de ternura, teniéndole la mano, mientras Bennan repetía sus limitados recuerdos. Diez minutos después se puso de pie para irse.

Le besó la mejilla y cruzó la sombría habitación. Dijo que volvería a visitarlo, si él lo deseaba, pero no pudo soportar la posibilidad de volver a mirar ese cuerpo pequeño montado durante sesenta años en una silla de ruedas.

Una vez afuera de las altas paredes victorianas, corrió hacia el mar. Permaneció de pie en el camino frente al océano, bajo la lluvia, respirando a borbotones el aire salitre y clavándose las uñas en las palmas de las manos. Acababa de rescatar una conexión vital. Tuvo éxito en su pequeña misión. Lo que no podía hacer, lo que la obligaba a maldecir y a estrujarse las manos, era restituirle la vida al pobre Brennan o borrar la pena del pasado.

—Es para ti —dijo Erich, tendiéndole a Elizabeth el receptor telefónico con su cable enredado—. Es un hombre.

—Un hombre —repitió Elizabeth—. No cabe duda de que eres preciso, Erich. —Era Robert. Inesperadamente esa noche estaría en Londres y quería saber si le gustaría ir a verlo en su departamento.

—Lamento habértelo avisado con tan poca antelación —se disculpó—. Pero acabo de enterarme. Supongo que tendrás otro compromiso.

Elizabeth planeaba ir al cine y después a una fiesta en el sur de Londres.

—¡Por supuesto que estoy libre! —contestó—. ¿Te parece bien que vaya alrededor de las ocho?

—Te veré entonces. No saldremos, ¿verdad? Compraré comida preparada.

—No te preocupes, yo me encargaré de eso —replicó ella con cierta dureza, basada en su experiencia anterior con las compras de comida de Robert.

Cuando terminó de desembarazarse de sus compromisos anteriores, se encaminó a la habitación de Erich para saber si podía ayudarlo.

—De manera que el caballero andante se ha decidido a llamarte —dijo él, haciendo un movimiento tan brusco que parte de la ceniza de su cigarrillo cayó sobre su suéter.

—Me encantaría que no siguieras escuchando mis conversaciones.

—¿Cómo voy a impedirlo si utilizas el escritorio como centro de tu vida social?

—Que no es una vida demasiado agitada, ¿verdad? Un hombre una vez por mes. Las debe haber más movidas. Alégrate, Erich, te invitaré a almorzar.

Erich suspiró.

—Está bien. Pero con la condición de que no vayamos a Lucca's. Ese hombre me tiene harto. Allí uno ve las mismas bandejas de sandwiches día tras día. Creo que no hace más que agregar una capa de sardinas a lo que ya tienen. La capa inferior debe estar allí desde que Lucca llegó a Londres, en 1955.

—¿Cómo sabes que llegó ese año?

—Como sabrás, nosotros los inmigrantes nos mantenemos unidos.

Vivimos aterrorizados por tu maldita policía y por los reglamentos del Departamento del Interior. El año de la llegada es importante.

—¿Y el Departamento del Interior les da un curso sobre la manera de dirigir un bar? Me refiero a que todos los italianos que vienen llegan desde distintas partes del país, crecieron comiendo exquisiteces, pero cuando llegan aquí, todos producen la misma mayonesa de huevo, la misma pasta de sardinas en pan no demasiado fresco, el mismo café que tiene gusto a bellota cuando en Italia es un néctar. ¿La gente de Inmigraciones les proporciona un equipo completo o qué?

—No tienes el menor respeto por nosotros los desgraciados refugiados, ¿verdad? Ten cuidado porque si no insistiré en que me lleves al restaurante más caro de Londres.

—Adonde quieras, Erich. Será un placer.

—¡Dios mío! ¡De qué buen humor te ha puesto ese hombre! Es como tocar un timbre. Lo mismo que les sucede a las ratas de Skinner.

—¿No te estarás refiriendo a los perros de Pavlov?

—No, en la actualidad, soy anglo sajón. Skinner me basta y sobra. Vuelve a tu trabajo, ¿quieres? Yo terminaré a la una, ni un minuto antes.

Erich tiene razón, pensó Elizabeth mientras volvía a su escritorio. Robert llamaba, ella saltaba. Su voz la hacía feliz. Pero era mejor tener una fuente de felicidad que no tener ninguna, ¿verdad? Había insistido y tironeado y tratado de hacerlo cambiar de idea; analizó sus propios sentimientos y adivinó los de él; hizo todo lo humanamente posible por hacerlo dejar a su mujer, sin que nada cambiara. Estaba resignada a no pensar en el futuro. Muy pronto se repetirían las sombrías conversaciones y las llorosas despedidas.

Robert tenía un pequeño departamento en Fulham Road. Mientras esperaba a Elizabeth trató de borrar todo rastro de su familia, aunque era imposible hacerlos desaparecer por completo. La cocina del departamento estaba unida a la sala de estar de la que sólo la separaba una cortina de bambú. Sobre el mueble separador había dos botellas de Chianti que usaban como candeleros, con velas coloradas. Elizabeth opinaba que le daban al lugar un aire de *bistró* de Chelsea en la década de los 60. Robert no las podía quitar de allí porque a su hija le gustaban.

Dentro del ropero colgaba media docena de vestidos de su mujer y también había elementos de maquillaje en el botiquín del baño.

Pero por lo menos podía quitar la fotografía de su esposa del aparador y enterrarla en un cajón, debajo de los manteles. Cada vez que lo hacía lo asaltaba una oleada de miedo supersticioso, como si acabara de clavarle un alfiler a su retrato. No le deseaba ningún mal; reconocía en ella cualidades de dedicación y de generosidad de las que él mismo temía carecer, pero cuando de Elizabeth se trataba le resultaba imposible contenerse.

Muchos de sus colegas masculinos suponían que la relación entre él y su mujer era de mutua conveniencia, una relación lateral liviana de la que la mayoría de ellos disfrutaba. Robert sabía que Elizabeth también lo pensaba, por más esfuerzos que él hiciera por convencerla de lo contrario. Cuando protestaba diciendo que no era esa clase de hombre, se reía de él. Antes de conocer a Elizabeth una sola vez le fue infiel a su esposa, y lo lamentó. Pero con Elizabeth era distinto y trataba de hacérselo entender. Estaba convencido de haberse casado con la mujer equivocada. No quería reclamar una noción de libertad, lo único que quería era estar con Elizabeth. Al principio ella fue una especie de adicción física; una semana sin gozar de su cuerpo lo convertía en un ser distraído e irritable. Después lo fascinó su carácter burlón. Si, como ella a veces declaraba, él sólo la utilizaba como una diversión, ¿por qué no le resultaba más fácil disfrutar de esa diversión? ¿Por qué habría tanta angustia en lo que sus colegas suponían debía haber tanto goce?

La oyó tocar el portero eléctrico en el momento en que enderezaba los almohadones del sillón.

—¿Qué diablos es esto? —preguntó Elizabeth, tocando el suéter que él tenía puesto.

—Tuve tiempo de sacarme el traje y entonces yo...

—¿Dónde lo conseguiste?

—Lo compré esta tarde. Me pareció que había llegado la hora de que me comprara un poco de ropa nueva.

—Bueno, para empezar te aconsejo que te deshagas de él. ¿Y esos pantalones de género brillante? ¡Robert, me sorprendes!

—No hay un sólo hombre en Europa que no tenga pantalones de este tipo de género. En las tiendas ya no se consiguen otros.

Elizabeth se encaminó al dormitorio donde encontró un par de viejos pantalones de corderoy y un suéter inofensivo. Robert simulaba protestar cuando ella se hacía cargo de pequeños aspectos de su vida, pero interiormente le gustaba. La admiraba por estar enterada de esa clase de cosas, y le halagaba que él le importara hasta el punto de intervenir.

Ya convenientemente vestido, preparó las bebidas y permaneció con un brazo alrededor de la cintura de Elizabeth mientras ella preparaba la comida que había llevado. Era el momento que a él más le gustaba: cuando todo era anticipación y la noche todavía no había comenzado.

Mientras comían él habló de su trabajo y de sus nuevos conocidos. Elizabeth lo alentaba con preguntas. Robert tenía miedo de aburrirla, pero era evidente que a ella le gustaba la ironía con que describía las reuniones y comidas a las que había asistido.

Consiguieron pasar una velada y una noche armoniosas, sin hablar de las difíciles decisiones que les esperaban. Robert se alegró de ello y también Elizabeth. A la mañana siguiente salió con paso decidido y aspecto jubiloso.

El sábado por la mañana Françoise llamó para avisar que había encontrado veinte anotadores más en el ático y Elizabeth fue enseguida a buscarlos. Esa noche no tenía nada que hacer de manera que se daría un largo baño, no se preocuparía por la comida y estudiaría los anotadores para ver si lograba descifrar algo a pesar del fracaso de Bob.

Encendió la chimenea de la sala de estar para que se caldeara un poco mientras ella estaba en el baño. Se preguntó si alguna ley impediría que la compañía de gas iniciara una huelga. Casi todos los demás lo habían hecho en algún momento del invierno como si esperaran que les tocara el turno. Si detenían el suministro de gas, ¿se encargaría el ejército de proporcionarlo? A ella siempre le quedaba la posibilidad de ir a vivir con su madre quien tenía calefacción a gasoil, pero tendría que llevar consigo a la señora Kyriades, porque ella no duraría ni un día en el frío...

Elizabeth volvió a pensar en los anotadores. Se puso una bata de cama, se instaló en el sofá y abrió el primero de ellos. Tenía una fecha en la primera página: 1915. Descubrió que todos estaban fechados de 1915 a 1917. Recordó que el que le había dado a Bob era de 1918. En algunos anotadores había líneas en inglés. "Llegué a Coy HQ a las diez. Todavía sin noticias de Gray y el ataque". Ante la palabra "Gray" a Elizabeth la embargó una oleada de excitación. Una vez más había tocado el pasado que dejó de ser historia para convertirse en experiencia.

Hojeó los anotadores al azar. Parecían una secuencia completa y constante, aunque notó que después de una larga anotación fechada el 30 de junio de 1916, no había nada durante dos meses. ¿A qué se debería?

Se puso los anteojos de leer y tomó otro anotador. En ese momento sonó el timbre del portero eléctrico.

Se dirigió enojada al vestíbulo para atender.

—¿Hola? —dijo con sequedad.

Oyó ruidos de estática.

—Soy yo.

—¿Quién?

—Stuart, por supuesto. Me estoy congelando.

Elizabeth quedó muda. Stuart. ¡Dios! Lo había invitado a comer.

—Sube. Estaba... saliendo del baño. —Oprimió el botón del portero eléctrico y dejó abierta la puerta del departamento mientras corría al dormitorio. Se sacó los anteojos, se arrancó la peinetas que le sujetaban el pelo y se envolvió con más modestia en la bata. Lo alcanzaba a oír golpeando la puerta de entrada abierta. El pobre debía haber subido las escaleras corriendo.

Le ofreció la mejilla.

—Lo siento. Se me hizo tarde.

—Hmm —contestó él—. Me pareció que no percibía ningún aroma delicioso desde la escalera.

—Entra, entra. Lamento que esté todo tan desordenado. —Los anotadores estaban esparcidos y abiertos sobre el piso. La taza del café del desayuno todavía seguía sobre la mesa. Lo único que faltaba para que cualquiera se diera cuenta de que no esperaba visitas, hubiera sido tener la ropa colgada frente a la chimenea para que se secara.

Stuart pareció no notarlo.

—Te traje esto —dijo, entregándole una botella de vino. Elizabeth la desenvolvió.

—¡Que maravilla! —exclamó—. Muscadet. ¿No es un vino muy especial? Yo no sé nada de vinos.

—Creo que te parecerá excelente.

—Tendrás que disculparme mientras me visto. Lamento que todo esté hecho un caos. Descorcha la botella y sírvete una copa.

Mientras se vestía, Elizabeth no hizo más que maldecir en voz baja. Se puso una pollera de lana que acababa de comprar, medias de lana y un par de botas. Pensó en lo que debía ponerse de la cintura para arriba. No quería estar desarreglada, pero por otra parte no tendría más remedio que salir a comprar un poco de comida. Se decidió por una polera y sacó un saco de cuero del placard. No tenía tiempo de maquillarse. Stuart tendría que recibirla al natural. Un pensamiento aterrorizante, pensó, mientras se cepillaba el pelo con rapidez. No era la clase de cosa que Lindsay, que la consideraba tan aplomada y serena, hubiera imaginado que le sucediera precisamente a ella. Se puso un par de aros colorados y se encaminó al living.

—¡Ah, que transformación! Magnífica. Eres...

—Mira, acabo de darme cuenta de que me olvidé de comprar fideos. Vamos a comer fideos y me olvidé de comprarlos. ¿No te parece increíble? De modo que voy a salir un minuto. ¿Te hace falta algo? ¿Cigarrillos, por ejemplo? Mientras me esperas, puedes encender el televisor. Bebe otra copa. Enseguida vuelvo.

Consiguió salir del departamento antes de que Stuart tuviera tiempo de protestar. Corrió hasta el supermercado y compró todo lo necesario para preparar una comida rica y rápida. Si con la botella de Stuart no bastaba, en el departamento tenía más vino. Era una botella de vino tinto que le había llevado Robert; no sabía si Stuart la aprobaría, pero su bolsa de compras ya estaba sospechosamente llena.

—Ya que estaba allí, compré unas cuántas cosas más —le explicó a Stuart mientras entraba jadeante a la cocina. Se sirvió un poco de gin y empezó a cocinar.

—¿Qué es esto? —preguntó Stuart desde la puerta de la sala de estar y tendiéndole la mano—. Parece la hebilla de un cinturón.

Elizabeth la tomó. "*Gott mit uns*" leyó que llevaba escrita.

—"Dios está con nosotros" —tradujo Stuart—. La encontré sobre la alfombra.

—No es más que algo que compré en una tienda de cosas de segunda mano —contestó Elizabeth. Debió caerse de alguno de los anotadores, pero no tenía ganas de hablar del asunto.

Una vez que la comida estuvo en la mesa, Elizabeth empezó a relajarse. A Stuart no parecía haberle molestado el caos reinante, en realidad ni siquiera parecía haberlo notado. La felicitó por la comida y se encargó de servir el vino, cuidando que las copas de ambos siempre estuvieran llenas.

—Bueno, háblame de ti, Elizabeth Benson —dijo, echándose atrás en su silla.

—Creo que ya lo he hecho. Esta vez y la anterior. En nuestros dos encuentros creo habertelo contado todo. Háblame tú de tu trabajo. ¿Eres asesor de *marketing*, no es cierto?

—Sí, así es.

—¿Y eso qué significa?

—¿Qué longitud tiene un trozo de hilo?

—Sabes a lo que me refiero. ¿La gente va a verte para preguntarte cómo vender sus productos? ¿De eso se trata?

—Eso es parte del asunto. Pero se trata de algo un poco más complicado.

—Bueno. Explícamelo. Estoy segura de poder comprenderlo.

—Estamos en el negocio de la destreza y la habilidad. Nos gusta considerarnos carceleros benéficos. Tenemos un juego de llaves para toda ocasión. Esas llaves abren los potenciales de un negocio. Debemos enseñarle a la gente cómo usarlas y qué llave calza en qué cerradura. Pero, sobre todo, tenemos que enseñarles a hacer las preguntas adecuadas.

—Comprendo —dijo Elizabeth después de una leve vacilación—. De manera que ustedes aconsejan y si las ventas aumentan ganan un porcentaje sobre la diferencia, ¿es así?

—Más bien se trata de una cuestión de ver de qué manera cada parte de una empresa se puede relacionar con las demás. Imagina que tú estás en la fabricación de un producto y Bloggs está en ventas. En ese caso, a menos que formules las preguntas indicadas, es posible que ambos tiren en direcciones opuestas. Yo siempre digo que nuestra principal meta es enseñar a la gente a no necesitarnos.

—¿Y cómo sabes que yo no te necesito?

—Ésa es una buena pregunta.

—¿Es una de las preguntas que me habrías enseñado a hacer?, —Elizabeth hizo un esfuerzo por contener una sonrisa.

—No es tan sencillo.

—Supuse que no lo sería. De todos modos, yo creí que eras músico.

Stuart se pasó la mano por el pelo y se enderezó los anteojos.

—Sí, soy músico —contestó—. Lo que pasa es que con la música uno no se puede ganar la vida. Tú no te ganas la vida como cocinera, pero sigues siendo una excelente cocinera, ¿no es verdad? ¿Me sigues?

—Creo que sí. De todos modos, tocas muy bien el piano.

—Gracias.

—Me temo que de postre no tengamos más que helado. Pensé en hacer algo especial, pero no tuve tiempo. ¿No te importa?

Mientras preparaba el café en la cocina y trataba de sacar cucharadas de helado del recipiente sin romper en dos la cuchara, Elizabeth quedó impactada, y no por primera vez, por el pensamiento de que su vida era enteramente frívola. Era un apresuramiento y un deslizarse por una serie de crisis triviales; de inseguridades económicas, pequeños triunfos, sexo ocasional y un exceso de cigarrillos; de límites de tiempo que en definitiva no tenían importancia; de discusiones, ropa nueva, explosiones de altruismo y sinceras resoluciones de dedicarse a cosas importantes. De todas esas y las demás experiencias que componían su vida, el aspecto más significativo lo sugerían las palabras "que en definitiva no tenían importancia". Aunque estaba bastante contenta con lo que había llegado a ser, lo que más la irritaba era esa continua sensación de facilismo, de la naturaleza poco esencial de lo que hacía. Pensó en Tom Brennan, quien sólo conoció la vida o la muerte; luego la muerte en vida. En la generación de ella, la intensidad no existía.

Llevó el café y los helados a la sala de estar. Stuart había puesto un disco, un concierto de piano, y lo escuchaba con los ojos cerrados.

Elizabeth sonrió mientras depositaba el helado frente a él. Se acababa de pasar en limpio con respecto a Stuart. La impresionó su manera de tocar el piano y la halagó con sus atenciones, pero su conversación le resultaba intolerable.

Después se instalaron en el sofá y él le explicó —todavía con los ojos cerrados— como estaba construida esa obra musical y donde, en su opinión, se equivocaba el solista en su interpretación.

Cuando el disco terminó, Elizabeth se levantó a medias para ir a cambiarlo, pero Stuart la tomó del brazo y la obligó a volver a sentarse.

—Siéntate, Liz. Tengo que preguntarte algo.

—¿Perdón?

—Quiero que me escuches con atención. No sé lo que pensarás de mí, y tampoco estoy seguro de que importe demasiado. Te voy a contar una historia.

Cuando Elizabeth iba a interrumpirlo, él levantó la mano como para imponerle silencio.

—Había una vez una chica muy atractiva. Tenía una cantidad de amigos, un trabajo excelente, un departamento en la ciudad y todo el mundo la envidiaba. Después, a medida que pasaba el tiempo, sus amigas se fueron casando y tuvieron hijos y esa chica se convirtió en una mujer muy atractiva. Pero no se casó. Cuanto más tiempo pasaba, más simulaba ella que no le importaba, pero en lo profundo de su alma estaba deseando tener hijos y un marido. Parte del problema residía en que, cuanto más fingía, más atemorizaba a los hombres y los ahuyentaba. Porque ellos, pobres criaturas, le creían cuando ella aseguraba que era feliz.

Elizabeth clavó la mirada en el piso. En su interior, una poco saludable curiosidad luchaba con la vergüenza que la recorría en oleadas. En cambio Stuart no demostraba la menor timidez.

—Entonces, un día, conoció a un hombre que no le tenía miedo. Era bondadoso, gracioso y amistoso con ella. Y cuando ella lo analizó en profundidad, supo que eso era lo que siempre esperó. Y se mudaron al campo y ella tuvo muchos hijos y vivieron felices por siempre jamás.

Elizabeth tragó con fuerza.

—¿Y?

Stuart se volvió a mirarla.

—Te estoy pidiendo que te cases conmigo. Ya sé que es una forma poco ortodoxa. Ésta es la tercera vez que nos vemos y ni siquiera me he molestado en seducirte. Soy un tipo muy dulce y anticuado. Y tú eres una mujer muy poco usual. Y creo que, si aceptas mi ofrecimiento, descubrirás que soy un hombre igualmente poco usual.

Elizabeth se puso de pie. Prendió un cigarrillo y mientras inhalaba el humo dijo a los borbotones:

—Es muy… agradable de tu parte. Me halaga que hayas pensado en mí, pero creo que te has equivocado de persona. Tengo un amante. Yo…

—Que está casado, ¿no es cierto? Déjame adivinar. Lo ves una vez por mes para hacer el amor con rapidez y luego viene la despedida llena de lágrimas. Dice que se separará de su mujer, pero todos sabemos que no lo hará, ¿no es así? ¿Es eso lo que quieres? ¿Es eso lo que esperas del futuro?

Elizabeth le contestó con tono gélido.

—No deberías hablar acerca de personas a quienes no conoces.

Stuart se puso de pie y abrió los brazos en un gesto expansivo.

—¡Vamos! Ambos somos adultos y sabemos lo que sucede. Lamento haberme entrometido en un dolor privado, pero éste es un asunto muy importante. Tengo dinero. ¿Te lo mencioné? ¿O el problema es ese asunto del sexo? ¿Quieres que hagamos la prueba?

—¿Perdón?

—Bueno, por lo menos concede que no he tratado de seducirte.

—¿Y qué te hace creer que hubieras logrado seducirme?

Stuart se encogió de hombros.

—Lo siento, Liz. He llegado muy lejos. Y ahora me iré. Digamos que acabo de plantar una semilla. Hazme el favor de regarla de vez en cuando. Piénsalo.

Descolgó su abrigo del perchero del vestíbulo y volvió a la sala de estar.

—Gracias por una velada maravillosa —dijo—. ¿Y regarás esa pequeña semilla?

—Yo… no me olvidaré de hacerlo. Te aseguro que no me olvidaré.

—Me alegro. —Sonrió, la besó en la frente y salió.

Elizabeth estuvo varios días en estado de *shock*. Retrospectivamente, lo presuntuoso de lo que Stuart le dijo, le provocaba la sensación de una especie de violación, algo así como que la hubiera obligado a tener una no deseada intimidad física con él.

Hizo largas caminatas por Hyde Park y respiró profundamente el aire frío de enero. Trabajaba hasta tarde en la oficina. Compró y leyó dos libros sobre la guerra en la que había luchado su abuelo. Tomó una serie de resoluciones para el Año Nuevo. Fumaría menos, visitaría a Tom Brennan cada quince días siempre que él lo deseara. Y si él no lo deseaba, visitaría a algún otro de su generación. De alguna manera, pagaría la deuda, completaría el círculo.

En la primera de las visitas que le haría a Tom Brennan durante el nuevo año, esperaba poder averiguar algo más acerca de su abuelo. Comprendía suficientemente bien el estado mental de Brennan como para no esperar largos recuerdos, y ni siquiera una anécdota, pero por lo menos esperaba obtener una referencia.

Esa vez, a sabiendas de lo que era la calefacción de ese asilo, se abrigó menos. Al recordar las quejas de Brennan con respecto a la comida, le llevó una torta preparada por su madre. Mientras la envolvía pensó que lo que estaba haciendo debía parecerse a envolver una torta para enviarla a las trincheras. También le llevó media botella de whisky, por lo menos eso era algo que no le debían haber mandado de su casa. Y además, algo avergonzada por lo que hacía, colocó dos trozos de naftalina en su pañuelo para poder llevárselo a la nariz y oler el alcanfor en lugar del penetrante olor a orina.

Estaba en el mismo lugar, junto a la ventana. Tom colocó su mano en la de Elizabeth y permanecieron felices juntos. Elizabeth le preguntó qué había hecho durante las últimas semanas, y qué hizo en los años anteriores. Las respuestas de Brennan no tenían ninguna relación con las preguntas que le formulaba. Habló de la noche de Mafeking, habló de su hermana en el oscurecimiento y le contó como se había caído de la escalera. Le dijo que no le gustaba la comida que le daban.

De vez en cuando Elizabeth se daba cuenta de que registraba alguna de las preguntas que le hacía, porque detrás de los gruesos vidrios de sus anteojos, en sus ojos aparecía una expresión de alarma. Entonces murmuraba algunas palabras y, o bien se quedaba en silencio o volvía a contar alguna de las historias que recordaba. Elizabeth comenzó a sospechar que ya había oído casi todo su repertorio.

Esa vez no lo presionó con el tema de su abuelo. Había logrado establecer el primer contacto vital. Si Brennan tenía algo más que decir, a su tiempo lo diría; en realidad era más probable que saliera a la luz cuando él se acostumbrara a sus visitas.

Lo dejó con la torta y con el whisky y le prometió que volvería dos semanas después. La directora, señora Simpson, se topó con ella en la puerta.

—No creí que la volveríamos a ver —comentó—. ¿Se alegró?

—Bueno... no diría exactamente que se alegró. Ni siquiera sé si le gustó verme. Pero a mí me gustó volver a verlo. Le dejé un pequeño paquete. ¿Está permitido?

—Depende de lo que contenga.

A Elizabeth se le ocurrió que el whisky debía estar prohibido. Se fue antes de tener que ver que lo confiscaban.

Esa noche, en su casa, hizo algunos cálculos. Era una tarea que había estado dejando pasar, porque temía los resultados. Con la ayuda de su diario del año anterior pudo saber en qué fecha había tenido su último período. Sin lugar a dudas fue el seis de diciembre, porque recordaba que ese día llegó tarde a un almuerzo por haber tenido que ir antes a una farmacia. Y ya estaban a 21 de enero. No había anotado en el diario la fecha en que vio por última vez a Robert, pero sabía que fue la semana antes de Navidad. Recordaba que las tiendas estaban decoradas. En realidad, él llegó un día antes del comienzo de sus vacaciones, gracias a lo cual pudieron verse. Ella debió ir a trabajar al día siguiente, de manera que debió ser un día de semana. Llegó a la conclusión de que fue el 21 o el 22 de diciembre. Cualquiera de esos dos días se encontraba en el medio del ciclo que, si no recordaba mal, era el tiempo más peligroso. Trató de recordar las precauciones que había tomado. Hacía cuatro años que tomaba la píldora en forma constante y su médico le aconsejó que la dejara. A partir de entonces utilizaron una serie de métodos. Ambos eran cuidadosos, y en su opinión, Robert hasta neuróticamente cuidadoso.

A la mañana siguiente compró un test de embarazo en una farmacia de Craven Road. Era un trozo de plástico, chato y rectangular, con dos ventanas. Lo llevó al baño y, siguiendo las instrucciones, cinco minutos después observó las ventanas. La línea azul que cruzaba cada una de ellas era firme y decisiva. No sólo era positiva sino que explotaba de vida.

Pasó un día durante el que sus sentimientos oscilaron entre el júbilo y la desesperanza. En dos oportunidades estuvo por confiarle su secreto a Irene, y en ambas pudo más la discreción y cambió de tema. Salió a almorzar sola y en dos oportunidades se dio cuenta de que tenía los ojos llenos de lágrimas. Ya sentía una absurda pasión por esa vida invisible que llevaba en su interior.

Por la noche llamó por teléfono a Robert. No obtuvo respuesta pero le dejó un mensaje en el contestador automático que él acababa de comprar, pidiéndole que la llamara en cuanto volviera.

Llenó la bañera y se deslizó dentro del agua caliente. Se miró el vientre y se preguntó qué acontecimientos microscópicos estarían teniendo lugar allí. La asustaban los cambios físicos y la preocupaba lo que diría la gente; pero sentía mucha más regocijo que ansiedad. Sonó el teléfono y salió mojada de la bañadera para ir a atender.

Era Bob.

—Lo descifré —anunció—. Lamento que me haya tomado tanto tiempo. En realidad, una vez que descubrí como trabajaba la mente de ese viejo, la cosa resultó bastante fácil. Letras griegas, idioma francés y algunos códigos personales. Elemental, mi querido Watson. No puedo jurar que todos los nombres sean los correctos, por supuesto. He marcado lo que me resulta poco claro. Pero todo parece coincidir.

Una vez que se sobrepuso a la desilusión de que el que llamaba no fuera Robert, Elizabeth dijo:

—Me parece maravilloso, Bob. Muchísimas gracias. ¿Cuándo puedo pasar a buscarlo?

—Si quieres puedes venir durante el fin de semana. Esta mañana puse un par de páginas en el correo. Sólo incluí las últimas dos del anotador porque fueron las primeras que descifré. Si la Oficina de Correos no está también en huelga, deberías recibirlas por la mañana. Pero nunca se sabe, ¿verdad?

—Es cierto. Bueno, no veo la hora de recibir esas páginas.

—Sí —contestó Bob—. Pero son un poco depresivas, ¿sabes? Te aconsejo que antes de leerlas te sirvas una buena copa.

—Tú me conoces, Bob. Y gracias de nuevo.

Robert no llamó hasta después de medianoche, cuando Elizabeth estaba dormida. Ella le dijo directamente que estaba embarazada. Estaba demasiado adormilada para darle la noticia poco a poco y con suavidad, como pensaba hacerlo.

—No le diré a nadie quien es el padre. Esas cosas pueden mantenerse en secreto —aseguró.

Robert estaba espantado.

—Podrías alegrarte un poco —dijo ella.

—Debes darme tiempo —contestó Robert—. Me alegro por ti y, con el tiempo, me alegraré por mí y por la criatura. Pero te pido que me des tiempo para acostumbrarme a la idea.

—Te lo daré —aseguró Elizabeth—. Te quiero.

El día siguiente era sábado y recibió el paquete enviado por Bob.

Lo hizo a un lado hasta después del desayuno. Luego lo abrió con cuidado, valiéndose de un cuchillo. Bob había vuelto a usar un sobre de papel manila de un viejo catálogo o alguna circular, pegando sobre su nombre y dirección un papel blanco con las señas de Elizabeth.

Adentro había dos hojas de papel blanco. Elizabeth estaba excitadísima. Desde el momento en que vio la letra prolija de Bob en tinta negra, supo que acababa de encontrar lo que buscaba.

La vieja voz de Gray que le ladraba por la línea desde Lanarkshire había sido una gran cosa; el recuerdo fugaz que apareció en medio del caos de la memoria de Brennan fue emocionante. Pero por fin tenía lo que quería: el pasado estaba vivo en esas hojas que temblaban en sus manos.

Leyó:

"No sé cómo transcurren los días. La furia y la sangre se han ido. Nos sentamos y leemos. Siempre hay alguien durmiendo, alguien caminando. Nos traen comida. No leemos verdaderos libros, sólo revistas. Alguien come. Siempre hay otros desaparecidos o ausentes.

"Desde la muerte de Weir (?) no he estado muy cerca de la realidad. Me encuentro en un desierto que está más allá del miedo. El tiempo por fin se ha derrumbado sobre mí. Esta mañana recibí carta de Jeanne. Dice que ya han pasado dos meses desde que nos encontramos.

"De Inglaterra llegan hombres, como emisarios de una tierra desconocida. No consigo imaginar lo que significaría vivir en paz. No sé cómo la gente puede vivir allí una vida.

"Lo único que de vez en cuando nos saca con un sobresalto de este trance es el recuerdo de los hombres. En los ojos de algún conscripto veo la mirada de Douglas o (nombre ilegible. ¿Reeve?) Y al recordarlo quedo petrificado. Puedo volver a ver su cabeza que se abre, esa mañana de verano, al inclinarse a ayudar a un amigo.

"Ayer vino a hablarnos un señalero y sus gestos me recordaron a W. Lo vi con claridad, no caído en medio del barro como la última vez, sino saliendo de su madriguera en la tierra, con ojos de loco. La imagen sólo duró un instante, después el tiempo volvió a desmoronarse y pasó de nuevo a mi lado.

"Tengo una cita para ver a Gray mañana. Tal vez él sienta lo mismo.

"No desdeñamos los disparos de armas de fuego, pero hemos perdido la capacidad de tener miedo. Las granadas caen en las líneas de reserva, y nosotros no dejamos de conversar. Sigue habiendo sangre, aunque nadie la ve. Había un chico tendido, sin piernas, en el lugar donde los hombres se servían el té con la pava que hervía sobre un calentador. Pasaron por encima de él.

"He tratado de resistir este deslizarse dentro de un mundo

irreal, pero no tengo fuerzas. Estoy cansado. Ahora se me ha cansado el alma.

"Muchas veces me he acostado y he deseado la llegada de la muerte. Me siento indigno. Me siento culpable por haber sobrevivido. Pero la muerte no llega y yo ando a la ventura, en un perpetuo presente.

"No sé qué he hecho para vivir esta existencia. No sé lo que puede haber hecho cualquiera de nosotros para inclinar el mundo en esta órbita tan poco natural. Vinimos aquí sólo por unos pocos meses.

"Ninguna criatura y ninguna generación futura sabrá lo que fue esto. Nunca lo entenderán.

"Cuando todo termine, nos reuniremos en silencio con los vivos y no se lo diremos.

"Hablaremos y dormiremos y cumpliremos con nuestras tareas como seres humanos.

"Sellaremos lo que hemos visto en el silencio de nuestros corazones, y no habrá palabra que nos alcance."

SEXTA PARTE

Francia, 1918

Stephen guardó el anotador y la lapicera. Ya era de noche. Había luna en las colinas, por sobre el pueblo. Prendió otro cigarrillo y hojeó las páginas de una revista. Junto a la silla había una pila de las que ya había mirado. Recorría cada hoja con la vista, pero prácticamente no leía.

Salió al pequeño jardín trasero de la casa. A su paso espantaba pollos. Llegó al campo y comenzó a caminar. Estaban arreglando el camino. Bajo sus pies percibía los charcos de agua y las piedras sueltas. Llegó hasta el camino principal y miró a su alrededor. El ruido de disparos era suave y distante; parecía el sonido que hace un tren al cruzar un terraplén.

Se detuvo y respiró hondo. Alcanzaba a oír el grito de una lechuza. Empezó a caminar con lentitud de un lado para el otro. La lechuza le recordaba su infancia; su grito era algo que los chicos imitaban poniendo las manos junto a la boca. Su propia infancia parecía tan lejana que era como si algún otro la hubiera vivido por él.

Una vez de regreso en su alojamiento, encontró a Mountford jugando a las cartas con un teniente de nombre Tylecote. Rechazó la invitación de jugar, pero permaneció sentado en la penumbra, observando el ir y venir de las figuras grasientas sobre la superficie de madera.

Por la mañana fue a ver al coronel Gray, en el cuartel general del batallón que quedaba a tres kilómetros de distancia.

Al verlo entrar, Gray se puso de pie.

—¡Wraysford! No sabe cuánto me alegra volver a verlo. Es un gusto que me venga a visitar.

Gray no había cambiado. Parecía un perro terrier intrigado, con la cabeza inclinada hacia un lado. Tenía canas en el bigote y en el pelo, pero sus movimientos seguían siendo rápidos y seguros.

Apartó una silla y se la ofreció a Stephen, quien se sentó.

—Puede fumar —indicó—. Bueno. ¿Se divierte con sus mapas y sus listas?

Stephen respiró hondo.

—Nosotros... existimos.

—¿Que existen? ¡Santo Dios! Ésa no es la frase que acostumbraba a oír de un hombre de la línea de fuego como usted.

—Supongo que no. Pero si lo recuerda, señor, yo no pedí que me transfirieran.

—Lo recuerdo muy bien. Desde mi punto de vista usted estaba extenuado por haber intervenido en un exceso de batallas. Le advierto que prácticamente nadie pudo llegar a ese estado. Una bala se encargaba de eso.

—Sí. He tenido suerte. —Stephen tosió cuando el humo del cigarrillo le llegó a los pulmones.

Gray miró por la ventana y apoyó los pies sobre el escritorio.

—A los nuestros les ha ido bastante bien, ¿sabe? Hubo un número terrible de bajas en el Somme, ¿pero quién no las sufrió? Aparte de eso no nos ha ido mal. Se puede decir que los dos batallones han recobrado toda su fuerza.

—Sí, lo sé —dijo Stephen. Sonrió. —Sé bastante acerca de las fuerzas en esta zona. Mucho más que cuando estaba luchando.

Gray asintió y se golpeó los dientes con una lapicera.

—Dígame —preguntó—, cuando la guerra termine y el regimiento construya un monumento conmemorativo, ¿qué palabras inscribiremos en él?

—No sé. Supuse que habría un monumento por división. Cada regimiento haría una lista de las acciones en que intervino.

—Sí —dijo Gray—. Una lista que nos llena de orgullo, ¿no es verdad?

Stephen no respondió. Esos nombres atroces no lo enorgullecían.

—Bueno, tengo excelentes noticias para usted —dijo Gray—. Ha dejado de pertenecer al cuerpo administrativo. Regresará. —Hizo una pausa—. Creí que eso era lo que quería.

—Sí... supongo que lo es.

—No parece muy contento.

—No puedo estar contento con nada que contribuya a que continúe esta guerra. Pero no me disgusta. Me resulta indiferente.

—Escúcheme. Muy pronto atacaremos. Avanzaremos con rapidez hacia Alemania en un largo frente. Como sabrá, algunas partes del frente ya han empezado a avanzar. Si usted quiere dirigir su antigua compañía, puede hacerlo.

Stephen suspiró, sin contestar. Le habría gustado sentirse contento o excitado.

Gray se puso de pie y rodeó el escritorio.

—Piense en las palabras de ese monumento conmemorativo, Wraysford. Piense en esas ciudades malolientes y en esos pueblos sangrientos cuyos nombres llegarán a ser gloriosos por la mención que harán de ellos los historiadores de trastes gordos que se han quedado sentados en Londres. Nosotros estuvimos aquí. Como castigo por Dios sabe qué, hemos estado aquí, y nuestros hombres murieron en todos esos lugares desagradables. Odio los nombres de esos lugares. Odio el sonido de sus nombres y odio pensar en ellos, motivo por el cual no me molestaré en recordárselo. Pero escuche. —Acercó el rostro al de Stephen. —Hay cuatro palabras que quedarán grabadas debajo de esos nombres. Cuatro palabras que la gente leerá algún día. Cuando lean lo demás, se asquearán. Al leer éstas, inclinarán un poco las cabezas. "Avance y persecución final." No me diga que no quiere agregar su nombre a esas palabras.

Stephen lanzó una carcajada.

—En realidad no me importa lo que...

—¡Vamos! —exclamó Gray en un gruñido parecido al del perro—. Tiene que gustarle el sonido de alguna de esas palabras.

Supongo que sí. "Final" —contestó Stephen.

Gray lo sacudió por los hombros.

—¡Así me gusta! Le diré a sus soldados que va para allá.

El trabajo de los mineros llegó a su fin con la explosión del Monte Messines. La compañía de Weir fue absorbida por las tres compañías de campo vinculadas a la división donde servía Stephen. El trabajo era menos arduo y menos interesante.

Jack Firebrace escribió:

"Querida Margaret: Apenas unas líneas ahora que tengo un momento libre. Te agradezco el paquete que llegó ayer, aunque estaba levemente dañado. ¿Pusiste dentro hojitas de afeitar?

"Estamos de nuevo trabajando en la reparación de caminos. Es un trabajo muy duro, aunque la mayoría de los hombres considera que es mejor que vivir cavando bajo tierra. Tenemos que llenar grandes cráteres con piedras y con los restos de demolición de las casas que han sido destruidas.

"Entre el barro, la lluvia y la cantidad de animales muertos, es un trabajo triste. Nos apenan los caballos muertos, animales tan magníficos y tan maltratados a pesar de que ellos no tuvieron nada que ver en todo este asunto.

"Todavía cavamos un poco. El comandante en jefe dice que hemos hecho nuestra contribución a la guerra, pero que ahora, la lucha llegará a su fin mucho más rápido. Ya veremos. Hemos empezado a avanzar y existe una sensación general de que con un empujón más todo esto terminará.

"Nos mantenemos alegres. Evans recibió un mazo nuevo de cartas y yo me he convertido en el narrador de chistes oficial. También he seguido dibujando.

"Confío en que sigas bien y espero que muy pronto volvamos a vernos. Tu cariñoso marido. Jack."

Antes de unirse a su compañía, Stephen se tomó dos días de licencia que se le debían, y viajó a Ruán adonde Jeanne se había mudado durante la ofensiva alemana del verano.

Llegó una calurosa tarde de domingo. En las calles reinaba un clima festivo. Las familias salían a pasear en viejos automóviles. Otros participaban en carros o en bicicletas, cualquier cosa con tal de mantener el paseo en marcha. Una serie de niños corría por la calle adoquinada y les gritaban a los conductores de los vehículos.

Stephen avanzaba entre la multitud, un poco intrigado. Siguiendo las instrucciones de Jeanne, llegó a la catedral y se internó en la parte medieval de la ciudad donde ella había alquilado un cuarto hasta poder regresar a Amiens.

Cuando tocó el timbre, Jeanne lo estaba esperando. Después de cruzar un patio y de subir una escalera, llegaron al lugar donde vivía. No eran más que dos habitaciones en un primer piso pero, con las cosas que pudo sacar de Amiens ella logró convertirlas en un lugar agradable.

Lo hizo sentar en uno de los sillones y lo miró. Estaba muy delgado, tenía el rostro arrugado y la piel como endurecida alrededor de los ojos. La expresión de esos ojos ya no era desconfiada; Jeanne tuvo la impresión de que la mirada de Stephen era vacía. Su pelo no raleaba, ni siquiera en las sienes, pero estaba salpicado de canas. Se movía como en sueños, como si el aire que lo rodeara fuese muy espeso y tuviera que abrirse camino con lentitud. Fumaba como si no se diera cuenta de que lo hacía y dejaba caer la ceniza sobre su ropa.

Ése era el hombre que ocho años antes fascinó a su hermana menor. Isabelle nunca le contó detalles acerca de su manera de hacerle el amor, pero cuando se refería a sus hombros, sus ojos o los hábiles movimientos de sus manos, le producía a Jeanne una fuerte sensación física de lo que era Stephen. El hombre a quien Jeanne veía en ese momento era distinto; costaba creer que se tratara de la misma persona. Ese pensamiento la tranquilizó.

Salieron a caminar por la ciudad y luego entraron al museo, donde se sentaron en el jardín.

—¿Qué te sucedió en la primavera? —preguntó Stephen—. Durante un tiempo no recibí cartas tuyas.

—Pero yo te escribí —contestó Jeanne—. Tal vez las cartas se hayan perdido en medio de toda la conmoción. Para empezar, la ciudad estaba llena de refugiados de otras partes que huían del avance de los alemanes. Después fuimos bombardeados y el alcalde dio orden de evacuar la ciudad. Yo me quedé allí un tiempo porque no tenía ganas de volver a Ruán. Nos bombardeaban de noche, utilizando bengalas para ajustar la puntería. Fui a la catedral para ayudar a retirar los vitrales. Los envolvimos en frazadas. Con el tiempo no tuve más remedio que irme, pero no les dije donde estaba a mis padres. Con la ayuda de una amiga de la infancia, conseguí estos cuartos. Papá y mamá ignoran que estoy aquí.

—¿Si lo supieran, se enojarían?

—No sé. Creo que ya casi han perdido las esperanzas con respecto a sus hijas. Se enteraron de que Isabelle está en Alemania. Recibieron una carta de un viejo amigo de Azaire en Amiens, un tal Bérard. Decía que consideraba que era necesario que se enteraran de lo sucedido.

—Y el pequeño bote se alejó na-ve-gan-do —cantó Stephen en voz baja.

—¿Qué es eso?

—Conocí a ese hombre. Iba de visita cuando yo vivía en lo de Azaire. Era un fanfarrón, un hombrecito ridículo, convencido de su propia importancia. Pero parecía ejercer cierta influencia sobre la gente.

—Le escribí a Isabelle para contarle lo sucedido. Ella me contestó y me contó que cuando los alemanes ocuparon por primera vez la ciudad, ese tal Bérard le ofreció su casa al comandante. Creyó que se quedarían a vivir allí durante toda la guerra. Pero cuando unos días después los alemanes se fueron, quedó avergonzado. De acuerdo con Isabelle, después trató de resarcirse haciendo toda clase de acusaciones a otros.

—Pero no ingresó en el ejército.

—No. Tal vez fuera muy viejo. Isabelle me dijo que es feliz, aunque Max no anda bien. Tuvieron que amputarle la pierna y no ha recuperado las fuerzas. Ella está dedicada a cuidarlo y lo quiere mucho.

Stephen asintió.

—¡Pobre hombre! Lo lamento.

—¿Y qué me dices de ti? —preguntó Jeanne. Le tomó la mano y la oprimió a su modo tan fraternal y afectuoso. —Pareces aturdido y estás muy pálido. Me preocupo por ti. Ya te lo he dicho, ¿no es verdad? Y supongo que tampoco te alimentas bien.

Stephen sonrió.

—Estoy bien. En el cuerpo administrativo, el trabajo que acabo de dejar, la comida era mucho mejor. Y también abundante.

—Entonces ¿por qué estás tan delgado?

Stephen se encogió de hombros.

—No sé.

Los ojos de Jeanne adquirieron una expresión de gran seriedad, le apretó la mano y lo obligó a mirarla.

—No debes darte por vencido, Stephen. Ya casi ha terminado. El día menos pensado avanzaremos y quedarás en libertad de continuar tu vida.

—¿Continuar? Ya no recuerdo mi vida. No sabría dónde buscarla.

—¡No debes hablar así! —Jeanne se enojó. Por primera vez desde que Stephen la conocía, tenía las mejillas sonrojadas. Para enfatizar sus palabras, golpeó con suavidad el banco de madera en que estaban sentados.

—¡Por supuesto que no retomarás tu trabajo de carpintero o lo que fuera que hacías en París! Harás algo mejor. Algo que valga la pena.

Stephen se volvió a mirarla con lentitud.

—Eres una mujer muy querible, Jeanne. Haría lo que tú me indicaras. Pero lo que he perdido no son los detalles de la vida. He perdido la realidad misma.

Los ojos de Jeanne se llenaron de lágrimas.

—Entonces debemos lograr que la recuperes. Yo haré que la recuperes. Te ayudaré a encontrar lo que sea que hayas perdido. No hay nada que esté más allá de la redención.

—¿Por qué eres tan buena conmigo? —preguntó Stephen.

—Porque te quiero. ¿No lo ves? De todo lo que ha salido mal, quiero sacar algo bueno. Debemos intentarlo. Prométeme que lo intentarás.

Stephen asintió con lentitud.

—Lo intentaremos.

Jeanne se puso de pie, alentada. Lo tomó de la mano y lo condujo a través de los jardines. ¿Qué más podía hacer para vigorizarlo, para devolverle esa realidad perdida? Sin duda, las complicaciones tal vez fuesen mayores que los beneficios. Todo debía suceder de una manera espontánea, o no suceder.

Comieron temprano en un restaurante en el camino de regreso a las habitaciones de Jeanne y ella lo instó a beber vino, con la esperanza de que lo alegrara. Pero varios vasos de Bordeaux tinto no lograron llevar luz a esos ojos muertos.

En el camino de regreso, Jeanne dijo:

—Te pido que cruces el jardín de entrada en silencio. No quiero que el portero sepa que un hombre pasa la noche en mis habitaciones.

Stephen rió por primera vez.

—¡Ustedes las chicas Fourmentier! ¿Qué diría tu padre?

—¡Cállate! —dijo Jeanne, feliz de haberlo hecho reír.

Era una noche calurosa y todavía no estaba completamente oscuro. Una pequeña banda tocaba en una de las plazas donde los cafés empezaban a encender sus luces.

Stephen cruzó con cuidado los adoquines del patio y no emitió un solo sonido hasta que estuvieron a salvo en las habitaciones de Jeanne.

—Te he preparado una cama en el sofá de ese rincón. ¿Quieres acostarte ya o preferirías quedarte un rato conversando? Creo que tengo un poco de coñac. Podríamos beberlo en ese pequeño balcón. Pero tendríamos que conversar en voz baja.

Se instalaron en sendas sillas de paja en un balcón que daba al jardín seco y arenoso.

—¿Sabes lo que quiero hacer por ti? —dijo Jeanne—. Voy a hacerte reír. Ése será mi proyecto. Borraré tu melancolía anglo sajona. Te haré reír y te llenaré de alegría hasta que parezcas un labrador francés.

Stephen sonrió.

—Y yo contaré historias y me golpearé los muslos como un labrador Normando —contestó Stephen.

—Y no pensarás en la guerra. Ni en los que se han ido.

—Nunca —prometió él, y bebió el coñac de un solo trago.

Ella volvió a tomarle la mano.

—Tendré una casa con un jardín detrás, lleno de arbustos de rosas y canteros de flores y tal vez una hamaca, para que jueguen los chicos... si no los míos, los que vayan de visita. La casa tendrá grandes ventanas y estará llena del olor de las comidas maravillosas que se preparan en la cocina. Y en la sala de estar habrá floreros con fresias y violetas. Y de las paredes colgarán cuadros de Millet y Courbet y otros grandes pintores.

—Yo te iré a visitar. Tal vez viva allí contigo. Sería el escándalo de toda la ciudad de Ruán.

—Saldremos en bote los domingos, y los sábados iremos a la ópera y luego a comer en la plaza principal. Dos veces por año ofreceremos fiestas en la casa. Estará llena de velas y contrataremos mucamos para que circulen con bandejas de plata cargadas de bebidas para nuestros amigos. Y habrá baile y...

—Baile no.

—Está bien, no habrá baile. Pero habrá una orquesta. Tal vez un cuarteto de cuerdas o un violinista gitano. Y aquellos que quieran, podrán bailar, aunque en otro cuarto. Tal vez hasta contratemos a un cantante.

—Quizás hasta podríamos convencer a Bérard.

—Buena idea. Podría entonar algún *lieder* alemán que le hayan enseñado el comandante y su esposa. Nuestras fiestas serán famosas. Pero no sé cómo las pagaríamos.

—Yo ya habré hecho fortuna con algún invento. Y tu padre te habrá legado sus millones.

Bebieron un poco más de coñac que mareó a Jeanne, pero que no tuvo el menor efecto sobre Stephen. Cuando empezó a refrescar, entraron y Stephen dijo que le gustaría dormir. Ella le indicó su cama y le alcanzó un botellón de agua.

Una vez en su dormitorio, Jeanne se desvistió. Se sentía alentada por Stephen, aunque comprendía que él estaba haciendo esfuerzos para tranquilizarla. Era una manera de empezar. Cruzó desnuda el dormitorio para tomar el camisón que colgaba detrás de la puerta.

Pero la puerta se abrió antes de que ella la alcanzara y vio a Stephen con la camisa puesta y las piernas desnudas.

Él retrocedió.

—Lo siento. Estaba buscando el baño.

Jeanne tomó una toalla que había sobre la silla y trataba de cubrirse el cuerpo con modestia.

Stephen se volvió y empezó a caminar hacia la sala de estar.

Jeanne lo detuvo.

—Está bien. Vuelve.

Colocó la toalla sobre la silla y permaneció inmóvil.

No había luces encendidas en el cuarto, pero la luminosidad de la noche de otoño permitía que se viera con facilidad.

—Ven y deja que te abrace —dijo ella. Una suave sonrisa fue iluminando su rostro.

Stephen entró al cuarto con lentitud. Lo recibió el cuerpo alto y delgado de Jeanne. Los brazos muy blancos extendidos elevaban sus pechos redondos que, en la penumbra, parecían misteriosas flores blancas. Stephen se le acercó y se arrodilló a sus pies. Apoyó la cabeza contra el costado de Jeanne, debajo de sus costillas.

Ella abrigaba la esperanza de que todavía siguiera en ese estado de ánimo liviano del que disfrutaron en el balcón.

Stephen le rodeó los muslos con sus brazos. El vello suave que crecía entre las piernas de Jeanne era largo y negro. Durante un instante Stephen apoyó contra él una mejilla, luego volvió a apoyar el rostro contra su costado. Jeanne oyó que comenzaba a sollozar.

—Isabelle —decía—. Isabelle.

Hubo festejos cuando Stephen volvió a reunirse con su compañía en la avanzada. Los hombres tenían esperanzas de que el siguiente ataque sería el último, y después de los acontecimientos del Ancre y de la avanzada en el canal, Stephen había adquirido fama de sobreviviente. Hasta los hombres llegados después de su partida tenían conciencia de que se lo consideraba una especie de amuleto de buena suerte. Además les llegaban rumores exagerados de las brujerías que llevaba a cabo en su refugio.

Los ingenieros y zapadores no se presentaban con frecuencia a realizar el mantenimiento de las trincheras. Cada tanto inspeccionaban y mantenían un largo túnel que se internaba en la tierra de nadie. Su extremo proporcionaba un puesto de escucha útil aunque peligroso cerca de las líneas alemanas y que, por lo visto, todavía no había sido descubierto por el enemigo. Los hombres allí apostados escuchaban conversaciones de los alemanes de la línea del frente. Hablaban de retirada.

Los bombardeos enemigos seguían pautas definidas. Estaban dirigidos con total exactitud hacia la zona de retaguardia y se detenían durante una hora para el almuerzo. La respuesta británica observaba idénticas formalidades, de manera que Stephen pudo almorzar en paz el día de su regreso. Riley le calentó un poco de guiso de lata, pero se esmeró en conseguir un trozo de repollo para darle más gusto.

A la tarde lo visitó Cartwright, el comandante de ingenieros. Pese a que la infantería lo consideraba un hombre de carácter débil, su resentimiento lo convertía en un tenaz discutidor.

—Como supongo que sabrá —dijo—, hemos convenido que nos ayudaremos mutuamente, aunque por lo que he podido comprobar es algo que no se ha cumplido. —Tenía un rostro pálido y casi sin mentón; le gustaba utilizar frases domésticas y proverbios, con la esperanza de que así sus argumentos resultarían más lógicos.

—Ahora he recibido orden de que mis hombres amplíen el extremo del puesto de escucha —continuó diciendo—. Eso no tiene nada de particular, pero los últimos soldados a quienes envié allá abajo me informaron que oyeron algo parecido a trabajos del enemigo justo por encima de sus cabezas.

—Comprendo. De manera que me está diciendo que quiere que algunos de mis hombres bajen con usted.

—Sí, creo que tenemos derecho a pedirlo.

—Creí que se habían detenido las excavaciones.

—Con nuestros amigos los Boche, uno nunca sabe, ¿no es cierto?

—Supongo que no. Parece un poco innecesario, pero…

—Me pareció que ya que hace tiempo que no está aquí, a usted mismo le interesaría ver con sus propios ojos lo que se ha hecho. Después de todo, esos trabajos se hacen para proteger a sus hombres.

—Usted es igual que Weir. ¿Por qué tienen tanto interés en lograr que nos internemos bajo tierra?

—Porque les cavamos buenos desagües e hicimos este refugio —contestó Cartwright señalando las paredes cubiertas de madera y los estantes encima de la cama—. Supongo que no creerá que sus hombres son capaces de hacer algo así, ¿verdad?

—Está bien —dijo Stephen—. Iré a inspeccionar ese túnel pero no puedo ausentarme por más de una hora. Uno de sus hombres me tendrá que traer de vuelta.

—Estoy seguro de que eso podrá arreglarse. Bajaremos mañana a mediodía.

La luz otoñal iluminaba los tocones ennegrecidos que en una época fueron árboles. Cuando los hombres se reunieron junto a la cabecera del túnel, por una vez el piso de la trinchera estaba razonablemente seco.

Jack Firebrace, Evans y Jones se encontraban entre los seis mineros expertos que distribuyeron cascos, antorchas y elementos para respirar a la infantería. Cartwright le ordenó a Jack:

—Después de que él haya inspeccionado los trabajos, Firebrace, usted se encargará de escoltar de vuelta al capitán Wraysford.

—¿Usted no viene? —preguntó Stephen mientras se metía una linterna en el bolsillo.

—No valdría la pena que estuviéramos los dos allá abajo —contestó Cartwright.

Stephen miró el cielo sobre su cabeza. Era de un celeste claro, con algunas nubes. La entrada del túnel, cubierta con tela engomada, estaba oscura.

Stephen recordó la primera vez que bajó a un túnel con Hunt y Byrne para proteger a Jack Firebrace. Recordaba la palidez de Hunt y su expresión de pánico y el impacto de sus propias heridas. Desde entonces él no era el mismo; ya no estaba seguro de poder soportar con tanta tranquilidad los angostos túneles que los aguardaban. Apoyó las manos sobre el borde de madera que servía de contención a la pared delantera de la trinchera y respiró hondo. No existían mundos distintos, tan sólo una creación a la que estaba ligado por el latido de su sangre. Sería lo mismo estar bajo tierra que allí, en el aire cálido, con los pájaros que cantaban y las nubes suaves del cielo.

Entró detrás de los zapadores y palpó con las manos la madera llena de astillas de la escalera. La caída era vertical y los peldaños estaban muy separados. Stephen fue bajando vacilante y apoyando con cuidado los pies en medio de la oscuridad, pero las botas de los que lo seguían y que se acercaban a sus dedos lo obligaban a apresurarse. La luz de la entrada del túnel estaba oscurecida por los cuerpos de los hombres que bajaban; poco a poco se fue reduciendo a la que podría entrar por una ventana angosta, hasta desaparecer por completo.

Oyó la voz de Jack delante suyo, que le indicaba cuántos peldaños le quedaban por bajar. Por fin Stephen saltó a tierra y cayó sobre una plataforma de alrededor de tres metros cuadrados donde Jack y dos hombres de la infantería esperaban con lámparas. Cuando llegaron los demás, les bajaron un poco de madera. Jones y Evans la desataron de la punta de la soga de la que colgaba y se prepararon para llevarla al túnel.

Tres zapadores abrían la marcha, con los seis renuentes infantes en el medio y los otros tres zapadores cerrando la marcha. Al principio el túnel era bastante alto como para que caminaran erguidos y avanzaron con rapidez por el piso seco y arcilloso. Más o menos a los cincuenta metros, el mayor de los mineros, un teniente escocés de nombre Lorimer, les indicó que de allí en adelante debían avanzar en silencio. Estaban llegando a una larga galería lateral de la que salían varios túneles en dirección al campo enemigo. Para empezar, todos avanzarían por el principal que conducía a la cámara de escucha más lejana; más tarde, cuando los zapadores estuvieron trabajando para ampliarlo, la infantería tendría que ingresar en el túnel paralelo, para protegerlos. Podrían llevar con ellos a un minero para que les mostrara el camino. Todos estaban equipados con lámparas.

Para entrar en la sección principal tuvieron que ponerse de rodillas y Stephen notó las miradas de ansiedad que intercambiaban sus hombres. El aire era pesado y húmedo. Pasaron jadeantes por una pequeña abertura pero enseguida pudieron volver a moverse, ya no de rodillas, sino agazapados. Stephen notó los sólidos tablones horizontales unidos a otros verticales a una distancia de alrededor de un metro cincuenta. Desde su punto de vista, la obra estaba bien hecha. En el paso acostumbrado de los zapadores, no había temor ni miedo a lo desconocido.

Los seis infantes, conducidos por un teniente llamado Crawshaw, luchaban por mantenerse a la par de los que los precedían. Stephen los oía jadear. Llevaban rifles, lo cual les impedía utilizar las manos para mantener el equilibrio.

¡Qué extraño era esto de haber pasado la guerra como roedores en distintos elementos! pensó Stephen. Estar bajo tierra los escudaba del impacto de los grandes ataques y de la visión de los cadáveres que se iban apilando, pero el mundo en el que habitaban los mineros contenía su propio horror.

Él estaba decidido a llegar sólo hasta la cámara principal, luego insistiría en volver a unirse con sus hombres. Ellos le estarían agradecidos por haber hecho el gesto, que aseguraría la continua cooperación de los zapadores en los trabajos que les resultaban más pesados.

El túnel volvió a estrecharse y se vieron obligados a avanzar de nuevo sobre manos y piernas. Los hombres que iban adelante de repente se detuvieron y los demás chocaron unos contra los otros en medio de la oscuridad.

—Creo que deben haber oído algo —le susurró al oído Crawshaw a Stephen—. Que nadie se mueva.

Los hombres estaban amontonados y tendidos en ese tubo de tierra. Evans revisó su mochila y se apretó contra ellos para abrirse paso hasta donde estaban sus colegas. Después de una consulta susurrante, Evans se adelantó hasta un trozo de pared seca contra la que colocó un disco chato en el que conectó un estetoscopio. Crawshaw se llevó un dedo a los labios e hizo una seña con ambas manos, pidiendo silencio. Los demás permanecieron tendidos boca abajo en el túnel. Stephen sintió que se le clavaba una piedra en la mejilla y trató de mover la cabeza. Pero estaba como encastrado entre las piernas de alguien a quien no podía ver y debió permanecer como estaba. Alcanzaba a oír que el corazón le latía con lentitud contra las costillas.

Evans estaba tendido muy pegado a la pared del túnel, como un médico sucio que escuchaba a la espera de oír signos de vida hostiles.

Stephen cerró los ojos. Se preguntó si, de permanecer mucho tiempo en esa postura, podría deslizarse a un sueño definitivo. La agitación de los demás hombres le impidió enfrascarse en sus propios pensamientos. Percibía el miedo que tenían a través de la tensión de los cuerpos que se apretaban contra el suyo. Lo difícil era la pasividad; aún contra los rifles tenían alguna posibilidad de defensa, pero bajo ese enorme peso de tierra estaban indefensos.

Por fin Evans retiró el estetoscopio de su oído y se lo metió en el bolsillo. Meneó la cabeza y frunció los labios. Le susurró su informe al teniente, quien a su vez se lo transmitió a Stephen apoyando la boca contra la oreja de éste.

—No puede oír nada. Tal vez hayan sido cañonazos de la superficie. Seguiremos adelante.

Los hombres tendidos en el piso del túnel volvieron a agazaparse para poder seguir avanzando.

Stephen se dio cuenta de que estaba transpirando. Por el olor de los cuerpos pegados al suyo, comprendió que no era el único. Las condiciones eran mejores en las trincheras, pero no hasta el punto de proporcionar los medios para que los hombres se lavaran, aún en épocas de calor.

El techo del túnel comenzó a elevarse un poco, y los hombres de menor altura, como Evans y Jones, pudieron ponerse de pie. Llegaron a un empalme donde Lorimer, el teniente de los zapadores, impartió instrucciones. El grupo principal de los encargados de la excavación avanzaría hasta la cámara de escucha; los demás entrarían en uno de los túneles de combate cuya entrada señaló.

Al ver la expresión de sus hombres, Stephen no pudo menos que sonreír para sus adentros. Exageraban su renuencia con gestos cómicos, pero por su propia experiencia él sabía que esa renuencia era real. Le alegró saber que, presumiblemente, él entraría en la sección más amplia del túnel. No tenía miedo de avanzar, siempre que supiera que tenía posibilidades de volver. Lo que esa vez con Weir lo atemorizó bajo tierra, fue que el túnel se desmoronó detrás de ellos y que, por un instante, creyó que no podría salir.

Crawshaw chequeó que los hombres tuvieran sus granadas y sus rifles. Él mismo llevaba un revólver, que blandía peligrosamente hacia la entrada de los túneles. Stephen supuso que trataba de demostrar su falta de miedo ante los demás. Tal vez le creyeran.

Los miró alejarse. Recordó la sensación de ternura que le provocaban los hombres cuando entraban en batalla o iniciaban una patrulla; entonces imaginaba como serían sus vidas y sus esperanzas, sus casas y sus familias, esos pequeños mundos que llevaban sobre sus hombros y en sus mentes. Recordaba ese sentimiento de compasión, pero ya no lo tenía.

Su grupo estaba a apenas veinte metros de la principal cámara de escucha, cuando Lorimer se volvió a detener y se llevó un dedo a los labios.

Stephen inhaló con fuerza. Lamentaba haber decidido bajar. Lorimer era un hombre nervioso y estaba convirtiendo una inspección de rutina en algo desagradable, o tal vez existiera un verdadero peligro. Evans había llevado su equipo para escuchar al túnelo adyacente. Lorimer llamó a Jack Firebrace y le indicó que colocara el oído contra la pared.

Jack se tapó la otra oreja con una mano y cerró los ojos para concentrarse mejor. Durante medio minuto, todos permanecieron inmóviles. A la luz de una lámpara de minero, Stephen miraba fijo un trozo de madera que tenía a no más de doce centímetros de la cara. Observó sus pequeñas líneas y sus muescas. Imaginó cómo se curvaría bajo una detonación.

Jack apartó la oreja de la pared y giró sobre sí mismo para enfrentar a Lorimer. Su susurro urgente fue audible para todos.

—Hay pasos que se dirigen de regreso a las líneas enemigas. Tienen un túnel al oeste y más o menos tres metros más arriba que éste.

Lorimer se puso tenso. Durante un instante no dijo nada, luego:

—¿Dijiste que los oías caminando en retirada?

—Sí.

—Entonces creo que deberíamos seguir adelante y hacer nuestro trabajo.

—Sí —contestó Jack—, pero pueden haber puesto una carga explosiva. Me refiero a que hay cualquier cantidad de motivos para que...

—Esperaremos cinco minutos —decidió Lorimer—. Después procederemos.

—¡Por amor de Dios! —exclamó Stephen—. No es posible que arriesgue la vida de todos estos hombres para...

Antes de que pudiera terminar, una explosión le quitó el aire de los pulmones y lo arrojó hacia atrás contra la pared del túnel; era como si frente a ellos la tierra hubiera sido arrojada hacia atrás por un violento terremoto. La cabeza de Stephen golpeó contra un madero. A la luz dentada que ardía en las entrañas de la tierra, vio los miembros desgranados y los trozos volantes de género y de armamentos, cascos, manos y trozos de arcilla que giraban alrededor del tubo hueco, llevando consigo los despojos humanos en un rugido de furia concentrada.

Se encontraba tendido en el piso del túnel, bajo tierra, y sin embargo no estaba muerto. Tuvo conciencia de una sensación de peso y de que tenía los ojos y la nariz llenos de tierra. Trató de moverse, pero estaba como clavado, como si la tierra lo hubiera envuelto en frazadas pesadas y cómodas y lo urgiera a dormir. El ruido de la explosión parecía haber quedado atrapado dentro del tubo angosto. Imaginó que su camino de regreso había quedado cerrado y una oleada de miedo le recorrió el estómago pero murió enseguida bajo el peso que soportaba su cuerpo. El sonido poco a poco disminuyó.

Escuchó, convencido de que lo reemplazaría el lamento ya familiar de la agonía humana, de hombres con las extremidades separadas del cuerpo y cuya materia gris empezaba a liberarse de los cráneos. Al principio no oyó nada. Después, cuando los últimos trozos de tierra desplazada se posaron en el túnel, escuchó un largo y espeso suspiro. Era un sonido jamás escuchado, pero supo que era el ruido que hacían varios hombres al expirar simultáneamente.

Les envidió la pacífica exhalación, aliento y espíritu desaparecidos. Trató de mover una pierna y descubrió que podía. Flexionó los hombros y los brazos y sintió un dolor agudo en la parte superior del brazo derecho. Intentó tragar, pero no logró reunir suficiente saliva en la boca seca y llena de tierra.

A los pocos minutos tuvo conciencia de que no estaba gravemente herido. Sus piernas parecían sanas. Tenía un problema en el brazo derecho, pero no le dio importancia, a menos que tuviese necesidad de abrirse camino cavando hasta llegar afuera y que para eso no le bastara con una sola mano. Tenía que retirar los escombros que lo cubrían, después sabría si quedaba alguien más con vida. Echó la cabeza atrás hasta donde pudo y comprobó que, encima suyo, la mayor parte del techo del túnel seguía intacta. Era su vieja buena suerte; el despreciable vudú de la supervivencia.

Con la mano izquierda, comenzó a raspar y a empujar la tierra que le cubría las piernas. Por fin logró reducir el peso lo suficiente como para poder deshacerse del resto a fuerza de puntapiés. Flexionó y estiró las piernas y comprobó que, aparte de lastimaduras y golpes, parecían haber escapado de daños importantes. Giró la parte superior del cuerpo, como alguien que trata de arrojar al piso la ropa de cama, y consiguió sentarse. De repente se detuvo y el dolor del brazo lo obligó a respirar hondo.

Escupió varias veces para limpiarse la boca. Poco a poco consiguió juntar bastante saliva como para tragar y luego hablar. Llamó en la oscuridad. A su lado había una lámpara. Tenía el vidrio rajado pero seguía encendida.

No oyó nada. Maniobró sobre manos y pies y empezó a arrastrarse hacia la lámpara. En el momento de la explosión, él se encontraba en la retaguardia del grupo de hombres; por lo tanto los sobrevivientes debían encontrarse delante suyo. Había cuatro zapadores que se suponía se encargarían de ampliar la cámara de escucha, y dos más de la infantería. Stephen se preguntó qué radio habría cubierto la explosión. Tal vez algunos de los que estaban en el túnel paralelo ya se hubieran alejado del lugar del impacto.

Al avanzar, se enfrentó con una pared de escombros. Desde arriba, todavía caía una lluvia de partículas de tierra del lugar donde había volado el techo. Todo hacía suponer que en cualquier momento se produciría otro desmoronamiento. Stephen se volvió y miró para atrás. El camino parecía abierto. A pesar de que se veía obligado a avanzar sobre manos y rodillas durante los primeros diez metros, estaba bastante seguro de que lograría encontrar el camino de regreso a la segunda galería lateral, el lugar donde los hombres se dispersaron. Desde allí suponía que resultaría bastante sencillo regresar a la galería principal y de allí a la entrada del túnel.

Algo se movió en la montaña de tierra que tenían ante sí. No veía nada. Entonces oyó un leve sonido, como de alguien que raspaba. Lo siguió con las manos y de repente tocó un trozo de género. El género estaba unido a una pierna o a un brazo. Allí estaba el movimiento.

Con el corazón cada vez más pesado, Stephen comprendió que tendría que tratar de rescatar a ese hombre. Se arrodilló y empezó a separar la tierra con los dedos de la mano izquierda.

El brazo derecho no le servía de nada. Siguió trabajando con tenacidad para apartar la tierra que echaba hacia atrás con la mano hasta formar una pila que luego alejaba de un puntapié y la distribuia detrás de sí con las piernas.

Examinó con la lámpara los adelantos que había hecho. Poco después logró hacer un orificio alrededor del trozo de género que era una manga. Metió la mano dentro y oprimió el brazo. Lo alcanzaba a palpar hasta la altura del hombro. Desde el otro lado de la pared de escombros le llegó el sonido de una voz humana, un sonido de dolor o de bienvenida.

Stephen gritó palabras de aliento. Descansó unos instantes y luego se quitó la chaqueta dejando al descubierto su camisa empapada de sudor. Al hacerlo, comprobó que tenía la manga derecha ensangrentada.

Siguió cavando. Le preocupaba la posibilidad de que la tierra que estaba retirando contuviera otros materiales que tal vez cayeran dentro de ese espacio, cerrándolo aún más.

Después de una hora, había logrado hacer un espacio alrededor del hombro y la cabeza del hombre. Un tablón de madera desplomado en forma diagonal encima de él, sostenía alejado de su cabeza el peso principal del techo y lo protegía. Había tenido mucha suerte. Stephen ya se encontraba lo suficientemente cerca como para poder hablarle.

—Aguanta —dijo—. No te muevas. Te sacaré de allí.

No le parecía probable que pudiera hacerlo a causa del peso caído sobre las piernas del soldado, que estaban extendidas delante de él y en dirección a la cara original del túnel. Pero a pesar de todo siguió cavando y alejando tierra y escombros mientras que, en medio de sus esfuerzos, pronunciaba jadeantes palabras de aliento.

Jack Firebrace, enterrado en esa pesada tumba, sentía que su vida iba y venía a medida que el aire se consumía en la cavidad donde estaba su cabeza. El dolor de sus piernas le recorría en oleadas la columna vertebral y lo desmayaba, luego jadeaba y recuperaba el conocimiento para volver a desmayarse instantes después. Trató de mover las piernas, porque supuso que tal vez el dolor le evitaría morir. Si podía sentir el dolor, significaba que estaba consciente y que, por lo tanto, seguía con vida.

En ese estado reconoció la voz del hombre que en una oportunidad se le echó desnudo en los brazos mientras lanzaba imprecaciones, él mismo al borde de la muerte. Alcanzaba a sentir que esa mano débil se abría camino por entre la tierra que lo tenía aprisionado, y tuvo la sensación de que era lo correcto que fuera rescatado por alguien a quien él mismo había salvado; confiaba en que Stephen lograría liberarlo.

La lucha de Jack era consigo mismo. Concentró sus esfuerzos en combatir esas suaves oleadas de sueño que eran la respuesta natural de su cuerpo ante el dolor que tenía en las piernas. Por lo menos podía mover la cabeza, y la golpeaba hacia un lado y hacia el otro para que no se le nublara.

Oyó la voz tranquilizadora de Stephen. Después sintió que una mano le aferraba la axila y trataba de empujarlo.

—No dará resultado —dijo—. Tengo las piernas aprisionadas.

—¿Alcanzas a oírme? —preguntó Stephen.

—Sí.

—¿Quién eres?

—Jack Firebrace. El que se suponía que tenía que llevarlo de vuelta sano y salvo. —A Jack le sorprendió poder hablar tan bien. El hecho de que se hubiera restaurado el contacto humano revivía.

—¿Qué sucedió? —preguntó Stephen.

Jack lanzó un gruñido.

—Una explosión. Están directamente encima nuestro. Tienen nuestro túnel perfectamente marcado. Deben haber estado esperando desde hace semanas.

—¿Habrá más explosiones?

—Sólo Dios lo sabe.

—¿Estás muy atrapado?

—He perdido el uso de las piernas. No las puedo mover. No tengo problema en los brazos. Si hace suficiente espacio, tal vez lo pueda ayudar. Estoy...

—¿Qué pasa? ¿Estás bien?

El esfuerzo de hablar había provocado un desmayo a Jack.

—Sí. Y ahora por favor no hable. Cave.

—¿Y si provocamos un nuevo derrumbe?

—Tendremos que correr el riesgo —jadeó Jack.

Stephen se sacó la camisa y reanudó su trabajo. Jack sintió que se arrastraba para meterse a su lado, dentro del espacio que había limpiado. Le indicó que tratara de apuntalar la tierra que tenían encima con los trozos de madera que encontrara entre los escombros. Durante una hora, Stephen trabajó con una sola mano, siguiendo las instrucciones de Jack. Pudo construir una especie de cueva en miniatura en medio de la tierra caída. Jack lo ayudaba a alzar los maderos y a colocarlos en su lugar. Además usaba las manos para apartar escombros hasta que tuvo el cuerpo libre a la altura de la cintura.

Por fin Stephen dijo:

—Tengo que descansar. Aunque sólo sea por unos minutos.

Se acostó en ese nido que habían construido y se quedó dormido de inmediato, con la cabeza apoyada sobre el pecho de Jack. Jack lo sentía respirar. Le envidió que pudiera dormir pero no se animaba a imitarlo por miedo a no despertar.

No le dijo nada a Stephen para no alentar sus esperanzas, pero suponía que ya debían haber despachado un equipo de rescate desde la trinchera. Aún en el caso de que, con sensatez, esperaran hasta estar seguros de que no habría otra explosión provocada por el enemigo, no podían tardar en llegar.

En la oscuridad el tiempo no existía, pero Jack calculó que hacía seis horas que estaban bajo tierra, y que desde hacía cinco estaba atrapado y Stephen trabajaba para liberarlo.

Imaginó a Cartwright organizando la partida de rescate allá arriba, bajo el sol radiante. Juró que si lograba salir al exterior, nunca volvería a bajar. Pasaría el resto de sus días al aire, con el sol o la lluvia sobre la cara. Se dio cuenta de que volvía a correr el riesgo de perder el conocimiento: su mente giraba en círculos lentos y soñadores.

Decidió que tendría que despertar a Stephen. En caso contrario, moriría. Lo tomó por los hombros y lo sacudió, pero Stephen volvió a caer sobre él. Le pegó cachetadas en la cara y Stephen gimió y se volvió a dormir. Estaba vencido por el cansancio de cuatro horas de trabajo ininterrumpido.

Jack empezó a maldecir. Pensó en las cosas más desagradables que podía decir y se las gritó a Stephen. Lo volvió a cachetear. Nada lograba vencer esa barrera de fatiga.

Entonces, desde atrás de donde se encontraban, en dirección a su propia trinchera, llegó el sonido de otra explosión. Jack cerró los ojos y se agazapó contra el piso. Esperaba que, impulsada por la fuerza de la explosión, por el túnel se les acercaría una ola de tierra y de llamas.

Stephen estaba despierto.

—¡Santo Dios! ¿Qué fue eso?

A la luz de la lámpara, Jack pudo ver la expresión de ansiedad de Stephen.

—Otra. Atrás, cerca de nuestras líneas. Nos tienen perfectamente marcados.

—¿Y eso qué significa?

—Nada. Debemos tratar de salir.

Lo que realmente significa, pensó Jack, es que ahora al equipo de rescate le resulta imposible llegar hasta adonde estamos. Todo dependía del lugar exacto en que se había producido la segunda explosión.

También significaba que si Stephen hubiera vuelto a la trinchera sin tratar de rescatarlo, ya hacía horas que estaría sano y salvo al aire libre.

—Será mejor que trate de empujar para sacarme —dijo con tono bondadoso—. Le seré más útil entonces que aquí clavado.

Stephen continuó su delicado trabajo y, siguiendo las instrucciones de Jack, armó una especie de carpa de madera sobre sus piernas. Le recordó la construcción que colocaron en el hospital sobre las piernas de ese pobre muchacho lleno de quemaduras. Debía limpiar y edificar al mismo tiempo. Jack lo ayudaba a apartar la tierra que iba sacando.

Mientras trabajaba, Stephen pensó en la segunda explosión y en el daño que podía haber causado. Sintió que se le acercaba la muerte, tan deseada. Pero todavía no estaba en condiciones de aceptarla.

Por fin la tierra que cubría las piernas de Jack disminuyó lo necesario para que Stephen pudiera liberarlo tirando de él. En definitiva, Jack salió como sale el corcho de una botella, a pesar de que lanzó un fuerte grito de dolor cuando la carne herida se arrastró sobre los escombros.

Permaneció tendido y tembloroso sobre el piso del túnel, mientras Stephen trataba de confortarlo. ¡Si sólo hubieran llevado consigo un poco de agua! Al salir a él se le ocurrió que podía resultar útil, pero se suponía que sólo permanecería una hora bajo tierra.

—¿Estás muy mal herido? —preguntó Stephen cuando calculó que Jack estaba en condiciones de hablar.

—Creo que tengo las dos piernas rotas. Y algunas costillas. Tengo un dolor terrible aquí —dijo, tocándose el pecho.

—También tienes una herida en la cabeza. ¿Te duele?

—En realidad, no. Pero me siento débil. Estoy mareado, como si me hubieran pegado.

—Tendré que llevarte alzado —dijo Stephen.

—Sí, es cierto. Como esa vez que yo lo llevé a usted —contestó Jack.

—Te prometo que haré todo lo que pueda por ti. ¿Crees que lograremos salir?

—Depende del lugar donde se haya producido el otro desmoronamiento.

—Pero creo que antes de intentar salir, debo buscar otros sobrevivientes.

—Será mejor que comprenda la situación —dijo Jack—. Esto será difícil. y no habrá ningún otro. Podemos buscar, si quiere, pero yo he visto lo que sucede aquí abajo. Ya es un milagro que hayamos sobrevivido dos.

Stephen se puso la camisa y la chaqueta y cargó a Jack sobre sus hombros. No era un hombre de gran tamaño, pero su peso sobre la espalda de Stephen, sobre todo considerando que él debía avanzar agazapado por el túnel, lo obligaba a detenerse a descansar cada pocos metros. Jack mordía la tela de la chaqueta de Stephen para no gritar.

Regresaron al lugar de la unión con la segunda galería y se sentaron contra la pared. Jack temblaba. Era presa de la fiebre y tenía necesidad de dormir. Stephen respiraba a todo pulmón, jadeaba en el aire cálido y escaso y trataba de cambiar de postura para dar un respiro a los músculos de su espalda.

Cuando hubieron descansado un poco, preguntó:

—¿Por qué lado vinimos? Estoy perdido.

—Es bastante sencillo. Será mejor que se lo explique por si... por si me pierde. Imagine un tenedor de tres dientes. —Jack se esforzaba por ser claro. —El diente del medio lleva a la cámara de escucha del medio. Estábamos en él y a mitad camino cuando se produjo la explosión. Los dos dientes laterales son túneles de combate. Una sección lateral, une los tres dientes en su base. Allí es donde nos encontramos ahora. Aquí fue donde Lorimer nos envió a túneles separados.

Stephen contempló el tubo anónimo bajo tierra, con sus trozos de madera y de greda.

—Para volver —continuó diciendo Jack— debemos proseguir derecho hacia adelante, por el mango del tenedor. A mitad camino es donde nos detuvimos a escuchar. Supongo que recordará que es muy angosto. Después, donde termina la manija del tenedor, donde se encontraría con la mano, está la principal galería lateral. La cruzamos y estaremos muy cerca de la salida.

Se recostó contra la pared, extenuado por la explicación.

—Está bien. Lo comprendí —dijo Stephen—. Te dejaré aquí mientras voy a buscar sobrevivientes en los túneles de combate.

—No es necesario que vaya a ése —dijo Jack, señalando el de la izquierda—. Entraron todos al de la derecha.

—¿Estás seguro? Me sentiría mejor revisando los dos.

Jack respiró entre los dientes cerrados.

—Tiene que comprender. Ya tengo fiebre. Si me deja mucho tiempo solo, no sobreviviré.

Stephen percibió la expresión de angustia de Jack. No era una cuestión de dolor físico: sopesaba su propia vida contra las posibilidades de salvar la de alguno de sus amigos.

—No quiero estar solo demasiado tiempo —agregó.

Stephen tragó con fuerza. Su instinto le indicaba que debía llegar cuanto antes a la entrada del túnel, pero imaginaba lo que podían estar pensando los demás, si hubiera alguno todavía con vida. Estarían suplicando que fuera a salvarlos. No era justo negarles una oportunidad. Y, de todos modos, el rostro azulado de Jack no le infundía demasiadas esperanzas.

Le tomó el brazo.

—Recorreré con mucha rapidez éste, el que está vacío. Después volveré para ver como estás. Y luego le echaré una mirada al otro. Te prometo que no demoraré más de diez minutos en cada túnel. —Buscó en sus bolsillos para ver si encontraba algo que le hiciera más llevadera la espera. Encontró algunos cigarrillos y un pedazo de chocolate.

Al ver los cigarrillos, Jack sonrió.

—No se permite ninguna clase de fuego. Gases. Gracias por el ofrecimiento.

Stephen lo dejó, tomó la lámpara y se internó en el túnel de combate de la izquierda. No estaba tan bien apuntalado como el principal. Se notaban las marcas hechas por los picos cuando lo excavaron. De alguna manera se parecía más a un corredor.

Avanzó con rapidez, agazapado, como había visto avanzar a los mineros. Al llegar al extremo vio las evidencias de la explosión. El derrumbe no era tan grave como el del túnel central, pero se había desmoronado una buena cantidad de tierra. No tenía idea de la longitud original de ese túnel.

Se detuvo un momento. No había peligro. Todo estaba en silencio. Suspiró y se pasó una mano por el pelo. Al comprender que una acción inmediata era imperativa, tomó conciencia de sí mismo y de sus circunstancias. No podía volver hasta estar seguro de que él y Jack eran los únicos sobrevivientes. No tenía importancia que por buscar a otros hombres aumentara su riesgo de morir. Conferiría cierto decoro al hecho de perder la vida por un país por el que habían luchado tanto por proteger.

Volvió a gritar en la oscuridad. Se acercó al derrumbe y apartó un poco de tierra. Acercó la boca a un agujero y volvió a gritar. Los escombros eran tan compactos que el sonido no llegaba a penetrarlos. Cualquier ser viviente que hubiese estado más allá, ya hacía tiempo que debía estar aplastado y muerto.

Se volvió y regresó al lugar donde estaba Jack. Se arrodilló a su lado. Jack tenía los ojos cerrados y por un instante Stephen lo creyó muerto. Le tomó el pulso bajo el puño áspero del uniforme. Tuvo que hundir la punta de los dedos entre los tendones para encontrar un pequeño latido que le indicó que la vida todavía existía.

Le abofeteó la cara con suavidad para que recuperara el conocimiento. Jack se movió y levantó la mirada.

—¡No vuelva a dejarme! —suplicó—. No se vaya. —Lo dijo con un tono duro, pero Stephen pudo percibir lo profundo que era su sentimiento. —No encontrará vivo a nadie —insistió Jack—. En ese túnel fue donde se produjo la explosión principal. Nosotros la recibimos a través de la pared.

Stephen lo miró. Jack estaba dolorido y con miedo de morir, pero no tenía motivos para no creerle. Tenía mucha experiencia como minero.

—Está bien —dijo Stephen—. Trataremos de salir. ¿Te sientes lo suficientemente fuerte? ¿Quieres descansar un poco más?

—Intentémoslo ahora.

Stephen se estiró y luego se volvió a agachar. Alzó la parte superior del cuerpo de Jack hasta apoyarlo sobre su hombro y lo tomó por los muslos con el brazo izquierdo. Lo cargó como habría podido hacerlo con una criatura dormida. Jack sostenía la lámpara por sobre el hombro de Stephen.

A los pocos metros, Stephen tuvo que detenerse. Le resultaba imposible soportar el peso con el brazo derecho herido y el izquierdo, naturalmente débil y cansado después de tanto cavar. Tampoco soportaba el peso de las piernas de Jack y se le caían. Apoyó a Jack contra un costado del túnel y maniobró hasta colocarlo sobre su hombro izquierdo. Si se aferraba a él con ambos brazos, conseguiría avanzar agazapado más o menos diez metros por vez. Pero Jack se desmayaba cada vez que él lo apoyaba contra la pared para descansar, así que después del tercer intento, Stephen decidió descansar arrodillado, con la cara contra el piso de tierra y el cuerpo de Jack todavía sobre la espalda. Cerró los ojos para protegerlos del sudor que le corría por la frente. Maldijo su vida y las astillas que se le clavaban en las rodillas.

Después de una hora de esos lentos avances, llegaron al extremo del túnel. No tenían adónde ir; delante sólo había millares de toneladas de tierra de Francia.

Stephen maldijo a Jack. Quiso hacerlo en una forma casi inaudible, pero las palabras se escaparon de sus labios. Jack se movió sobre sus hombros y Stephen lo depositó en el piso.

—Me has hecho avanzar por un maldito camino equivocado. —Estaba extenuado. Quedó tendido y jadeante, con la cara contra el piso.

Al sentir que lo depositaban sobre el piso, Jack reaccionó del delirio. Sacudió la cabeza y trató de concentrarse.

—Avanzamos derecho, ¿no es cierto? —Miró hacia atrás. Del techo todavía colgaba la lámpara que Evan había colocado allí en el camino de ida.

Era una señal nefasta. Jack volvió a mirar hacia adelante.

—Es el camino correcto —aseguró con suavidad—. No estamos en el final, sino en el lugar donde se produjo la segunda explosión. Estamos a alrededor de veinte metros de la galería principal.

Stephen cerró los ojos y lanzó un quejido. "Ahora la muerte me ha atrapado", pensó; no tendría más remedio que entregarse a ella.

Permanecieron donde estaban cerca de una hora. Ninguno de los dos tenía fuerzas para moverse. Había un solo camino de salida y les estaba cerrado. Pronto Jack moriría a causa de sus heridas; Stephen moriría de hambre y de sed.

A su lado tenía el revólver. Cuando hubiera desaparecido el último rayo de esperanza, dispararía: hacia el paladar para que la bala se introdujera en esa enredada espiral de conciencia y de memoria. La idea de que él mismo completaría lo que ningún enemigo había logrado, tenía un atractivo perverso.

Cuando se acostumbraron a la desesperanza, volvieron a empezar a hablar. Stephen le preguntó a Jack si su compañía trataría de enviar más hombres a rescatarlos.

—No lo creo —contestó Jack—. Aunque lo intentaran, les resultaría difícil remover tanta cantidad de tierra. No tendrían más remedio que volarla y de ese modo correrían el riesgo de que se desmoronara el techo, empeorando la situación. Además, estamos demasiado cerca de nuestro propio frente. Pronunciarán una oración en el servicio religioso del domingo y nos anotarán como desaparecidos.

—No se los puede culpar. La guerra casi ha terminado.

—¿Tiene miedo de morir? —preguntó Jack.

—Creo que sí. —Stephen se sorprendió al oírse decirlo. —Tuve la suerte de no tener miedo cuando estaba arriba, a la intemperie, con excepción de los momentos obvios. Ahora me siento... solo.

—Pero no está solo —le recordó Jack—. Estoy yo aquí. Soy alguien. —Cambió de posición contra los escombros. —¿Cuál es su nombre de pila?

—Stephen.

—¿Puedo llamarlo así? ¿Y tutearlo aunque sea oficial?

—Si quieres.

Hubo una pausa antes de que Jack volviera a hablar.

—Es extraño, ¿verdad? Que yo deba estar contigo en el momento de morir. Que entre toda la gente a quien conozco, deba ser contigo.

—¿Con quién hubieras querido estar? —Stephen se dio cuenta de que el tema le interesaba pese a que lo abrumaba la idea de su propia muerte. —¿Entre todos los seres humanos que has conocido, a quién elegirías para que te tuviera de la mano, para que te abrazara en el principio de la eternidad?

—¿Para estar siempre así con él, quieres decir?

—Sí. Tu otra mitad.

—Mi hijo —contestó Jack.

—Tu hijo. ¿Qué edad tiene?

—Murió hace dos años de difteria. Se llamaba John.

—Lo siento.

—Lo extraño. Lo quería mucho. —En la oscuridad del túnel, de manera inesperada, la voz de Jack se alzó en el lamento que se había negado en el momento de la muerte de John; tan cerca de su propia muerte, se sentía liberado y sin necesidad de contenerse. —Yo quería a ese chico. Quería cada pelo de su cabeza, cada poro de su piel. Habría matado a cualquiera que se hubiera animado a ponerle una mano encima. Mi mundo estaba en su rostro. Cuando él nació, yo ya no era demasiado joven. Y entonces me pregunté qué sentido tenía mi vida hasta que él llegó. Mi vida no era nada. Atesoré cada palabra que él me dijo. Me obligué a recordar cada cosa que él hizo, su manera de volver la cabeza, su manera de hablar. Era como si yo supiera que no duraría mucho. Era un ser de otro mundo, era una bendición demasiado grande para mí.

Stephen no dijo nada y permitió que Jack sollozara en silencio, con la cara enterrada entre las manos. Jack ni siquiera en su dolor parecía un hombre resentido. Su rostro chato y sincero, de ojos pequeños tenía una expresión maravillada, como de incredulidad, como si no pudiera creer que se le hubiera permitido un amor como el de su hijo.

Cuando Jack se tranquilizó, Stephen dijo:

—Hablas casi como si te hubieras enamorado.

—Creo que me enamoré —contestó Jack—. Creo que fue casi así. Él me provocaba celos. Quería que me quisiera. Lo miraba jugar con las mujeres. Me alegraba que se sintiera feliz, pero sabía que en realidad nuestros juegos eran los mejores. Sabía que los mejores momentos, los más puros del mundo, eran los que pasábamos los dos juntos y solos.

Jack habló de la inocencia de su hijo, y de la manera en que esa inocencia lo había cambiado. Como no podía encontrar palabras para explicarlo, empezó a sollozar de nuevo.

Stephen le rodeó los hombros con un brazo.

—Está bien —dijo—. Conseguiré sacarte de aquí. De alguna manera te sacaré, y entonces tendrás otros hijos. John no será el último.

—No. Margaret ya es demasiado vieja. No puede tener más hijos.

—Entonces yo los tendré por ti.

Cuando Jack logró recuperar la compostura, dijo:

—Supongo que tú no habrías elegido morir conmigo a tu lado. No te sirvo de mucho.

—Lo estás haciendo muy bien —dijo Stephen—. ¿Quién sabe? Nuestras propias elecciones tal vez no sean tan buenas como aquellas que se hacen por nosotros. He conocido hombres en quienes confiaría tanto que pondría las manos en el fuego por ellos. Byrne o Douglas. Confiaría en que ellos serían capaces de respirar por mí, de bombear mi sangre con sus corazones.

—¿Eran los seres a quienes más querías? ¿Serían los que habrías elegido?

—¿Para que me acompañaran a morir? No. La única vez que sentí lo que tú describes fue con una mujer.

—¿Te refieres a una amante? —preguntó Jack—. ¿No a alguien de tu propia carne y sangre?

—Creo que ella era un ser de mi propia carne y sangre. Realmente lo creo.

Fue como si Stephen entrara en un trance. Jack no habló. Luego, cuando transcurrieron algunos minutos, trató de levantarse.

—Debemos encontrar un camino para salir de aquí —dijo—. Por la trinchera ya es imposible, así que debemos seguir hacia adelante.

—¿Qué sentido tiene? No hay más que túneles que terminan en un muro.

—Nos daría algo que hacer, en lugar de quedarnos aquí esperando la muerte. Podríamos tratar de hacer ruido. Siempre que puedas volver a cargarme. Sácate el respirador. No es más que una molestia y una carga inútil. Yo también me sacaré el mío. Los dejaremos aquí.

Stephen se arrodilló y ayudó a Jack a subirse a sus espaldas. Trató de ocultar su desesperanza. No cabía duda de que era inútil que volvieran sobre sus pasos; dos de los tres túneles estaban bloqueados. Según Jack, el tercero debía ser el más afectado por la explosión, de modo que no era probable que, como por milagro, los condujera hacia el aire libre y el sol.

A medida que avanzaban con dificultad en la oscuridad, Stephen tuvo la sensación de que había algo frívolo en esa esperanza. Tendrían que enfrentar la muerte y no les quedaba nada mejor que hacer. Sentía que debían dedicar el tiempo a cosas más constructivas; de alguna manera debían prepararse para el fin en lugar de dejarse llevar por vanas esperanzas juveniles.

Pero Jack parecía contento. Cuando llegaron al cruce de la segunda galería lateral, Stephen lo depositó en el piso y se dejó caer a su lado. Jadeaba en su desesperación por llenarse de aire los pulmones. Jack tenía los ojos cerrados, como para sobreponerse al dolor de sus piernas que, como Stephen no pudo menos que notar, despedían un empalagoso olor a sangre.

Al volver a abrir los ojos, Jack sonrió.

—Sólo nos queda una posibilidad. Intentar el tercer diente del tenedor. Adonde fueron esos pobres tipos. Stephen asintió.

—Dame un momento para recuperar el aliento. Supongo que vale la pena que lo intentemos. Por lo menos entonces sabremos…

Dejó la frase en el aire, sin animarse a expresar lo evidente en palabras.

Jack lo hizo por él.

—Que ha llegado el fin.

Ese pensamiento no perturbaba a Jack. Empezaba a darle la bienvenida a la idea de morir. Mientras en su interior ardía un miedo primitivo, el dolor de sus heridas y las ilusiones perdidas de su vida lo llevaban a desear que llegara el final. Seguía queriendo a Margaret y hubiera querido volver a verla, pero ella pertenecía a una existencia distinta de la que él ahora habitaba con tanta no deseada intensidad. Y de todos modos, ella también moriría. Las cosas en las que él depositó su fe demostraron ser inestables. Le arrancaron la inocencia de John, la esperanza de un mundo mejor. Cualquier encuentro que pudiera tener con Margaret y cualquier renacer de amor que pudiera sentir, también resultarían ilusorios. El amor lo había traicionado y él ya no deseaba volver a reunirse con su vida.

En los momentos en que el dolor cedía, se sentía tranquilo. En la oscuridad del túnel, más allá del cuerpo, no había consideraciones; los límites de todo eran lo que ellos hacían con sus manos y piernas y voces. Los esfuerzos musculares de Stephen por salvarlo, la forma en que se sometía al peso de su cuerpo y la inutilidad de todo, le provocaban una sensación de tranquilidad y de justicia.

Llegaron al principio del túnel de la derecha y Stephen tuvo que arrodillarse para avanzar sobre manos y pies a través de la entrada semi destruida. A la luz cada vez más débil de la lámpara, Jack contempló el techo mal apuntalado y criticó en silencio el trabajo de los hombres que lo llevaron a cabo. No era del alto que debía tener un túnel de combate. Muy pronto Stephen tuvo que agazaparse. Después de algunos metros más, debió volver a descansar.

A Jack le parecía que lo sensato sería que Stephen lo dejara mientras él seguía adelante en la esperanza de encontrar el milagro que buscaban, pero Stephen no lo sugirió. Jack tuvo la sensación de que ese hombre estaba lleno de una especie de perversa decisión; cuanto más difícil le resultaba avanzar, más decidido parecía a seguir cargando con él.

En el tercer túnel, la fuerza de la explosión había tomado un curso distinto. Era como si lo hubiera estrechado, succionándolo por los costados. Stephen se arrodilló para poder seguir adelante y colocó a Jack sobre su espalda, donde podía sostener la lámpara que se balanceaba de un lado al otro, arrojando rayos disparejos de luz.

Jack lanzó un grito cuando una mano helada le acarició la cara. Stephen se detuvo y Jack se volvió a mirar. De la pared del túnel sobresalía un brazo. El cuerpo al que pertenecía estaba completamente enterrado detrás.

Siguieron avanzando. Jack vio una pierna y un pantalón que sobresalían de la tierra. Se detuvieron a inspeccionarlo.

—Es Evans —aseguró Jack—. Reconozco su manera de coser el género. Era mi compañero. Trabajábamos juntos.

—Lo siento. Pero ya sabíamos que él había desaparecido, ¿no es cierto?

—No importa —contestó Jack—. Sale ganando al estar fuera de esto. Ahora ya nos hemos ido todos. Shaw, Tyson, Evans, Jones y yo. Todo nuestro grupo.

A medida que avanzaban, Jack perdió su sangre fría. Empezó a temblar y a apartarse de la cara manos imaginarias. Estaba en una galería de fantasmas. Las almas de todos los muertos, sus amigos y sus acompañantes; los espíritus de los hombres a quienes dieron muerte, los cuerpos de alemanes que las grandes minas colocadas por ellos hicieron volar por los aires: todos los muertos innecesarios de esa larga guerra le tocaban la cara con sus manos heladas. Le reprochaban haberlos matado; se burlaban de él por seguir vivo.

Temblaba tanto que Stephen tuvo que depositarlo en el piso. Quedó tendido en la oscuridad sudando y estremeciéndose de miedo, olvidando por el momento el dolor de sus piernas.

—Ahora vamos a morir —dijo. Ya no había compostura en su voz; sólo un miedo tremendo, casi infantil.

Stephen se sentó frente a él con la cabeza apoyada en las manos.

—Sí —contestó—. Creo que éste es el fin.

Jack cerró los ojos y rodó hasta ponerse de costado. Deseó que la fiebre que tanto había luchado por contener, llegara ahora y lo hiciera dormir.

—No me importa morir —dijo Stephen—. Dios sabe que con tantos hombres muertos no podíamos pedir nada mejor. Si pudiera satisfacer un deseo antes de irme de este mundo, sería beber un poquito de agua. Lo único que me mantiene en marcha es pensar en arroyos y en estanques y en canillas de agua.

Jack empezó a gemir con suavidad. Era un sonido que Stephen había oído muchas veces, el grito sordo y primitivo que él mismo lanzó cuando lo llevaron a cirugía. Jack llamaba a su madre.

Stephen palpó el cuerpo tembloroso de Jack y su camisa empapada. No tenía nada seco con qué cubrirlo; su propia ropa estaba igualmente traspirada por el esfuerzo de cavar y de cargar a su compañero de desventuras. Trató de acomodar a Jack para que estuviera lo más cómodo posible y luego lo dejó y se alejó arrastrándose por el túnel.

Quería estar solo. Esperaba encontrar un lugar donde poder acostarse. Después trataría de dormir con la esperanza de no volver a despertar.

Siguió arrastrándose hacia adelante hasta llegar a una zona más amplia, un espacio tal vez formado por la explosión. Se puso de costado y levantó las rodillas hasta el pecho. Oró pidiendo perdón y olvido y, a pesar del dolor del brazo, se quedó dormido.

Durante muchas horas ambos hombres permanecieron tendidos, separados por unos pocos metros, cada uno en su propia inconsciencia.

Cuando Stephen despertó, el olor a humedad y la oscuridad lo hicieron creer que se encontraba en su refugio. Entonces se estiró y tocó los límites de su angosta tumba. La lámpara se había apagado.

Al recordar, lanzó un grito suave. Movió el brazo herido y, al buscar algo de qué agarrarse con la mano izquierda para erguirse, tocó lo que parecía una tela.

Retrocedió pensando que, igual que Jack, acababa de encontrar un cadáver, un cadáver tétrico junto a quien, sin saberlo, estuvo tendido durante horas. Pero el género era aún más rústico que el de los uniformes militares. Metió la mano en el bolsillo en busca de la linterna que le entregaron en la cabecera del túnel. A su luz débil exploró el material con los dedos. Era una bolsa de arena.

Se sentó y la tironeó. Tuvo que apoyar las piernas contra la pared del túnel para conseguir moverla. Por fin pudo acercarla algunos centímetros hacia él. Vio otra detrás de ésa. Una parte de la pared parecía construida con bolsas de arena. Estaban colocadas con demasiada prolijidad y demasiado apretadas para haber sido voladas hasta allí por la explosión, de manera que lo presumible era que los mineros las hubieran colocado en alguna etapa del trabajo.

En su experiencia, las bolsas de arena tenían una sola utilidad: absorber la descarga de explosiones o de balas. Supuso que consideraron que ese lugar del túnel era particularmente vulnerable. De ser así, debían conocer la existencia de una mina enemiga en las inmediaciones. Pero en ese caso, ¿por qué siguieron trabajando allí? Se lo tendría que preguntar a Jack.

En el fondo se le ocurría que tal vez hubiera algo detrás de esas bolsas. Aunque era probable que estuvieran allí para brindar una mayor protección, también existía la posibilidad que condujeran a otro túnel. De ser así ¿cómo era posible que Jack lo ignorara?

Stephen se arrastró hasta el lugar donde había dejado a Jack. Lo encontró doblado sobre sí mismo y temblando. Lo tomó por el hombro y trató de sacudirlo para que despertara. Jack gritaba incoherencias. Stephen tuvo la impresión de que decía algo acerca de un escudo.

Poco a poco, consiguió que volviera en sí. Lo meció con suavidad y lo llamó por su nombre. Sabía que era una crueldad hacerlo volver a la realidad de su existencia y que cualquier delirio hubiese sido preferible.

Jack levantó la vista para dirigirle una mirada implorante, como pidiéndole que no desapareciera. Stephen sabía que para Jack, su rostro era una manera de recordar que todavía estaba vivo.

—Escucha —dijo—. Allá arriba encontré una bolsa de arena. ¿Qué crees que significa?

—¿Una bolsa llena de arena?

—Sí.

Jack meneó la cabeza con debilidad. No contestó. Stephen le tomó las muñecas y las apretó. Acercó su cara a la de él y pudo apreciar el aire putrefacto que expelía de los pulmones.

—¿Es sólo para reforzar la pared, o qué? ¿Ustedes para qué las usan? ¡Vamos! Contéstame. Di algo. —Ese espacio tan pequeño magnificó la explosión de la cachetada que le propinó a Jack.

—No sé… No sé… No es más que una bolsa. Acostumbrábamos a llenarlas cuando cavábamos el subterráneo. El Central Line. Recién nos detuvimos al llegar a la estación Bank.

—¡Escucha, por amor de Dios! ¿Para qué poner bolsas de arena contra la pared? No en el subterráneo de Londres sino aquí, en Francia, en la guerra.

—En 1912 llegamos a la calle Liverpool. A partir de entonces no volví a trabajar.

Jack siguió hablando sobre su trabajo en el subterráneo de Londres. Stephen le soltó las muñecas y sus brazos cayeron sobre las piernas sin vida. El dolor del impacto sobresaltó a Jack.

Volvió a levantar la vista con una mirada salvaje.

—Detrás de la cámara. Las poníamos detrás de la carga.

—Pero éste es un túnel de combate —dijo Stephen—. Y de todos modos están colocadas de una manera transversal.

Jack lanzó un bufido.

—¿Transversal? ¡Estás loco!

Stephen volvió a levantar las manos de Jack.

—Escucha, Jack. Tal vez esté loco. Quizás los dos estemos locos. Pero muy pronto moriremos. Antes de irte, te pido que pienses. Hazlo por mí. Te he cargado hasta aquí. Ahora te pido que me hagas ese favor. Piensa en el significado que pueden tener esas bolsas.

Mantuvo la mirada fija en los ojos de Jack que iluminaba con la poca luz que quedaba en la linterna. Alcanzaba a notar que Jack luchaba por librarse de él, desesperado por deshacerse de ese último contacto con el mundo de los vivos. Jack meneó la cabeza, o más bien permitió que se le moviera de lado a lado. Cerró los ojos y se recostó contra la pared del túnel.

Tenía baba y espuma en las comisuras de los labios. Su rostro inexpresivo y carente de emociones parecía demostrar que se había internado más profundamente dentro de sí mismo. Pero de repente en sus ojos apareció un pequeño resplandor.

—A menos que… no… a menos que sean los Kiwis. Pueden haber sido los Kiwis.

—¿De qué estás hablando? ¿Kiwis? ¿Qué quieres decir con eso?

—Ellos apilan las bolsas de una manera distinta. Hablo de los neozelandeses. Nosotros las colocamos en una línea recta detrás de la carga.

Ellos cavan una especie de camino en ángulo recto con el túnel principal y colocan allí la carga. De esa manera no hacen falta tantas bolsas de arena.

—No comprendo. ¿Quieres decir que no colocan la carga en el túnel principal sino a un lado?

—Así es. Dicen que logran una mejor compresión. Pero si me lo preguntas, te diré que es porque resulta menos trabajoso. No tienen que cargar tantas bolsas.

Stephen trató de contener su excitación.

—¿Estás diciendo que tal vez haya explosivos allí dentro, detrás de las bolsas de arena?

Por fin Jack lo miró a los ojos.

—Es posible. En la actualidad nosotros no bajamos tan seguido y sé que antes de nuestra llegada hubo aquí una compañía de Kiwis.

—¿Me quieres decir que no les dijeron que había una cámara de explosivos?

—Se lo deben haber dicho al capitán, pero él no necesariamente tenía que decírmelo a mí. Nunca me dicen nada. Desde nuestra llegada, sólo he bajado dos veces.

—Entonces, como ya no vamos a hacer volar más minas, simplemente lo hemos estado usando como un túnel de combate para proteger la cámara de escucha.

—Hace meses que no volamos una mina. Hoy en día lo único que hacemos son fajinas.

—Está bien. Supón que haya explosivos en esa cámara, detrás de las bolsas. ¿Podríamos volarlos?

—Nos harían falta alambres y un detonador. Y depende de la cantidad de explosivos que haya. Posiblemente haríamos volar la mitad del país.

—No podemos intentar nada más, ¿no es cierto?

Jack volvió a bajar la vista.

—Lo único que quiero es morir en paz.

Stephen se arrodilló y lo colocó en una postura más erguida, luego lo cargó sobre sus hombros y, con la linterna entre los dientes, comenzó a avanzar a los tropezones de regreso a la oscuridad. Una nueva energía lo hacía olvidar el dolor del cuerpo y el peso de Jack, y hasta la sed torturante.

Cuando llegaron a la zona más amplia donde estaban las bolsas de arena, volvió a depositar a Jack en el piso. Deseaba desesperadamente que sobreviviera para que le pudiera indicar como hacer volar la carga.

Cada bolsa de arena medía noventa centímetros de largo por sesenta de ancho. Habían sido encastradas con fuerza con los desechos de la excavación, a fin de aumentar las posibilidades de contener la explosión. Con una sola mano sana para tironearlas, Stephen trabajaba con mucha lentitud y debía descansar después de arrastrar quince centímetros una bolsa.

Mientras trabajaba conversaba con Jack, con la esperanza de que el sonido de su voz impidiera que él se deslizara al otro mundo. Pero la figura hecha un nudo en el piso no le respondía. Y a pesar de que el progreso podía medirse en centímetros, Stephen trabajaba con la furia que le infundía la esperanza. Tenía en la cabeza la imagen de un enorme cráter que se abría en el campo encima de su cabeza y de él y Jack emergiendo desde su refugio detrás de las bolsas de arena para caminar hacia él. Y a pesar de que el fondo del cráter se encontraría como a nueve metros de la superficie, por lo menos estaría abierto a la lluvia y al aire.

De vez en cuanto lograba ponerse de pie en la zona ampliada del túnel para estirar la espalda. Cada vez que descansaba se inclinaba sobre Jack y trataba de hacerlo volver en sí. Por lo general obtenía alguna respuesta, aunque fuese incoherente y a regañadientes; parecía haber vuelto a caer en el delirio.

Stephen volvió al trabajo. Apagó la linterna y trabajó en la oscuridad. Cuando logró retirar una docena de bolsas y apilarlas en el túnel principal, todo empezó a resultarle más fácil, porque tenía más lugar a su alrededor. Tuvo ganas de detenerse para comprobar si Jack seguía bien, pero temía que cuanto más tiempo demorara en sacar las bolsas, más se acercarían al fin de la vida de Jack.

Se apresuró. Cuando su mano izquierda no tenía la fuerza necesaria, tomaba el nudo de la bolsa entre los dientes y la arrastraba como un perro terrier. Un trozo de tiza le rompió uno de los dientes delanteros y se le clavó en la encía, llenándole la boca de sangre. Casi ni se dio cuenta del dolor mientras seguía trabajando. Por fin llegó al final de la pila de bolsas tan cuidadosamente colocadas por los zapadores neozelandeses.

Volvió al túnel y tomó la linterna que estaba sobre el piso. Se arrastró por el espacio que había hecho y mantuvo la luz en alto. Vio varias cajas marcadas con etiquetas que decían "Peligro. Explosivos. Nitrato de Amonio-Aluminio". Estaban apiladas contra la pared del extremo de la cámara, en dirección al enemigo.

Lo recorrió una pequeña oleada de excitación. Se detuvo un instante y se dio cuenta de que tenía los ojos húmedos. Se permitió dejarse llevar por la esperanza. Sería libre.

Retrocedió con cuidado y tomó la mano de Jack.

—Despierta —dijo—. Ya terminé. Encontré los explosivos. Podremos salir. Seremos libres. Viviremos.

Jack abrió los ojos, con sus pesados párpados y lo miró inexpresivo.

—Entonces ¿qué hay allí adentro?

—Cajas de amonal.

—¿Cuántas?

—No las conté. Tal vez sean doscientas.

Jack lanzó un bufido. Empezó a reír, pero fue como si le faltaran fuerzas.

—Eso significa que son más de cinco mil kilos. Con cuatrocientos gramos se puede volar una casa.

—Entonces tendremos que sacar las cajas y dejar sólo las que sean necesarias.

—Una caja les avisaría que estamos aquí.

—¡Ayúdame, Jack!

—No puedo. No puedo mover las...

—Ya sé. Te pido que me alientes. Que me digas que se puede hacer.

—Está bien. Hazlo. Tal vez puedas. Eres lo suficientemente loco.

Después de descansar media hora, Stephen volvió a arrastrase hasta el agujero.

Las cajas de madera tenían manijas de soga. Con veinticinco kilos cada una, eran del peso ideal para que un hombre con los dos brazos sanos las alzara y las apilara. Pero pudiendo sólo usar el brazo izquierdo, la tarea de Stephen fue dura. Tenía que retirar de un solo tirón las de la parte superior de la pila, y luego sostenerlas en alto para impedir que golpearan contra el piso.

Después de una hora de trabajo, había sacado seis cajas llevándolas al túnel de combate y a una distancia desde donde calculó que estarían a salvo de la detonación. Sacó el reloj y calculó. Demoraría aproximadamente treinta horas en terminar. A medida que se cansara y deshidratara cada vez más, sus descansos tendrían que ser más largos. Sería necesario que durmiera.

Miró a Jack que yacía postrado en el piso del túnel y se preguntó si realmente valdría la pena tanto esfuerzo. Era probable que Jack muriera antes de que él lograra terminar. Tampoco estaba seguro del tiempo que él mismo podía durar. Por lo menos había encontrado algo de aire en la cámara de los explosivos. No era ni fresco ni abundante, pero por alguna parte penetraba un hilo de aire. Cabía la posibilidad de que la explosión hubiera roto un caño de ventilación. En un rincón del piso encontró un pequeño charco de agua que chupó, mantuvo dentro de la boca y volvió a escupir. Era demasiado fétido para que lo tragara y, de todos modos, volvería a necesitarlo.

En el medio de las cajas había un gran fajo de fulmicotón, que Stephen hizo a un lado para conservarlo. Después de mover cuarenta cajas, se tendió junto a Jack y se durmió. Su reloj marcaba las dos y diez pero él ignoraba si sería de madrugada o de tarde ni cuánto hacía que estaban bajo tierra.

Usaba la linterna lo menos posible. Trabajaba con el instinto de un animal, brutal, estúpido, ciego. No pensaba en lo que hacía ni en por qué lo hacía. Su vida en la superficie de la tierra estaba cerrada para él. No habría podido recordar a Gray o a Weir, ni los nombres de Isabelle o de Jeanne. Todo eso había pasado a su inconsciente y en ese momento lo que vivía se parecía a un sueño bestial.

A veces tropezaba con Jack al pasar, otras le propinaba un puntapié lo suficientemente fuerte como para que él respondiera. De vez en cuando se dejaba caer de rodillas y chupaba el charco del piso.

Cuando se acercaba al fin de su tarea empezó a temer que moriría antes de poder completarla. Empezó a trabajar con más lentitud y a descansar más. Se tomaba el pulso.

Demoró tres días en terminar de mover las cajas y cuando terminó estaba demasiado extenuado para pensar siquiera en la posibilidad de hacer explotar la última que quedaba. Se tendió en el piso y durmió. Al despertar se volvió a inclinar sobre Jack y le iluminó la cara con la linterna. Tenía los ojos abiertos y la mirada fija. Stephen lo sacudió, convencido de que estaba muerto. Jack gimió, como protestando por haber sido obligado a recuperar la conciencia.

Stephen le dijo que había terminado de sacar las cajas de la cámara. Para alentarlo, se arrastró hasta la cámara, tomó un poco de agua del charco entre las manos, lo llevó de vuelta con cuidado y lo arrojó a la cara de Jack.

—Explícame cómo hacer volar esos explosivos y tendrás toda el agua que quieras.

La voz de Jack era casi inaudible. Stephen tuvo que apoyar una oreja contra sus labios resecos. Jack le dijo que utilizaban conductores eléctricos.

—¿Lo podría hacer con una mecha? —preguntó Stephen.

—Siempre que puedas fabricar alguna. Tiene que ser larga. Para que no nos afecte la explosión.

—¿Y si utilizara la arpillera de las bolsas de arena? Podría romperlas en tiras y después unirlas.

—Si están secas, sí. Pero no dará resultado sin un detonador. El amonal arde, pero no explota si no se lo hace detonar con fulmicotón.

Stephen bajó al lugar donde había apilado las bolsas. Estaban razonablemente secas. Volvió al lugar donde había dejado su casaca y sacó del bolsillo el cortaplumas y una caja de fósforos. Cortó la punta de una bolsa y la vació, luego le acercó un fósforo. La parte del nudo ardió enseguida pero el resto se quemó con mucha lentitud. No se podía confiar en eso.

—¿Y si abro una caja de amonal y voy dejando un pequeño rastro de pólvora en el piso? ¿Eso ayudaría?

Jack sonrió.

—Ten cuidado.

—¿A qué distancia conviene que estemos?

—A noventa metros. Detrás de una pared sólida. Y la explosión larga gas. Tendrás que ir a buscar nuestras máscaras antigás.

Stephen calculó el tiempo que demoraría en cortar y atar noventa metros de arpillera de las bolsas de arena. Era imposible. No podía usar el fulmicotón porque sin él el amoral no detonaría. No le quedaba más remedio que dejar un rastro de explosivo.

Ante todo llevó a Jack por el túnel de combate hasta la galería lateral.

Lo colocó a algunos metros de distancia, cerca del túnel de combate de la izquierda, donde juzgó que estaría mejor protegido. Fue en busca de las máscaras antigás que habían dejado en el lugar de la segunda explosión y se las devolvió a Jack.

Después levantó con cuidado la tapa de una caja de amonal, utilizando primero la hoja del cortaplumas, luego el mango. Sacó manojos de ese polvo gris y lo fue metiendo en una bolsa hasta que ésta le resultó pesada. La llevó a la cámara de los explosivos y volcó una cantidad contra el fulmicotón que colocó dentro de la caja que quedaba. Después fue dejando un hilo de amonal de alrededor de cinco centímetros de ancho desde allí hasta el túnel de combate. Para entonces la bolsa estaba vacía y tuvo que volver a llenarla. Luego regresó al punto donde había dejado y continuó. Tuvo que volver a llenar la bolsa dos veces antes de llegar al lugar donde había apilado el resto del amonal. Una vez allí alejó todo lo que pudo el rastro de amonal que estaba preparando. Era un riesgo que no tenía más remedio que correr: le resultaba imposible volver a mover todas esas cajas. Interrumpió el rastro de polvo en el medio de la galería lateral. Entonces vació y cortó seis bolsas de arena para preparar una mecha que llegara desde donde él estaba hasta el principio del amonal.

Se sentó junto a Jack. Le colocó la máscara antigás y luego se puso la suya. Una esperanza absurda le hizo latir apresuradamente el corazón.

—Ya está —anunció—. Lo voy a volar.

Como Jack no contestó, Stephen se encaminó a la galería y se arrodilló en el extremo de la mecha de alrededor de nueve metros fabricada con la arpillera de las bolsas de arena. Tenía ganas de verla arder hasta llegar al amoral; entonces sabría que todo andaría bien.

Se detuvo un instante y trató de encontrar algún pensamiento u oración que resultara apropiado para el fin de su vida, pero estaba demasiado ansioso y tenía la mente agotada.

Encendió un fósforo y lo miró arder. No se le cruzó ningún pensamiento de cautela ni de miedo. Tocó la arpillera con el fósforo y vio que se prendía. El corazón le saltó dentro del pecho; quería vivir. Y se largó a reír, barbudo y con ojos de loco, como un ermitaño en su cueva.

La arpillera chisporroteó, se encendió, estuvo a punto de apagarse y se volvió a encender. Siguió ardiendo hasta llegar casi a un metro ochenta del extremo, después pareció apagarse. Stephen lanzó una maldición. Aferró la linterna. ¡Por amor de Dios! De la mecha voló una chispa. Entró en contacto con el amonal y Stephen vio una columna de fuego que se alzaba hasta el techo del túnel. Se volvió y corrió hasta donde estaba Jack, pero antes de llegar una explosión lo arrojó hacia adelante, mientras destrozaba túneles, paredes y tierra y hacía volar los escombros hacia el aire, por encima de la tierra.

• • •

La fuerza de la explosión hizo tambalear el teniente Levi en la trinchera donde estaba comiendo sopa de arvejas con salchichas y pan, un alimento que llegó a sus manos después de viajar centenares de kilómetros desde Sajonia.

Hacía tres días que soportaban un bombardeo británico que se centraba en la línea del frente y que, presumiblemente, presagiaba un gran ataque. Levi se preguntaba cuanto demoraría en poder reanudar su práctica médica de épocas de paz en Hamburgo donde había comenzado a hacerse famoso como pediatra. Se resistió todo el tiempo posible a alistarse en el ejército, pero la enorme pérdida de vidas infligida a su país lo tornó inevitable. Dejó a sus pequeños pacientes en el hospital y volvió a su casa a despedirse de su mujer.

—No quiero luchar contra los franceses —le dijo—, y sobre todo, no quiero luchar contra los ingleses. Pero éste es mi país y nuestro hogar. Debo cumplir con mi deber.

Ella le dio una estrella de David, pequeña y de oro, que desde hacía generaciones estaba en su familia, y se la colgó de una cadena alrededor del cuello. No fueron sólo los judíos los que lamentaron el alejamiento del doctor Levi: en la estación se reunió una pequeña multitud para despedirlo.

Considerando que la ofensiva alemana de primavera había sido detenida y el enemigo, ahora reforzado por los norteamericanos, movía innumerables tanques hasta su línea de fuego, Levi suponía que, con el bombardeo de ese momento, en pocas semanas más se podría reunir con su mujer. La pequeña vergüenza que le provocaba la perspectiva de una derrota alemana, era menor que el placer que le provocaba la posibilidad de la paz.

—¿En la vida civil usted es médico, ¿no es cierto, Levi? —dijo el comandante de su compañía cuando comenzó a disminuir el impacto de la explosión de amonal.

—Soy pediatra, pero...

—Es lo mismo. Será mejor que vaya a echar una mirada. Allá abajo tenemos una patrulla. Lleve consigo a dos hombres. A Kroger y a Lamm. Son los que más lo podrán ayudar. Conocen al dedillo todos los túneles.

—Por lo general siempre hay dos explosiones, ¿no es cierto? ¿No le parece que sería mejor esperar?

—Espere una hora. Después, baje.

Treinta minutos después Kroger y Lamm se presentaron ante él. Kroger era un hombre refinado e inteligente que en varias oportunidades se negó a recibir ascensos. Provenía de una buena familia, pero tenía principios acerca de la justicia social. Lamm era descendiente de gente más sencilla, bávaros, y era un apuesto minero de pelo oscuro y temperamento imperturbable.

Llevaron máscaras antigás por si la explosión había liberado gas bajo tierra, y también picos, sogas y otros equipos que Lamm consideraba podían serles de utilidad. Lamm además llevó consigo una pequeña cantidad de explosivos.

—¿Cuántos de nuestros hombres estaban allá abajo? —preguntó Levi.

—Tres —contestó Lamm—. Bajaron en una patrulla de rutina para escuchar la actividad enemiga.

—Creí que hace tres o cuatro días habíamos destruido los túneles enemigos

—Es probable que lo hayamos logrado. Escuchamos para saber cuándo van a atacar. No creemos que puedan reparar sus propios túneles. Los hicimos volar en dos lugares. Ni siquiera nos oyeron llegar.

—Vamos, ¿quieren? —los apuró Kroger—. Preferiría estar bajo tierra que sentado bajo este bombardeo.

Los proyectiles pasaban ululantes sobre sus cabezas e iban a detonar en las líneas de apoyo, detrás de ellos. Levi los siguió por un declive que lentamente los condujo a nueve metros bajo el nivel de tierra firme. Aunque se sentía seguro, allí donde los proyectiles no podían alcanzarlo, no le entusiasmaba la idea de quedar encerrado bajo tierra. Llevaban consigo comida y agua suficiente para que les durara tres días, de manera que se suponía que sería un operativo largo.

Durante diez minutos caminaron por la galería principal. Tenía luz eléctrica en el techo, a pesar de que el circuito había sido cortado por la explosión. Era un sistema construido con considerable cuidado y precisión. Lamm y Kroger cantaban mientras caminaban. Los túneles seguían un plan similar al de los británicos, aunque la principal galería lateral de los alemanes se conectaba con el sistema de cloacas de la ciudad más cercana. El puesto de escucha construido cerca de las líneas británicas estaba protegido por un único túnel de combate que corría más o menos tres metros por encima de los túneles británicos; desde allí pudieron cavar hacia abajo y colocar las dos cargas con las que consiguieron inutilizar la mayor parte del sistema enemigo.

Cuando aún no habían avanzado demasiado por el túnel central, se encontraron con un importante bloqueo. Levi se sentó mientras Lamm y Kroger lo investigaban con sus picos. Se le acababa de ocurrir un pensamiento terrible. Su hermano, un ingeniero que militaba en la misma compañía que él, le había dicho que en algún momento pensaba bajar a inspeccionar el sistema para estar seguro de haber logrado clausurar por completo el túnel británico. Él no bajaba con frecuencia, pero a menudo inspeccionaba las obras nuevas. Hacía tres días que Levi no lo veía, cosa bastante habitual puesto que las tareas de ambos eran completamente distintas, y aunque Levi no sabía con seguridad si él formaba parte de la patrulla que bajó, tampoco sabía si no sería uno de ellos.

—Es un bloqueo muy grande —dijo Lamm—. Lo mejor que podemos hacer es dejarlo por el momento e ir a ver lo que ha sucedido con el túnel de combate. Si es necesario, volveremos.

—¿Saben quiénes componían la patrulla? —preguntó Levi.

—No —contestó Lamm—. ¿Usted sí?

—No. Sólo se que eran tres. Me pregunto si uno de ellos no será mi hermano.

—En ese caso estoy seguro de que el comandante se lo hubiera dicho.

—Lo dudo —contestó Levi—. Tiene otras cosas en qué pensar. Debe organizar una retirada completa.

—Entonces sólo nos queda esperar que él no haya formado parte de la patrulla —dijo Kroger—. De todos modos, a lo mejor están todos con vida y siguen adelante con su trabajo.

Lamm parecía dudar mientras metía el pico en el lazo que llevaba en un costado de la mochila y retrocedía hacia el principio del túnel. Cruzaron la angosta entrada al túnel de combate y avanzaron. Era más angosto y más oscuro que el anterior y en algunas partes debían caminar agazapados hasta llegar a los lugares donde el techo había sido elevado y cubierto de soportes de madera, de acuerdo con las pautas que debían seguir los zapadores.

Cuarenta y cinco metros más adelante se encontraron con una montaña de escombros. La explosión había hecho volar hacia afuera las paredes del túnel, alargando su circunferencia pero sin llenar todo el espacio de tierra y arcilla. Los tres alemanes se miraron, dubitativos.

—Ha volado directamente hasta el túnel principal —dijo Lamm—. Estamos en la zona misma de la explosión.

—Lo que no entiendo —dijo Levi—, es quien provocó esta explosión. Creí que los habíamos anulado y no es posible que hayamos sido nosotros, ¿verdad?

—Yo supongo que debe haber sido un accidente —dijo Kroger—. Aquí abajo había una carga que no usamos contra el túnel británico. La dejamos atrás y debe haber detonado. Los explosivos son siempre inestables.

—La otra posibilidad —acotó Lamm—, es que se trate de una acción del enemigo.

—¿Pero como iban a utilizar los túneles con tanta rapidez si les volamos todo el sistema? —preguntó Levi.

—Porque no volvieron a entrar sino que nunca salieron. No tenemos idea de la cantidad de hombres que tenían allá abajo cuando detonamos las cargas. Es posible que algunos hayan sobrevivido.

—Pero en ese caso ya se habrían sofocado.

—No necesariamente —dijo Lamm—. Tienen caños de ventilación. Probablemente hayan quedado desechos, pero pueden haber quedado bolsillos de aire o entradas de aire de la superficie. Uno de los nuestros sobrevivió ocho días con sólo una botella de agua.

—¡Dios! —Levi estaba espantado. —De modo que detrás de estos escombros no sólo podría haber tres de los nuestros, muertos o vivos, sino un número desconocido de ingleses, armados con explosivos, viviendo en agujeros o bolsillos de aire como, como...

—Como ratas —dijo Lamm, completando la frase.

Comenzaron a atacar la obstrucción con los picos. Dos de ellos trabajaban mientras el tercero descansaba o limpiaba los escombros y la tierra que habían sido retirados. Lograron trabajar durante cinco horas antes de que los tres cayeran extenuados. Bebieron la menor cantidad de agua posible y comieron algunas galletas y un poco de carne seca.

El hermano menor de Levi se llamaba Joseph. Había sido el chico inteligente del colegio, el que siempre ganaba premios por sus conocimientos de latín o de matemáticas. Después ingresó en la facultad de Heidelberg con idea de llegar a ser científico. Egresó con un doctorado y recibió innumerables ofertas de trabajo de firmas privadas y del mismo gobierno. A Levi le resultaba difícil conciliar ese personaje laureado y que desdeñaba a todos aquellos que querían cubrirlo con sus favores, con el chico decidido, asmático y sobre todo, cómico de su infancia. En esa época, Joseph competía con denuedo con su hermano mayor, pero por la diferencia de edad entre ambos, por lo general resultaba vencido. Desde el momento del nacimiento de Joseph, Levi sintió una gran ternura por él, sobre todo porque era el producto de los que más amaba en el mundo: sus padres. Estaba ansioso por lograr que Joseph aprendiera con rapidez todo lo que convertía a sus padres en seres importantes, así como la manera admirable que tenían de hacer las cosas. Su mayor temor era que, de alguna manera, Joseph no comprendiera el honor de la familia o que los desilusionara. Por lo tanto no sintió celos sino placer cuando los premios ganados por Joseph le valieron el reconocimiento público que su hermano estaba convencido que merecía.

A veces su hermano menor lo exasperaba con lo que Levi consideraba su tozudez. En vista de que tenían tanto en común, le parecía innecesario que Joseph no siguiera los pasos de su hermano mayor en todo, sino que tomara decisiones distintas, cultivara distintos gustos, casi como por perversidad. Estaba convencido de que lo hacía para mortificarlo, pero no permitía que ello destruyera el cariño que le tenía al muchacho. Se entrenó para que su irritación no le impidiera protegerlo.

De alguna manera sería característico de Joseph que hubiera bajado a ese túnel angosto justo en el momento en que detonó la explosión. Mientras clavaba el pico en el muro formado por el derrumbe, Levi tenía en la mente una imagen clara de la cara pálida y extrañamente inexpresiva de Joseph, tendido con los ojos cerrados, destrozado por el peso del mundo que acababa de caer sobre su pecho asmático.

En las pausas que hacían en su trabajo, alcanzaban a oír el ruido del bombardeo que continuaba en la superficie de la tierra.

—El ataque se debe estar acercando —comentó Kroger.

—Nunca vamos a poder atravesar esto —dijo Lamm—. Por el ruido que hacen los picos uno se da cuenta de lo grande que ha sido el desmoronamiento. Tendré que tratar de volarlo.

—Conseguirás que se desmorone el techo —contestó Kroger—. Mira.

—Utilizaré una carga muy pequeña y la apretaré bien para que la explosión detone hacia el lado que nos conviene. No se preocupen, nosotros nos alejaremos y estaremos fuera del camino. ¿Qué les parece?

—Está bien —dijo Levi—. Si no queda más remedio... Pero ten cuidado. Utiliza la carga más pequeña posible. Siempre podemos volver a intentarlo.

No quería que Joseph muriera a causa de un derrumbe provocado por sus propios compañeros.

Lamm tardó dos horas más en excavar el tipo de orificio que necesitaba. Preparó la carga y extendió la mecha hasta la parte superior del declive que llevaba a la superficie. La unió con el detonador que habían dejado allí y, una vez que Levi y Kroger estuvieron a salvo detrás de él, hundió la manija.

En su angosta tumba donde un orificio no mayor que el ancho de una aguja de tejer hacía entrar aire pero no luz, el ruido reverberó en los oídos de Stephen. Lo recorrió una oleada de esperanza. Se acercaba el equipo de rescate. La antigua compañía de Weir no les fallaría: demoraron, pero ya se hallaban en camino. Se movió un poco, aunque casi no había lugar para maniobrar en el espacio que les quedaba. A un costado de su cabeza estaba el sólido muro de greda que los separaba de lo que pudiera quedar del túnel principal. Era lo único que lo podía orientar: el resto de la tierra había sido desplazada por la explosión y los mantenía atrapados por todos los costados.

—¿Todavía estás allí, Jack? —preguntó. Estiró una pierna y palpó el hombro de Jack debajo de su bota. Oyó un débil gemido.

Trató de hacerlo reaccionar hablándole.

—¿Odias a los alemanes? —preguntó—. ¿Odias todo lo que se refiera a ellos y a su país?

Desde el momento de la explosión, Jack no había estado nunca del todo consciente.

Stephen intentó provocarlo.

—Dieron muerte a tus amigos. ¿No te gustaría seguir vivo para verlos vencidos? ¿No quieres verlos retroceder, humillados? ¿No te gustaría entrar en Alemania rodando en uno de nuestros tanques? ¿No te gustaría ver a sus mujeres mirándote con admiración y con miedo?

Jack no contestó. Mientras él siguiera con vida, Stephen tendría la sensación de que les quedaba una esperanza. Si lo dejaban solo, sin poder simular que trataba de ayudar a alguien más, se dejaría llevar por la desesperanza que, en todo caso, ya debería haber hecho presa de él.

No sabía con seguridad de dónde les llegaba el aire, pero la parte superior del espacio en que estaban era algo respirable. Cada tanto cambiaba de lugar con Jack para que pudieran compartir el poco de aire que entraba. Supuso que algún caño que se conectaba con la superficie debía haber sido doblado por alguna de las explosiones y seguía llevándoles una pequeña pero vital corriente de aire.

Lo que más le preocupaba era la oscuridad. Desde la explosión no veían nada. La linterna le fue arrancada de la mano y quedó deshecha. Al principio estaban cubiertos de tierra, pero poco a poco consiguieron retirarla. El espacio en que estaban tendidos tendría alrededor de cuatro metros cincuenta de largo y no era más ancho que los brazos extendidos de un hombre. Cuando por primera vez comprobó el tamaño de esa tumba, Stephen gritó de desesperación.

Lo más lógico sería permanecer tendidos y quietos y esperar la llegada de la muerte. Mientras cavaba, en algún momento perdió la camisa, la chaqueta, el cinturón y la pistola que llevaba en él. Todavía conservaba puestos los pantalones y las botas, pero no tenía manera de matarse, a menos que sacara el cortaplumas del bolsillo y se lo clavara en alguna arteria.

Lo abrió en la oscuridad y apoyó la hoja contra su cuello. Disfrutó del contacto de esa hoja, escrupulosamente afilada. Encontró el pulso que iba del cerebro al cuerpo y que latía en silencio bajo su piel. Estaba decidido a hacerlo, a terminar con ese pánico de estar enterrado vivo.

Ese pulso pequeño latió contra la punta de los dedos de su mano derecha. Ignoraba las circunstancias en que él se encontraba. Había latido cuando era niño y corría por el campo y cuando era joven y trabajaba; ese pulso invariable no establecía diferencias entre las distintas circunstancias que vivía con tanta convicción y claridad. Le impresionó su fiel indiferencia hacia todo lo que no fuera su propio ritmo.

—¿Me oyes, Jack? Quiero hablarte de los alemanes y de lo que los odio. Te voy a decir por qué debes seguir viviendo.

No hubo respuesta.

—Jack, es necesario que quieras vivir. Debes tener fe.

Stephen tironeó el cuerpo de Jack para acercarlo al suyo. Sabía que le resultaría doloroso que lo arrastrara.

—¿Por qué no quieres vivir? —preguntó—. ¿Por qué no lo intentas?

El dolor volvió a Jack a una semi conciencia y por fin le contestó.

—Lo que he visto... ya no quiero seguir viviendo. Ese día que atacaron. Te observamos a ti. Yo y Shaw. El padre, ese hombre, no recuerdo su nombre. Si lo hubieras visto, lo comprenderías. Se arrancó la cruz. Mi hijo, muerto. ¡Qué mundo hemos construido para él! Me alegro de que haya muerto. Me alegro.

—Siempre hay esperanzas, Jack. Y el mundo seguirá andando. Con o sin nosotros, seguirá andando.

—No para mí. En un asilo, sin piernas. No quiero la lástima de los demás.

—¿Preferirías morir en este agujero?

—¡Dios, sí! La lástima de los demás sería... desesperante.

Stephen se dejó convencer por Jack. Lo que despertaba en él tantas ganas de vivir no era un argumento mejor, sino cierta lujuria o instinto.

—Cuando muera —dijo Jack—, estaré con hombres que comprenden.

—Pero en tu casa te han querido. Tu mujer, tu hijo y antes que ellos tus padres. Hay gente que todavía te quiere.

—Mi padre murió cuando yo era apenas un bebé. Mi madre me crió. Siempre estuve rodeado de mujeres. Ahora todas se han ido. Sólo queda Margaret, y con ella ya no podría hablar. Han sucedido demasiadas cosas.

—¿No te gustaría vernos ganar la guerra? —Aún en el momento de formular la pregunta, Stephen se dio cuenta de que era vacía.

—Nadie puede ganar. Y ahora, déjame en paz. ¿Dónde está Tyson?

—Te contaré una historia, Jack. Llegué a este país hace ocho años. Me alojé en una casa grande de una calle amplia, en una ciudad no lejos de aquí. Era joven. Era imprudente y curioso y egoísta. Estaba sometido a corrientes peligrosas, cosas que más adelante en la vida uno mira y deja pasar... porque son demasiado arriesgadas. Pero a esa edad el miedo no existe. Uno cree que comprenderá las cosas, que más adelante todo tendrá sentido. ¿Entiendes lo que te digo? Nadie me había querido nunca. Ésa era la verdad, aunque en ese momento no tuviera conciencia de ello. No era como tu caso, con tu madre. A nadie le importaba donde estaba yo, ni les importaba si estaba muerto o vivo. Por eso tuve que forjar mis propios motivos para vivir, y por eso de alguna manera escaparé de aquí, porque nunca le he importado a nadie. Si es necesario, saldré de aquí como una rata, abriéndome camino con los dientes.

Jack estaba delirando.

—Todavía no quiero cerveza. Todavía no. ¿Dónde está Turner? Sáquenme de esta cruz.

—Conocí a una mujer. Era la esposa del dueño de la casa grande. Me enamoré de ella y creí que ella también me amaba. A su lado encontré algo que ni siquiera sabía que existía. Tal vez sólo estuviera aliviado, sobrecogido por la sensación de que alguien pudiera amarme. Pero no creo que haya sido sólo eso. Tuve fantasías. Tuve sueños. No, eso no es así. No hubo fantasías, eso fue lo extraño del asunto. Sólo estaba la carne, la cosa física. Las fantasías vinieron después.

—Ya han entrado el compresor. Pregúntaselo a Shaw. Sácame la cruz.

—No se trata de que la ame, aunque la amo y siempre la amaré. No se trata de que la extrañe, ni que tenga celos de su amante alemán. En lo que sucedió entre nosotros hubo algo que nos permitió oír otras cosas en el mundo. Fue como si hubiera cruzado una puerta y más allá encontrara sonidos y señales de una existencia futura. Son imposibles de comprender, pero ya que los he oído, no los puedo negar. Ni siquiera aquí.

Stephen tuvo la sensación de que Jack tosía. No sabía con seguridad si estaría conteniendo la risa o si sollozaba.

—Levántame —pidió Jack, en cuanto pudo respirar.

Stephen lo tomó en sus brazos y lo colocó sobre sus rodillas. Las piernas inertes de Jack se bambolearon hacia un lado y la cabeza le cayó sobre los hombros.

—Yo podría haberte querido. —En ese momento la voz de Jack era clara. Volvió a lanzar ese sonido ahogado y entonces, con la cabeza tan cerca de la suya, Stephen comprendió que reía, un sonido leve y burlón en esa oscuridad estrecha.

A medida que la risa de Jack iba siendo cada vez más leve, Stephen empezó a golpear rítmicamente la pared de greda con el mango del cortaplumas. Era una manera de guiar al equipo de rescate.

La explosión controlada de Lamm hizo un agujero lo suficientemente grande en los escombros como para permitirles pasar.

Levi seguía a los otros dos con una mezcla de ansiedad y de aprensión. Encontraron el túnel alemán principal, pero por los tablones destrozados se dieron cuenta de que los daños eran aún mayores. Kroger detuvo a los otros dos y señaló hacia adelante. La base del túnel parecía desaparecer dentro de un pozo enorme. Cuando se acercaron todo lo posible sin poner en peligro sus vidas, Lamm sacó una soga de la mochila, uno de cuyos extremos aseguró a un tablón que seguía en pie.

—Bajaré a echar una mirada —dijo—. Ustedes dos sostengan el extremo de la soga por si la madera se quiebra.

Lo observaron bajar con cuidado. Cada dos o tres pasos, Lamm los llamaba. Por fin encontró otro nivel de piso sobre el que podía permanecer de pie. Ató la cuerda con firmeza alrededor de su cuerpo y les gritó a los otros dos que la sostuvieran con fuerza. Levantó la lámpara y miró a su alrededor. La oscuridad le devolvió un reflejo de metal. Se inclinó a mirar. Era un casco. Se arrodilló y recorrió la tierra con las manos. Tocó algo sólido que no se parecía a la greda. Sintió las manos pegajosas. Era un hombro cubierto por la tela gris de los uniformes alemanes. El resto del cuerpo estaba unido al hombro, aunque de la cintura para abajo se encontraba enterrado en los escombros. La cabeza también estaba bastante entera y Lamm se dio cuenta de que era el cuerpo del hermano de Levi.

Inhaló y exhaló con fuerza. No quería comunicarles a los otros la novedad a los gritos, pero le pareció injusto que Levi no lo supiera. Levantó la lámpara y volvió a inspeccionar la cámara. No alcanzaba a ver más rastros de cuerpos ni de actividad. Palpó las manos del muerto para comprobar si llevaba algún anillo; le quitó del cuello la chapa de identificación, pero quería que el hermano pudiera identificarlo por medio de algo menos tétrico. El cadáver no tenía anillos, pero sí un reloj pulsera que Lamm se metió en el bolsillo.

Dio dos tirones a la soga y avisó que subía. Sintió que la soga se ponía tensa cuando Kroger y Levi empezaron a tirar para ayudarlo en el ascenso. Era un pozo de alrededor de seis metros y demoraron varios minutos en izarlo, mientras en la subida Lamm trataba de encontrar algún punto donde apoyar las botas.

—¿Y? —preguntó Levi cuando todos recuperaron el aliento. Algo en el rostro apuesto de Lamm lo preocupaba. Era como si rehuyera su mirada.

—Encontré un cuerpo. Uno de los nuestros. Debe haber muerto instantáneamente.

—¿Tienes su chapa de identificación? —preguntó Kroger. Levi estaba inmóvil y en silencio.

—Tengo esto —contestó Lamm, tendiéndole el reloj a Levi, quien lo aceptó a regañadientes. Bajó la mirada. Era el de Joseph. Un regalo que le había hecho su padre en ocasión de su *bar mitzvah* tal vez, o como premio por haber obtenido su ingreso en la Universidad.

Levi asintió.

—¡Que chico tonto! —dijo—. Tan cerca del fin.

Se alejó un poco de los demás para poder estar a solas.

Lamm y Kroger se sentaron en el piso del túnel y comieron parte de la comida que llevaban consigo.

Una hora más tarde, Levi se les unió después de terminar sus oraciones. Su religión no le permitió aceptar la comida que Lamm le ofreció.

Meneó la cabeza.

—Debo ayunar —explicó—. Mientras tanto, tenemos que continuar con nuestra búsqueda.

Kroger se aclaró la garganta. Dijo con suavidad:

—Me pregunto si esto es prudente. Lamm y yo estuvimos conversando. Hemos visto el tamaño de la explosión y Lamm asegura que es casi imposible que haya algún sobreviviente. Hemos cumplido con nuestro deber como equipo de rescate. Establecimos lo que sucedió y podemos llevar a tu hermano de vuelta a la superficie y enterrarlo como corresponde. Si seguimos bajo tierra, es posible que pongamos en peligro nuestras propias vidas sin motivo. No sabemos lo que puede haber sucedido allá arriba. Aquí, el honor ha quedado satisfecho. Creo que debemos regresar.

Levi se pasó la mano por el mentón en el que empezaba a crecerle la barba. El periodo de duelo exigía que le cubriera la cara antes de que pudiera volver a afeitarse.

—Los comprendo, pero no estoy de acuerdo con ustedes —dijo—. Dos de nuestros compatriotas están aquí, bajo tierra. Si han muerto, debemos encontrarlos para darles un entierro decoroso. Si están vivos, debemos rescatarlos.

—Las posibilidades son…

—No importan las posibilidades. Debemos completar la tarea.

Kroger se encogió de hombros.

Lamm observó los problemas prácticos que implicaba la tardanza.

—Aquí abajo hace calor —razonó—. El cuerpo…

—La carne es débil. Lo que queda de él es algo que no se pudrirá. Cuando llegue el momento, yo mismo lo cargaré.

Lamm bajó la vista.

—No tengas miedo —dijo Levi—. Los hombres que están aquí abajo son compatriotas nuestros. No podemos dejarlos bajo esta tierra extranjera. Deben regresar a los lugares que amaron y por los que murieron. ¿No amas a tu país?

—¡Por supuesto! —contestó Lamm. Acababa de recibir sus órdenes. No veía ninguna necesidad de discutirlas. Se puso de pie y comenzó a enrollar la soga para seguir adelante.

—Yo amo mi país —dijo Levi—. En un momento como éste, cuando ha habido una muerte en mi familia, estoy más ligado a él que nunca. —Miró desafiante a Kroger quien asintió con expresión de infelicidad, como si creyera que el fervor de Levi nacía de una tormenta pasajera.

Levi lo tomó por los hombros.

—¿Te parece bien, Kroger? —Miró el rostro inteligente y dubitativo de Kroger. No vio convicción pero por lo menos había consentimiento. Kroger se acercó a Lamm para ayudarlo a prepararse para volver a bajar.

Levi lo acompañó, dejando arriba a Kroger para que descansara. Seis metros más abajo del túnel principal empezaron a golpear con los picos los escombros del derrumbe. No sabían lo que buscaban, pero al remover la tierra que acababa de ser desplazada, esperaban comprender con mayor claridad lo sucedido.

Cuando el trabajo los acaloró, se sacaron las camisas. Los golpes de los picos reverberaban contra la greda sólida.

Stephen le sacó el vidrio a su reloj para poder tantear las agujas y conocer la hora en la oscuridad. Eran las cuatro menos diez cuando volvió a escuchar el ruido de gente que cavaba, aunque no podía saber si era de día o de noche. Estimaba que hacía cinco o quizás seis días que él y Jack estaban bajo tierra.

Acercó una vez más a Jack a la leve entrada de aire. Permaneció con los dedos apoyados en el reloj, tomando el tiempo a la media hora que le tocaría permanecer en el extremo casi irrespirable de esa tumba. No hacía el menor movimiento para que no aumentara su necesidad de oxígeno.

Todavía no se podía sobreponer al miedo de estar encerrado. Razonaba para sus adentros que, habiendo sucedido lo peor y como estaba enterrado vivo y sin lugar para moverse, ya no tenía por qué temer. El miedo estaba en las expectativas, no en las realidades. Pero a pesar de todo, su pánico no cedía. En determinados momentos debía permanecer rígido para no gritar. Estaba desesperado por encender un fósforo. Aunque sólo le mostrara los límites de su prisión, siempre sería algo.

Después llegaban algunos minutos en que la vida parecía disminuir. Era como si su imaginación y sus sentidos se cerraran, como luces que se van apagando una a una en una casa grande. Por fin sólo persistía una leve confusión, como un dejo de voluntad que seguía ardiendo.

Durante las horas en que permaneció allí tendido, en su interior no dejó de protestar por lo que le estaba sucediendo. Luchó contra ello con amargo resentimiento. Y aunque la fuerza de ese resentimiento iba y venía al ritmo de la sed y la fatiga de su cuerpo, la amargura de ese enojo, por leve que fuese, significaba que algo, por poco que fuera, seguía vivo en su interior.

Cuando pasó la media hora, se arrastró y se tendió junto a Jack.

—¿Sigues conmigo, Jack?

Oyó un gemido. Luego surgió la voz de Jack con una claridad que hacía días no tenía.

—Me alegro de haber tenido estas medias para apoyar la cabeza. Durante toda la guerra, desde casa me mandaron un par nuevo por semana.

Al alzarlo, Stephen palpó la lana tejida sobre la que se apoyaba la mejilla de Jack.

—Yo nunca recibí ningún paquete —confesó.

Jack volvió a reír.

—Debes estar bromeando. ¿Ni un solo paquete en tres años? Nosotros por lo menos recibimos dos por semana. Todo el mundo los recibe. Y en cuanto a cartas…

—Cállate. ¿No oyes eso? Es el equipo de rescate. ¿No los oyes cavar? Escucha.

Stephen movió a Jack para acercarle la oreja a la greda.

—Ya llegan —dijo Stephen. Por el eco se daba cuenta de lo lejos que estaban, pero convenció a Jack que ya estaban cerca.

—Creo que llegarán en cualquier momento. Saldremos de aquí.

—¿Has usado las medias del ejército durante toda la guerra? ¡Pobre desgraciado! Ni siquiera el cabo más…

—Escucha. Serás libre. Saldremos de aquí.

Jack seguía riendo.

—Yo no quiero eso. No lo quiero…

Su risa se convirtió en tos y luego en un espasmo que elevó su pecho en brazos de Stephen. El sonido llenó ese espacio angosto, luego se detuvo. Jack lanzó una última exhalación cuando todo el aliento salió de su cuerpo que cayó hacia atrás en el final que tanto deseaba.

Durante un momento Stephen conservó el cuerpo entre sus brazos, por respeto, luego lo movió al extremo sin aire del agujero. Acercó la boca al lugar por donde entraba el aire y respiró hondo.

Estiró las piernas y alejó un poco el cadáver. Se sentía espantosamente solo.

Ya sólo lo acompañaba el sonido del golpe de los picos que, no podía engañarse, estaba desesperadamente lejos. Encontró fósforos en el bolsillo. No había nadie que le prohibiera darse el lujo de esa desesperada necesidad de luz. Pero de alguna manera, desistió.

Maldijo a Jack por haber muerto, por no creer en la posibilidad de que los rescataran. Luego su enojo desapareció y sólo concentró sus esfuerzos en escuchar el rítmico sonido del golpe del pico sobre la greda. Mientras el sonido estuviera allí, era como el latido de su propio pulso. Volvió a sacar el cortaplumas del bolsillo y empezó a golpear el cabo con todas sus fuerzas contra el muro sobre el que apoyaba la cabeza.

Después de cuatro horas de cavar, el progreso de Levi y Lamm no era mucho. Levi llamó a Kroger para que bajara a reemplazar a Lamm.

Mientras esperaba la llegada de Kroger, se sentó a descansar. Para él ya era una cuestión de honor encontrar a los compañeros de su hermano. Joseph no habría querido que fuese el tipo de hombre que permite que el dolor personal lo aparte de su deber. Lo que estaba en juego no era tanto su propio honor como el de Joseph. Sus actos restaurarían algo de dignidad a ese cuerpo destrozado.

Por sobre el jadeo de su respiración, oyó un sonido muy débil. Apretó la cabeza contra la pared y escuchó. Al principio pensó que tal vez fuese una rata, pero era demasiado rítmico y estaba demasiado hondo en la tierra. Había algo en la calidad del sonido que indicaba con claridad que llegaba desde una considerable distancia; sólo un ser humano podía tener la fuerza necesaria para lograr que un sonido llegara tan lejos.

Kroger saltó desde el extremo de la soga y Levi lo llamó. Kroger escuchó.

Asintió.

—No cabe duda de que hay alguien allí. Diría que un poco más arriba que nosotros, pero en un lugar decididamente paralelo. El ruido no es bastante fuerte para que sea un pico o una pala. Creo que se trata de alguien que ha quedado atrapado.

Levi sonrió.

—Te dije que debíamos seguir adelante.

Kroger parecía dubitativo.

—El asunto es cómo llegar hasta allí. Hay mucha greda entre nosotros.

—Empezaremos por volarla. Sólo una explosión controlada. Subiré y enviaré a Lamm en mi lugar para que coloque la carga.

La expresión de Levi era de indudable entusiasmo.

—¿Y si ese ruido no lo hiciera uno de nuestros hombres sino alguno de los enemigos que todavía siguiera atrapado? —preguntó Kroger.

Levi abrió los ojos, sorprendido.

—No creo que nadie pueda haber sobrevivido tanto tiempo. Y suponiendo que fuera así, entonces... —Abrió las manos y se encogió de hombros.

—¿Entonces qué? —preguntó Kroger.

—Entonces sería el hombre que mató a mi hermano y a sus dos compañeros.

Kroger lo miró con poco entusiasmo.

—Ojo por ojo... ¿No estarás pensando en vengarte, verdad?

La sonrisa de Levi desapareció.

—No estoy pensando en nada específico. Mi fe me proporciona una guía para cualquier cosa. Pero si a eso te refieres, no tengo miedo de conocer a ese hombre. Si llegara el momento, sabré qué debo hacer.

—Tendremos que tomarlo prisionero —dijo Kroger.

—Ya basta —ordenó Levi. Se acercó al extremo de la soga y le gritó a Lamm que lo subiera.

Lamm, que estaba por quedarse dormido, no hizo comentarios cuando Levi le indicó lo que quería que hiciera. Preparó una carga, la metió en la mochila y bajó.

La mezcla de greda y tierra era difícil de cavar. Tardaron cinco horas en preparar un agujero para la carga que dejara conforme a Lamm. Levi le ordenó subir y bajó para ayudar a Kroger. Llenaron bolsas de arena y las colocaron muy juntas detrás del explosivo.

Kroger se tomó un descanso para beber un poco de agua y comer un poco más de la carne y las galletas que llevaba. Levi declinó su invitación.

Empezaba a sentir la cabeza liviana a causa del dolor y del cansancio, pero estaba decidido a mantener su ayuno. Siguió trabajando como movido por la furia, ignorando el sudor que le hacía arder los ojos y el temblor de sus manos mientras llenaba las bolsas de arena.

No sabía qué o quién esperaba encontrar detrás de ese muro: sólo sentía la compulsión de seguir adelante. Su curiosidad estaba ligada a una sensación de pérdida. La muerte de Joseph sólo podría ser explicada y redimida si lograba encontrar a ese hombre todavía vivo y lo enfrentaba.

Colocaron los alambres y se retiraron al lugar seguro al pie de la larga inclinación que conducía a la superficie. Desde allí alcanzaban a oír el ruido de un intenso bombardeo, junto con disparos de mortero y de ametralladoras. Había empezado el ataque. Lamm hundió el detonador y la tierra se estremeció bajo sus pies. Hubo un fuerte rugido que disminuyó y volvió a crecer. Por momentos fue como si bolas de fuego compuestas de greda y de tierra se les acercaran por el túnel. Luego el sonido volvió a disminuir y terminó en el silencio.

Regresaron por la entrada baja y apuntalada por tablones, se arrastraron y luego corrieron hacia el pozo profundo. Una nube de greda los hizo toser y tuvieron que alejarse hasta que se aplacó.

Levi le dijo a Kroger que se quedara atrás mientras Lamm bajaba con

411

él. Le hacía falta la opinión de Lamm acerca de la explosión, y no creía que Kroger estuviera completamente de acuerdo con lo que acababan de hacer. Cruzaron por el agujero hecho por la explosión, abriéndose paso y ensanchándolo a medida que avanzaban. Los conducía directamente hasta el puesto de escucha de los británicos. Examinaron la construcción con interés.

—Escucha. —Levi apoyó una mano sobre el brazo de Lamm.

El sonido estaba más cerca y era más frenético que antes.

Levi estaba tan excitado que pegó un salto y se golpeó la cabeza contra el techo de la cámara.

—¡Llegamos! —exclamó—. ¡Lo logramos!

Habían volado lo que los separaba. Ahora sólo les faltaba cavar y apartar la tierra con las manos.

Dentro de su angosta tumba, Stephen se sintió mecido por la explosión. Rodó hasta quedar boca abajo y se cubrió la cabeza con las manos para protegerse del derrumbe del mundo. Pero aunque el ruido rebotó en las paredes, éstas permanecieron firmes.

Comenzó a patear en el estrecho espacio en que estaba confinado. La claustrofobia que había conseguido dominar hizo presa de él. El sólo pensamiento de que se acercaban hombres que se movían con libertad y el miedo de que tal vez no lo oyeran ni lo alcanzaran liberó su pánico.

Con sus golpes aflojó parte de la tierra sacudida por la explosión. Una pesada capa que fue a caer sobre sus piernas lo obligó a permanecer quieto durante un momento y a tratar de controlarse.

Volvió a golpear con el mango del cortaplumas y a gritar a todo pulmón.

—¡Estoy aquí! ¡Por aquí!

Imaginó a los hombres de Weir, las caras alegres sonriendo bajo los cascos mientras se abrían paso hacia él. ¿Quiénes serían? ¿A quiénes habrían enviado en su busca? No recordaba nombres ni caras. Estaba Jack, pero él se encontraba muerto a su lado. Un hombre de mirada vacía y pelo rubio, Tyson, pero hacía tiempo que él había muerto. Y esos pequeños que nunca parecían estar completamente erguidos, aún en el aire libre, aunque tal vez también ellos estaban bajo tierra cuando los sorprendió la explosión.

Stephen sintió que tenía la mente muy clara. Estaba llena de imágenes del mundo normal, un mundo habitado por mujeres, donde la gente se movía en paz y hacía el amor y bebía, y donde había niños y comercios y risas. Pensó en Jeanne y en esa sonrisa extraordinaria que llegaba como un estallido de sol a sus ojos. Esa odiosa realidad de tierra y sudor y muerte no era la única; era una ilusión que lo confinaba, una delgada prisión de la que saldría en cualquier momento.

La sed y el cansancio quedaron olvidados; estaba vivo y lo apasionaban el mundo, las estrellas y los árboles, y la gente que en ese mundo se movía y vivía. Si ellos no podían llegar hasta donde se encontraba, arrojaría lejos de sí las paredes de tierra, arañaría, comería y tragaría su camino con tal de salir de allí y llegar a la luz.

—¡Sigan adelante! —ordenó Levi con los ojos llenos de fuego. El sudor brillaba sobre su piel mientras clavaba el pico en la pared de la que acababan de arrancar los tablones.

Lamm hizo una mueca y lo miró desde la luz de la lámpara.

—¡Adelante! —gritó Levi—. ¡Adelante!

Era casi presa del delirio cuando clavó el pico, una vez más, en la tierra. Lo único que veía eran las facciones de su querido hermano Joseph. ¡Cuánto lo amó y cuánto vivió a través de él! Siempre quiso que Joseph se pareciera a él, que fuera aún mejor, para que aprovechara su experiencia y llegara a ser alguien que honrara a sus padres y a sus antepasados.

Lamm seguía trabajando a un ritmo urgente; bajo la casaca gris empapada de sudor, los músculos de sus brazos se movían hacia atrás y hacia adelante mientras demolía el muro de tierra con el pico.

Trabajaba a nueve metros de distancia de Levi y de repente golpeó aire con el pico. Acababa de lograr pasar. Lanzó un grito. Levi lo apartó de un empujón y comenzó a cavar con frenesí con las manos, esparciendo la tierra a su alrededor, como si fuera un perro. Llamó al hombre atrapado. Ya llegaban, ya estaban con él.

Fue el trabajo de Levi, no el de Lamm, el que aflojó la tierra del extremo de la tumba de Stephen hasta el punto de permitirle salir arrastrándose por sobre el cuerpo inerte de Jack Firebrace.

Avanzando sobre manos y rodillas pudo sortear los escombros causados por su propia explosión. Como a noventa centímetros delante de sí, alcanzó a ver el lugar donde el túnel todavía seguía intacto. Era allí donde Lamm acababa de vencer al derrumbe. Levi empujó a Lamm hacia atrás y entró al túnel británico. Engañado por el eco de los golpes de Stephen, dobló hacia el lado opuesto y comenzó a alejarse de él.

Escupiendo tierra, Stephen se abrió paso hacia adelante con las manos, gritando mientras lo hacía. Delante de sí, en el túnel, alcanzaba a ver la luz de una lámpara que se balanceaba. Había aire, Podía respirar.

Levi lo oyó. Se volvió y retrocedió sobre sus pasos.

Cuando el techo del túnel fue más alto, Stephen se agazapó y volvió a gritar. La linterna estaba sobre él.

Levantó la mirada y vio las piernas de quien lo acababa de rescatar. Estaban cubiertas por la tela gris del uniforme alemán, el color de sus sueños más negros.

Se puso de pie tambaleante y se llevó las manos a la cintura para sacar el revólver, pero no encontró más que la tela rasgada y empapada de sus pantalones.

Miró a los ojos al hombre que tenía frente a sí y levantó los puños, como un chico granjero preparado para pelear.

En un nivel profundo, mucho más profundo que cualquier cosa que pudiera alcanzar a comprender su mente extenuada, los conflictos de su alma rugieron en su interior, como olas que rompen sobre la arena de la playa. El sonido de la vida que lo llamaba en un camino distante; los rostros de sus compañeros muertos; los ojos cerrados de Michael Weir tendido en su cajón; el odio tremendo que le inspiraba el enemigo, y Max y todos los hombres que lo habían conducido hasta ese momento; el cuerpo y el amor de Isabelle y los ojos de su hermana Jeanne.

Sin embargo, desde muy lejos le llegó la resolución y se dio cuenta de que sus brazos, todavía alzados, empezaban a extenderse, con las manos abiertas.

Levi miró a ese ser de ojos salvajes, un ser casi demente, el asesino de su hermano. Sin comprender el motivo, descubrió que a su turno, también abría sus propios brazos. Los dos hombres cayeron uno sobre los hombros del otro, sollozando por el amargo desconocimiento de sus vidas como seres humanos.

Ayudaron a Stephen a llegar hasta la soga y le dieron agua. Lo izaron y Levi lo acompañó hasta el extremo del túnel rodeándole los hombros con un brazo mientras Lamm y Kroger regresaban a la oscuridad para sacar el cuerpo de Jack Firebrace.

Levi guió los lentos pasos de Stephen por la subida hacia la luz. Tuvieron que taparse los ojos para protegerlos de los rayos del sol. Por fin salieron al aire libre de la trinchera alemana. Levi ayudó a Stephen a cruzar el peldaño.

Stephen respiraba hondo una y otra vez. Miró el cielo distante y azul tapizado con nubes de forma irregular. Se sentó en la escalera que salía de la trinchera y enterró la cabeza entre las manos.

Escuchaban el canto de los pájaros. La trinchera estaba desierta.

Levi trepó al parapeto y se llevó un par de binoculares a los ojos. La trinchera británica estaba desierta. Miró hacia atrás de las líneas alemanas, pero no alcanzó a ver nada frente al horizonte. El dique se había quebrado, el ejército alemán ya no se veía.

Bajó a la trinchera y se sentó junto a Stephen. Ninguno de los dos habló. Cada uno de ellos escuchaba el pesado silencio.

Por fin Stephen levantó la vista para mirar a Levi.

—¿Se terminó? —preguntó en inglés.

—Sí —contestó Levi, también en inglés—. Se terminó.

Stephen miró el piso de la trinchera alemana. No alcanzaba a comprender lo sucedido. Cuatro años que duraron tanto que era como si el tiempo se hubiera detenido. Todos los hombres a quienes había visto matar, sus cuerpos, sus heridas. Michael Weir. Su rostro pálido que emergía de la madriguera bajo tierra. Byrne, como un cuervo sin cabeza. Las decenas de miles que salieron con él esa mañana de verano.

No sabía qué hacer. No sabía cómo reclamar su vida.

Sintió que le empezaba a temblar el labio inferior y que lágrimas ardientes le llenaban los ojos. Apoyó la cabeza contra el pecho de Levi y sollozó.

Sacaron el cuerpo de Jack y, una vez que los hombres descansaron, cavaron una tumba para él y para Joseph Levi. Los enterraron en la misma tumba, juntos, porque la guerra había terminado. Stephen dijo una oración para Jack, y Levi oró por su hermano. Cortaron flores y las arrojaron dentro de la tumbas. Los cuatro lloraban.

Después Lamm fue a revisar los refugios y volvió con agua y con latas de alimentos. Comieron al aire libre. Luego regresaron a los refugios y durmieron.

Al día siguiente Stephen dijo que debía volver a unirse a su batallón. Estrechó las manos de Kroger y de Lamm y luego la de Levi. De entre toda la carne que había visto y tocado, fue la mano de ese médico la que marcó su renacimiento.

Levi se negaba a dejarlo partir. Le hizo prometer que le escribiría en cuanto llegara a Inglaterra. Le sacó la hebilla a su cinturón y se la dio como recuerdo. *Gott mit uns.* Stephen le dio el cortaplumas con su única hoja. Se volvieron a abrazar y se aferraron uno al otro.

Después Stephen trepó la escalera y subió a la tierra de nadie. No lo recibió ningún huracán de balas, ningún desgarrador beso de metal.

Mientras caminaba de regreso a las líneas británicas, sintió la tierra seca y revuelta bajo los pies. Una alondra cantaba sobre su cabeza, en el aire indemne. Tenía el cuerpo y la mente cansados más allá de toda posibilidad de explicación y de cura, pero nada podía contener la sorda exaltación de su alma.

SÉPTIMA PARTE

Inglaterra, 1979

Elizabeth estaba preocupada por lo que diría su madre cuando le dijera que estaba embarazada. Françoise siempre había sido severa en asuntos de esa clase, hasta el punto de que Elizabeth hasta le ocultó que su amante era casado. "Trabaja en el extranjero" fue todo lo que pudo decir cuando ella le preguntó por qué no se lo presentaba.

Postergó el momento de darle la noticia, pero en marzo ya empezaba a aumentar de peso. En lugar de sacar el tema durante una de sus visitas a tomar el té en Twickenham, decidió que invitaría a su madre a comer en Londres para que el anuncio fuese una especie de celebración. Tuvo que admitirse que en parte lo hacía para poner a Françoise a la defensiva, pero tenía la esperanza de que su madre compartiría su propia felicidad ante la perspectiva de tener un nieto. Fijaron la fecha del encuentro y Elizabeth reservó mesa en un restaurante.

También le resultó incómodo decírselo a Erich y a Irene, porque su embarazo significaba que tendría que dejar de trabajar durante un tiempo. Erich recibió la noticia como un desaire en su contra y en contra de su hijo quien él creía, por absurdo que fuera, que tendría que ser el padre de los hijos que tuviera Elizabeth, aunque el muchacho estuviera feliz y casado con otra.

Irene también reaccionó con desagrado. Elizabeth no podía entenderla. Irene era una de sus mejores amigas: la apoyaba en todo. Y sin embargo, con respecto a esa noticia tan importante, parecía incapaz de compartir la alegría y la excitación que ella experimentaba. Murmuró una serie de cosas acerca del matrimonio y la familia. Algunas semanas después de que Elizabeth le diera la noticia, entró a su oficina para disculparse.

—No sé por qué, pero cuando me dijiste lo del bebé me sentí un poco mal. Supongo que se debe a ese monstruo que todos tenemos adentro. Me alegro mucho por ti, querida. Ya le he tejido éstos. —Le entregó a Elizabeth una bolsa de papel que contenía un par de escarpines.

Elizabeth la abrazó.

—Gracias. Lamento habértelo dicho con tan poco tacto. Debí pensarlo mejor antes. Gracias, Irene.

Cuando alguien le preguntaba quién era el padre de la criatura, Elizabeth se negaba a decirlo. La primera reacción de la gente era sentirse ofendida.

—No cabe duda de que se sabrá ¿verdad? —comentó una mujer que ni siquiera estaba enterada de la existencia de Robert— No puedes pretender que el chico no tenga padre. —Elizabeth se encogió de hombros y contestó que ya se las arreglaría.

Los que estaban enterados de la existencia de Robert, suponían que el padre era él.

—No te lo voy a decir, es un secreto —contestaba Elizabeth. Con el tiempo la irritación de sus amigos disminuía, junto con su curiosidad. Tenían sus propias preocupaciones y si Elizabeth había decidido actuar como una tonta, era asunto suyo. De manera que, tal como ella creía, se podía mantener un secreto: la curiosidad de la gente a la larga se convertía en indiferencia o, para decirlo con más generosidad, permitían que uno se hiciera cargo de su propia vida.

Elizabeth debía encontrarse con su madre un sábado a la noche. Por la mañana terminó de leer el último de los anotadores de su abuelo, traducido por Bob. Eran relatos bastante detallados. Había varias páginas dedicadas a su encierro bajo tierra en compañía de Jack Firebrace y a las conversaciones que mantuvieron

Elizabeth quedó especialmente impresionada por un pasaje, que aunque estaba poco claro en la traducción de Bob, parecía que ambos habían estado conversando sobre niños y la posibilidad de que ellos los tuvieran después de la guerra. "Yo le dije que tendría los suyos" era la frase con que terminaba la conversación. El párrafo en el que Stephen se refería al cariño de Jack por un hijo llamado John, era mucho más claro.

Después de haber leído todos los anotadores, además de dos o tres libros más acerca de la guerra, Elizabeth por fin tenía una idea clara de lo que había sido. Hacia el final, Jeanne o *Grand-Mère* como la llamaba Elizabeth, hacía varias apariciones aunque la narrativa no diera paso a lo que Stephen pudo haber sentido por ella. "Bondadosa" era la palabra tibia que le aplicaba con más frecuencia en la traducción de Bob; de vez en cuando aparecía también la palabra: "suave". No era el lenguaje de la pasión.

Elizabeth hizo algunos cálculos en un trozo de papel. Su abuela nacida en 1878. Su madre nacida en... no estaba segura de la edad de su madre. Debía tener entre sesenta y cinco y setenta años. Ella, nacida en 1940. Algo no cerraba en sus cálculos, aunque tal vez la culpa fuese de sus matemáticas. Er realidad, no tenía importancia.

Se vistió y maquilló con cuidado para esa noche. Mientras esperaba a Françoise, ordenó el departamento y se sirvió una copa. Se paró frente a la chimenea y puso en orden las cosas que tenía sobre la repisa: un par de candelabros, una invitación, una postal, y la hebilla del cinturón que había limpiado y lustrado hasta el punto de que brillaba y relucía como cuando era nueva: *"Gott mit uns"*.

Cuando Françoise llegó, abrió una botella de champaña.

—¿Qué estamos celebrando? —preguntó la madre, sonriendo mientras alzaba su copa.

—Todo. La primavera. Tú. Yo. —Descubrió que le costaba más de lo esperado darle la noticia.

El restaurante era el recomendado por un amigo de Robert. Resultó un lugar pequeño y oscuro, ubicado en Brompton Road, que se especializaba en cocina del norte del Francia. Los bancos estaban cubiertos de pana colorada y sobre las paredes de tono marrón colgaban pinturas de puertos pesqueros normandos. Cuando llegaron, Elizabeth se sintió desilusionada. Esperaba que fuera un lugar más alegre, con una clientela ruidosa que le parecía más apropiada para esa noche de buenas noticias.

Estudiaron el menú mientras el mozo golpeaba su anotador con la lapicera. Françoise ordenó alcauciles y lenguado Dieppoise, Elizabeth pidió champiñones para empezar y luego un bife. Ordenó un vino caro, sin saber con seguridad si sería blanco o tinto. Mientras esperaban, ambas bebieron gin con agua tónica. Elizabeth se moría de ganas de fumar un cigarrillo.

—¿Has dejado de fumar por completo? —preguntó Françoise al notar los movimientos nerviosos de las manos de su hija.

—Por completo. No fumo ni uno solo —contestó Elizabeth.

—¿Y el resultado es que has aumentado de peso?

—Sí... creo que tal vez un poquito.

Llegó el mozo con los primeros platos.

—¿Los alcauciles para usted, Madame? ¿Y para usted los champiñones? ¿Cuál de las dos señoras quiere probar el vino?

Cuando por fin se alejó y empezaron a comer, Elizabeth dijo con incomodidad:

—Creo que he aumentado un poco de peso, pero no por haber dejado de fumar. Lo hice porque estoy embarazada. —Se preparó para recibir una respuesta difícil.

Françoise le tomó la mano.

—¡Bien hecho! Estoy encantada.

A Elizabeth se le llenaron los ojos de lágrimas.

—Creí que te enojarías —dijo—. Ya sabes... porque soy soltera.

—Pero me alegro por ti, si eso es lo que quieres.

—¡Ah, sí! ¡Ah, sí! Por supuesto que es lo que quiero. —Elizabeth sonrió. —No pareces sorprendida.

—Supongo que no lo estoy. Noté que estabas un poco más pesada. Y que habías dejado de fumar. Me dijiste que era una resolución que tomaste para Año Nuevo, pero hasta ahora nunca fuiste capaz de cumplir esa clase de resoluciones.

Elizabeth lanzó una carcajada.

—Está bien. Y ahora, ¿no me vas a preguntar quién es el padre?

—¿Te parece que debo hacerlo? ¿Tiene importancia?

—No, no creo que la tenga. Él está feliz... bueno, bastante feliz. Me ayudará a mantener económicamente a nuestro hijo, aunque yo no se lo haya pedido. Creo que todo saldrá bien. Es un hombre excelente.

—Bueno, entonces me parece perfecto. Y no haré más preguntas.

A Elizabeth le sorprendía la tranquilidad con que Françoise había recibido la noticia, aunque ya sospechara la verdad y hubiera tenido tiempo para prepararse.

—¿No te molesta que tu nieto sea hijo de madre soltera?

—¿Cómo quieres que me moleste? —preguntó Françoise—. Mi propia madre no estaba casada con mi padre.

—¿*Grand-Mère*? —preguntó Elizabeth, sorprendida.

—No. *Grand-Mère* no era mi verdadera madre. —Françoise miró a Elizabeth con ternura. —Muchas veces he pensado decírtelo, pero de alguna manera me pareció que no hacía falta. En realidad tiene muy poca importancia. Tu abuelo se casó con *Grand-Mère* Jeanne en 1919, después de la guerra. Pero entonces yo ya tenía siete años. ¡Con decirte que tenía cinco cuando ellos dos se conocieron!

—Ya me parecía que había un problema de fechas. Estuve haciendo algunos números después de leer los anotadores del abuelo. Pero supuse que debía ser un error, fruto de mi poca capacidad para las matemáticas.

—¿En esos libros hay alguna referencia a una persona llamada Isabelle?

—Sí, la menciona un par de veces. Supuse que debía ser una antigua novia.

—Era mi madre. La hermana menor de Jeanne.

Elizabeth miró asombrada a Françoise.

—¿Así que *Grand-Mère* no es realmente mi abuela?

—No era tu abuela biológica. Pero sí lo fue en todos los demás sentidos. Me crió y me quiso como si fuera su propia hija. Antes de la guerra, tu abuelo se alojó durante un tiempo en la casa de una familia. Allí se enamoró de Isabelle y huyeron juntos. Cuando descubrió que estaba embarazada, Isabelle lo dejó y con el tiempo volvió a su marido. Años después, durante la guerra, tu abuelo conoció a *Grand-Mère* en Amiens. Jeanne lo llevó a ver de nuevo a mi madre, pero ella le había hecho prometer que no le diría nada a Stephen sobre su hija.

—¿Y esa hija eras tú?

—Así es. Fue un subterfugio muy tonto. No sé. Lo que ella quería era no aumentar la angustia de mi padre. Él no se enteró de la verdad hasta poco antes de casarse con Jeanne. A mí me enviaron a la casa de Jeanne desde Alemania, donde vivía, cuando murió mi verdadera madre. Murió de gripe.

—¿De gripe? ¡Eso es imposible!

Françoise meneó la cabeza.

—No. Hubo una epidemia. Justo después de la guerra mató a millones de personas en Europa. Isabelle siempre dijo que si llegaba a sucederle algo, *Grand-Mère* debía encargarse de criarme. Ya lo habían convenido cuando ella se fue a Alemania con el hombre de quien se enamoró. Era un alemán llamado Max.

—¿Pero él no quiso conservarte?

—No lo creo. Estaba muy enfermo a raíz de la guerra. Él mismo murió poco después. Y después de todo, yo no era hija suya.

—¿De manera que te criaron como si fueras la hija de Jeanne y de Stephen?

—Exactamente. Jeanne era maravillosa conmigo. Fue como tener una segunda madre. Fuimos una familia muy feliz.

El mozo les sirvió el segundo plato.

—¿Te importa? —preguntó Françoise minutos después—. ¿Te molesta? Espero que no, porque a mí no me molesta. Cuando hay verdadero amor, como lo hubo entre todos nosotros, los detalles no tienen importancia. El amor es más importante que detalles como ese asunto de quién es el padre o la madre biológica de quién.

Elizabeth permaneció unos instantes pensativa.

—Estoy segura de que tienes razón —dijo—. Tardaré un poco en digerirlo, pero no me molesta. Háblame de tu padre. ¿Fue feliz?

Françoise alzó una ceja y respiró hondo.

—Bueno, fue... difícil. Después de la guerra, durante dos años no habló.

—¿Qué? ¿Ni una sola palabra?

—No, ni una sola palabra. Supongo que por lo menos debe haber dicho "Sí, quiero" cuando se casaron. Tal vez haya pronunciado algunas pocas palabras, tan solo para mantenerse vivo. Pero en esa época no lo oí hablar. Y *Grand-Mère* dijo que fueron dos años de silencio. Recuerdo el momento en que volvió a hablar. Fue una mañana. De repente se puso de pie junto a la mesa de desayuno y sonrió. Dijo: "Esta noche iremos al teatro en Londres. Tomaremos el tren a la hora del almuerzo". Yo no podía creer lo que oía. En ese momento sólo tenía nueve años.

—¿Y ya estaban viviendo en Inglaterra?

—Sí. En Norfolk.

—¿Y después de eso él estuvo bien?

—Bueno... estaba mejor. Hablaba y fue siempre muy bueno conmigo. En realidad, me malcriaba. Pero no tenía buena salud.

—¿Y hablaba de la guerra?

—Nunca. Ni una palabra. Según *Grand-Mère* desde el día en que terminó en adelante, fue como si nunca hubiera existido.

—¿Cuándo murió?

—Justo antes de que yo me casara con tu padre. Sólo tenía cuarenta y ocho años. Como muchos hombres de su generación, nunca se recuperó por completo.

Elizabeth asintió.

—Murió sólo un par de años antes de que yo naciera.

—Sí —dijo Françoise con tristeza—. Ojalá hubiera podido verte. No sabes lo que me hubiera gustado que te conociera. Lo habría hecho... mucho más feliz en el fondo de su corazón.

Elizabeth miró su plato.

—¿Y *Grand-Mère*? ¿Cómo se las arregló?

—Era una mujer maravillosa. Lo amaba mucho. Lo cuidó como una madre. Ella fue la heroína de toda esta historia. ¿La recuerdas, verdad?

—Sí, la recuerdo —mintió Elizabeth—. Por supuesto que la recuerdo.

—Perdón —dijo Françoise. Ocultó la cara detrás de la servilleta. Durante un minuto no pudo hablar. —No hubiera querido llorar en público. Y tampoco quiero arruinar tu día de felicidad, Elizabeth. Tu noticia, a ella también la habría hecho muy feliz.

—Está bien —dijo Elizabeth—. Está bien. Ahora todo está bien.

Durante ese verano, Elizabeth asistió a los cursos prenatales de la clínica más cercana a su casa. Su edad inspiraba cierta preocupación; descubrió que las enfermeras se referían a ella como "esa mujer mayor". Pero la preocupación nunca llegó a ser seria puesto que siempre la atendía una profesional distinta.

—Gracias, señora Bembridge —dijo el médico que la examinó a los ocho meses—. Estoy seguro de que ya conoce la rutina.

—¿Perdón?

—Bueno, su cuarto parto ya debe ser una segunda naturaleza para usted.

Resultó que acababa de consultar una ficha equivocada. Elizabeth se preguntó quién habría sido examinada en base a la suya. Le reservaron cama para el día previsto para el parto y le recomendaron que, mientras tanto, no viajara en avión.

—Recuerde que los primeros partos siempre son largos —dijo la enfermera—. No llame al hospital hasta que las contracciones sean regulares y dolorosas. Si se interna demasiado pronto tendremos que enviarla de vuelta a su casa.

Irene le habló de unas clases que había seguido la hija de una de sus amigas. Elizabeth se inscribió y fue a un departamento de Kilburn donde una mujer impetuosa instruyó a un grupo de media docena de madres expectantes acerca de las diferentes etapas del parto y de las clases de calmantes que se podían recibir. Elizabeth anotó que debía pedir que le hicieran una peridural en cuanto fuera posible.

La criatura se movía y pateaba en su interior. La piel de su vientre estaba sujeta a repentinas protuberancias y distorsiones cada vez que el bebé se estiraba o se daba vuelta. Le dolía la espalda y, a medida que transcurría el verano, deseaba cada vez con más fervor que llegaran los fríos días de invierno y que todo hubiera pasado para poder volver a respirar.

A veces se sentaba desnuda en el borde de la cama, con la ventana abierta de par en par, para poder gozar de cualquier brisa que por casualidad se levantara. Sostenía el peso de la criatura colocando las palmas de las manos debajo del vientre en el que había aparecido una delgada línea marrón que corría hasta su entrepiernas. Arriba de los huesos de la cintura se le estiraba la piel, formando pequeñas cicatrices blancas, aunque no eran tan desagradables como las que de vez en cuando veía en los abdómenes de otras mujeres en probadores de las tiendas de venta de ropa. La mayoría de las preguntas que se formulaban en las clases prenatales se referían a lo que las mujeres llamaban recuperar sus siluetas, y reanudar las relaciones sexuales con sus maridos. Ninguno de esos asuntos era importante para Elizabeth.

Su hijo le inspiraba una intensa curiosidad. Se sentía protectora y maternal hacia él, pero a veces sentía también un respeto que bordeaba el temor religioso. Era un ser distinto a ella, con su propio carácter y su propio destino; había decidido habitar en ella y nacer de ella, pero le resultaba difícil no sentir que, en cierto sentido, tenía una existencia anterior a ella. Le resultaba difícil creer que ella y Robert hubieran creado de la nada una vida humana autónoma.

Después de varios días de complicados engaños, falsas excusas y de un astuto uso de su contestador telefónico, Robert consiguió hacer los arreglos necesarios para poder estar con Elizabeth durante la semana anterior al parto. Tenía la intención de permanecer a su lado hasta que estuviera en condiciones de ir a quedarse con su madre. La mujer de Robert estaba convencida de que él viajaba a Alemania para asistir a una conferencia.

No tenía interés en estar presente durante el parto en sí, pero quería encontrarse a mano por si Elizabeth lo necesitaba. Alquiló una cabaña en Dorset, cerca del mar, donde Elizabeth podría relajarse durante los últimos días mientras él la cuidaba. Planeaban regresar a Londres tres días antes del previsto para el parto.

Robert todavía estaba nervioso mientras viajaban en el auto de Elizabeth a través del campo de Hampshire.

—¿Y si llegara a adelantarse? —preguntó—. ¿Qué se supone que debo hacer?

—Nada —contestó Elizabeth mientras se volvía con incomodidad en el asiento del acompañante para mirarlo—. Sólo tendrías que mantener abrigado al bebé. De todos modos los partos de primerizas por lo general demoran más de doce horas, de manera que, aún a la velocidad que tú manejas, podríamos llegar al hospital de Poole o al de Bournemouth. Además, los bebés primerizos pocas veces nacen antes de tiempo. De manera que no sigamos preocupándonos.

—¿Te has convertido en toda una experta, verdad? —comentó Robert, acelerando un poco a raíz de la crítica implícita en la frase de Elizabeth.

—He leído algunos libros. Recuerda que durante este verano no he tenido mucho que hacer.

La cabaña estaba situada junto a un sendero, al costado de una colina. Miraba al campo y se encontraba como a quince minutos de distancia de la ciudad más cercana. La puerta de entrada se abría directamente al living en el que había una gran chimenea de piedra y muebles gastados tapizados en chintz. La cocina antigua tenía un par de hornallas a gas y armarios con puertas corredizas. La puerta trasera conducía a un jardín bastante grande en cuyo extremo se levantaba un nogal.

Elizabeth se mostró encantada.

—¿Ves ese pequeño manzano? —preguntó—. Bueno, allí instalaré mi reposera.

—Yo la colocaré —se apresuró a decir Robert—. Y será mejor que vaya a comprar algunas provisiones antes de que cierren los negocios. ¿Quieres acompañarme?

—No, te he preparado una lista. Y confío en ti.

—Lo decía por si comenzaras a sentir dolores de parto.

Elizabeth sonrió.

—No te preocupes, el parto está calculado para dentro de ocho días. Lo único que te pido es que me pongas una silla debajo del manzano y estaré perfectamente bien.

Cuando el ruido del motor del auto empezó a perderse por el camino, Elizabeth comenzó a sentir contracciones cortas y agudas. Se parecían al calambre que algunas veces tenía en las piernas durante la noche, pero en este caso estaba situado en su vagina o cerca de ella.

Respiró hondo. Se negaba a dejarse llevar por el pánico. Le habían advertido que muchas veces las parturientas tenían síntomas falsos varias semanas antes del parto. Se los conocía por el nombre del médico que los identificó. Braxton algo. De todos modos no estaba de más buscar una guía telefónica y anotar el número del hospital más cercano.

Entró al living y encontró lo que buscaba. En un papel pegado a la tapa de la guía, figuraban "Números Útiles". Entre ellos estaba el del hospital y el del médico de la zona que sólo vivía a siete kilómetros de allí. Aliviada, Elizabeth volvió al jardín y se instaló de nuevo en la silla bajo el manzano. Sintió otra aguda contracción que la hizo jadear y apoyarse la mano sobre el vientre. Luego, el dolor cedió dejándola con una sensación de enorme tranquilidad y de un extraño poderío. La vida golpeaba en su interior. Con sus propios esfuerzos, traería al mundo una criatura para que llevara adelante la extraña historia de su familia. Pensó en Isabelle, su abuela, y se preguntó dónde y cómo habría dado a luz. ¿Estaría sola, asustada y en desgracia o habría alguien allí para ayudarla? Jeanne tal vez. Elizabeth experimentó una enorme ansiedad al pensar en Isabelle sola y con ese dolor tan atemorizante. No, se dijo. Debe haber tenido todo planeado. Sin duda Jeanne estaba allí con ella.

Una hora después, Robert regresó con las compras y le preparó una copa para que la bebiera allí, bajo el árbol. Se sentó a los pies de Elizabeth quien le pasó la mano por el pelo espeso y enredado.

El calor sofocante de agosto había desaparecido; era una tibia tarde de septiembre.

—Dentro de pocos días, nada volverá a ser lo mismo —dijo Elizabeth—. No consigo imaginarlo.

Robert le tomó una mano.

—Te las arreglarás. Yo te ayudaré.

Él preparó la comida, siguiendo las instrucciones que ella le daba desde el living. Cuando comieron ya estaba oscuro y lo suficientemente frío como para que prendieran la chimenea. El cuarto se llenó de humo de leña. Tuvieron que abrir la puerta del frente para que el aire hiciera subir el humo por la tiraje, pero la corriente eliminaba el calor del fuego.

Elizabeth fue en busca de un suéter y, al subir la angosta escalera, sintió otra contracción aguda. No le dijo nada a Robert. Sin duda él decidiría llevarla al hospital donde la mantendrían internada varios días o, peor aún, la enviarían de vuelta. La cabaña le gustaba y atesoraba la posibilidad de poder pasar unos días a solas con Robert.

Esa noche durmió mal. Le resultaba difícil encontrar una posición cómoda en esa cama blanda y suave de la cabaña, cubierta con un pesado edredón. Le alegró que llegara el amanecer con el canto fuerte y discordante de los pájaros. Después, se quedó dormida.

Robert la contempló cuando le llevó el desayuno. Pensó que era la mujer más hermosa que conocía. Le apartó un mechón de pelo oscuro de la mejilla. Lamentó el momento tan difícil que le esperaba. La perenne confianza de Elizabeth no le permitía comprender lo extenuante y doloroso que sería. Dejó el té junto a la cama y bajó en silencio.

Caminó por el jardín, Llegó hasta el nogal y regresó a la casa. Era una mañana soleada y desde un campo cercano llegaba el sonido del motor de un tractor. Aunque estaba tranquilo, Robert tenía la sensación de que su vida acababa de entrar en un breve período que estaba fuera de su control; era como si la vida se moviera por su propio impulso, como sobre los rieles de un ferrocarril. Y él sería puesto a prueba.

Esa noche Elizabeth sufrió más contracciones. Al entrar al living desde la cocina, Robert la vio doblada sobre sí misma.

—No es nada —dijo Elizabeth—. Sólo debe ser una de esas contracciones que llaman Braxton.

—¿Estás segura? Te has puesto muy pálida.

—Pero estoy bien —contestó ella entre los dientes apretados.

Se acostaron a medianoche y Robert se quedó dormido enseguida. A las tres de la madrugada lo despertó un jadeo de dolor de Elizabeth.

Estaba sentada en el borde de la cama. Alcanzaba a verle la cara iluminada por la luz de la luna que entraba por la ventana.

—¿Ha llegado el momento, verdad? —preguntó.

—No estoy segura —contestó ella—. Las contracciones son

dolorosas, pero no sé si son regulares. ¿Tienes reloj? Quiero tomarles el tiempo.

Robert prendió la luz y clavó la mirada en el minutero del reloj. Oyó jadear de nuevo a Elizabeth. Habían transcurrido seis minutos.

—¿Y? —preguntó.

—No sé. Podría ser el principio. Tal vez lo sea. —Parecía aturdida. Robert se preguntó si el dolor y el miedo no convertirían los instintos de Elizabeth en algo poco confiable, de manera que decidió actuar de acuerdo a su propio criterio.

—Espera un poco —pidió ella—. No quiero ir al hospital.

—Eso es una tontería, Elizabeth. Si tú...

—¡Espera!

Le había advertido que era probable que se mostrara irritable. Muchas mujeres hasta utilizaban un lenguaje desconocido en ellas.

Transcurrió una hora y las contracciones eran cada vez más fuertes y frecuentes. Elizabeth caminaba por la casa y él la dejaba en paz. Supuso que trataba de encontrar una posición cómoda para poder soportar mejor el dolor y que no lo quería a su lado. La oía recorrer los distintos ambientes de la cabaña.

La oyó llamarlo y corrió hacia ella. Estaba en el living, con la cabeza apoyada en el sofá.

—Estoy asustada —confesó entre sollozos—. No quiero que suceda. Tengo miedo. ¡Es tan doloroso!

—Está bien. Voy a llamar al médico. Y a una ambulancia.

—No. No lo hagas.

—Lo siento, pero lo voy a hacer.

—La ambulancia no.

—Está bien.

En la casa del médico lo atendió una voz de hombre.

—A quien usted busca es a mi mujer —dijo—. Lo lamento pero ha salido a ver a un paciente. Se lo avisaré en cuanto vuelva.

—Gracias. —Robert colgó el tubo mientras lanzaba una maldición.

—¡Ya llega! ¡Alcanzo a sentir la cabeza! ¡Oh, Dios, ya llega! ¡Ayúdame, Robert, ayúdame!

Robert respiró hondo. Bajo la presión del pánico, por fin su mente se aclaró. Esa criatura era de su carne y de su sangre; debía sobrevivir.

—Ya voy, querida, ya voy. —Entró a la cocina y luego subió al baño. Tomó una cantidad de toallas que bajó y colocó sobre la alfombra, debajo de las rodillas de Elizabeth quien se inclinaba sobre el sofá.

—Se mancharán las toallas —sollozó ella.

Robert tomó un puñado de diarios que había junto a la chimenea y los colocó encima de las toallas.

Después se arrodilló junto a Elizabeth. Ella se había subido el camisón hasta la cintura. Mientras cerraba los ojos con fuerza y volvía a gemir, Robert vio que por sus piernas corría sangre y mucosidad.

—¡Dios, ya viene, ya viene! —exclamó ella. Volvió a sollozar. Su cuerpo se contrajo de nuevo pero sólo dio paso a un chorro de sangre.

—¡Vete! —le gritó a Robert—. ¡Vete! ¡Quiero estar sola!

Robert se puso de pie y se encaminó a la cocina donde le sirvió un vaso de agua. Afuera empezaba a amanecer. Desde la ventana alcanzaba a ver una casita en el valle. Envidió a sus habitantes. Se preguntó cómo sería eso de vivir una vida normal y, en lugar de estar al borde de la muerte y del drama, dormir con tranquilidad con la perspectiva de un desayuno y un día normal por delante.

—¡Robert! —gritó Elizabeth y él corrió hacia el living.

Se arrodilló junto a ella, en medio de un charco de sangre.

—No sé —gimió Elizabeth—. No sé si debo empujar o no. No me acuerdo.

Él la rodeó con un brazo.

—Creo que si quieres empujar, debes hacerlo. Vamos, querida. Estoy aquí. ¡Vamos! Empuja.

La recorrió otro enorme espasmo y Robert vio que la carne entre sus piernas se dividía. La sangre empezó a correr y, a la luz de la lámpara del living, Robert vio que la parte superior de una cabeza gris comenzaba a pulsar y a empujar esa entrada cerrada del cuerpo de Elizabeth.

—Alcanzo a verle la cabeza. ¡Lo veo! ¡Ya viene! Lo estás haciendo muy bien. Lo estás haciendo maravillosamente bien. Ya casi ha salido.

Hubo una pausa mientras Elizabeth se inclinaba hacia adelante sobre el sofá, a la espera de la siguiente contracción. Robert miró los diarios que tenía debajo, uno de los cuales, de una manera muy apropiada, estaba abierto en la página de anuncios.

Elizabeth jadeó y él volvió a mirar la parte superior de esa cabeza que exigía que le dieran entrada al mundo. Entonces la cabeza surgió entera, cubierta de sangre y atrapada alrededor del cuello por la carne dividida de Elizabeth.

—¡Vamos! —la animó él—. ¡Vamos! Empuja otra vez y ya está.

—No puedo —contestó Elizabeth—. Debo esperar una con... —Le falló la voz. Robert acercó el rostro al de ella y la besó. Tenía mechones de pelo pegoteados a las mejillas por el sudor y enterró la cabeza en el tapizado de chintz del sofá. Robert tomó la cabeza de su hijo entre las manos.

—No tires —le advirtió ella entre jadeos—. Trata de palparlo para ver si tiene el cordón alrededor del cuello.

Robert palpó con suavidad con un dedo pero tuvo miedo de estirar aún más las carnes abiertas de Elizabeth.

—Está bien —dijo.

Entonces Elizabeth abrió los ojos y él vio en ellos una decisión que jamás había presenciado en un ser humano. Echó atrás la cabeza y él percibió que los músculos del cuello se levantaban como si fueran huesos. La mirada salvaje de sus ojos le recordaba a la del caballo que por fin ha olido la querencia y que aprieta los dientes sobre el freno; no había poder en el mundo capaz de contener la pujanza combinada de músculos, instinto y fuerza de voluntad que se dirigían hacia un fin determinado.

Elizabeth gritó. Robert bajó la mirada y vio que los hombros de la criatura habían surgido detrás de su cabeza. Se inclinó y los tomó entre sus manos. A partir de ese momento tiraría.

Los hombros del bebé estaban resbalosos, pero cuando Robert los apretó con más fuerza, de repente la criatura se liberó con un ruido parecido al de un gigantesco corcho que sale de la botella. Se deslizó en sus manos en medio de un charco de sangre y lanzó un débil gemido. Tenía la piel gris y la espalda y el pecho cubiertos de una sustancia blancuzca, espesa y grasosa. Robert miró el cordón púrpura que sobresalía por entre las piernas ensangrentadas de Elizabeth y luego observó los genitales de la criatura, hinchados por las hormonas de la madre. Le sopló en la cara. El bebé lanzó un llanto tartamudeante. Era un varón.

Robert no podía hablar, pero encontró una toalla menos ensangrentada que las demás en la que lo envolvió. Lo pasó por debajo de las rodillas de Elizabeth y se lo puso entre las manos. Ella se colocó en cuclillas, sobre los diarios cubiertos de sangre y abrazó a la criatura, sosteniéndola contra su cuerpo.

—Es un varón —comunicó Robert con voz ronca.

—Ya sé. Es... —luchó por encontrar la palabra— ...John.

—¿John? Sí, sí... está bien.

—Es una promesa —explicó ella entre sollozos—. Una promesa... que hizo mi abuelo.

—Me parece bien, me parece muy bien. —Robert se arrodilló con Elizabeth y el varoncito, los rodeó a ambos con un brazo. Permanecieron arrodillados sobre el piso, sin moverse, hasta que los sobresaltó un golpe en la puerta. Levantaron la mirada. En el umbral estaba una mujer de maletín que acababa de entrar en la casa y que golpeó al ver que ignoraban su presencia.

—Parece que he llegado tarde —dijo sonriendo—. ¿Están todos bien?

—Sí —jadeó Elizabeth. Le mostró el bebé.

—Es precioso —dijo la doctora—. Cortaré le cordón umbilical.

Se arrodilló en el piso y miró a Robert.

—Creo que ahora sería mejor que usted saliera a tomar un poquito de aire.

—Sí. Está bien. —Acarició el pelo de Elizabeth y apoyó los dedos contra la mejilla de John.

El sol ya había salido. Era una mañana fresca y clara, sobrecogedoramente luminosa después de la oscuridad y del pánico de esa noche en la cabaña.

Liberado de la necesidad de mantener la calma, Robert alzó y bajó varias veces los hombros, obligándose a respirar profundamente. Dio algunos pasos por el jardín y de repente lo sobrecogió una inmensa alegría.

La sintió subirle por los brazos y las piernas; la parte superior del cráneo empezó a latirle como si estuviera por alzarse de su cabeza. Era como si estuviera por levantar vuelo; su espíritu se alzaba y luego, como los límites de su cuerpo se negaban a contenerlo, tenía la sensación de flotar en el aire.

Se dio cuenta de que en su felicidad había caminado hasta el extremo del jardín. Se detuvo y bajó la mirada. Tenía los pies enterrados hasta los tobillos en castañas caídas del árbol durante la noche. Se arrodilló y tomó en sus manos dos o tres de los hermosos frutos. Cuando era chico vivía esperando la llegada de ese día. En ese momento allí estaba John, su hijo, otra oportunidad.

Movido por su enorme felicidad, arrojó al aire las castañas. En el árbol se posaba un cuervo que, molesto, levantó vuelo con un explosivo ruido de alas y que luego se elevó hacia el cielo, mientras sus roncos y ambiguos gritos volvían hacia la tierra en largas y chirriantes oleadas, para ser oídas por los que todavía vivían.